rowohlt
POLARIS

JOJO MOYES

Ein ganzes halbes Jahr

Aus dem Englischen von Karolina Fell

ROMAN  Rowohlt Polaris

Die Originalausgabe erschien 2012
unter dem Titel «Me Before You»
bei PenguinBooks / Penguin Group, London.

11. Auflage Oktober 2013

Deutsche Erstausgabe
Veröffentlicht im Rowohlt Taschenbuch Verlag,
Reinbek bei Hamburg, März 2013
Copyright © 2013 by Rowohlt Verlag GmbH,
Reinbek bei Hamburg
«Me Before You» Copyright © 2012 by Jojo Moyes
Umschlaggestaltung any.way, Barbara Hanke/Cordula Schmidt,
nach einem Original von Penguin Books
(Illustration: Sarah Gibb)
Satz aus der DTL Dorian (InDesign)
bei Pinkuin Satz und Datentechnik, Berlin
Druck und Bindung CPI books GmbH, Leck
Printed in Germany
ISBN 978 3 499 26703 1

Für Charles,
in Liebe

Prolog

2007

Als er aus dem Bad kommt, ist sie wach, hat sich gegen das Kopfkissen gelehnt und blättert durch die Reiseprospekte, die neben seinem Bett gelegen haben. Sie trägt eines seiner T-Shirts, und ihr langes Haar ist auf eine Art zerzaust, die ihn unwillkürlich an die vergangene Nacht denken lässt. Er steht im Schlafzimmer und genießt die Erinnerung, während er sich mit einem Handtuch die Haare trocken rubbelt.

Sie schaut von einem Prospekt auf und zieht einen Schmollmund. Sie ist ein bisschen zu alt, um einen Schmollmund zu ziehen, aber sie sind erst so kurz zusammen, dass er es noch süß findet.

«*Müssen* wir unbedingt einen Berg besteigen oder über einer Schlucht baumeln? Das ist unser erster richtiger Urlaub zusammen, und hier drin gibt es keine einzige Reise, bei der man sich nicht entweder irgendwo runterstürzen oder», sie tut so, als würde sie erschauern, «*Fleecejacken* tragen muss.»

Sie wirft die Prospekte aufs Bett und streckt ihre karamellfarbenen Arme über dem Kopf. Ihre Stimme ist belegt, weil sie so wenig geschlafen hat. «Wie wär's mit einem Luxus-Spa in

Bali? Da könnten wir am Strand faulenzen … uns stundenlang verwöhnen lassen … lange, entspannende Nächte …»

«So ein Urlaub ist nichts für mich. Ich muss was tun.»

«Zum Beispiel aus Flugzeugen springen.»

«Probier's doch erst mal aus, bevor du es ablehnst.»

Sie zieht ein Gesicht. «Wenn es dir nichts ausmacht, bleibe ich lieber gleich bei der Ablehnung.»

Sein Hemd liegt nach dem Duschen mit einem Hauch Feuchtigkeit an seiner Haut. Er fährt sich mit einem Kamm durchs Haar, stellt sein Handy an und zuckt angesichts der langen Liste neu eingegangener Nachrichten, die sich durch das kleine Display schiebt, leicht zusammen.

«Okay», sagt er. «Ich muss los. Du nimmst dir was zum Frühstück, ja?» Er beugt sich über das Bett und küsst sie. Ihr warmer Körper riecht ganz leicht nach Parfüm und sehr sexy. Er atmet den Duft durch ihr Haar ein und lässt sich ablenken, als sie ihm die Arme um den Nacken legt und ihn zu sich herunterzieht.

«Fahren wir dieses Wochenende wirklich zusammen weg?»

Widerstrebend macht er sich von ihr los. «Kommt darauf an, wie der Deal läuft. Zurzeit hängt alles ein bisschen in der Luft. Es kann immer noch sein, dass ich nach New York muss. Aber auf jeden Fall können wir am Donnerstagabend irgendwo schick essen gehen. Du darfst das Restaurant aussuchen.» Er greift hinter der Tür nach seiner Motorradkombi aus Leder.

Sie verengt die Augen. «Abendessen. Mit oder ohne Mr. Blackberry?»

«Was?»

«Wenn Mr. Blackberry mitkommt, fühle ich mich wie das fünfte Rad am Wagen.» Sie zieht wieder ihren Schmollmund. «Als müsste ich mit jemand anderem um deine Aufmerksamkeit konkurrieren.»

«Ich stelle ihn auf lautlos.»

«Will Traynor!», schimpft sie. «Es muss doch möglich sein, dass du das Ding einmal ausstellst.»

«Das habe ich doch gerade erst heute Nacht gemacht, oder etwa nicht?»

«Aber erst nach heftiger Nötigung.»

Er grinst. «So nennt man das also heutzutage?» Er steigt in seine Lederhose. Der Bann ist gebrochen. Er nimmt die Motorradjacke und wirft ihr im Hinausgehen noch eine Kusshand zu.

Auf seinem Blackberry sind zweiundzwanzig neue Nachrichten, von denen die erste nachts um 3:42 Uhr aus New York gekommen ist. Ein juristisches Problem. Er fährt mit dem Lift zum Parkhaus im Untergeschoss und versucht, sich einen Überblick über die Nachrichten zu verschaffen.

«Morgen, Mr. Traynor.»

Der Wachmann tritt aus seinem Häuschen. Es ist wetterfest, obwohl es hier unten kein Wetter gibt, vor dem man sich schützen müsste. Will fragt sich manchmal, was der Wachmann nach Mitternacht noch zu tun hat, außer auf den Bildschirm der Videoüberwachung und die glänzenden Stoßstangen von 60 000-Pfund-Autos zu starren, die niemals schmutzig werden.

Er streift die Lederjacke über. «Wie ist es draußen, Mick?»

«Schrecklich. Es gießt in Strömen.»

Will hält inne. «Wirklich? Also kein Wetter zum Motorradfahren?»

Mick schüttelt den Kopf. «Nein, Sir. Es sei denn, Sie haben ein Schlauchboot im Gepäck. Oder Selbstmordgedanken.»

Will betrachtet sein Motorrad, dann legt er die Ledermontur ab. Auch wenn Lissa es anders sieht, er ist kein Mann, der unnötige Risiken eingeht. Er schließt den Motorradkoffer auf dem Gepäckträger auf, legt die Ledermontur hinein, schließt wieder ab und wirft die Schlüssel Mick zu, der sie geschickt mit einer Hand auffängt. «Können Sie mir die in den Briefkasten werfen?»

«Kein Problem. Soll ich Ihnen ein Taxi anhalten?»

«Nein danke. Bringt ja nichts, wenn wir uns beide nass regnen lassen.»

Mick drückt den Knopf, um das Torgitter hochfahren zu lassen, und Will hebt zum Dank die Hand, während er hinausgeht. Der frühe Morgen schließt sich dunkel und lärmend um ihn. Obwohl es erst kurz nach halb sieben ist, herrscht im Londoner Zentrum schon dichter, zähflüssiger Verkehr. Will schlägt den Kragen hoch und geht mit langen Schritten die Straße entlang Richtung Kreuzung, wo er hofft, ein Taxi anhalten zu können. Die Straße ist schlüpfrig vom Regen, graues Licht spiegelt sich auf dem nass glänzenden Bürgersteig.

Er flucht tonlos, als er die anderen Anzugträger entdeckt, die an der Bordsteinkante stehen. Seit wann stehen eigentlich alle Londoner so früh auf? Alle hatten den gleichen Gedanken gehabt.

Er fragt sich gerade, wo er sich am besten hinstellen soll, als sein Telefon klingelt. Es ist Rupert.

«Ich bin auf dem Weg. Versuche gerade, eine Taxe zu bekommen.» Er sieht auf der anderen Straßenseite ein Taxi entlangfahren, dessen beleuchtetes Schild zeigt, dass es frei ist, und beginnt, dem Wagen mit langen Schritten entgegenzugehen. Er hofft, dass kein anderer dieses Taxi entdeckt hat. Ein Bus donnert vorbei, gefolgt von einem Laster mit quietschenden Bremsen, sodass er Rupert nicht mehr hören kann. «Ich hab dich nicht verstanden, Rupe», brüllt er über den Verkehrslärm. «Sag das noch mal.» Er steht jetzt auf einer Fußgängerinsel zwischen den Fahrbahnen, wird vom Verkehr umflossen wie von einem reißenden Strom und hebt die freie Hand zu dem leuchtenden Taxischild, wobei er hofft, dass ihn der Fahrer bei diesem heftigen Regen überhaupt sehen kann.

«Du musst Jeff in New York anrufen. Er ist noch auf, weil er auf deinen Rückruf wartet. Wir haben heute Nacht schon versucht, dich zu erreichen.»

«Was ist los?»

«Juristisches Hickhack. Bei zwei Vertragsklauseln mauern sie. Es geht um Absatz … Unterschrift … Papiere …» Seine Stimme geht im Geräusch eines vorbeifahrenden Autos unter, dessen Reifen zischend durchs Regenwasser pflügen.

«Das habe ich eben nicht mitbekommen.»

Der Taxifahrer hat ihn gesehen. Er fährt langsamer und verursacht eine kleine Fontäne aus Spritzwasser, als er am Straßenrand auf der anderen Seite anhält. Will sieht einen Mann etwas weiter weg, der seinen kurzen Spurt abbricht, als er erkennt, dass Will vor ihm bei dem Taxi sein wird. Will spürt ein flüchtiges Triumphgefühl. «Hör zu, sag Cally, sie soll mir die Unterlagen auf den Schreibtisch legen», schreit er ins Telefon. «Ich bin in zehn Minuten da.»

Er schaut nach rechts und links, dann zieht er den Kopf ein, um die letzten Schritte über die Straße zu dem Taxi zu rennen, die Adresse seines Büros liegt ihm schon auf der Zunge. Der Regen läuft ihm in den Kragen. Bald wird er bis auf die Haut nass sein, obwohl er nur ein kurzes Stück im Freien gelaufen ist. Vielleicht muss er seine Sekretärin losschicken, um ihm ein anderes Hemd zu besorgen.

«Und wir müssen mit dieser Unternehmensbewertung fertig werden, bevor Martin reinkommt …»

Ein kreischendes Geräusch lässt ihn aufsehen, es ist der schrille Ton einer Hupe. Er sieht die glänzend schwarze Seite des Taxis vor sich, der Fahrer lässt schon die Scheibe herunter, und am Rand seines Sichtfeldes bewegt sich etwas, das er nicht genau erkennt. Etwas, das mit unglaublicher Geschwindigkeit auf ihn zurast.

Er dreht sich danach um, und in diesem Sekundenbruchteil wird ihm klar, dass es ihn treffen wird, dass er keine Chance hat, dem Ding aus dem Weg zu gehen. Vor Schreck lässt er das Handy fallen. Er hört einen Schrei, der vielleicht sein eigener ist. Das Letzte, was er sieht, ist ein Lederhandschuh, Augen unter einem Helm, den Schock im Blick eines Mannes, der seinen eigenen spiegelt. Dann explodiert alles.

Und dann ist da nichts mehr.

Kapitel 1

2009

E s sind 158 Schritte von der Bushaltestelle bis nach Hause, aber es können auch 180 werden, wenn man langsam geht, weil man zum Beispiel Plateauabsätze trägt. Oder Schuhe aus dem Secondhandladen mit Plastikschmetterlingen an der Spitze, aber ohne Halt für die Ferse, weswegen sie vermutlich auch nur 1,99 Pfund gekostet haben. An der Ecke bog ich in unsere Straße ein (68 Schritte) und konnte schon unser Haus sehen – eine Doppelhaushälfte mit vier Zimmern in einer Reihe mit anderen Drei- oder Vier-Zimmer-Doppelhaushälften. Dads Auto war da, was bedeutete, dass er noch nicht zur Arbeit gefahren war.

Hinter mir ging über Stortfold Castle die Sonne unter, der dunkle Schatten der Burg glitt wie flüssiges Wachs über den Hügel, als wollte er mich überholen. In meiner Kindheit ließen wir auf der Straße unsere langgezogenen Schatten die *Schießerei am O. K. Corral* nachspielen. An jedem anderen Tag hätte ich jetzt vermutlich erzählt, was ich in dieser Straße alles erlebt habe. Wo mir mein Vater das Radfahren ohne Stützräder beigebracht hat; wo Mrs. Doherty mit der schiefen Perücke Rosinenbrötchen für uns gebacken hat; wo Treena ihre Hand in eine Hecke gesteckt hat, als sie elf war, und in ein Wespennest griff, sodass wir kreischend bis zur Burg hinaufrannten.

Thomas' Dreirad lag auf dem Weg durch den Vorgarten, und nachdem ich die Gartenpforte hinter mir zugemacht hatte, stellte ich es unter die Veranda und ging ins Haus. Die Wärme traf mich wie ein Schlag; Mum ist wahnsinnig kälteempfindlich und lässt die Heizung das ganze Jahr laufen. Dad reißt immer die Fenster auf und jammert, sie würde uns noch alle ruinieren. Er behauptet, unsere Heizungsrechnung wäre genauso hoch wie die Verschuldung eines afrikanischen Kleinstaates.

«Bist du's, Liebes?»

«Ja, ich bin's.» Ich hängte meine Jacke an die Garderobe, wo sie zwischen all den anderen kaum noch Platz hatte.

«Welches Ich? Lou oder Treena?»

«Lou.»

Ich ging ins Wohnzimmer. Dad lag bäuchlings auf dem Sofa, den Arm tief zwischen die Polsterung gesteckt, als wäre das Sofa lebendig und hätte seinen Arm verschluckt. Thomas, mein fünfjähriger Neffe, hockte vor ihm und beobachtete ihn genau.

«Dieses Lego.» Dad sah mich an, das Gesicht rot vor Anstrengung. «Warum sie die verdammten Teile so klein machen müssen, werde ich nie verstehen. Hast du den linken Arm von Obi-Wan Kenobi gesehen?»

«Der hat auf dem DVD-Player gelegen. Ich glaube, Thomas hat Obis Arme mit denen von Indiana Jones vertauscht.»

«Tja, anscheinend kann Obi unmöglich braune Arme haben. Wir müssen die schwarzen Arme finden.»

«Das ist doch kein Problem. In Episode II hackt ihm Darth Vader doch sowieso den Arm ab, oder?» Ich tippte mit dem Finger auf meine Wange, damit Thomas mir ein Küsschen gab. «Wo ist Mum?»

«Oben. Sieh mal an! Eine Zweipfundmünze!»

Ich sah auf und hörte von oben ganz schwach das vertraute Quietschen des Bügelbretts. Josie Clark, meine Mutter, setzte sich niemals in Ruhe hin. Das war für sie Ehrensache. Es war sogar vorgekommen, dass sie draußen auf der Leiter stand, den Fensterrahmen lackierte und uns gelegentlich zuwinkte, während wir anderen beim Essen saßen.

«Könntest du mal nach diesem blöden Arm suchen? Ich bin schon eine halbe Stunde dabei und muss langsam zur Arbeit.»

«Hast du Spätschicht?»

«Ja. Und es ist schon halb fünf.»

Ich warf einen Blick auf die Uhr. «Eigentlich ist es halb vier.»

Er zog seinen Arm zwischen den Kissen heraus und sah auf seine Uhr. «Wieso bist du dann schon zu Hause?»

Ich schüttelte nur unbestimmt den Kopf, als hätte ich die Frage nicht richtig gehört, und ging in die Küche.

Großvater saß über ein Sudoku gebeugt auf seinem Stuhl am Fenster. Die Krankenschwester hatte uns erklärt, mit Sudokus könnte er nach dem Schlaganfall seine Konzentrationsfähigkeit trainieren. Wahrscheinlich war ich die Einzige, die mitbekam, dass er die Kästchen einfach mit irgendwelchen Zahlen ausfüllte, die ihm gerade in den Sinn kamen.

«Hallo, Großvater.»

Er sah auf und lächelte.

«Möchtest du einen Tee?»

Er schüttelte den Kopf und öffnete leicht den Mund.

«Lieber etwas Kaltes?»

Er nickte.

Ich machte den Kühlschrank auf. «Wir haben keinen Apfelsaft.» Apfelsaft war, wie mir jetzt wieder einfiel, inzwischen zu teuer für uns. «Da ist noch Limonade. Willst du die?»

Er schüttelte den Kopf.

«Wasser?»

Er nickte, und als ich ihm das Glas gab, murmelte er etwas, das ein Danke gewesen sein konnte.

Dann kam meine Mutter mit einem Korb voll säuberlich gefalteter Wäsche in die Küche. «Sind das deine?» Sie hielt ein Paar Socken hoch.

«Die gehören Treena, glaube ich.»

«Dachte ich mir schon. Merkwürdige Farbe. Sind wohl mit Dads blauem Pyjama in die Maschine geraten. Du bist früh zurück. Willst du irgendwohin?»

«Nein.» Ich trank ein Glas Leitungswasser.

«Kommt Patrick später vorbei? Er hat vorhin angerufen. Hattest du dein Handy ausgestellt?»

«Mmm.»

«Er hat gesagt, er will euren Griechenland-Urlaub buchen. Dein Vater hat eine Sendung darüber im Fernsehen gesehen. Wo wolltet ihr noch mal hin? Ipsos? Kalypso?»

«Skiathos.»

«Ja, das war's. Du musst genau aufpassen, welches Hotel ihr nehmt. Überprüf es lieber vorher im Internet. Dein Vater und Daddy haben im Mittagsmagazin so einen Beitrag gesehen. Anscheinend sind die Hotels bei der Hälfte der Billigangebote noch die reinsten Baustellen, und das merkt man dann erst, wenn man dort ist. Daddy, möchtest du einen Tee? Hat Lou dir keinen angeboten?» Sie setzte den Wasserkessel auf und sah mich an. Möglicherweise war ihr aufgefallen, dass ich die ganze Zeit nichts sagte. «Alles in Ordnung, Liebes? Du bist schrecklich blass.»

Sie streckte die Hand aus, um meine Stirn zu befühlen, als wäre ich viel jünger als sechsundzwanzig.

«Ich glaube nicht, dass wir in den Urlaub fahren.»

Die Hand meiner Mutter erstarrte. Sie sah mich mit ihrem

Röntgenblick an, den ich seit meiner Kindheit kannte. «Gibt es Probleme zwischen Patrick und dir?»

«Mum, ich …»

«Ich will mich nicht einmischen. Aber ihr seid schon so lange zusammen. Da ist es ganz normal, wenn es mal nicht so gut läuft. Ich meine, ich und dein Vater, wir …»

«Ich habe meinen Job verloren.»

Meine Stimme hallte in der Stille nach. Die Worte schienen, noch lange nachdem ich sie ausgesprochen hatte, in der Luft zu hängen.

«Du hast was?»

«Frank macht das Café dicht. Morgen.» Ich streckte ihr den leicht feuchten Umschlag entgegen, den ich im Schock auf dem gesamten Heimweg in der Hand gehalten hatte. All die 180 Schritte von der Bushaltestelle bis nach Hause. «Er hat mir Geld für drei Monate gegeben.»

Der Tag hatte ganz normal angefangen. Jeder, den ich kannte, hasste Montage, aber mich störten sie nicht. Ich fuhr gern früh ins Buttered Bun, heizte die riesige Teemaschine in der Ecke an, holte die Kisten mit Milch und Brot von hinten herein und plauderte ein bisschen mit Frank, bevor wir aufmachten.

Ich mochte die leicht miefige, nach gebratenem Speck riechende Wärme des Cafés, den gelegentlichen Schwall kühler Luft, der hereinkam, wenn die Tür aufging, die leise dahinplätschernden Gespräche der Gäste und, wenn niemand da war, das blecherne Gedudel aus Franks Radio in der Ecke. Es war kein schickes Café. An den Wänden hingen Bilder von der Burg auf dem Hügel, wir hatten immer noch Resopaltische, und die Karte war noch dieselbe wie an meinem ersten Tag dort, abgesehen von ein paar Änderungen im Schokoriegel-Angebot und der Aufnahme von Brownies und Muffins in die Kuchentheke.

Aber vor allem anderen gefiel mir die Kundschaft. Ich mochte Kev und Angelo, die Klempner, die beinahe jeden Vormittag kamen und Frank mit gutartigen Sticheleien über seine Kochkünste aufzogen. Ich mochte die Pusteblumen-Lady, die ihren Spitznamen von ihrem weißen Schopf hatte und die von Montag bis Donnerstag ein Spiegelei mit Pommes frites aß und bei zwei Tassen Tee die ausliegenden Tageszeitungen las. Ich achtete darauf, immer ein paar Worte mit ihr zu wechseln. Ich hatte den Verdacht, dass die alte Dame sonst niemanden zum Reden hatte.

Ich mochte auch die Touristen, die auf dem Weg zu und von der Burg bei uns Station machten, die kreischenden Schulkinder, die nach dem Unterricht vorbeikamen, die Stammgäste aus den Büros gegenüber und Nina und Cherie, die Friseurinnen, die den Kaloriengehalt jedes einzelnen Gerichts kannten, das im Buttered Bun angeboten wurde. Ich mochte sogar die nervigen Gäste, wie die rothaarige Frau, die den Spielwarenladen führte und mindestens einmal wöchentlich einen Streit wegen ihres Wechselgeldes anfing.

Ich sah an diesen Cafétischen Beziehungen anfangen und zu Ende gehen, Kinder, die zwischen Scheidungspartnern wechselten, die schuldbewusste Erleichterung von Eltern, die nicht zu Hause kochen wollten, und das heimliche Vergnügen von Rentnern bei einem viel zu cholesterinhaltigen Frühstück. Die unterschiedlichsten Leute kamen zu uns, und die meisten redeten ein bisschen mit mir, erzählten sich über dampfenden Teebechern Witze oder kommentierten die Nachrichten. Dad sagte immer, man könne nie wissen, was ich als Nächstes zum Besten geben würde, aber im Café spielte das keine Rolle.

Frank mochte mich. Er war eher der ruhige Typ und meinte, ich würde Leben ins Café bringen. Es war ein bisschen, als wäre ich eine Barfrau, aber ohne den Ärger mit Betrunkenen.

Und dann, an diesem Nachmittag, als das Mittagsgeschäft vorbei und niemand mehr im Café war, wischte sich Frank die Hände an seiner Schürze ab, kam hinter der Theke hervor und drehte das ‹Geschlossen›-Schild an der Tür um.

«Na, na, Frank. Ich hab dir von Anfang an gesagt, dass Extras bei meinem Hungerlohn nicht inklusive sind.» Frank war, wie es Dad ausdrückte, so schwul wie ein blaues Gnu. Ich sah auf.

Er lächelte nicht.

«Oh-oh. Ich habe wieder Salz in die Zuckerstreuer gefüllt, oder?»

Er drehte ein Geschirrtuch zwischen den Händen zusammen und schien sich schrecklich unbehaglich zu fühlen. Ich überlegte kurz, ob sich jemand über mich beschwert hatte. Und dann winkte er mich zu einem Tisch.

«Es tut mir leid, Louisa», sagte er, «aber ich gehe zurück nach Australien. Mein Vater ist ziemlich krank, und es sieht so aus, als würden sie auf der Burg demnächst wirklich das Café aufmachen, von dem schon so lange die Rede ist. Es ist beinahe sicher.»

Ich glaube, ich saß tatsächlich mit offenem Mund vor ihm. Und dann gab mir Frank den Umschlag und beantwortete meine nächste Frage, noch bevor ich sie ausgesprochen hatte. «Ich weiß, dass wir nie so etwas wie einen richtigen Vertrag oder so hatten, aber ich wollte dich nicht einfach so wegschicken. Hier drin ist das Geld für drei Monate. Morgen schließen wir.»

«Drei Monate!», rief mein Vater erbost, während mir Mum einen Becher mit gezuckertem Tee in die Hand drückte. «Tja, das ist wirklich großzügig von ihm, wenn man bedenkt, dass sie sechs Jahre lang wie ein verdammter Ackergaul für ihn geschuftet hat.»

«Bernard.» Meine Mutter warf ihm einen ermahnenden

Blick zu und nickte Richtung Thomas. Meine Eltern hüteten ihn jeden Tag nach der Schule, bis Treena von der Arbeit kam.

«Was zum Teufel soll sie jetzt machen? Er hätte es ihr auch ein bisschen früher ankündigen können, verflucht noch mal.»

«Nun … sie muss sich einfach eine andere Arbeit suchen.»

«Es gibt keine Stellen, Josie. Das weißt du doch genauso gut wie ich. Wir stecken mitten in einer verdammten Rezession.»

Mum schloss einen Moment die Augen, als müsste sie sich sammeln, bevor sie weitersprach. «Sie ist ein intelligentes Mädchen. Sie wird schon etwas finden. Sie bekommt ein gutes Arbeitszeugnis. Und Frank wird ihr noch eine Empfehlung schreiben.»

«O ja, das wird fabelhaft. *Louisa Clark kann sehr gut Toast buttern und ist ein Vollprofi beim Teeausschenken.*»

«Vielen Dank für die Unterstützung, Dad.»

«Ich mein ja nur.»

Ich kannte den tatsächlichen Grund für Dads Beunruhigung. Sie waren auf mein Einkommen angewiesen. Treena verdiente im Blumenladen so gut wie nichts. Mum konnte nicht arbeiten gehen, weil sie sich um Großvater kümmern musste, und dessen Rente konnte man praktisch vergessen. Dad lebte in ständiger Angst davor, seine Arbeit bei der Möbelfabrik zu verlieren. Sein Chef ließ schon seit Monaten Bemerkungen über mögliche Entlassungen fallen. Zu Hause redeten sie immer häufiger hinter vorgehaltener Hand über Schulden und jonglierten mit Kreditkarten herum. Zwei Jahre zuvor hatte ein Autofahrer ohne Versicherung an Dads Wagen einen Totalschaden verursacht, und das hatte gereicht, um das ganze wacklige Finanzgerüst meiner Eltern zum Einsturz zu bringen. Meine bescheidenen Einkünfte hatten den größten Teil des Haushaltsgeldes ausgemacht und die Familie von Woche zu Woche über Wasser gehalten.

«Machen wir uns nicht verrückt», sagte Mum. «Sie kann

morgen ins Jobcenter gehen und gucken, was angeboten wird. Fürs Erste kommt sie ja noch durch.» Sie redeten, als wäre ich nicht dabei. «Und sie ist klug. Du bist doch klug, oder, Liebes? Vielleicht kann sie einen Computerkurs machen. Im Büro arbeiten.»

Ich saß nur da, während meine Eltern darüber diskutierten, was mit meinen geringen Qualifikationen sonst noch für mich in Frage kam. Fabrikarbeiterin, Putzfrau? Brötchenschmiererin? Zum ersten Mal an diesem Nachmittag hätte ich am liebsten geheult. Thomas starrte mich mit weit aufgerissenen Augen an und schob mir wortlos die Hälfte eines feuchten Kekses in die Hand.

«Danke, Tommo», hauchte ich tonlos und aß den Keks.

Er war unten im Sportzentrum, wie ich es mir gedacht hatte. Von Montag bis Donnerstag saß Patrick pünktlich wie die Bahnhofsuhr dort an den Trainingsgeräten oder absolvierte im Stadion unter Flutlicht sein Lauftraining. Ich ging die Treppe hinunter, verschränkte die Arme, weil es so kalt war, und stellte mich an die Laufbahn.

«Lauf mit mir», keuchte er beim Näherkommen. Sein Atem stieg in weißen Wolken empor. «Ich muss noch vier Runden machen.»

Ich zögerte kurz und rannte dann neben ihm her. Das war die einzige Möglichkeit, mich mit ihm zu unterhalten. Ich trug meine rosa Turnschuhe mit den türkisfarbenen Schnürsenkeln, die einzigen Schuhe, in denen ich überhaupt rennen konnte.

Ich war den Tag über zu Hause geblieben und hatte versucht, mich nützlich zu machen. Ich schätze, es dauerte ungefähr eine Stunde, bis ich meiner Mutter ins Gehege kam. Mum und Großvater hatten ihren festen Tagesablauf, und den unterbrach ich. Dad schlief nach seiner Nachtschicht und sollte nicht gestört werden. Ich räumte mein Zimmer auf und sah bei leise gestelltem Ton ein bisschen fern, und jedes Mal, wenn ich daran dachte, warum ich tagsüber zu Hause war, fuhr mir ein richtiger Schmerz durch die Brust.

«Ich hab nicht mit dir gerechnet.»

«Ich hatte es satt zu Hause. Ich habe gedacht, wir könnten irgendetwas unternehmen.»

Er warf mir einen Seitenblick zu. Auf seinem Gesicht lag ein leichter Schweißfilm. «Je früher du einen neuen Job findest, Babe, desto besser.»

«Ich habe meine Arbeit vor gerade einmal vierundzwanzig Stunden verloren. Darf ich vielleicht mal ein bisschen durchhängen und jammern? Nur heute. Kannst du das nicht verstehen?»

«Du solltest lieber versuchen, das Positive daran zu sehen. Du weißt doch selbst, dass du nicht für immer dort hättest bleiben können. Du willst doch weiterkommen, hochkommen.» Patrick war zwei Jahre zuvor zu Stortfolds Jungunternehmer des Jahres gewählt worden, und von dieser Ehre hatte er sich immer noch nicht ganz erholt. Inzwischen hatte er einen Geschäftspartner, Ginger Pete, mit dem er in einem Umkreis von vierzig Meilen Individual-Fitnesstraining anbot, und zwei Firmenwagen, an denen sie noch abzahlten. In Patricks Büro stand ein Whiteboard, auf das er gern mit einem schwarzen Marker seine Umsatzziele schrieb und die Zahlen so lange überarbeitete, bis sie ihm gefielen. Ich war nie ganz sicher, ob sie irgendeinen Bezug zur Wirklichkeit hatten.

«Entlassen zu werden kann eine echte Wende im Leben bedeuten, Lou.» Er warf einen Blick auf seine Uhr, um seine Rundenzeit zu überprüfen. «Was willst du machen? Wie wär's mit einer Umschulung? Ich bin sicher, dass Leute wie du eine Förderung kriegen.»

«Leute wie ich?»

«Leute, die nach neuen Perspektiven suchen. Was willst du werden? Was sagst du zu Kosmetikerin? Hübsch genug bist du ja.» Er gab mir einen kleinen Schubs mit dem Ellbogen, als müsste ich ihm für dieses Kompliment danken.

«Du weißt doch, wie mein Beauty-Programm aussieht: Wasser, Seife, und im Notfall ziehe ich mir eine Papiertüte über den Kopf.»

Patrick wirkte leicht genervt.

Ich begann zurückzufallen. Ich hasse laufen. Und ich hasste ihn dafür, dass er nicht langsamer wurde.

«Oder … Verkäuferin. Sekretärin. Immobilienmaklerin. Ich weiß auch nicht … es muss doch etwas geben, was du machen willst.»

Aber es gab nichts. Mir hatte es im Café gefallen. Es hatte mir gefallen, alles zu wissen, was es über das Buttered Bun zu wissen gab, und mir von den Gästen aus ihrem Leben erzählen zu lassen. Ich hatte mich dort wohl gefühlt.

«Du darfst den Kopf nicht hängen lassen, Babe. Komm drüber weg. Die erfolgreichsten Unternehmer haben sich von ganz unten hochgekämpft. Jeffrey Archer hat es gemacht. Und Richard Branson auch.» Er tätschelte mir den Arm, um mich zu trösten.

«Ich bezweifle, dass Jeffrey Archer je einen Job verloren hat, bei dem er Teebrötchen aufwärmen musste.» Ich war außer Atem. Und ich trug den falschen BH. Ich wurde langsamer, blieb stehen und stützte die Hände auf die Knie.

Er drehte um, rannte zurück, seine Stimme klang durch die kalte Luft. «Aber wenn es ihm passiert wäre … Ich mein ja nur. Schlaf drüber, und morgen ziehst du ein schickes Kostüm an und gehst zum Jobcenter. Oder wenn du willst, bilde ich dich aus, dann kannst du mit mir arbeiten. Du weißt, dass da Geld drin ist. Und mach dir über den Urlaub keine Sorgen. Ich bezahle.»

Ich lächelte ihn an.

Er warf mir einen Kuss zu, und seine Stimme echote durch das leere Stadion. «Du kannst es mir ja zurückzahlen, wenn du wieder auf die Beine gekommen bist.»

Zum ersten Mal in meinem Leben stellte ich einen Antrag auf Arbeitslosenunterstützung. Ich absolvierte ein 45-minütiges Einzelgespräch und ein Gruppengespräch, zu dem ungefähr zwanzig Männer und Frauen wahllos zusammengewürfelt worden waren, von denen die Hälfte den gleichen leicht geschockten Gesichtsausdruck hatte wie ich vermutlich auch und die andere Hälfte die ausdruckslosen, desinteressierten Mienen von Menschen, die so etwas schon zu oft mitgemacht hatten. Ich trug, was mein Dad für meine ‹Zivilkleidung› hielt.

Das Ergebnis dieser Bemühungen war, dass ich eine Kurzzeitvertretung in der Nachtschicht einer Fabrik für Hühnerverarbeitung überstehen musste (nach der ich noch wochenlang Albträume hatte) und eine zweitägige Ausbildung als Energieberaterin für Privathaushalte. Ich begriff ziemlich schnell, dass die eigentliche Ausbildung darin bestand, die Tricks zu lernen, mit denen man alte Leute dazu überredete, ihren Energieversorger zu wechseln, und ich erklärte Syed, meinem ‹persönlichen Berater› beim Jobcenter, so etwas könne ich nicht machen. Er bestand darauf, dass ich dabeiblieb, also zählte ich ihm ein paar der Methoden auf, die ich hätte anwenden sollen, worauf er ein bisschen schweigsam wurde und vorschlug, wir (es hieß immer ‹wir›, obwohl ziemlich offensichtlich war, dass einer von uns einen Job hatte) sollten etwas anderes versuchen.

Also arbeitete ich zwei Wochen bei einer Fast-Food-Kette. Die Arbeitszeiten waren okay, und ich kam damit klar, dass die

Uniform meine Haare statisch auflud, aber ich schaffte es einfach nicht, mich an die Sprachregelung mit ihrem ‹Wie kann ich Ihnen heute helfen?› und ‹Möchten Sie dazu die große Portion Pommes?› zu halten. Ich war entlassen worden, nachdem mich eine Frau von der Doughnut-Abteilung dabei erwischt hatte, wie ich mit einer Vierjährigen über die unterschiedliche Qualität der Gratis-Spielfiguren diskutierte. Was soll ich sagen? Sie war ziemlich clever für eine Vierjährige. Ich fand das Dornröschen auch dämlich.

Jetzt saß ich bei meinem vierten Beratungsgespräch, und Syed suchte im Computer nach weiteren ‹Jobchancen›. Sogar Syed, der das grimmig-aufgekratzte Verhalten eines Menschen zeigte, der auch noch die unwahrscheinlichsten Kandidaten in eine Arbeitsstelle gepresst hatte, klang mittlerweile etwas erschöpft.

«Mmm ... Haben Sie schon einmal daran gedacht, in die Unterhaltungsbranche zu gehen?»

«Als Märchentante, oder was?»

«Eigentlich nicht. Aber hier ist ein Angebot für eine Tänzerin. Poledance. Es sind sogar mehrere Stellen.»

Ich hob eine Augenbraue. «Das soll wohl ein Witz sein.»

«Es ist eine Dreißig-Stunden-Stelle auf selbständiger Basis. Ich vermute, das Trinkgeld ist ziemlich gut.»

«Bitte, bitte sagen Sie mir, dass Sie mir eben nicht geraten haben, einen Job anzunehmen, bei dem ich in Unterwäsche vor Fremden herumhüpfen soll.»

«Sie haben gesagt, Sie können gut mit Menschen umgehen. Und Sie scheinen ... bühnenreife Kleidung zu mögen.» Er warf einen Blick auf meine grünen Glitzerstrumpfhosen. Ich hatte gedacht, sie würden mich aufheitern. Thomas hatte mir beim Frühstück beinahe die ganze Zeit die Titelmelodie von *Die kleine Meerjungfrau* vorgesummt.

Syed tippte etwas in seine Tastatur. «Und wie wäre es mit Kundenbetreuerin bei einem Telefonservice für Erwachsene?»

Ich starrte ihn bloß an.

Er zuckte mit den Schultern. «Sie haben schließlich gesagt, dass Sie gern mit Leuten reden.»

«Nein. Und auch nicht als Tresenkraft in einer Oben-ohne-Bar. Oder Masseuse. Oder Webcam-Filmerin. Kommen Sie, Syed, es muss doch etwas geben, was ich machen kann, ohne dass mein Dad deswegen einen Herzinfarkt kriegt.»

Das brachte ihn ein bisschen aus der Fassung. «Es gibt kaum noch etwas, außer Jobs im Einzelhandel mit flexiblen Arbeitszeiten.»

«Nachts Regale auffüllen?» Ich war nun oft genug da gewesen, um den Code zu verstehen.

«Und dafür gibt es eine Warteliste. Das machen Mütter gern, weil sie es mit den Schulzeiten ihrer Kinder vereinbaren können», sagte er entschuldigend. Er schaute wieder auf den Bildschirm. «Also bleibt eigentlich nur noch eine Stelle als Pflegehelferin übrig.»

«Alten Leuten den Hintern abwischen.»

«Ich fürchte, Louisa, mit Ihren Qualifikationen kommen Sie nicht viel weiter. Wenn Sie eine Umschulung machen möchten, gebe ich Ihnen gern die notwendigen Informationen. Das Erwachsenenbildungszentrum bietet sehr viele Kurse an.»

«Aber das haben wir doch schon besprochen, Syed. Wenn ich das mache, verliere ich mein Arbeitslosengeld, stimmt's?»

«Wenn Sie nicht für eine Stelle zur Verfügung stehen, genau.»

Wir schwiegen einen Moment. Ich sah zur Tür, an der zwei kräftige Wachmänner standen, und überlegte, ob sie ihre Stelle über das Jobcenter gefunden hatten.

«Ich bin nicht gut, was alte Leute angeht, Syed. Mein Großvater wohnt seit seinem Schlaganfall bei uns, und ich bin eine Null bei seiner Betreuung.»

«Ah. Dann haben Sie also etwas Erfahrung in der Pflege.»

«Nein, eigentlich nicht. Das macht alles meine Mum.»

«Sucht denn Ihre Mum einen Job?»

«Sehr lustig.»

«Das sollte kein Witz sein.»

«Sodass ich mich um Großvater kümmern müsste? Nein danke. Er würde das übrigens genauso sehen. Haben Sie überhaupt nichts in einem Café?»

«Ich fürchte, es gibt hier kaum noch ein Café, in dem Sie arbeiten könnten, Louisa. Vielleicht probieren wir es mal bei *Kentucky Fried Chicken*. Vielleicht kommen Sie dort besser zurecht.»

«Weil es einen Riesenunterschied macht, ob man Party Buckets oder Chicken McNuggets verkauft? Nein, das ist nichts für mich.»

«Dann müssen wir wohl in einem größeren Umkreis suchen.»

«Es gibt am Tag nur vier Busverbindungen in unsere Stadt. Das wissen Sie doch. Und ich weiß, dass Sie gesagt haben, ich könnte auch mit den Touristenbussen fahren, aber ich habe dort angerufen, und bei denen fährt der letzte Bus um 17 Uhr. Außerdem ist er doppelt so teuer wie der normale Bus.»

Syed lehnte sich auf seinem Stuhl zurück. «Ich muss Sie an dieser Stelle darauf hinweisen, dass Sie als gesunde und einsatzbereite Person für den weiteren Erhalt Ihrer Arbeitslosenunterstützung unter Beweis stellen müssen ...»

«... dass ich mich um eine Stelle bemühe. Ich weiß.»

Wie konnte ich diesem Mann nur beibringen, wie dringend ich arbeiten wollte? Hatte er die geringste Vorstellung davon, wie sehr ich meinen alten Job vermisste? Arbeitslosigkeit war für mich bislang nur ein abstrakter Begriff aus den Nachrichten gewesen, wenn mal wieder darüber berichtet worden war, dass in Werften oder Autofabriken Stellen gestrichen wurden. Ich hätte mir nie vorstellen können, dass einem die Arbeit genauso fehlen kann wie ein Arm, den man bei einem Unfall verloren hatte – und an den man ständig denken musste. Und genauso wenig hatte ich darüber nachgedacht, dass der Verlust des Jobs, abgesehen von den offensichtlichen Sorgen um das Geld und die Zukunft, auch dazu führte, dass man sich unfähig und nutzlos fühlte. Dass es schwerer war, morgens aufzustehen, wenn einen nicht der Wecker brutal aus den Träumen riss. Dass man die Leute vermisste, mit denen man gearbeitet hatte, ganz gleich, wie wenige Gemeinsamkeiten man mit ihnen hatte. Oder dass man sich dabei ertappte, wie man nach bekannten Gesichtern Ausschau hielt, wenn man die Hauptstraße entlangging. Einmal hatte ich die Pusteblumen-Lady entdeckt, die genauso ziellos wie ich an den Schaufenstern entlanggebummelt war, und ich hatte den Impuls unterdrücken müssen, zu ihr zu gehen und sie zu umarmen.

Syeds Stimme unterbrach meine Gedanken. «Aha. Also das könnte passen.»

Ich versuchte, einen Blick auf den Bildschirm zu erhaschen.

«Ist eben reingekommen. In dieser Minute. Eine Stelle als Pflegehilfe.»

«Ich habe Ihnen doch schon gesagt, dass ich mit alten …»

«Es geht nicht um alte Leute. Die Stelle ist in einem Privathaushalt, und zwar keine zwei Meilen von Ihnen entfernt. ‹Pflege und Gesellschaft für behinderten Mann›. Haben Sie einen Führerschein?»

«Ja. Aber müsste ich ihm den Hintern …»

«Davon steht hier nichts, soweit ich sehe.» Er las die Anzeige durch. «Es ist ein … Tetraplegiker. Er braucht tagsüber jemanden, der ihn füttert und ihn unterstützt. Bei diesen Stellen geht es häufig darum, dass jemand da ist, wenn sie aus dem Haus wollen, und der ihnen mit den grundlegenden Dingen hilft, die sie selbst nicht machen können. Oh. Die Bezahlung ist gut. Liegt ziemlich weit über dem Mindestlohn.»

«Was vermutlich daran liegt, dass Hinternabwischen doch dazugehört.»

«Ich rufe dort an und kriege das raus. Aber wenn es nicht der Fall sein sollte, würden Sie dann zum Bewerbungsgespräch gehen?»

Das sagte er, als wäre es eine Frage.

Aber wir kannten die Antwort beide ganz genau.

Seufzend nahm ich meine Tasche, um mich auf den Heimweg zu machen.

«Meine Güte», sagte mein Vater. «Kann man sich so etwas vorstellen? Als ob es nicht schon Strafe genug wäre, in einem verdammten Rollstuhl zu landen, schicken sie ihm als Gesellschaft auch noch unsere Lou.»

«Bernard!», schimpfte meine Mutter.

Hinter mir kicherte mein Großvater in seinen Teebecher.

Kapitel 2

Ich bin nicht dumm. Das will ich an dieser Stelle einfach mal betonen. Allerdings ist es ziemlich schwer, sich in der Gehirnzellenabteilung nicht unterversorgt zu fühlen, wenn man mit einer kleineren Schwester aufwächst, die nicht nur eine Klasse übersprungen hat, sodass sie in meiner war, sondern noch eine, und damit war sie in der Klasse über mir.

Alles, was man von einem Kind an vernünftigem oder klugem Handeln erwarten kann, hat Katrina als Erste getan, obwohl sie anderthalb Jahre jünger ist. Jedes Buch, das ich je gelesen habe, hatte sie vorher schon gelesen, und über alles, was ich am Essenstisch ansprach, wusste sie schon längst Bescheid. Sie ist der einzige Mensch, den ich kenne, der richtig gern Prüfungen ablegt. Manchmal glaube ich, dass ich mich so anziehe, wie ich es tue, weil das Einzige, was Treena nicht hat, Modegeschmack ist. Sie ist der Pullover-Jeans-Typ. Und wenn sie mal schick sein will, bügelt sie ihre Jeans, bevor sie sie anzieht.

Mein Vater nennt mich einen «Charakter», weil ich dazu neige, alles sofort auszusprechen, was mir in den Kopf kommt. Er sagt, ich wäre wie meine Tante Lily, die ich nie kennengelernt habe. Es ist ein bisschen komisch, ständig mit jemandem verglichen zu werden, dem man nie begegnet ist. Als ich zum Beispiel mal mit violetten Stiefeln runterkam, nickte Dad meiner Mum zu und sagte: «Weißt du noch, Tante Lily und ihre violetten Stiefel?» Und dann gluckste Mum los, und sie lachten, als hätte Dad einen Witz gemacht, den ich nicht verstand. Meine Mutter nennt mich dagegen «eigenwillig», und damit drückt sie höflich aus, dass sie meine Art, mich anzuziehen, nicht versteht.

Aber abgesehen von einer kurzen Phase als Teenager wollte ich nie so aussehen wie Treena oder wie sonst eins von den Mädchen aus meiner Schule. Bis ich vierzehn war, zog ich am liebsten Jungsklamotten an, und inzwischen gefalle ich mir am besten in Sachen, die zu meiner jeweiligen Stimmung passen. Es hat keinen Zweck, wenn ich versuche, durchschnittlich auszusehen. Ich bin klein, dunkelhaarig, und meinem Dad zufolge habe ich ein Elfengesicht. Damit meint er nicht, ich wäre schön wie eine Elfe. Ich bin nicht hässlich, aber ich glaube nicht, dass mich irgendwer jemals für eine Schönheit halten wird. Mit der Anmut habe ich's auch nicht so. Wenn er Sex will, sagt Patrick immer, ich wäre umwerfend, aber er ist ziemlich leicht zu durchschauen. Nach fast sieben Jahren Beziehung kennt man sich außerdem ganz gut.

Jetzt war ich also sechsundzwanzig Jahre alt und wusste immer noch nicht so richtig, wer ich war. Bis ich meinen Job im Café verlor, hatte ich darüber ohnehin nie ernsthaft nachgedacht. Ich ging davon aus, dass ich vermutlich Patrick heiraten, ein paar Kinder kriegen und ein paar Straßen von dort entfernt wohnen würde, wo ich bisher gewohnt hatte. Abgesehen von meinem leicht exotischen Kleidergeschmack und der Tatsache, dass ich ziemlich klein bin, unterscheidet mich nicht viel von irgendwem, dem Sie auf der Straße begegnen. Vermutlich würden Sie keinen zweiten Blick auf mich werfen. Eine ganz normale junge Frau, die ein ganz normales Leben führt. Und das passte mir sehr gut, ehrlich gesagt.

«Zu einem Bewerbungsgespräch zieht man ein Kostüm an», hatte Mum gesagt. «Heutzutage wissen die Leute einfach nicht mehr, was sich gehört.»

«Weil Nadelstreifen so entscheidend sind, wenn man einen alten Knacker füttert.»

«Spiel nicht die Schlaumeierin.»

«Ich kann mir kein Kostüm leisten. Und was ist, wenn ich den Job trotzdem nicht kriege?»

«Du kannst meins anziehen, und ich bügle dir eine schöne Bluse, und dreh dein Haar mal ausnahmsweise nicht zu diesen …», sie deutete auf meine Frisur, die gewöhnlich aus zwei dunklen Haarknoten bestand, die ich mir seitlich am Kopf feststeckte, «… Prinzessin-Leia-Dingern. Versuch einfach mal, wie ein ganz normaler Mensch auszusehen.»

Ich war nicht so dumm, einen Streit mit meiner Mutter anzufangen. Und ich wusste genau, dass sie Dad angewiesen hatte, sich jeden Kommentar über mein Aussehen zu verkneifen, als ich leicht verkrampft aus dem Haus ging, weil der Rock zu eng war.

«Tschüs, Liebes», sagte er mit zuckenden Mundwinkeln. «Viel Glück. Du siehst sehr … geschäftsmäßig aus.»

Das Peinliche war nicht, dass ich das Kostüm meiner Mutter trug oder dass sein Schnitt das letzte Mal in den späten Achtzigern Mode gewesen war, sondern dass es mir ehrlich gesagt ein winziges bisschen zu eng war. Der Bund schnitt mir in die Taille, und das doppelreihig geknöpfte Jackett spannte. Dad sagt von Mum immer, an ihr sei weniger Fett als an einer Haarklammer.

Auf der kurzen Busfahrt war mir leicht übel. Ich hatte noch nie ein richtiges Bewerbungsgespräch geführt. Im Buttered Bun war ich gelandet, nachdem Treena gewettet hatte, dass ich niemals innerhalb eines Tages einen Job finden würde. Also war ich einfach in das Café gegangen und hatte Frank gefragt, ob er eine Aushilfe brauchte. Er hatte gerade erst eröffnet und war beinahe in die Knie gegangen vor Dankbarkeit.

Im Rückblick kommt es mir so vor, als hätten wir nie über Geld geredet. Er schlug mir einen Wochenlohn vor, und ich nahm den Vorschlag an, und einmal im Jahr erhöhte er den Betrag, und zwar um ein bisschen mehr, als ich gefordert hätte.

Was wurde man bei einem Bewerbungsgespräch gefragt? Und was war, wenn sie mich in der Praxis testen wollten, wenn ich diesen alten Mann füttern oder baden sollte? Syed hatte gesagt, es gebe einen Pfleger, der sich um die ‹intimen Bedürfnisse› kümmere (ich erschauerte bei diesem Ausdruck). Die Aufgabenbeschreibung der Pflegehilfe, sagte er, sei ‹in dieser Hinsicht ein bisschen unklar›. Ich stellte mir vor, wie ich dem Alten Speichel von den Mundwinkeln wischte und dabei mit erhobener Stimme fragte: «MÖCHTE ER EINE TASSE TEE?»

Mein Großvater hatte in der ersten Zeit nach seinem Schlaganfall überhaupt nicht für sich sorgen können, und Mum hatte seine gesamte Pflege übernommen. «Deine Mutter ist eine Heilige», hatte Dad gesagt, und ich schloss daraus, dass sie Großvater den Hintern abwischte, ohne schreiend aus dem Haus zu rennen. Ich war ziemlich sicher, dass mich nie jemand eine Heilige genannt hatte. Ich schnitt für Großvater das Essen vor und kochte ihm Tee, aber ich glaubte, für alles andere fehlte mir irgendein Gen.

Granta House lag mitten im Touristengebiet auf der anderen Seite von Stortfold Castle ganz in der Nähe der mittelalterlichen Burgmauern. Dort standen nur vier Häuser und der

Museumsshop. Ich war schon eine Million Mal an diesem Haus vorbeigegangen, ohne es je richtig wahrzunehmen. Als ich jetzt am Parkplatz und an der Miniatur-Eisenbahn vorbeikam, die so trostlos und verlassen wirkte, wie es nur eine Sommerattraktion im Februar kann, wurde mir klar, dass das Haus viel größer war, als ich gedacht hatte. Es war ein roter Backsteinbau mit einer riesigen Eingangstür, genau die Art Haus, die man im Wartezimmer eines Arztes in alten Nummern von *Country Life* sah.

Ich ging die lange Auffahrt hinauf und versuchte, nicht darüber nachzudenken, ob mich hinter einem der Fenster jemand beobachtete. Eine lange Auffahrt hinaufzugehen, versetzt einen in die schlechtere Position; man fühlt sich automatisch unterlegen. Ich überlegte gerade, ob ich mir den Pony zurechtzupfen sollte, als die Tür aufging und ich vor Schreck beinahe einen Satz machte.

Eine Frau, nicht viel älter als ich, trat auf die Veranda. Sie trug weiße Hosen und eine Art Pflegerkittel und hatte eine Bewerbungsmappe und einen Mantel unter dem Arm. Als sie an mir vorbeiging, lächelte sie mir höflich zu.

«Und vielen Dank, dass Sie gekommen sind», sagte eine Stimme aus dem Haus. «Wir melden uns.» Dann tauchte das Gesicht einer Frau auf. Sie war mittleren Alters, aber sehr schön, und hatte einen teuren, akkuraten Haarschnitt. Ihr Hosenanzug hatte vermutlich mehr gekostet, als mein Vater im Monat verdiente.

«Sie müssen Miss Clark sein.»

«Louisa.» Ich streckte ihr die Hand entgegen, wie es mir meine Mutter eingeschärft hatte. Die jungen Leute heutzutage wollten niemandem mehr die Hand geben, da waren sich meine Eltern einig. Früher hätte man nicht im Traum daran gedacht, sich mit einem «Hey» oder, schlimmer, mit Küsschen zu begrüßen. Diese Frau sah definitiv nicht so aus, als wollte sie von mir geküsst werden.

«Gut. Ja. Bitte, kommen Sie herein.» Sie zog ihre Hand so schnell zurück, wie es die Höflichkeit erlaubte, aber ich spürte ihren abschätzenden Blick auf mir.

«Bitte, es geht hier entlang. Wir unterhalten uns im Salon. Ich bin Camilla Traynor.» Sie wirkte erschöpft, so als hätte sie diese Worte heute schon oft gesagt.

Ich folgte ihr durch einen riesigen Raum mit hohen französischen Fenstern. Schwere Vorhänge hingen elegant drapiert an dicken Mahagonistangen, und auf dem Boden lagen Perserteppiche mit verschlungenen Mustern. Es roch nach Bienenwachs und antiken Möbeln. Überall standen kleine, edle, blankpolierte Beistelltische mit Zierdöschen herum. Ich fragte mich kurz, wo um alles in der Welt die Traynors ihre Teetassen abstellten.

«Sie sind also über unsere Stellenannonce beim Jobcenter hergekommen, nicht wahr? Bitte, nehmen Sie Platz.»

Während sie in ihren Unterlagen blätterte, sah ich mich verstohlen um. Ich hatte erwartet, in dem Haus würde es ungefähr wie in einem Pflegeheim aussehen, rollstuhlgerecht und mit hygienisch abwischbaren Oberflächen. Aber es wirkte eher wie eins von diesen erschreckend teuren Hotels, alles atmete altes Geld und stand voller liebgewordener Dinge, die vermutlich sehr wertvoll waren. Auf einem Sideboard schimmerten silbergerahmte Fotos, aber sie waren zu weit weg, als dass ich die Gesichter hätte erkennen können. Während Mrs. Traynor die Papiere durchlas, rutschte ich auf meinem Platz herum, um mich besser umsehen zu können.

Und da hörte ich es – das unverkennbare Geräusch, mit dem eine Naht reißt. Als ich den Blick senkte, sah ich, dass die seitliche Rocknaht an meinem rechten Oberschenkel nachgegeben hatte und ausgefranster Nähfaden unschön an den Rändern hochstand.

Ich fühlte, wie mir die Röte ins Gesicht schoss.

«Also ... Miss Clark ... haben Sie Erfahrung mit Tetraplegie?»

Ich sah Mrs. Traynor an und zog dabei an meinem Jackett, um so viel wie möglich von dem Rock damit zu verdecken.

«Nein.»

«Waren Sie lange in der Pflege tätig?»

«Also ... eigentlich habe ich so etwas noch nie gemacht», sagte ich und fügte hinzu, als könnte ich Syeds Ermahnungen hören, «aber ich bin sicher, dass ich es lernen kann.»

«Wissen Sie, was ein Tetraplegiker ist?»

Ich zögerte. «Wenn jemand ... in einem Rollstuhl sitzt?»

«Ich vermute, so könnte man es auch sagen. Es gibt mehrere Schweregrade, aber in diesem Fall geht es um den vollständigen Bewegungsverlust der Beine und eine sehr eingeschränkte Bewegungsfreiheit der Hände und Arme. Haben Sie damit Probleme?»

«Na ja, bestimmt weniger Probleme als er, schätze ich.» Ich setzte ein Lächeln auf, aber Mrs. Traynors Miene blieb ausdruckslos. «Sorry, ich wollte nicht ...»

«Können Sie Auto fahren, Miss Clark?»

«Ja.»

«Keine Punkte auf dem Konto?»

Ich schüttelte den Kopf.

Camilla Traynor hakte etwas auf ihrer Liste ab.

Der Riss wurde größer. Ich sah ihn unaufhaltsam an meinem Oberschenkel hinaufkriechen. Wenn es so weiterging, konnte ich mich beim Aufstehen nachher als Showgirl in Las Vegas bewerben.

«Alles in Ordnung?» Mrs. Traynor sah mich an.

«Es ist nur ein bisschen warm. Haben Sie etwas dagegen,

wenn ich das Jackett ausziehe?» Bevor sie etwas sagen konnte, schlüpfte ich in einer fließenden Bewegung aus dem Jackett und schlang es mir um die Hüfte, sodass es die offene Rocknaht bedeckte. «Es ist wirklich sehr warm», sagte ich und lächelte sie an, «wenn man gerade von draußen hereinkommt.»

Nach einer winzigen Pause senkte Mrs. Traynor ihren Blick wieder auf ihre Unterlagen. «Wie alt sind Sie?»

«Ich bin sechsundzwanzig.»

«Und Ihre vorhergehende Stelle hatten Sie sechs Jahre lang.»

«Ja. Mein Zeugnis müsste bei den Unterlagen sein.»

«Mm …» Mrs. Traynor hob es hoch und sagte mit zusammengekniffenen Augen: «Ihr früherer Arbeitgeber schreibt, Sie wären ‹herzlich, gesprächig und würden Lebensfreude in Ihr Arbeitsumfeld bringen›.»

«Ja, ich hab ihn dafür bezahlt.»

Wieder das Pokerface.

O Mist, dachte ich.

Es war, als würde ich genauestens analysiert. Und nicht unbedingt mit positivem Resultat. Der Rock meiner Mutter kam mir auf einmal billig vor, der Synthetikstoff schimmerte im Licht. Ich hätte einfach meine schlichtesten Hosen und eine Bluse tragen sollen. Alles, bloß nicht dieses Kostüm.

«Und warum haben Sie die Stelle aufgegeben, wenn Sie dort so geschätzt wurden?»

«Frank – der Besitzer – hat das Café verkauft. Es ist das unten bei der Burg. Das Buttered Bun. War», korrigierte ich mich. «Ich wäre gern geblieben.»

Mrs. Traynor nickte, entweder weil sie fand, dass es dazu nichts zu sagen gab, oder weil auch sie sich gefreut hätte, wenn ich dortgeblieben wäre.

«Und welche Pläne haben Sie für Ihr Leben?»

«Wie bitte?»

«Möchten Sie beruflich aufsteigen? Wäre diese Stelle nur ein Sprungbrett irgendwo anders hin? Verfolgen Sie einen bestimmten Berufswunsch?»

«Ich … so weit habe ich eigentlich noch gar nicht gedacht. Ich will einfach», ich schluckte, «nur wieder arbeiten.»

Das klang ziemlich schwach. Wer kam zu einem Bewerbungsgespräch und wusste nicht mal, was er beruflich machen wollte? Mrs. Traynors Miene ließ darauf schließen, dass sie das Gleiche dachte.

Sie legte ihren Stift weg. «Also, Miss Clark, warum sollten wir Sie und nicht, sagen wir, die Bewerberin vor Ihnen einstellen, die mehrere Jahre Erfahrung in der Pflege von Tetraplegikern hat?»

Ich sah sie an. «Also … ehrlich? Ich weiß es nicht.» Darauf folgte Schweigen, und ich fügte hinzu: «Das ist Ihre Entscheidung.»

«Sie können mir also *keinen einzigen Grund* nennen, aus dem ich Sie einstellen sollte?»

Auf einmal hatte ich Mums Gesicht vor Augen. Die Vorstellung, mit einem ruinierten Kostüm und einer weiteren Absage nach Hause zu kommen, war einfach zu viel für mich. Und bei diesem Job würde ich mehr als neun Pfund pro Stunde verdienen.

Ich setzte mich auf. «Also … ich lerne schnell, ich bin nie krank, ich wohne direkt auf der anderen Seite der Burg, und ich bin kräftiger, als ich aussehe … wahrscheinlich habe ich genug Kraft, um Ihrem Mann mit dem Rollstuhl zu helfen …»

«Meinem Mann? Sie würden nicht für meinen Mann arbeiten. Es geht um meinen Sohn.»

«Ihren Sohn?» Ich blinzelte. «Und … ich habe nichts gegen viel Arbeit. Ich kann gut mit allen möglichen Leuten umgehen, und … und ich kann Tee kochen.» Ich redete einfach drauflos.

Der Gedanke, dass es um ihren Sohn ging, hatte mich völlig unvorbereitet getroffen. «Ich meine, mein Dad scheint das nicht gerade für eine großartige Qualifikation zu halten, aber nach meiner Erfahrung gibt es kaum etwas, das mit einer schönen Tasse Tee nicht in Ordnung gebracht werden kann ...»

Ein merkwürdiger Ausdruck tauchte in Mrs. Traynors Blick auf.

«Entschuldigung», stotterte ich, als mir aufging, was ich da gerade gesagt hatte. «Ich meinte damit natürlich nicht, dass dieses ... die Paraplegie ... Tetraplegie Ihres Sohnes mit einer Tasse Tee geheilt werden könnte.»

«Ich sollte noch betonen, Miss Clark, dass es sich nicht um eine unbefristete Stelle handelt. Es ginge um höchstens sechs Monate. Deshalb ist die Entlohnung auch ... entsprechend. Wir möchten die richtige Person dafür finden.»

«Glauben Sie mir, wenn Sie in einer Hühnerfabrik Nachtschichten geschoben haben, klängen sogar sechs Monate Guantánamo Bay verlockend.» *Oh, halt doch einfach mal die Klappe, Louisa.* Ich biss mir auf die Unterlippe.

Aber Mrs. Traynor schien mich gar nicht gehört zu haben. Sie klappte den Ordner zu. «Mein Sohn – Will – wurde vor beinahe zwei Jahren bei einem Verkehrsunfall verletzt. Er braucht rund um die Uhr Betreuung, den Hauptanteil übernimmt ein ausgebildeter Krankenpfleger. Ich selbst habe vor kurzem wieder angefangen zu arbeiten, und die Pflegehilfe müsste Will tagsüber Gesellschaft leisten, ihm beim Essen und Trinken helfen, einspringen, falls es einmal nötig sein sollte, und dafür sorgen, dass ihm nichts passiert.» Camilla Traynor senkte den Blick. «Es ist von allergrößter Wichtigkeit, dass Will jemanden bei sich hat, dem diese Verantwortung bewusst ist.»

Alles, was sie sagte, sogar die Art, wie sie ihre Worte betonte, schien auszudrücken, dass sie mich für dumm hielt.

«Ich verstehe», sagte ich und angelte nach meiner Tasche.

«Sie würden die Stelle also annehmen?»

Das kam so unerwartet, dass ich zuerst dachte, ich hätte mich verhört. «Wie bitte?»

«Sie müssten so bald wie möglich anfangen. Die Bezahlung erfolgt wöchentlich.»

Einen Moment lang war ich sprachlos. «Sie würden also lieber mich nehmen als diese …», fing ich an.

«Die Arbeitszeiten sind ziemlich lang. Von acht Uhr morgens bis fünf Uhr nachmittags. Es gibt keine feste Mittagspause, aber während Nathan, sein Pfleger, mittags bei ihm ist, können Sie sich eine halbe Stunde freinehmen.»

«Also müsste ich nichts … Pflegerisches machen?»

«Will hat die beste medizinische und pflegerische Versorgung, die wir ihm bieten können. Was wir jetzt noch für ihn brauchen, ist jemand mit Durchhaltevermögen und … Optimismus. Seine Situation ist … schwierig, und es ist wichtig, dass er dazu angeregt wird …» Sie brach ab, den Blick auf etwas vor den französischen Fenstern gerichtet. Schließlich wandte sie sich wieder an mich. «Nun, sagen wir einfach, dass sein psychisches Wohlergehen genauso wichtig ist wie sein physisches Wohlergehen. Verstehen Sie?»

«Ich glaube schon. Soll ich so etwas wie einen … Krankenschwesternkittel tragen?»

«Nein. Ganz bestimmt nicht.» Sie warf einen kurzen Blick auf meine Beine. «Allerdings wäre vielleicht etwas weniger … Freizügiges angebracht.»

Ich sah an mir hinunter. Das Jackett war verrutscht, und man sah einen großen Teil meines nackten Oberschenkels. «Das … tut mir leid. Die Naht ist gerissen. Das Kostüm gehört mir eigentlich nicht.»

Aber Mrs. Traynor schien gar nicht mehr zuzuhören. «Ich

werde Ihnen erklären, was zu tun ist, wenn Sie anfangen. Will ist nicht gerade sehr umgänglich zurzeit, Miss Clark. Bei dieser Arbeit geht es genauso sehr um die innere Einstellung wie um jegliche … beruflichen Fähigkeiten, die Sie haben. Also, sehen wir Sie morgen?»

«Morgen? Wollen Sie nicht … dass ich ihn vorher kennenlerne?»

«Will hat heute keinen guten Tag. Ich glaube, am besten fangen wir morgen ganz neu an.»

Ich stand auf, denn Mrs. Traynor wollte mich offensichtlich sofort zur Tür begleiten.

«Ja», sagte ich und zog Mums Jackett fester um mich. «Also. Danke. Ich komme dann morgen früh um acht Uhr.»

Mum servierte Dad Kartoffeln. Sie legte ihm zwei auf den Teller, er zog ihn aber nicht zurück und nahm sich noch eine dritte und vierte von der Servierplatte. Mum stoppte ihn, beförderte die Kartoffeln wieder auf die Platte und klopfte ihm mit dem Vorlegelöffel auf die Hand, als er einen neuen Vorstoß unternahm. Um den Tisch saßen meine Eltern, meine Schwester und Thomas, mein Großvater und Patrick, der jeden Mittwoch zum Abendessen kam.

«Daddy», sagte Mum zu Großvater, «soll dir jemand das Fleisch schneiden? Treena, würdest du Daddy das Fleisch klein schneiden?»

Treena beugte sich zu ihm hinüber und begann geschickt, auf Großvaters Teller herumzusäbeln. Auf ihrer anderen Seite hatte sie dasselbe schon für Thomas getan.

«Wie geschädigt ist dieser Mann eigentlich, Lou?»

«Viel kann mit dem nicht mehr los sein, wenn sie unsere Tochter auf ihn loslassen», stellte Bernard fest. Hinter mir lief der Fernseher, sodass Dad und Patrick das Fußballspiel sehen konnten. Ab und zu erstarrten sie, spähten um mich herum und vergaßen zu kauen, während sie einen Pass oder ein Beinahe-Tor verfolgten.

«Ich glaube, das ist eine große Chance. Sie wird in einem von den alten Herrenhäusern arbeiten. Für eine gute Familie. Sind sie vornehm, Liebes?»

In unserer Straße konnte mit ‹vornehm› jeder gemeint sein, in dessen Familie noch niemand Ärger mit der Polizei gehabt hatte.

«Ich schätze schon.»

«Hoffentlich hast du schon mal den Hofknicks geübt», sagte Dad und grinste.

«Hast du ihn schon kennengelernt?» Treena beugte sich zu Thomas, um zu verhindern, dass er mit dem Ellbogen seinen Saft vom Tisch stieß. «Den Krüppel, meine ich. Wie ist er so?»

«Ich lerne ihn morgen kennen.»

«Schon komisch, oder? Du wirst den ganzen Tag mit ihm verbringen. Neun Stunden. Du wirst mehr mit ihm zusammen sein als mit Patrick.»

«Das ist keine Kunst», sagte ich.

Patrick auf der anderen Seite des Tisches tat so, als hätte er mich nicht gehört.

«Immerhin musst du dir um sexuelle Belästigung am Arbeitsplatz keine Sorgen machen, was?», sagte Dad.

«Bernard!», kam es scharf von meiner Mutter.

«Ich sage doch nur, was sowieso jeder denkt. Das ist vermutlich der beste Chef, den man sich für seine Freundin wünschen kann, nicht wahr, Patrick?»

Patrick lächelte. Er wehrte gerade Mums Versuche ab, ihm eine Portion Kartoffeln aufzudrängen. Zurzeit hatte er einen kohlenhydratfreien Monat, weil er sich auf einen Marathon Anfang März vorbereitete.

«Weißt du, ich habe gedacht, dass du vielleicht Zeichensprache lernen musst. Ich meine, wenn er sich nicht verständlich machen kann, woher sollst du dann wissen, was er will?»

«Sie hat nicht gesagt, dass er nicht sprechen kann, Mum.» Allerdings konnte ich mich auch nicht daran erinnern, *was genau* Mrs. Traynor gesagt hatte. Ich stand noch leicht unter Schock, weil ich tatsächlich einen Job bekommen hatte.

«Vielleicht redet er mit so einem Gerät. Wie dieser Wissenschaftler. Der aus den *Simpsons*.»

«Scheißer», sagte Thomas.

«Nee, der nicht», sagte Dad.

«Stephen Hawking», sagte Patrick.

«Daran bist du schuld, also wirklich», sagte Mum und sah anklagend von Dad zu Thomas. Mit diesem Blick hätte sie auch ein Steak schneiden können. «Bringst ihm diese unanständigen Wörter bei.»

«Nein. Ich weiß nicht, woher er die hat.»

«Scheißer», sagte Thomas, den Blick fest auf seinen Großvater gerichtet.

Treena verzog das Gesicht. «Ich glaube, ich würde mich total gruseln, wenn er mit einem von diesen Kehlkopfgeräten spricht. Stell dir mal vor: *Holen-Sie-mir-ein-Glas-Wasser*», ahmte sie nach.

Treena war intelligent – aber nicht intelligent genug, um sich nicht schwängern zu lassen, wie Dad gelegentlich vor sich hin murmelte. Sie war das erste Mitglied unserer Familie gewesen, das an die Universität gegangen war, bis Thomas dafür gesorgt hatte, dass sie im Abschlussjahr ihr Studium abbrechen musste. Mum und Dad hofften immer noch, dass sie eines Tages ein Heidengeld für die Familie verdienen wird. Oder bei einer Firma arbeiten, wo der Empfangsbereich nicht mit Überwachungskameras gesichert war. Sie wären mit beidem zufrieden.

«Seit wann muss man denn wie ein Außerirdischer sprechen, wenn man im Rollstuhl sitzt?», sagte ich.

«Und du wirst richtig eng mit ihm zu tun haben. Zumindest musst du ihm den Mund abwischen und ihm was zu trinken geben und so.»

«Na und? Das ist ja wohl keine Quantenphysik.»

«Sagt die Frau, die Thomas die Windel immer falsch rum angezogen hat.»

«Ein einziges Mal.»

«Zweimal. Und du hast ihm nur dreimal die Windel gewechselt.»

Ich nahm mir von den grünen Bohnen und versuchte zuversichtlicher zu erscheinen, als ich es war.

Aber schon bei der Busfahrt nach Hause waren mir genau solche Fragen durch den Kopf gegangen. Worüber würden wir reden? Was war, wenn er den ganzen Tag bloß kraftlos mit dem Kopf wackeln und mich anstarren würde? Würde ich mich gruseln? Und was war, wenn ich nicht verstand, was er wollte? Ich war sagenhaft unfähig, wenn es darum ging, mich um etwas zu kümmern. Wir hatten keine Zimmerpflanzen mehr im Haus und Tiere auch nicht, nach den Vorfällen mit dem Hamster, den Stabheuschrecken und Randolph, dem Goldfisch. Und wie viel würde ich mit dieser stocksteifen Mutter zu tun haben? Die Vorstellung, den ganzen Tag unter Beobachtung zu stehen, gefiel mir überhaupt nicht. Mrs. Traynor kam mir wie genau die Sorte Frau vor, unter deren Blick sich die geschicktesten Hände in tollpatschige Pranken verwandelten.

«Und was hältst du von der Sache, Patrick?»

Patrick trank einen Schluck Wasser und zuckte mit den Schultern.

Draußen trommelte der Regen so laut gegen die Fenster, dass er noch über das Besteckgeklapper zu hören war.

«Es ist gutes Geld, Bernard. Und besser als Nachtschicht in der Hühnerfabrik ist es auf jeden Fall.»

Auf diese Bemerkung folgte zustimmendes Gemurmel rund um den Tisch.

«Echt, das will ja was heißen, wenn euch nichts Besseres über meinen neuen Job einfällt, als zu sagen, er ist besser, als in einer Monsterfabrikhalle Hühnerkadaver aufs Förderband zu werfen», sagte ich.

«Na ja, du kannst dich ja immer noch in Form bringen und mit Patrick als Fitnesstrainerin arbeiten.»

«In Form bringen. Vielen Dank auch, Dad.» Ich hatte mir gerade noch eine Kartoffel nehmen wollen, aber jetzt überlegte ich es mir anders.

«Na ja, warum nicht?» Mum sah so aus, als könnte sie sich tatsächlich gleich hinsetzen, und alle hielten inne. Aber nein, da war sie schon wieder bei Großvater, um ihm etwas Bratensoße auf den Teller zu geben. «Vielleicht wär das ja was? Du hast immerhin ein Talent, dich auszudrücken.»

«Sie hat ein Talent, Speck anzusetzen.» Dad prustete los.

«Ich *habe* gerade einen Job gefunden», sagte ich. «Und er ist außerdem besser bezahlt als der letzte, falls ihr das mal zur Kenntnis nehmen wollt.»

«Aber er ist befristet», warf Patrick ein. «Dein Dad hat recht. Du könntest währenddessen wirklich was für deine Fitness tun. Du könntest eine gute Trainerin werden, wenn du dich ein bisschen anstrengst.»

«Ich *will* aber keine Fitnesstrainerin werden. Ich stehe nicht auf all das … Rumgehopse.» Ich blitzte Patrick böse an, aber er grinste bloß.

«Was Lou will, ist ein Job, bei dem sie die Füße hochlegen und fernsehen kann, während sie nebenbei ihrem Arbeitgeber seine Flüssignahrung per Strohhalm serviert», sagte Treena.

«Ja, genau. Wohingegen schlaffe Dahlien in Wassereimern zu arrangieren ja so viel körperliche und geistige Anstrengung erfordert, nicht wahr, Treen?»

«Wir necken dich doch nur, Schatz», sagte Dad und hob seinen Teebecher. «Es ist großartig, dass du eine Arbeit hast. Wir sind jetzt schon ganz stolz auf dich. Und ich wette mit dir, sobald du deine Füße unter dem Tisch in diesem Herrenhaus hast, wollen dich diese Scheißer nicht mehr hergeben.»

«Scheißer», sagte Thomas.

«Ich doch nicht», sagte Dad kauend, bevor Mum den Mund aufmachen konnte.

Kapitel 3

D as ist der Anbau. Früher waren hier die Stallungen, aber weil alles auf einer Ebene liegt, haben wir sie für Will umbauen lassen. Und das hier ist das Gästezimmer, in dem Nathan übernachtet, falls es erforderlich wird. Am Anfang haben wir häufig einen Pfleger für die Nächte gebraucht.»

Mrs. Traynor ging energisch durch den Flur und deutete bei ihren Erklärungen auf die Türen, ohne sich umzudrehen. Ihre Absätze hallten laut auf dem Fliesenboden. Anscheinend ging sie automatisch davon aus, dass ich mit ihr Schritt hielt.

«Und hier sind die Autoschlüssel. Ich habe Sie bei unserer Versicherung als Fahrerin angemeldet. Ich gehe davon aus, dass die persönlichen Angaben, die Sie uns gemacht haben, korrekt sind. Nathan wird Ihnen zeigen, wie die Rampe funktioniert. Sie müssen nur dafür sorgen, dass Wills Stuhl richtig positioniert ist, den Rest erledigt die Automatik. Allerdings ist er zurzeit ... nicht gerade sehr darauf aus, das Haus zu verlassen.»

«Es ist auch ziemlich eisig draußen», sagte ich.

Mrs. Traynor schien mich nicht zu hören.

«Sie können sich in der Küche Tee und Kaffee kochen. Ich

kümmere mich darum, dass immer genügend von allem da ist. Das Badezimmer ist da vorne …»

Sie öffnete die Tür, und ich starrte auf den Hebezug aus weißem Metall und Plastik über der Badewanne. Der Duschbereich war auf einer Ebene mit dem übrigen Fliesenboden, und daneben stand ein zusammengefalteter Rollstuhl. In der Ecke befand sich ein Schrank mit Glastüren, in dem säuberliche Stapel eingeschweißter Päckchen lagen. Ich konnte von der Tür aus nicht erkennen, was es war, aber über allem hing ein schwacher Geruch von Desinfektionsmittel.

Mrs. Traynor schloss die Tür und drehte sich kurz zu mir um. «Ich wiederhole noch einmal, wie wichtig es ist, dass Will ständig jemanden in der Nähe hat. Wir hatten einmal eine Pflegerin, die für ein paar Stunden verschwunden ist, um ihr Auto reparieren zu lassen, und Will hat sich während ihrer Abwesenheit … eine Verletzung zugezogen.» Sie schluckte bei der Erinnerung an das offensichtlich traumatisierende Geschehnis.

«Ich werde nirgends hingehen.»

«Natürlich brauchen Sie Ihre Pausen, um … auszutreten. Ich will nur deutlich machen, dass er nicht länger als, sagen wir, zehn oder fünfzehn Minuten allein gelassen werden darf. Sollte sich eine andere Notwendigkeit ergeben, melden Sie sich entweder über die Gegensprechanlage bei meinem Mann, falls er zu Hause ist, oder Sie rufen mich auf dem Handy an. Falls Sie freihaben möchten, wäre ich dankbar, wenn Sie es mir so früh wie möglich mitteilen. Es ist nicht immer leicht, eine Vertretung zu finden.»

«Ja.»

Mrs. Traynor öffnete einen Besenschrank in der Diele, damit ich hineinsehen konnte. Sie sprach wie jemand, der eine einstudierte Rede hielt.

Ich fragte mich kurz, wie viele Pfleger es vor mir schon gegeben hatte.

«Wenn Will beschäftigt ist, wäre es hilfreich, wenn Sie ein paar Haushaltsdinge erledigen könnten. Das Bettzeug waschen, mit dem Staubsauger durch die Wohnung gehen, so etwas. Die Putzmittel stehen unter der Spüle. Er will Sie vielleicht nicht die ganze Zeit um sich haben. Sie und er müssen selbst herausfinden, wie Sie am besten miteinander umgehen.»

Mrs. Traynor musterte meine Kleidung, als sähe sie mich zum ersten Mal. Ich trug die Zottelweste, von der mein Dad sagt, ich sähe darin aus wie ein Emu. Ich versuchte ein Lächeln. Es kostete viel Anstrengung.

«Ich hoffe natürlich, dass Sie … miteinander zurechtkommen. Es wäre schön, wenn er Sie mehr als Freundin und weniger als Angestellte betrachten könnte.»

«Geht klar. Was … mmh … macht er gerne?»

«Er schaut sich Filme an. Manchmal hört er eine Sendung im Radio oder Musik. Er hat ein Digitalgerät. Wenn Sie es nahe an seine Hand stellen, kann er es meistens selbst bedienen. Er kann die Finger etwas bewegen, allerdings fällt es ihm schwer, mit der Hand fest zuzufassen.»

Ich wurde etwas zuversichtlicher. Wenn er Musik und Filme mochte, würden wir doch bestimmt einen gemeinsamen Nenner finden, oder? Ich stellte mir vor, wie ich und dieser Mann über eine Hollywood-Komödie lachten oder wie ich das Schlafzimmer staubsaugte, während er Musik hörte. Vielleicht würde es ja ganz gut klappen. Vielleicht würden wir sogar Freunde werden. Ich hatte noch nie einen Behinderten gekannt – abgesehen von Treens Freund David, der taub war, einen aber in den Schwitzkasten nahm, wenn man andeutete, das wäre eine Behinderung.

«Haben Sie Fragen?»

«Nein.»

«Dann stelle ich Sie jetzt vor.» Sie warf einen Blick auf ihre Uhr. «Nathan hat ihn inzwischen wahrscheinlich fertig angezogen.»

Wir blieben vor einer Tür stehen, und Mrs. Traynor klopfte an. «Bist du dadrin? Ich möchte dir Miss Clark vorstellen, Will.»

Keine Antwort.

«Will? Nathan?»

Eine Stimme mit breitem neuseeländischem Akzent sagte: «Er ist salonfähig, Mrs. T.»

Sie öffnete die Tür. Das Wohnzimmer des sogenannten Anbaus war enorm groß, und eine Wand bestand komplett aus Glastüren, durch die man einen freien Blick auf die Landschaft hatte. In einem Kaminofen glühten Holzscheite, und gegenüber einem riesigen Flachbildschirm stand ein niedriges sandfarbenes Sofa, auf dem eine Wolldecke lag. Die Atmosphäre des geschmackvollen Raumes war friedlich – eine skandinavische Junggesellenbude.

Mitten im Raum stand ein schwarzer Rollstuhl, dessen Sitz und Rückenlehne mit einem Schaffell ausgelegt waren. Ein kräftig gebauter Mann in einem weißen, kragenlosen Kittel hockte davor und richtete die Füße des Mannes im Rollstuhl auf den Fußstützen aus. Als wir in den Raum kamen, sah der Mann in dem Rollstuhl unter strähnigem, ungekämmtem Haar auf. Sein Blick traf meinen, und nach kurzem Innehalten stieß er ein markerschütterndes Stöhnen aus. Dann verzog er den Mund, und es folgte ein weiterer schauerlicher Schrei.

Neben mir erstarrte seine Mutter.

«Will, hör auf damit!»

Er sah sie nicht einmal an. Wieder drang ein prähistorisches Geräusch aus den Tiefen seiner Brust. Es war ein schrecklicher, durchdringender Laut. Ich musste mich beherrschen, um nicht zurückzuweichen. Der Mann schnitt eine Grimasse, sein Kopf kippte zur Seite und sank zwischen seine Schultern, während er mich mit verzerrter Miene anstarrte. Er sah grotesk aus und irgendwie wütend. Mir wurde bewusst, dass die Knöchel meiner Hand, mit der ich meine Tasche hielt, weiß hervortraten.

«Will! Bitte.» Leichte Hysterie lag in der Stimme seiner Mutter. «Bitte, tu das nicht.»

O Gott, dachte ich. *Das schaffe ich nicht.* Ich schluckte mühsam. Der Mann starrte mich immer noch an. Er schien auf meine Reaktion zu warten.

«Ich … ich bin Lou.» Meine Stimme, die ganz untypisch bebte, brach das Schweigen. Ich fragte mich kurz, ob ich ihm die Hand entgegenstrecken sollte, dann fiel mir wieder ein, dass er sie nicht nehmen konnte, also deutete ich nur schwach einen Gruß an. «Das ist eine Abkürzung für Louisa.»

Darauf klärte sich zu meinem Erstaunen seine Miene, und er hob den Kopf.

Will Traynor musterte mich eindringlich, und ein winziges Lächeln zog über sein Gesicht. «Guten Morgen, Miss Clark», sagte er. «Wie ich höre, sind Sie meine aktuelle Aufpasserin.»

Nathan hatte die Fußstützen fertig justiert. Kopfschüttelnd richtete er sich auf. «Sie sind ein böser Mann, Mr. T. Sehr böse.» Er grinste und streckte mir seine breite Hand entgegen, die ich kraftlos schüttelte. Nathan verströmte vollkommene Unerschütterlichkeit. «Ich fürchte, Sie sind gerade in den Genuss von Wills bester Christy-Brown-Imitation gekommen. Sie werden sich schon an ihn gewöhnen. Hunde, die bellen, beißen nicht.»

Mrs. Traynor hielt das Kreuz an ihrer Halskette zwischen den schlanken weißen Fingern. Sie schob es an der feinen Goldkette hin und her, vermutlich ein nervöser Tic. Mit entschlossener Miene sagte sie: «Ich lasse Sie jetzt allein. Sie können mich über die Gegensprechanlage erreichen, wenn Sie Hilfe brauchen. Nathan wird Ihnen Wills Tagesablauf und die technische Ausrüstung erklären.»

«Ich bin auch hier, Mutter. Du musst nicht über meinen Kopf hinweg reden. Mein Gehirn ist nicht paralysiert. Jedenfalls noch nicht.»

«Ja, nun, wenn du dich schlecht benimmst, Will, denke ich, dass es das Beste ist, wenn Miss Clark direkt mit Nathan spricht.» Ich bemerkte, dass seine Mutter es vermied, ihn anzusehen. Sie hatte ihren Blick ungefähr drei Meter entfernt von ihm auf den Boden gerichtet. «Ich arbeite heute von zu Hause aus. Ich sehe um die Mittagszeit einmal herein, Miss Clark.»

«Okay.» Das kam heraus wie ein Quaken.

Mrs. Traynor verschwand. Schweigend lauschten wir dem Geklapper ihrer Absätze, das sich Richtung Haupthaus entfernte.

Dann unterbrach Nathan die Stille. «Ist es Ihnen recht, wenn ich Miss Clark jetzt mit Ihrer Medikation vertraut mache, Will? Möchten Sie fernsehen? Oder Musik hören?»

«Radio Four bitte, Nathan.»

«Kein Problem.»

Wir gingen in die Küche.

«Sie haben noch keine Erfahrung mit Tetraplegikern, sagte Mrs. T.»

«Nein.»

«Okay. Fangen wir heute mal mit dem Einfachsten an. Hier ist ein Folder, in dem so ziemlich alles steht, was Sie über Wills Tagesablauf wissen müssen, sowie sämtliche Notrufnummern. Ich rate Ihnen, das alles durchzulesen, wenn Sie einen freien Augenblick haben. Ich schätze, davon wird es einige geben.»

Dann schloss Nathan ein Schränkchen auf, das mit Medikamenten in Schachteln und kleinen Fläschchen vollgepackt war. «Also. Das hier ist hauptsächlich meine Angelegenheit, aber Sie müssen wissen, wo alles ist, falls es zu einem Notfall kommt. Hier an der Wand hängt ein Zeitplan, an dem Sie ablesen können, um welche Uhrzeit er täglich welche Medikamente nehmen muss. Alles, was Sie ihm außer der Reihe geben, schreiben Sie hier hin», er deutete auf das Papier, «aber Sie besprechen so etwas besser mit Mrs. T., jedenfalls am Anfang.»

«Ich wusste nicht, dass ich mit den Medikamenten zu tun haben werde.»

«Das ist nicht schwer. Er weiß meistens, was er nehmen muss. Aber er braucht manchmal ein bisschen Unterstützung beim Schlucken. Wir benutzen gewöhnlich diesen speziellen Becher hier. Oder Sie können die Tabletten im Mörser zermahlen und sie in ein Getränk rühren.»

Ich nahm einen der Beipackzettel in die Hand. Noch nie hatte ich außerhalb einer Apotheke so viele Medikamente auf einem Haufen gesehen.

«Okay. Er hat zwei Medikamente zur Blutdruckregulierung, das hier, um ihn abends zu senken, und das hier, um ihn anzukurbeln, wenn er morgens aus dem Bett kommt. Die hier braucht er ziemlich häufig, um seine Muskelkrämpfe in den Griff zu kriegen – davon müssen Sie ihm vormittags eine geben und nachmittags noch eine. Die kann er ohne Schwierigkeiten schlucken, weil sie klein sind und einen glatten Überzug haben. Die hier sind gegen Blasenkrämpfe und die gegen Sodbrennen. Die braucht er manchmal, wenn er sich nach dem Essen unwohl fühlt. Das hier sind Antihistaminika für morgens, und das sind seine Nasensprays, aber darum kümmere ich mich meistens, bevor ich gehe. Wenn er Schmerzen hat, kann er Paracetamol nehmen, und gelegentlich nimmt er eine Schlaftablette, aber danach ist er am nächsten Tag meistens gereizt, also versuchen wir, die möglichst wegzulassen.»

Ich hörte nur zu.

«Das hier», er hielt das nächste Medikament hoch, «sind die Antibiotika, die er alle zwei Wochen beim Katheterwechsel braucht. Das mache ich, es sei denn, ich bin ausnahmsweise mal weg, und dann gebe ich Ihnen vorher genaue Anweisungen. Sie sind ziemlich stark. Dort stehen die Schachteln mit den Latexhandschuhen, falls Sie ihn überhaupt mal waschen müssen. Daneben ist die Creme, falls er sich wund liegt, aber das hat sich beinahe ganz gegeben, seit wir die Luftmatratze haben.»

Dann griff er in seine Tasche und gab mir einen Schlüssel. «Das ist der Ersatzschlüssel für das Medikamentenschränkchen», sagte er. «Sie dürfen ihn niemand anderem geben. Nicht mal Will, okay? Den müssen Sie unter Einsatz Ihres Lebens hüten.»

«Das ist ziemlich viel auf einmal.» Ich schluckte.

«Es ist ja alles hier aufgeschrieben. Heute müssen Sie erst mal nur an seine Krampfmittel denken. Die hier. Und da steht meine Handynummer. Ich mache eine Weiterbildung, wenn ich nicht hier bin, also möchte ich nicht zu oft angerufen werden, aber solange Sie unsicher sind, habe ich nichts dagegen.»

Ich starrte den Folder an. Es kam mir vor, als müsste ich eine Prüfung ablegen, für die ich nicht gelernt hatte. «Und was ist, wenn er … auf die Toilette muss?» Ich dachte an den Hebezug. «Ich weiß nicht, ob ich ihn … wissen Sie … hochheben könnte.» Ich versuchte, mir meine Panik nicht anmerken zu lassen.

Nathan schüttelte den Kopf. «Damit haben Sie nichts zu tun. Dafür ist sein Katheter da. Und ich komme um die Mittagszeit, um ihn zu wechseln. Sie sind nicht für die körperliche Pflege zuständig.»

«Und wofür bin ich zuständig?»

Nathan musterte eingehend den Fußboden, bevor er mich wieder ansah. «Versuchen Sie, ihn ein bisschen aufzuheitern. Er ist … etwas launisch. Verständlich, unter diesen … Umständen.

Sie brauchen ein ziemlich dickes Fell. Mit dieser kleinen Vorstellung vorhin wollte er Sie verunsichern.»

«Ist die Bezahlung deshalb so gut?»

«Na klar. Für nichts gibt's nichts, oder?» Nathan klopfte mir auf die Schulter. Der Schlag vibrierte in meinem gesamten Körper. «Ach, er ist schon okay. Sie müssen ihn nicht mit Samthandschuhen anfassen.» Er zögerte. «Ich mag ihn.»

So, wie er es sagte, klang es, als wäre er da womöglich der Einzige.

Ich folgte ihm zurück ins Wohnzimmer. Will Traynor hatte seinen Rollstuhl ans Fenster gefahren, er saß mit dem Rücken zu uns und schaute hinaus, während er sich eine Radiosendung anhörte.

«Alles geklärt, Will. Brauchen Sie noch etwas, bevor ich gehe?»

«Nein. Danke, Nathan.»

«Ich übergebe Sie Miss Clarks fähigen Händen. Wir sehen uns heute Mittag, Kumpel.»

Als ich zusah, wie der freundliche Pfleger seine Jacke anzog, stieg Panik in mir auf.

«Also, amüsiert euch.» Nathan zwinkerte mir zu, und dann war er weg.

Ich stand mitten im Raum, die Hände in die Taschen gebohrt, und wusste nicht, was ich tun sollte. Will Traynor starrte weiter aus dem Fenster, als wäre ich nicht da.

«Möchten Sie, dass ich Ihnen einen Tee mache?», fragte ich schließlich, als das Schweigen unerträglich wurde.

«Ah. Stimmt. Das Mädchen, das seinen Lebensunterhalt mit Teekochen verdient. Ich habe mich schon gefragt, wie lange es dauern würde, bevor Sie mir Ihre Talente beweisen wollen. Nein. Nein danke.»

«Dann vielleicht einen Kaffee?»

«Ich habe derzeit keinen Bedarf an warmen Getränken, Miss Clark.»

«Sie können mich Lou nennen.»

«Macht das irgendwas besser?»

Ich blinzelte, und mein Mund öffnete sich. Ich machte ihn wieder zu. Dad sagte immer, dabei sähe ich dümmer aus, als ich in Wirklichkeit war. «Dann … kann ich Ihnen irgendetwas anderes bringen?»

Er drehte sich zu mir um. Seine Bartstoppeln waren so lang, dass er sich seit Wochen nicht rasiert haben konnte, und sein Blick war unergründlich. Er drehte sich wieder weg.

«Ich …» Ich sah mich im Zimmer um. «Dann sehe ich nach, ob es Wäsche zu waschen gibt.»

Mit heftig klopfendem Herzen ging ich hinaus. In der Küche zog ich mein Handy aus der Tasche und schrieb eine SMS an meine Schwester.

Es ist schrecklich. Er hasst mich.

Die Antwort kam innerhalb von Sekunden.

Du bist erst eine Stunde dort,
du Jammerlappen! M & D haben
echt Geldsorgen. Reiß dich
zusammen & denk an den
Stundenlohn. X

Ich klappte mein Handy zu und blies die Backen auf. Ich sah den Wäschekorb im Badezimmer durch. Was ich zusammenbekam, füllte die Waschmaschine zu knapp einem Viertel. Dann verbrachte ich mehrere Minuten damit, die Bedienung der Maschine zu studieren, weil ich sie nicht falsch programmieren oder etwas anderes tun wollte, was Mrs. Traynor oder Will dazu bringen würde, mich wieder anzusehen, als wäre ich beschränkt. Dann schaltete ich die Maschine an und stand davor herum, während ich überlegte, was ich sonst noch tun könnte. Ich holte den Staubsauger aus dem Schrank in der Diele, saugte im Flur und in den beiden Schlafzimmern und dachte die ganze Zeit, dass meine Eltern auf einem Erinnerungsfoto bestehen würden, wenn sie mich so sehen könnten. Das Gästezimmer war so dürftig eingerichtet wie ein Hotelzimmer. Ich vermutete, dass Nathan selten darin übernachtete. Daraus konnte man ihm kaum einen Vorwurf machen, fand ich.

Vor Will Traynors Schlafzimmer zögerte ich, dann beschloss ich, dass ich dort genauso gut staubsaugen konnte wie in den anderen Räumen. In eine Wand war ein Regal eingebaut, auf dem ungefähr zwanzig gerahmte Fotos standen.

Als ich um das Bett herum staubsaugte, erlaubte ich mir einen kleinen Blick auf die Bilder. Eins zeigte einen Mann, der einen Bungee-Sprung von einer Klippe machte und dabei die Arme ausstreckte wie eine Jesusstatue. Ein anderes zeigte einen Mann, der Will sein konnte, in einem Dschungel, und auf einem anderen sah man ihn mitten in einer Gruppe betrunkener Freunde. Die Männer trugen Fliegen und Dinnerjacketts und hatten sich die Arme um die Schultern gelegt.

Auf einem Foto stand er auf einer Skipiste neben einer jungen Frau mit Sonnenbrille und langem blondem Haar. Ich nahm das Bild in die Hand, um ihn mir mit seiner Skibrille genauer anzusehen. Er war auf dem Foto glatt rasiert, und selbst in dem hellen Sonnenlicht hatte sein Teint diesen luxuriösen Schimmer, den reiche Leute von drei Urlaubsreisen im Jahr bekommen. Er hatte so breite, muskulöse Schultern, dass man sie sogar unter seiner Skijacke bemerkte. Ich stellte das Bild behutsam zurück und staubsaugte hinter dem Bett. Schließlich stellte ich den Staubsauger ab und zog den Stecker heraus. Als ich mich hinunterbeugte, um das Kabel aufzurollen, bemerkte ich aus dem Augenwinkel eine Bewegung und zuckte mit einem leisen Schrei zusammen. Will Traynor war an der Tür und beobachtete mich.

«Courchevel. Vor zweieinhalb Jahren.»

Ich wurde rot. «Entschuldigung. Ich habe nur …»

«Sie haben nur meine Fotos angeschaut. Haben sich gedacht, wie schrecklich es sein muss, so zu leben und dann zum Krüppel zu werden.»

«Nein.» Noch mehr Blut schoss mir ins Gesicht.

«Meine übrigen Fotos sind in der untersten Schublade, falls Sie mal wieder die Neugier überkommt», sagte er.

Und dann drehte er sich mit dem Summton seines Rollstuhlmotors rechtsherum und verschwand.

Der Vormittag dauerte Ewigkeiten. Ich konnte mich nicht erinnern, wann sich die Minuten und Stunden schon einmal so unendlich lange hingezogen hatten. Ich suchte mir irgendwelche Beschäftigungen, um die Zeit herumzubringen, und ging so selten wie möglich ins Wohnzimmer. Ich wusste, dass ich feige war, aber das war mir egal.

Um elf Uhr brachte ich Will Traynor einen Becher Wasser und seine Krampfmittel, wie es mir Nathan aufgetragen hatte. Ich legte Will die Pille auf seine Zunge und bot ihm dann den Becher an, so wie es Nathan gesagt hatte. Der Becher war aus hellem, undurchsichtigem Kunststoff, so ein Schnabelding, wie es Thomas früher benutzt hatte. Will Traynor schluckte mit einiger Mühe und schickte mich dann mit einer schwachen Geste weg.

Ich staubte ein paar Regale ab, die nicht abgestaubt werden mussten, und überlegte, ob ich die Fenster putzen sollte. Im

Anbau war es still, abgesehen von den leisen Geräuschen des Fernsehers im Wohnzimmer, wo er saß. Ich traute mich nicht, das Küchenradio anzuschalten. Ich hatte so eine Ahnung, dass er garantiert einen bissigen Kommentar über meinen Musikgeschmack parat hätte.

Um halb eins kam Nathan. Er brachte von draußen einen Schwall kalter Luft mit und zog eine Augenbraue hoch, als er mich sah. «Alles klar?», fragte er.

Ich war selten im Leben so froh gewesen, jemanden wiederzusehen. «Bestens.»

«Super. Sie können jetzt eine halbe Stunde Pause machen. Mr. T. und ich haben um diese Tageszeit ein paar Dinge zu erledigen.»

Ich rannte beinahe, um meinen Mantel zu holen. Eigentlich hatte ich zur Mittagspause nicht weggehen wollen, aber jetzt wurde ich beinahe ohnmächtig vor Erleichterung, weil ich aus diesem Haus herauskam. Ich schlug den Mantelkragen hoch, hängte mir die Handtasche über die Schulter und ging eilig die Auffahrt hinunter, als wollte ich dringend irgendwohin. In Wahrheit lief ich nur eine halbe Stunde in den benachbarten Straßen herum und blies warme Atemwolken in den Schal, den ich mir eng um Nase und Mund gewickelt hatte.

An diesem Ende der Stadt gab es kein Café mehr, seit das Buttered Bun geschlossen hatte. Das Burggelände war menschenleer. Die nächste Gelegenheit, etwas zu essen zu bekommen, war einer dieser Gastropubs, in dem ich mir vermutlich nicht mal einen Kaffee leisten konnte, von einem schnellen Mittagessen ganz zu schweigen. Sämtliche Autos auf dem Parkplatz waren riesig, teuer und nagelneu.

Ich ging zu dem Parkplatz vor der Burg, achtete darauf, dass ich außer Sichtweite vom Granta House war, und rief meine Schwester an. «Hey.»

«Du weißt doch, dass ich bei der Arbeit nicht telefonieren kann. Du bist doch nicht weggelaufen, oder?»

«Nein. Ich wollte nur eine freundliche Stimme hören.»

«Ist er so schlimm?»

«Treen, er *hasst* mich. Er sieht mich an, als wäre ich etwas, das die Katze reingeschleppt hat. Und er trinkt nicht mal Tee. Ich verstecke mich vor ihm.»

«Ich fasse es nicht!»

«Was?»

«Sprich einfach mit ihm, verdammt noch mal. Ist doch klar, dass er mies drauf ist. Er sitzt schließlich im Rollstuhl. Wahrscheinlich hast du dich dämlich verhalten. Sprich einfach mit ihm. Lerne ihn kennen. Was kann denn schon passieren?»

«Ich weiß nicht … Ich weiß nicht, ob ich das durchhalte.»

«Ich werde Mum nicht sagen, dass du nach einem halben Tag deinen Job hinschmeißt. Dann kriegst du kein Arbeitslosengeld, Lou. Das kannst du nicht machen. Wir können es uns nicht leisten, dass du das machst.»

Sie hatte recht. Ich hasste meine Schwester.

Wir schwiegen kurz. Dann wurde Treens Stimme untypisch verständnisvoll. Und das war wirklich besorgniserregend. Es bedeutete nämlich, wie sehr ihr bewusst war, dass ich echt den schlimmsten Job auf der Welt hatte. «Hör mal», sagte sie. «Es sind doch nur sechs Monate. Zieh einfach dieses halbe Jahr durch, dann kannst du etwas Vernünftiges in deinen Lebenslauf schreiben und bekommst eine Arbeit, die dir wirklich gefällt. Und hey – sieh es doch mal so: Wenigstens musst du keine Nachtschichten in der Hühnerfabrik schieben, okay?»

«Nachtschichten in der Hühnerfabrik wären der reinste Erholungsurlaub im Vergleich mit …»

«Ich muss jetzt Schluss machen, Lou. Wir sehen uns später.»

«Möchten Sie heute Nachmittag irgendwohin? Wir könnten irgendwohin fahren, wenn Sie möchten.»

Nathan war schon beinahe eine halbe Stunde weg. Ich hatte den Abwasch der Teebecher so lange wie nur menschenmöglich hingezogen, und es kam mir vor, als würde ich explodieren, wenn ich noch eine weitere Stunde in diesem totenstillen Haus verbrachte.

Er drehte mir den Kopf zu. «An was hatten Sie gedacht?»

«Ich weiß nicht. Einfach ein bisschen über Land fahren?» Ich hatte beschlossen, mein Ich-bin-Treena-Spielchen zu spielen. Das tue ich manchmal. Sie gehört zu den Leuten, die so absolut ruhig und kompetent wirken, dass ihnen kein Mensch jemals blöd kommt. Ich klang, jedenfalls für meine Ohren, professionell und optimistisch.

«Über Land», sagte er, als würde er darüber nachdenken. «Und was würden wir da zu sehen bekommen? Ein paar Bäume? Ein bisschen Himmel?»

«Ich weiß nicht. Was unternehmen Sie denn normalerweise?»

«Ich *unternehme* gar nichts, Miss Clark. Ich kann nichts mehr unternehmen. Ich sitze da. Ich vegetiere einfach vor mich hin.»

«Nun», sagte ich, «mir wurde aber gesagt, dass Sie ein rollstuhlgerechtes Auto haben.»

«Und Sie machen sich also Sorgen, dass es nicht mehr fährt, falls es nicht täglich benutzt wird.»

«Nein, aber ich …»

«Oder wollen Sie mir sagen, dass ich rausmuss?»

«Ich habe nur gedacht …»

«Sie haben gedacht, so eine kleine Spritztour würde mir guttun? Ein bisschen frische Luft?»

«Ich versuche doch nur …»

«Miss Clark, mein Befinden wird sich durch eine Fahrt über

die Landstraßen von Stortfold nicht signifikant verbessern.» Er drehte sich weg.

Sein Kopf sank zwischen seine Schultern, und ich überlegte, ob er bequem saß. Aber es schien mir nicht der richtige Moment, um ihn danach zu fragen. Schweigend saßen wir da.

«Soll ich Ihnen Ihren Computer bringen?»

«Wozu? Denken Sie an eine Tetraplegiker-Selbsthilfegruppe, in die ich eintreten könnte? Hier kommen die Tetras? Der Rolli-Club?»

Ich holte tief Luft und versuchte selbstsicher zu klingen. «Okay … also … nachdem wir jetzt sehr viel Zeit miteinander verbringen werden, sollten wir uns vielleicht besser kennenlernen …»

Auf einmal hatte er einen Ausdruck im Gesicht, der mich ins Stocken brachte. Er starrte geradeaus an die Wand, an seinem Kinn zuckte ein Muskel.

«Es ist nur … es ist doch wirklich ziemlich viel Zeit. Jeden Tag», fuhr ich fort. «Wenn Sie mir vielleicht ein bisschen erzählen würden, was Sie machen möchten, was Ihnen gefällt, dann kann ich … dafür sorgen, dass es so läuft, wie Sie es wollen?»

Dieses Mal tat sein Schweigen richtig weh. Meine Stimme versickerte in der Stille, und ich wusste nicht, was ich mit meinen Händen anfangen sollte. Treena und ihre kompetente Art hatten sich komplett verflüchtigt.

Irgendwann summte der Motor des Rollstuhls, und er drehte sich zu mir um.

«Ich weiß Folgendes über Sie, Miss Clark. Meine Mutter sagte, Sie seien kommunikativ.» Bei ihm klang das wie eine Krankheit. «Können wir eine Vereinbarung treffen? Dass Sie sich in meiner Gesellschaft vollkommen *un*-kommunikativ verhalten?»

Ich schluckte, mein Gesicht brannte.

«Sehr gut», sagte ich, als ich wieder sprechen konnte. «Ich bin in der Küche. Wenn Sie etwas möchten, rufen Sie einfach nach mir.»

«Du kannst nicht jetzt schon aufgeben.»

Ich lag quer auf dem Bett und hatte die Beine an der Wand hochgestreckt, so wie ich es als Teenager oft gemacht hatte. Ich war seit dem Abendessen hier oben, und das kam bei mir selten vor. Seit Thomas auf der Welt war, hatten Treena und er das größere Zimmer, und ich hauste in der Abstellkammer, die so klein war, dass man nach spätestens einer halben Stunde klaustrophobische Anfälle bekam.

Aber ich wollte nicht unten bei Mum und Großvater sitzen, weil mich Mum die ganze Zeit sorgenvoll betrachtete und Sachen sagte wie: «Es wird bald besser werden, Liebes» und «Der erste Tag bei einer neuen Stelle ist nie toll» – als hätte sie in den letzten zwanzig Jahren irgendeine verflixte Stelle gehabt. Ich bekam davon Schuldgefühle. Und dabei hatte ich mich überhaupt nicht beschwert.

«Ich habe doch nicht gesagt, dass ich aufgebe.»

Treena war ohne anzuklopfen hereingeplatzt, wie sie es immer tat, obwohl ich bei ihr immer erst leise klopfen musste – es konnte ja sein, dass Thomas gerade schlief.

«Ich hätte nackt sein können. Wieso rufst du nicht wenigstens vorher?»

«Ich habe schon Schlimmeres gesehen. Mum glaubt, du willst kündigen.»

Ich ließ meine Beine seitwärts an der Wand hintergleiten und setzte mich auf.

«O Treen. Es ist noch viel schlimmer, als ich gedacht habe. Er ist dermaßen schlecht drauf.»

«Er kann sich nicht bewegen. Natürlich ist er schlecht drauf.»

«Nein, das meine ich nicht. Er ist sarkastisch und gemein. Jedes Mal, wenn ich etwas sage oder vorschlage, sieht er mich an, als wäre ich bescheuert, oder er sagt etwas, bei dem ich mir wie eine Zweijährige vorkomme.»

«Wahrscheinlich hast du wirklich etwas Bescheuertes gesagt. Ihr müsst euch noch aneinander gewöhnen.»

«Nein, hab ich nicht. Ich habe mir so viel Mühe gegeben. Ich habe kaum etwas anderes gesagt als ‹Möchten Sie eine Spazierfahrt machen?› oder ‹Möchten Sie eine Tasse Tee?›.»

«Na ja, vielleicht behandelt er am Anfang alle so, bis er weiß, ob die Leute bleiben oder nicht. Ich wette, er hatte schon Dutzende von Pflegehilfen.»

«Er will mich nicht mal im selben Zimmer haben. Ich glaube nicht, dass ich das durchhalte, Katrina. Echt nicht. Ehrlich – wenn du das erlebt hättest, würdest du mich verstehen.»

Treena sagte nichts, sondern schaute mich nur eine Weile an. Dann stand sie auf und sah zur Tür hinaus, als wollte sie sicher sein, dass im Treppenhaus niemand lauschte.

«Ich glaube, ich gehe auf die Uni zurück», sagte sie schließlich.

Es dauerte ein paar Sekunden, bis ich diesen Themenwechsel verkraftet hatte.

«O Gott», sagte ich. «Aber …»

«Ich nehme einen Kredit auf, um die Studiengebühren zu bezahlen. Aber ich bekomme vielleicht auch ein spezielles Stipendium, weil ich Thomas habe, und die Uni bietet mir eine Ermäßigung an, weil sie …» Sie zuckte ein bisschen verlegen mit den Schultern. «Sie glauben, ich kann einen Spitzenabschluss hinlegen. Außerdem ist jemand aus dem BWL-Kurs ausgestiegen, sodass ich schon im nächsten Semester anfangen könnte.»

«Und was ist mit Thomas?»

«An der Uni gibt es eine Kindertagesstätte. Außerdem können wir eine subventionierte Wohnung im Studentenwohnheim kriegen und an den meisten Wochenenden hierherkommen.»

«Oh.»

Ich spürte, wie sie mich beobachtete. Ich wusste nicht, was für ein Gesicht ich machen sollte.

«Ich muss unbedingt wieder mein Gehirn benutzen, verstehst du? Dieser Job im Blumenladen macht mich komplett stumpfsinnig. Ich will etwas lernen. Ich will weiterkommen. Und ich habe es satt, dass meine Hände von dem Wasser ständig eiskalt sind.»

Wir starrten beide ihre Hände an, die trotz der tropischen Temperaturen im Haus ganz rosa waren.

«Aber ...»

«Genau. Ich werde nicht arbeiten gehen, Lou. Ich werde Mum nichts mehr geben können. Ich könnte ... Ich könnte am Anfang womöglich selber Hilfe von Mum und Dad brauchen.» Man merkte ihr das Unbehagen deutlich an. Als sie mich ansah, hatte sie einen beinahe entschuldigenden Ausdruck im Gesicht.

Unten lachte Mum über etwas im Fernsehen. Wir hörten sie mit Großvater reden. Sie erklärte ihm oft, worum es bei den Sendungen ging, obwohl wir ihr ständig sagten, wie überflüssig das war. Ich brachte kein Wort heraus. Die Bedeutung dessen, was meine Schwester gerade gesagt hatte, sank langsam, aber unaufhaltsam in mich ein. Ich fühlte mich wie ein Mafia-Opfer, das zusieht, wie der Flüssigbeton langsam um seine Knöchel hochsteigt.

«Ich muss das machen, Lou, wirklich. Ich will mehr für Thomas, mehr für uns beide. Und der einzige Weg, auf dem ich das erreichen kann, ist, wenn ich auf die Uni zurückgehe. Ich habe keinen Patrick. Und ich weiß auch nicht, ob ich je einen Patrick haben werde, nachdem kein Mann mehr das mindeste Interesse an mir gezeigt hat, seit Thomas da ist. Ich muss selbst mein Bestes versuchen.»

Als ich nichts sagte, fügte sie hinzu: «Für mich und Thomas.»

Ich nickte.

«Lou? Bitte!»

Ich hatte meine Schwester noch nie so erlebt. Es wurde mir richtig unbehaglich dabei. Also hob ich den Kopf und setzte ein Lächeln auf. Meine Stimme, als ich sie endlich wiedergefunden hatte, klang nicht wie meine eigene.

«Tja, wie du schon sagtest. Ich muss mich eben an ihn gewöhnen. War ja klar, dass es in den ersten paar Tagen nicht einfach wird, oder?»

Kapitel 4

Zwei Wochen vergingen, und mit ihnen entwickelte sich eine Art Routine. Jeden Morgen um acht Uhr erschien ich im Granta House, rief, ich sei da, und dann, nachdem Nathan Will beim Anziehen geholfen hatte, hörte ich ihm genau zu, wenn er mir erklärte, was ich über Wills Medikation wissen musste – oder, noch wichtiger, über seine Laune.

Nachdem Nathan gegangen war, stellte ich das Radio oder das Fernsehen für Will an, holte ihm seine Tabletten, die ich manchmal in dem kleinen Mörser mit dem Marmorstößel zermahlte. Normalerweise gab er mir nach etwa zehn Minuten zu verstehen, dass er genug von mir hatte. Dann machte ich mich an die kleinen Haushaltsaufgaben im Anbau, wusch Geschirrhandtücher, die nicht schmutzig waren, oder steckte irgendwelche Aufsätze auf den Staubsaugerschlauch, um die winzigen Vorsprünge der Sockelleisten oder die Fensterbretter abzusaugen, wobei ich peinlich genau darauf achtete, alle fünfzehn Minuten einen Blick ins Wohnzimmer zu werfen, so wie es mir Mrs. Traynor befohlen hatte. Wenn ich das tat, saß er fast immer am Fenster und schaute in den trostlos kahlen Garten hinaus.

Später gab ich ihm manchmal ein Glas Wasser oder eines der hochkalorischen Getränke, mit denen er sein Gewicht halten sollte und die aussahen wie pastellfarbener Tapetenkleister, oder ich machte ihm etwas zu essen. Er konnte seine Hände etwas bewegen, aber nicht seine Arme, sodass er Gabel für Gabel gefüttert werden musste. Das waren die schwierigsten Momente des Tages. Irgendwie schien es falsch, einen erwachsenen Mann zu füttern, und meine Verlegenheit machte mich schwerfällig und ungeschickt. Will hasste die Situation so sehr, dass er mich beim Essen nicht einmal ansah.

Dann kam kurz vor eins Nathan wieder, und ich schnappte mir meinen Mantel und verschwand zu einem Spaziergang durch die Straßen. Manchmal aß ich mein Sandwich unter der überdachten Bushaltestelle vor der Burg. Es war kalt, und vermutlich sah ich ziemlich jämmerlich aus, wie ich dort in die Ecke gedrückt mein Brot aß, aber das war mir egal. Ich konnte es einfach nicht den ganzen Tag in diesem Haus aushalten.

Nachmittags legte ich öfter einen Film ein – Will war Mitglied in einem DVD-Club, und jeden Tag kamen per Post neue Filme an –, aber er lud mich nie ein, mir die Filme mit ihm anzusehen, also setzte ich mich gewöhnlich in die Küche oder ins Gästezimmer. Ich fing an, mir ein Buch oder eine Zeitschrift mitzubringen, aber ich hatte Schuldgefühle, wenn ich las, statt zu arbeiten, und konnte mich nie richtig konzentrieren. Manchmal kam am späten Nachmittag Mrs. Traynor vorbei, allerdings sagte sie kaum mehr zu mir als «Ist alles in Ordnung?», worauf die einzig akzeptable Antwort «Ja» zu lauten schien.

Sie fragte Will, ob er etwas brauchte, schlug gelegentlich etwas vor, was er am nächsten Tag machen könnte – einen Ausflug oder einen Besuch bei einem Freund, der nach ihm gefragt hatte –, und er reagierte praktisch immer mit einer abweisenden Antwort, wenn nicht gleich mit einer Grobheit. Dann warf sie ihm einen verletzten Blick zu, fuhr mit den Fingern an ihrem Goldkettchen entlang und verschwand wieder.

Sein Vater, ein gutgepolsterter, freundlich wirkender Mann, kam normalerweise nach Hause, wenn ich gerade ging. Er gehörte zu den Männern, die sich mit einem Panamahut auf dem Kopf Kricketspiele ansehen. Er leitete die Verwaltung der Burg, seit er einen gutbezahlten Job in London aufgegeben hatte. Vermutlich fühlte er sich wie ein mildtätiger Gutsbesitzer, der gelegentlich selbst eine Kartoffel aus der Erde holte, um nicht einzurosten. Er machte jeden Tag pünktlich um fünf Uhr nachmittags Schluss und setzte sich mit Will vor den Fernseher. Manchmal hörte ich ihn die Nachrichten kommentieren, wenn ich zur Haustür ging.

Ich hatte bei der Arbeit natürlich mehr als genug Gelegenheit, Will Traynor aus nächster Nähe zu studieren. Anscheinend war er fest entschlossen, dem Mann, der er früher gewesen war, möglichst wenig zu ähneln. Er hatte sein hellbraunes Haar zu einer konturlosen Mähne wuchern lassen, und er rasierte sich nicht. Seine grauen Augen waren von Erschöpfung gezeichnet, oder vielleicht waren es auch die Auswirkungen der Schmerzen (Nathan sagte, Will fühle sich fast nie vollständig wohl). Sie hatten den leeren Blick eines Menschen, der sich ständig vor seiner Umgebung zurückzog. Ich fragte mich, ob das seine Verteidigungsstrategie war: so zu tun, als wäre nicht er es, dem das alles passierte. War das der einzige Weg, auf dem er sein Leben ertragen konnte?

Ich versuchte, Mitleid für ihn zu empfinden. Ich versuchte es wirklich. Wenn ich ihn sah, wie er aus dem Fenster starrte, dachte ich, dass er vermutlich der traurigste Mensch war, den ich je getroffen hatte. Und als mir im Laufe der Zeit klar wurde, dass sein Leiden nicht allein darin bestand, an diesen Stuhl gefesselt zu sein und seine körperliche Bewegungsfreiheit verloren zu haben, sondern auch in einer unendlichen Serie von Demütigungen und Gesundheitsproblemen, von Risiken und Schmerzen, erkannte ich, dass ich an Wills Stelle wahrscheinlich genauso unausstehlich wäre.

Trotzdem, er war einfach so fies zu mir. Auf alles, was ich sagte, hatte er eine gemeine Antwort. Wenn ich ihn fragte, ob ihm warm genug war, gab er zurück, er sei sehr wohl in der Lage, es mich wissenzulassen, wenn er noch eine Decke brauchte. Wenn ich fragte, ob der Staubsauger zu laut war – ich wollte ihn nicht beim Fernsehen stören –, erkundigte er sich, ob ich etwa eine Methode entwickelt hätte, ihn leiser laufen zu lassen. Wenn ich ihn fütterte, war ihm das Essen entweder zu heiß oder zu kalt, oder ich hatte ihm die nächste Gabel voll hingehalten, bevor er Zeit gehabt hatte, den Bissen davor hinunterzuschlucken. Er hatte die Fähigkeit, praktisch alles, was ich sagte oder tat, so zu kommentieren, dass ich dumm dastand.

Während dieser ersten Wochen wurde ich ziemlich gut darin, eine vollkommen ausdruckslose Miene aufzusetzen, dann drehte ich mich um und verschwand im Gästezimmer, und ich redete so wenig wie möglich mit ihm. Ich fing an, ihn zu hassen, und ich bin sicher, dass er es wusste.

Mir war nicht klar gewesen, dass ich meinem alten Job noch mehr nachtrauern könnte, als ich es ohnehin schon tat. Ich vermisste Frank und seinen erfreuten Blick, wenn ich morgens ankam. Ich vermisste die Gäste des Cafés, ihre Gesellschaft und das Geplauder, das um mich anschwoll und verebbte wie ein sanftes Meer. In diesem Anwesen, so schön und luxuriös es auch sein mochte, ging es so still und schweigsam zu wie in einem Leichenschauhaus. *Sechs Monate*, flüsterte ich vor mich hin, wenn es ganz unerträglich wurde. *Nur sechs Monate.*

Und dann, an einem Donnerstag, als ich gerade Wills vormittägliches Kaloriengetränk mischte, hörte ich Mrs. Traynors Stimme in der Diele. Allerdings war sie dieses Mal nicht allein. Ich wartete ab, die Gabel in der Hand. Ich hörte die höfliche Stimme einer jungen Frau und die eines Mannes.

Mrs. Traynor tauchte an der Küchentür auf, und ich versuchte, beschäftigt zu wirken, indem ich den Trinkbecher heftig kreisen ließ.

«Haben Sie die Sechzig-zu-vierzig-Mischung von Wasser und Milch beachtet?», fragte sie und beäugte das Getränk.

«Ja. Es ist die Sorte mit Erdbeergeschmack.»

«Wills Freunde sind zu Besuch gekommen. Es wäre vermutlich am besten, wenn Sie …»

«Ich habe eine Menge zu tun», sagte ich. Ich war richtig erleichtert, dass mir seine Gesellschaft eine Stunde lang erspart blieb. Ich schraubte den Deckel auf den Becher. «Möchten Ihre Gäste vielleicht einen Tee oder einen Kaffee?»

Sie sah mich beinahe überrascht an. «Ja. Das wäre sehr freundlich von Ihnen. Kaffee. Ich denke, ich …»

Sie wirkte noch angespannter als gewöhnlich, ihr Blick jagte Richtung Flur, aus dem Stimmengemurmel zu hören war. Ich vermutete, dass Will nicht gerade oft Besuch bekam.

«Ich glaube … Ich lasse sie am besten allein mit ihm.» Sie schaute zum Flur, mit den Gedanken offensichtlich weit weg. «Rupert. Es ist Rupert, sein alter Freund aus dem Büro», sagte sie und drehte sich unvermittelt wieder zu mir um.

Ich hatte das Gefühl, dass dieser Besuch irgendwie bedeutsam für sie war und dass sie das jemandem vermitteln wollte, selbst wenn es nur ich war.

«Und Alicia. Sie waren … sie haben sich sehr nahegestanden … eine Zeitlang. Kaffee wäre sehr schön. Danke, Miss Clark.»

Ich zögerte einen Moment, bevor ich die Tür öffnete, dann drückte ich sie mit der Hüfte auf, weil ich das Tablett in den Händen hielt.

«Mrs. Traynor meinte, Sie hätten vielleicht gern einen Kaffee», sagte ich beim Hereinkommen und stellte das Tablett auf den niedrigen Tisch. Als ich Wills Becher in die Halterung an seinem Stuhl stellte und den Strohhalm so herumdrehte, dass er nur den Kopf beugen musste, um ihn mit den Lippen zu erreichen, spähte ich auf seine Besucher.

Die Frau kam zuerst in meinen Blick. Langbeinig und blond, mit hellem, karamellfarbenem Teint. Sie gehörte zu den Frauen, bei denen ich mich immer fragte, ob wirklich alle Menschen derselben Spezies angehören. Sie sah aus wie ein menschliches Rennpferd. Ich hatte solche Frauen schon gelegentlich gesehen; sie waren mit federndem Schritt den Burghügel hinaufgegangen und hatten dabei Kinder in teuren Markenklamotten an der Hand gehalten. Und wenn sie ins Café kamen, erklangen ihre kristallklaren Stimmen mit Sätzen wie: «Harry, Darling, möchtest du einen Kaffee? Soll ich fragen, ob sie dir einen Macchiato machen können?» Das hier war eindeutig eine Macchiato-Frau. Alles an ihr roch nach Geld, nach Ansprüchen und einem Leben wie in einer Hochglanzzeitschrift.

Als ich sie genauer ansah, wurde mir mit einem kleinen Schreck bewusst, dass sie a) die Frau von Wills Skifoto war und b) so wirkte, als würde sie sich so richtig, richtig unbehaglich fühlen.

Sie hatte Will auf die Wange geküsst und trat nun verlegen lächelnd einen Schritt zurück. Sie trug eine braune Schaffellweste, in der ich wie ein Yeti ausgesehen hätte, und einen blassgrauen Kaschmirschal um den Hals, an dem sie herumspielte, als könnte sie sich nicht entscheiden, ob sie ihn ablegen sollte oder nicht.

«Du siehst gut aus», sagte sie. «Wirklich. Du hast … deine Haare wachsen lassen.»

Will sagte keinen Ton. Er sah sie einfach nur an, seine Miene undurchdringlich wie immer. Kurz überkam mich Dankbarkeit dafür, dass nicht ich es war, die er so anstarrte.

«Neuer Stuhl, was?» Der Mann klopfte auf die Rückenlehne von Wills Rollstuhl und nickte anerkennend, als würde er einen Luxus-Sportwagen bewundern. «Sieht … ziemlich schick aus. Sehr … hightech.»

Ich wusste nicht, was ich tun sollte. Ich stand da und trat von einem Fuß auf den anderen, bis Wills Stimme das Schweigen brach.

«Louisa, würden Sie bitte noch ein paar Holzscheite aufs Feuer legen? Ich glaube, es ist schon sehr weit heruntergebrannt.»

Es war das erste Mal, dass er mich mit meinem Vornamen ansprach.

«Klar», sagte ich.

Ich machte mich an dem Kaminofen zu schaffen, rüttelte mit dem Schieber die Glut durcheinander und suchte in dem Korb nach Holzscheiten in passender Größe.

«Meine Güte, ist es kalt draußen», sagte die Frau. «Ein richtiges Feuer zu haben ist wirklich nett.»

Ich öffnete die Tür des Kaminofens und stocherte mit dem Schürhaken in den Resten der Glut herum.

«Hier ist es bestimmt einige Grad kälter als in London.»

«Auf jeden Fall», sagte der Mann.

«Ich habe auch überlegt, mir einen Kaminofen anzuschaffen. Anscheinend sind sie viel effektiver als ein offener Kamin.» Alicia beugte sich vor, um den Ofen zu inspizieren, als hätte sie noch nie im Leben einen gesehen.

«Ja, das habe ich auch schon gehört», sagte der Mann.

«Ich muss mich wirklich darum kümmern. Das gehört zu den Dingen, die man immer machen will, und dann …» Sie beendete den Satz nicht. «Sehr guter Kaffee», sagte sie nach einem Moment.

«Und … was hast du so getrieben, Will?», fragte der Mann mit gezwungener Munterkeit.

«Nicht viel, komischerweise.»

«Aber du machst doch Physiotherapie und so weiter. Schlägt es an? Irgendwelche … Fortschritte?»

«Ich glaube jedenfalls nicht, dass ich in absehbarer Zukunft Ski fahren werde, Rupert.» Wills Stimme triefte vor Sarkasmus.

Ich musste beinahe lächeln. Das war der Will, den ich kannte. Ich fing an, Asche vor dem Ofen zusammenzukehren. Ich hatte das Gefühl, dass sie mich alle beobachteten. Das Schweigen wirkte wie elektrisch aufgeladen. Ich überlegte kurz, ob das Schildchen aus meinem Pulloverkragen hing, und unterdrückte den Impuls, es mit einer Hand zu überprüfen.

«Nun …», sagte Will endlich. «Was verschafft mir die Ehre? Nach … acht Monaten?»

«Oh, ich weiß. Tut mir leid. Es war … Ich war schrecklich beschäftigt. Ich habe einen neuen Job in Chelsea. Ich bin jetzt Geschäftsführerin in Sasha Goldsteins Boutique. Erinnerst du dich noch an Sasha? Ich musste ziemlich häufig das Wochenende durcharbeiten. An den Samstagen ist furchtbar viel los. Ich kann mir kaum jemals freinehmen.» Alicia klang angespannt. «Ich habe ein paarmal angerufen. Hat deine Mutter dir das ausgerichtet?»

«Und bei Lewis herrscht der reine Wahnsinn», sagte Rupert. «Du … du weißt ja, wie es ist, Will. Wir haben einen neuen Teilhaber. Kommt aus New York. Bains. Dan Bains. Bist du ihm mal begegnet?»

«Nein.»

«Der Verrückte arbeitet vierundzwanzig Stunden am Tag und erwartet von allen anderen, dass sie das auch tun.» Man hörte Rupert die Erleichterung darüber an, dass er ein Thema gefunden hatte, mit dem er sich wohl fühlte. «Du weißt ja, wie die Amis arbeiten – keine langen Mittagspausen, keine zweideutigen Witze –, ich sag's dir, Will. Die Atmosphäre im Büro hat sich komplett verändert.»

«Tatsächlich.»

«Ja, es ist irre. Manchmal habe ich den Eindruck, ich darf überhaupt nicht mehr von meinem Stuhl aufstehen.»

Sämtliche Luft im Zimmer schien durch ein Vakuum abgesaugt zu werden. Jemand hüstelte.

Ich stand auf und wischte mir die Hände an den Jeans ab. «Ich gehe … nur mal kurz neues Holz holen», murmelte ich in Wills Richtung.

Und dann nahm ich den Holzkorb und flüchtete.

Es war eiskalt draußen, aber ich trödelte trotzdem und schlug Zeit mit der Auswahl von Holzscheiten tot. Ich überlegte, ob es nicht besser wäre, den einen oder anderen Finger durch Erfrierungen zu verlieren, als in dieses Wohnzimmer zurückzugehen. Aber es war einfach zu kalt, und mein Zeigefinger, den ich zum Nähen brauchte, wurde als erster blau, daher musste ich mir irgendwann meine Niederlage eingestehen. Ich schleppte den Holzkorb so langsam wie möglich in den Anbau und ging noch langsamer durch den Flur. Als ich näher ans Wohnzimmer kam, hörte ich die Stimme der Frau durch die etwas offen stehende Tür.

«Ehrlich gesagt, Will, gibt es noch einen anderen Grund für unseren Besuch», sagte sie. «Wir haben … Neuigkeiten.»

Mit dem Holzkorb in den Händen blieb ich vor der Tür stehen.

«Ich dachte … also, wir dachten, dass es richtig wäre, wenn wir dich wissenlassen … also, na ja, kurz gesagt: Rupert und ich werden heiraten.»

Ich stand da, ohne mich zu bewegen, und dachte darüber nach, ob ich mich umdrehen konnte, ohne dass sie mich hörten.

Lahm sprach die Frau weiter. «Ich weiß, dass das vermutlich ein ziemlicher Schock für dich ist. Ehrlich gesagt, war es für mich auch einer. Wir … es … also, es hat erst angefangen, als das mit dir schon lange …»

Meine Arme begannen zu schmerzen. Ich schaute auf den Holzkorb hinunter und überlegte, was ich am besten tun sollte.

«Also, weißt du, du und ich … wir …»

Will schwieg immer noch.

«Sag doch was, bitte.»

«Herzlichen Glückwunsch», sagte er.

«Ich weiß, was du denkst. Aber keiner von uns hat das geplant. Wirklich nicht. Wir waren unheimlich lange einfach nur befreundet. Deine Freunde, die sich Sorgen um dich gemacht haben. Es ist einfach so, dass Rupert mir nach deinem Unfall eine wahnsinnige Stütze war und …»

«Sehr edel von ihm.»

«Bitte, sei doch nicht so. Das alles ist so furchtbar. Ich habe mich schrecklich davor gefürchtet, dir das zu sagen. Wir beide haben uns vor dieser Situation gefürchtet.»

«Offensichtlich», sagte Will.

Nun schaltete sich Rupert ein. «Versteh das doch, wir erzählen es dir, weil uns etwas an dir liegt. Wir wollten nicht, dass du es von jemand anderem erfährst. Aber, weißt du, das Leben geht weiter. Das musst du doch wissen. Es ist immerhin schon zwei Jahre her.»

Wieder Stille. Ich wollte nichts mehr hören und bewegte mich vorsichtig von der Tür weg. Aber als Rupert weitersprach, hatte er die Stimme erhoben, sodass ich ihn immer noch verstehen konnte.

«Jetzt komm schon, Mann. Ich weiß, dass es unheimlich hart sein muss … das Ganze. Aber wenn du für Lissa überhaupt noch etwas übrighast, musst du ihr doch ein erfülltes Leben wünschen.»

«Sag was, Will. Bitte.»

Ich konnte mir sein Gesicht nur allzu gut vorstellen. Ich sah seinen undurchdringlichen Blick vor mir, der zugleich Distanz und Verachtung ausdrückte.

«Gratulation», sagte er schließlich. «Ich bin sicher, dass ihr beide sehr glücklich werdet.»

Alicia erwiderte etwas – ich konnte nicht verstehen, was sie sagte –, wurde aber von Rupert unterbrochen. «Komm, Lissa. Ich glaube, wir gehen besser. Will, wir sind nicht hierhergekommen, um uns deinen Segen zu holen. Wir fanden aber, es gehört sich so. Lissa dachte … na ja, wir beide dachten einfach, du solltest es von uns erfahren. Tut mir leid, Kumpel. Ich … ich hoffe, dass sich deine Situation verbessert, und ich hoffe, dass du Kontakt mit uns hältst, wenn sich alles … du weißt schon … wenn sich alles ein bisschen beruhigt hat.»

Dann hörte ich Schritte, und ich beugte mich über den Holzkorb, als wäre ich gerade erst hereingekommen. Ich hörte sie durch den Flur gehen, und dann tauchte Alicia vor mir auf. Sie sah aus, als würde sie gleich anfangen zu weinen.

«Kann ich kurz das Badezimmer benutzen?», fragte sie mit erstickter Stimme.

Ich hob langsam den Finger und deutete stumm in die Richtung der Badezimmertür.

Da sah sie mich scharf an, und mir wurde klar, dass sie in meinem Gesicht lesen konnte, was ich dachte. Ich war noch nie besonders gut darin, meine Gefühle zu verbergen.

«Ich weiß, was Sie denken», sagte sie nach einem Moment. «Aber ich habe es versucht. Ich habe es wirklich versucht. Monatelang. Und er hat mich einfach immer wieder weggestoßen.» Sie biss kurz die Zähne zusammen. Ihr Blick war wütend. «Er wollte mich nicht hier haben. Das hat er mir sehr deutlich zu verstehen gegeben.»

Sie schien darauf zu warten, dass ich etwas sagte.

«Es geht mich wirklich nichts an», sagte ich schließlich.

Wir sahen uns an.

«Wissen Sie, man kann nur jemandem helfen, der sich auch helfen lassen will», sagte sie.

Und damit ging sie.

Ich wartete ein paar Minuten, bis ich ihr Auto wegfahren hörte, dann ging ich in die Küche. Ich setzte Wasser auf, obwohl ich keinen Tee wollte. Ich blätterte eine Zeitschrift durch, die ich schon gelesen hatte. Schließlich ging ich wieder in den Flur und hob mit einem Keuchen den Holzkorb hoch, schleppte ihn zum Wohnzimmer, stieß damit leicht an die Tür, bevor ich eintrat, damit Will wusste, dass ich kam.

«Ich habe mich gefragt, ob Sie vielleicht …», fing ich an.

Das Zimmer war leer.

Und dann hörte ich das Krachen. Ich rannte in den Flur, und erneut krachte es, gefolgt von dem Geräusch splitternden Glases. Der Lärm kam aus Wills Schlafzimmer. *O Gott, bitte, er darf sich nicht verletzt haben.* Ich war panisch – Mrs. Traynors Ermahnung hallte in meinem Kopf wider. Ich hatte ihn länger als fünfzehn Minuten allein gelassen.

Ich rannte durch den Flur, kam vor dem Schlafzimmer schlitternd zum Stehen und hielt mich mit beiden Händen am Türrahmen fest. Will saß mitten im Zimmer in seinem Rollstuhl, ein Spazierstock lag quer über den Armstützen, sodass er rechts und links herausragte wie eine Turnierlanze. Kein einziges Foto stand mehr auf dem langen Regal. Die teuren Rahmen lagen zerbrochen auf dem Boden, überall auf dem Teppich glitzerten Glasscherben. Sogar auf seinem Schoß lagen Holzsplitter und Scherben. Ich nahm das Bild der Zerstörung in mich auf, und mein Herzschlag beruhigte sich langsam, als ich erkannte, dass er nicht verletzt war. Will atmete schwer, als hätte ihn das, was er da angerichtet hatte, unglaublich angestrengt.

Er drehte den Rollstuhl um, unter den Reifen knirschte Glas. Wir sahen uns an. In seinem Blick lag unendliche Erschöpfung. Und die Warnung, ihn nur ja nicht zu bemitleiden.

Ich schaute auf seinen Schoß, dann auf den Boden um ihn herum. Ich sah das Bild von ihm und Alicia, deren Gesicht halb von einem verbogenen Silberrahmen verdeckt war.

Ich schluckte, starrte das Bild an und hob dann langsam meinen Blick zu ihm. Diese wenigen Sekunden waren die längsten, die ich je erlebt habe.

«Kann das Ding eine Reifenpanne kriegen?», sagte ich schließlich und nickte in Richtung seines Rollstuhls. «Ich habe nämlich keine Ahnung, wo ich den Wagenheber ansetzen müsste.»

Er riss die Augen auf. Einen Moment lang war ich überzeugt, dass ich es jetzt endgültig verbockt hatte. Aber dann glitt die Andeutung eines Lächelns über sein Gesicht.

«Am besten rühren Sie sich erst mal nicht», sagte ich. «Ich hole den Staubsauger.»

Ich drehte mich um und hörte hinter mir den Spazierstock auf den Boden fallen. Als ich zur Schlafzimmertür hinausging, glaubte ich, ihn so etwas wie ‹Sorry› sagen zu hören.

Im *Kings Head* herrschte donnerstags abends immer viel Gedränge, und in der Sitzecke war es noch größer. Ich saß eingequetscht zwischen Patrick und einem Mann, der anscheinend

Rutter hieß. Abwechselnd starrte ich auf die Hufeisen, die an die Eichenbalken über meinem Kopf genagelt worden waren, und auf die Fotos von der Burg, die an den Querträgern hingen. Dabei versuchte ich, wenigstens ein bisschen so auszusehen, als würde ich mich für das Gespräch interessieren, in dem es hauptsächlich um Körperfettwerte und Kohlenhydratanteile ging.

Ich hatte schon immer geglaubt, dass die vierzehntäglichen Treffen der *Hailsbury Triathlon Terrors* der schlimmste Albtraum jedes Wirts sein mussten. Ich war die Einzige, die Alkohol trank, und meine einsame Chipstüte lag leer und zerknittert auf dem Tisch. Alle anderen nippten an Mineralwasser oder überprüften den Süßstoffgehalt ihrer Diät-Colas. Wenn sie endlich etwas zu essen bestellten, dann war es Salat, der mit keinem Blatt ein Vollfett-Dressing gestreift haben durfte, oder höchstens ein Stück Hühnchen – selbstverständlich ohne Haut. Ich bestellte oft Pommes, nur um zu erleben, wie sie alle so taten, als wollten sie nichts davon.

«Phil hat bei vierzig Meilen schlappgemacht. Er behauptet, er hätte Stimmen gehört. Und seine Füße waren wie Blei. Er hatte so ein Zombie-Gesicht, wisst ihr?»

«Ich habe mir ein Paar von diesen neuen japanischen Laufschuhen anpassen lassen. Damit habe ich meine Bestzeit um fünfzehn Minuten unterboten.»

«Fahrt bloß nicht mit einer weichen Fahrradtasche. Als Nigel damit im Tricamp ankam, hing sie rechts und links runter wie ein Kleiderbügel.»

Ich konnte nicht sagen, dass ich die Treffen der Triathlon Terrors genoss, aber bei meiner Arbeitszeit und Patricks Trainingsplan war es eine der wenigen Gelegenheiten, bei denen ich sicher sein konnte, ihn zu Gesicht zu bekommen. Er saß neben mir, die muskulösen Oberschenkel steckten trotz der extremen Kälte draußen nur in kurzen Hosen. Es war Ehrensache unter den Vereinsmitgliedern, so wenig Kleidung wie möglich zu tragen. Die Männer waren drahtig und mit merkwürdigen, teuren Sportsachen bekleidet, die angeblich besonders atmungsaktiv und federleicht waren. Sie hießen Scud oder Trig und zeigten sich gegenseitig ihre Muskeln, stellten Verletzungen zur Schau oder berichteten von der Zunahme ihrer Muskelmasse. Die Frauen waren ungeschminkt und hatten den rötlichen Teint der Menschen, denen es nichts ausmacht, bei eisigen Temperaturen meilenweit durch die Landschaft zu joggen. Sie betrachteten mich mit leichter Abscheu – oder sogar mit Unverständnis –, und ganz bestimmt schätzten sie mein Fett-Muskel-Verhältnis und fanden es mangelhaft.

«Es war schrecklich», erzählte ich Patrick, wobei ich mir überlegte, ob ich mir Käsekuchen bestellen konnte, ohne dass sie mich alle mit ihren Blicken töteten. «Seine Freundin und sein bester Freund.»

«Du kannst ihr doch keinen Vorwurf machen», sagte er. «Oder willst du mir erzählen, dass du bei mir bleiben würdest, wenn ich vom Hals abwärts gelähmt wäre?»

«Klar würde ich das.»

«Nein, würdest du nicht. Und ich würde es auch nicht erwarten.»

«Tja, ich würde aber trotzdem bei dir bleiben.»

«Aber ich wollte dich nicht dahaben. Ich wollte niemanden dahaben, der aus Mitleid bei mir bleibt.»

«Wer sagt denn, dass es Mitleid wäre? Du wärst schließlich immer noch derselbe Mensch.»

«Nein, wäre ich nicht. Ich wäre überhaupt nicht mehr derselbe Mensch.» Er verzog das Gesicht. «Ich würde nicht mehr leben wollen. Stell dir mal vor, du wärst bei jeder Kleinigkeit von anderen abhängig. Irgendwelche Fremden würden dir den Hintern abwischen und …»

Ein Mann quetschte seinen rasierten Kopf zwischen uns. «Pat», sagte er, «hast du schon diesen neuen Gel-Drink ausprobiert? Letzte Woche ist einer davon in meinem Rucksack explodiert. So was hab ich echt noch nie erlebt.»

«Nein, ich kenn das Zeug nicht. Mir reichen Bananen und Lucozade.»

«Dazzer hat beim Norseman eine Diät-Cola getrunken. Und auf tausend Höhenmetern musste er alles wieder rauskotzen. Mann, haben wir gelacht.»

Ich rang mir ein schwaches Lächeln ab.

Der Mann mit dem rasierten Kopf verschwand wieder, und Patrick drehte sich zu mir. Er machte sich immer noch über Will Gedanken. «Gott. Stell dir mal vor, was man alles nicht mehr machen könnte …» Er schüttelte den Kopf. «Nicht mehr laufen, nicht mehr Rad fahren.» Dann sah er mich an, als wäre es ihm eben erst eingefallen. «Keinen *Sex* mehr.»

«Klar würdest du Sex haben. Bloß müsste die Frau oben liegen.»

«Das wäre dann also für uns abgehakt.»

«Sehr lustig.»

«Außerdem, wenn du vom Hals abwärts gelähmt bist, glaube ich nicht, dass … die Ausrüstung noch funktioniert, wie sie soll.»

Ich dachte an Alicia. *Ich habe es versucht*, hatte sie gesagt. *Ich habe es wirklich versucht. Monatelang.*

«Bei manchen geht es bestimmt noch. Abgesehen davon muss es ja wohl auch andere Möglichkeiten geben, wenn man … ein bisschen Phantasie entwickelt.»

«Hah.» Patrick trank ein Schlückchen Wasser. «Du kannst ihn ja morgen mal fragen. Und weißt du was? Du hast doch gesagt, er ist furchtbar. Vielleicht war er ja schon vor seinem Unfall ein furchtbarer Typ. Vielleicht ist das der wahre Grund, warum sie ihn hat sitzenlassen. Hast du darüber schon mal nachgedacht?»

«Ich weiß nicht …» Ich sah das Foto vor mir. «Sie haben sehr glücklich miteinander ausgesehen.» Andererseits, was konnte ein Foto schon beweisen? Ich hatte selbst ein gerahmtes Foto zu Hause, auf dem ich Patrick anstrahlte, als hätte er mich gerade aus einem brennenden Haus gerettet, aber in Wahrheit hatte ich ihn gerade «verdammter Blödmann!» genannt, worauf er mit einem tiefempfundenen «Ach, verpiss dich!» reagiert hatte.

Patrick verlor das Interesse. «Hey, Jim … Jim, hast du dir dieses neue Leichtmetall-Rennrad mal angesehen? Lohnt sich das?»

Ich ließ ihn das Thema wechseln, während ich über das nachdachte, was Alicia gesagt hatte. Ich konnte mir sehr gut vorstellen, dass Will sie weggestoßen hatte. Aber wenn man jemanden liebte, gehörte es doch dazu, bei ihm zu bleiben, oder? Ihm durch die depressiven Phasen zu helfen. In guten und in schlechten Tagen, hieß es doch.

«Noch etwas zu trinken?», fragte Patrick.

«Wodka Tonic. Mit *kalorienreduziertem* Tonic», sagte ich, als er die Augenbraue hob.

Patrick zuckte mit den Schultern und ging zum Tresen.

Ich fühlte mich nicht ganz wohl mit der Art, in der wir über meinen Arbeitgeber gesprochen hatten. Besonders, als mir klar wurde, dass Will so etwas vermutlich die ganze Zeit ertragen musste. Es war schließlich beinahe unmöglich, nicht über die intimeren Aspekte seines Lebens zu spekulieren. Ich hing meinen Gedanken nach. Sie redeten jetzt über ein Trainingswochenende in Spanien. Ich hörte nur mit halbem Ohr zu, bis Patrick wieder neben mir auftauchte und mich anschubste.

«Lust drauf?»

«Auf was?»

«Ein Wochenende in Spanien. Statt des Griechenland-Urlaubs. Du könntest am Pool die Füße hochlegen, falls du nicht auf eine Vierzig-Meilen-Radstrecke stehst. Es gibt bestimmt billige Flüge. Es sind noch sechs Wochen. Wo du doch jetzt so viel Geld scheffelst.»

Ich dachte an Mrs. Traynor. «Ich weiß nicht … Ich bin nicht sicher, ob sie es gut finden, wenn ich mir so schnell freinehme.»

«Macht's dir dann was aus, wenn ich allein fahre? Ich habe echt Lust auf ein bisschen Höhentraining. Ich glaube, ich mache den großen mit.»

«Den großen was?»

«Triathlon. Den *Xtreme Viking*. Sechzig Meilen mit dem Rad, dreißig Meilen laufen und dann ein hübsches, langes Bad in eisigen Nordmeeren.»

Über den Viking wurde nur mit Ehrfurcht gesprochen. Wer daran teilgenommen hatte, trug seine Verletzungen stolz wie ein Veteran aus einem fernen und besonders gnadenlosen Krieg. Patrick leckte sich vor lauter Vorfreude beinahe über die Lippen. Ich betrachtete meinen Freund und fragte mich, ob er in Wahrheit ein Außerirdischer war. Kurz ging mir durch den Kopf, dass er mir lieber gewesen war, als er noch Fernseher verkauft hatte und nicht an einer Tankstelle vorbeikommen konnte, ohne anzuhalten und seinen Mars-Riegel-Vorrat aufzufüllen.

«Machst du da wirklich mit?»

«Wieso nicht? Ich war noch nie fitter.»

Ich dachte an all das zusätzliche Training – die endlosen Gespräche über Körpergewicht, Entfernungen, Fitness und Ausdauer. Es war im Moment auch so schon schwer genug, Patricks Aufmerksamkeit zu bekommen.

«Wir könnten es doch zusammen machen», sagte er, auch wenn wir beide wussten, dass er das selbst nicht glaubte.

«Das überlass ich dir lieber allein», sagte ich und fügte hinzu: «Klar, fahr ruhig nach Spanien.»

Und dann bestellte ich den Käsekuchen.

Wenn ich gedacht hatte, die Ereignisse des Vortages hätten im Granta House für Tauwetter gesorgt, hatte ich mich getäuscht.

Ich begrüßte Will mit einem breiten Lächeln und einem fröhlichen Hallo, doch er wandte nicht einmal den Blick vom Fenster ab.

«Kein guter Tag heute», murmelte Nathan, als er sich die Jacke überstreifte.

Es war ein grauer, wolkenverhangener Vormittag. Der Regen schlug ans Fenster, und man konnte sich kaum vorstellen, dass irgendwann einmal wieder die Sonne scheinen würde. Sogar ich war an solchen Tagen mürrisch. Also überraschte es mich wenig, dass Will noch schlechtere Laune hatte als sonst. Ich fing mit meiner Arbeit an und sagte mir, dass es egal war. Man musste seinen Arbeitgeber schließlich nicht mögen, oder? Eine Menge Leute mochten ihre Arbeitgeber nicht. Ich dachte an Treenas Chefin, eine angespannte Seriengeschiedene, die überwachte, wie oft meine Schwester zur Toilette ging, und ständig bissige Kommentare zu überdurchschnittlicher Blasentätigkeit fallenließ. Davon abgesehen hatte ich schon zwei Wochen durchgehalten. Das bedeutete, dass nur noch fünf Monate und dreizehn Arbeitstage vor mir lagen.

Die Fotos waren in der unteren Schublade, in die ich sie am Vortag gestapelt hatte. Jetzt hockte ich auf dem Boden und begann sie um mich auszubreiten, weil ich feststellen wollte, welche Rahmen ich vielleicht reparieren konnte. Ich bin ziemlich gut im Reparieren. Außerdem war das nicht die schlechteste Art, die Zeit herumzubringen.

Ich war seit etwa zehn Minuten mit den Fotos beschäftigt, als mir das leise Summen des Rollstuhls verriet, dass Will kam.

An der Tür hielt er an und betrachtete mich. Dunkle Schatten lagen unter seinen Augen. Manchmal, hatte mir Nathan erzählt, konnte er die ganze Nacht nicht schlafen. Ich wollte mir gar nicht vorstellen, wie es war, in einem Bett zu liegen, aus dem man nicht aufstehen konnte, und dabei bloß düstere Gedanken als Gesellschaft zu haben, bis es endlich hell wurde.

«Ich habe gedacht, ich sehe mal, ob ich ein paar hiervon reparieren kann», sagte ich und hob einen der Rahmen hoch. Es war das Foto, das ihn bei dem Bungee-Sprung zeigte. Ich versuchte, fröhlich zu wirken. *Er braucht jemanden, der optimistisch ist, der positive Stimmung verbreitet.*

«Warum?»

Ich blinzelte. «Na ja ... Ich glaube, ein paar davon lassen sich noch verwenden. Ich habe Holzleim mitgebracht, wenn Sie möchten, dass ich versuche, sie zu reparieren. Oder wenn Sie neue wollen, kann ich in meiner Mittagspause welche kaufen. Oder wir könnten zusammen gehen, wenn Sie Lust auf ...»

«Wer hat Ihnen gesagt, dass Sie sie reparieren sollen?»

Er starrte mich unnachgiebig an.

Oje, oje, dachte ich. «Ich ... ich wollte nur helfen.»

«Sie wollten in Ordnung bringen, was ich gestern getan habe.»

«Ich ...»

«Soll ich Ihnen mal etwas sagen, Louisa? Es wäre sehr schön, wenn ausnahmsweise einmal jemand auf meine Wünsche Rücksicht nehmen würde. Dass ich diese Fotos zerstört habe, war kein Versehen. Und es war kein Experiment in radikaler Inneneinrichtung. Der Grund war, dass ich sie nicht mehr sehen will.»

Ich stand auf. «Es tut mir leid. Ich dachte nicht, dass ...»

«Sie dachten, Sie wüssten es besser. Jeder denkt, er wüsste, was ich brauche oder will. *Kleben wir die verdammten Fotos wieder zusammen. Der Pflegefall muss doch was zum Anschauen haben.* Ich will nicht, dass mich diese verdammten Fotos immerzu anstarren, wenn ich im Bett liege, bis endlich jemand kommt und mich wieder rausholt. Kapiert? Glauben Sie, das bekommen Sie in Ihren Schädel?»

Ich schluckte. «Das von Alicia wollte ich nicht kleben ... so dumm bin ich nicht ... Ich habe nur gedacht, dass Sie vielleicht in ein paar Tagen ...»

«O Gott.» Er drehte sich von mir weg. Seine Stimme ätzte: «Ersparen Sie mir die Psychotherapie. Gehen Sie einfach und lesen Sie Ihre idiotischen Klatschblätter oder was auch immer Sie tun, wenn Sie keinen Tee kochen.»

Meine Wangen brannten. Ich sah ihm nach, wie er den Rollstuhl durch den Flur manövrierte, und dann platzte ich heraus: «Sie müssen sich trotzdem nicht wie ein Arsch benehmen.»

Die Worte hallten in der Stille nach.

Der Rollstuhl blieb stehen. Nach einer langen Pause drehte Will langsam um, sodass er mich ansah. Seine Hand lag auf dem kleinen Steuerknüppel.

«Wie bitte?»

Mit rasendem Herzschlag starrte ich ihn an. «Sie haben Ihre Freunde beschissen behandelt. Na gut. Wahrscheinlich hatten sie es verdient. Aber ich komme Tag für Tag hierher und versuche, alles so gut zu machen, wie ich es nur kann. Also wäre ich Ihnen wirklich verbunden, wenn Sie mir das Leben nicht genauso vermiesen würden wie allen anderen.»

Seine Augen weiteten sich ein bisschen. Er hielt kurz inne, bevor er sagte: «Und was wäre, wenn ich Ihnen sage, dass ich Sie nicht hier haben will?»

«Ich bin nicht von Ihnen angestellt worden. Ihre Mutter hat mich angestellt. Und solange sie mir nicht sagt, dass sie mich nicht mehr hier haben will, bleibe ich. Nicht, weil ich Sie oder diesen bescheuerten Job besonders mag oder vorhabe, irgendwie Ihr Leben zu ändern, sondern weil ich das Geld brauche. Okay? Ich brauche das Geld wirklich.»

Will Traynor hatte keine Miene verzogen, aber ich glaubte trotzdem, in seinem Gesichtsausdruck so etwas wie Erstaunen darüber zu erkennen, dass sich jemand mit ihm herumstritt.

Verflucht, dachte ich, als mir klar wurde, was ich da getan hatte. *Jetzt hab ich's wirklich endgültig verbockt.*

Aber Will starrte mich nur weiter an, und als ich den Blick nicht abwandte, atmete er aus, als wollte er gleich etwas Unerfreuliches sagen.

«Na gut», sagte er, und dann drehte er mit dem Rollstuhl um. «Legen Sie die Fotos einfach in die unterste Schublade, bitte. Alle.»

Und mit einem leisen Summen des Rollstuhlmotors verschwand er.

Kapitel 5

Die Sache ist die: Wenn man plötzlich in ein ganz neues Leben katapultiert wird oder jedenfalls auf einmal so eng mit jemandem zu tun hat, ist es, als würde man sich die Nase am Wohnzimmerfenster von fremden Leuten platt drücken – es bringt einen dazu, neu zu überdenken, wer man eigentlich ist. Oder wie man auf andere Leute wirkt.

Für meine Eltern war ich innerhalb von vier kurzen Wochen um einiges interessanter geworden. Ich war jetzt der Zugang zu einer anderen Welt. Vor allem meine Mutter fragte mich täglich nach dem Granta House und den dortigen Gepflogenheiten, als wäre sie ein Zoologe, der eine seltsame neue Art in ihrem Lebensraum untersucht. «Legt Mrs. Traynor zu jedem Essen Leinenservietten auf den Tisch?», fragte sie zum Beispiel oder: «Glaubst du, sie staubsaugen täglich, so wie wir?», oder: «Wie kochen sie ihre Kartoffeln?»

Sie schickte mich morgens mit der strikten Anweisung los, herauszufinden, welche Marke Toilettenpapier sie benutzten oder ob die Bettlaken aus Baumwoll-Polyester-Mischgewebe waren. Es war eine herbe Enttäuschung für sie, dass ich mich an vieles nicht so genau erinnern konnte. Meine Mutter lebte in der heimlichen Überzeugung, dass reiche Leute wie die Schweine hausten – und zwar, seit ich ihr als Sechsjährige erzählt hatte, dass die wohlhabende Mutter eines Schulfreundes uns nicht im Empfangszimmer spielen lassen wollte, weil wir ‹den Staub aufwirbeln› würden.

Als ich nach Hause kam und berichtete, dass der Hund tatsächlich in der Küche fressen durfte oder dass die Traynors ihre Zugangstreppe nicht täglich abschrubbten, wie es meine Mutter tat, spitzte sie die Lippen, warf einen Seitenblick auf meinen Vater und nickte in wortloser Befriedigung, als hätte ich ihr soeben alles bestätigt, was sie von den schlampigen Sitten in vornehmen Kreisen schon längst geahnt hatte.

Die Abhängigkeit meiner Eltern von meinem Einkommen oder vielleicht auch die Tatsache, dass sie wussten, wie sehr ich meine Arbeit verabscheute, hatte zur Folge, dass ich zu Hause mit ein bisschen mehr Respekt behandelt wurde. Das hieß allerdings nicht viel – was meinen Vater anging, so hörte er auf, mich ‹Moppelchen› zu nennen, und meine Mutter erwartete mich beim Heimkommen mit einem Becher Tee.

Was Patrick und meine Schwester betraf, gab es keine Veränderungen. Ich blieb weiterhin die Zielscheibe für ihren Spott und die Empfängerin ihrer Küsse, Umarmungen oder ihrer schlechten Laune. An mir selbst nahm ich keine Veränderung wahr. Ich sah genauso aus wie immer und zog mich, Treen zufolge, an, als hätte ich einen Ringkampf in der Kleiderkammer des Roten Kreuzes hinter mir.

Ich hatte bei fast allen Bewohnern des Granta House keine Ahnung, was sie von mir hielten. Will war nicht zu durchschauen. Für Nathan war ich vermutlich einfach die aktuelle Haushaltshilfe in einer langen, langen Reihe von Haushaltshilfen. Er war immer sehr freundlich, dabei aber auch etwas distanziert. Er ging wohl nicht davon aus, dass ich lange bleiben würde. Mr. Traynor nickte mir höflich zu, wenn wir uns in der Diele begegneten, und erkundigte sich gelegentlich nach dem Verkehr oder ob ich mich inzwischen an die Arbeit gewöhnt hätte. Ich bin nicht sicher, ob er mich wiedererkannt hätte, wenn er mir in einer anderen Umgebung begegnet wäre.

Mrs. Traynor dagegen – meine Güte –, für Mrs. Traynor war ich anscheinend die dümmste und unverantwortlichste Person auf dem gesamten Planeten.

Es hatte mit den Bilderrahmen angefangen. Nicht das Geringste, was im Haus geschah, entging Mrs. Traynors Aufmerksamkeit, und ich hätte wissen müssen, dass die Zerstörung der Rahmen in ihren Augen einer Naturkatastrophe gleichkam. Sie fragte mich ewig aus. Wie lange genau hatte ich Will allein gelassen? Was hatte den Ausbruch provoziert? Wie schnell hatte ich die Scherben weggeräumt? Sie kritisierte mich nicht direkt, und sie war viel zu vornehm, um laut zu werden, aber ihre Art, zu meinen Antworten langsam zu blinzeln, und ihr leises *Hmm-hmm*, während ich redete, sprachen Bände. Es überraschte mich kein bisschen, als Nathan mir erzählte, dass sie Richterin war.

Sie meinte, es wäre vermutlich günstig, wenn ich Will nicht noch einmal so lange allein ließe, ganz gleich, wie unbehaglich die Situation war, *hmmm*? Sie meinte, ich könnte ja beim nächsten Abstauben dafür sorgen, dass nichts dicht am Rand stand, was dann versehentlich heruntergeworfen werden konnte, *hmmm*? (Anscheinend war es ihr lieber, die Sache als Missgeschick zu betrachten.) Sie brachte mich dazu, mich wie eine Idiotin erster Güte zu fühlen, und natürlich verwandelte ich mich daraufhin auch automatisch in eine Idiotin erster Güte, wenn sie in der Nähe war. Sie kam immer, wenn ich gerade etwas hatte fallen lassen oder mit dem Hightech-Herd kämpfte, oder sie stand in

der Diele, wenn ich mit dem neu gefüllten Holzkorb zurückkam, und sah mich mit leicht irritiertem Blick an, als hätte ich
Stunden draußen verbracht.

Merkwürdigerweise machte mir ihr Verhalten mehr aus als
Wills Gemeinheiten. Ein paarmal war ich drauf und dran, sie zu
fragen, ob irgendetwas nicht stimmte. *Sie haben gesagt, Sie stellen
mich wegen meiner Art ein, nicht wegen meiner beruflichen Erfahrung,*
wollte ich sagen. *Tja, und da bin ich, und zwar jeden verdammten Tag
mit guter Laune. Also, wo liegt Ihr Problem?*

Aber Camilla Traynor war nicht die Frau, zu der man so etwas sagen konnte. Abgesehen davon hatte ich das Gefühl, dass
in diesem Haus kein Mensch jemals direkt aussprach, was er
dachte.

«Lily, unsere letzte Haushaltshilfe, war sehr geschickt darin,
in derselben Pfanne zwei Gemüsesorten zuzubereiten» hieß: *Sie
benutzen zu viel Geschirr.*

«Möchtest du vielleicht eine Tasse Tee, Will?» hieß: *Ich habe
keine Ahnung, worüber ich mit dir reden soll.*

«Ich glaube, ich muss los, mich um einigen Papierkram kümmern» hieß: *Du warst unhöflich, also gehe ich.*

Und all das sagte sie mit diesem leidenden Gesichtsausdruck, während ihre schlanken Finger an der Goldkette mit
dem Kreuz entlangstrichen. Im Vergleich zu ihr sah sogar meine eigene Mutter aus wie Amy Winehouse. Ich lächelte höflich,
tat so, als hätte ich nichts gehört, und machte die Arbeit, für die
ich bezahlt wurde.

Beziehungsweise ich versuchte es.

«Warum zum Teufel versuchen Sie, mir Karotten auf die
Gabel zu schmuggeln?»

Ich sah auf den Teller hinab. Ich hatte gerade die Fernseh-
moderatorin gemustert und überlegt, wie ich mit ihrer Haar-
farbe aussehen würde.

«Was? Das hab ich nicht.»

«Doch. Sie haben sie zerdrückt und in die Soße gerührt. Ich habe es genau gesehen.»

Ich wurde rot. Er hatte recht. Ich fütterte Will, während wir nebenbei die Mittagsnachrichten sahen. Es gab Roastbeef mit Kartoffelbrei. Seine Mutter hatte mir erklärt, ich müsse immer drei Sorten Gemüse auf dem Teller haben, obwohl er klar gesagt hatte, dass er an diesem Tag kein Gemüse essen wollte. Ich glaube, es gab kein einziges Essen, das ich für ihn kochen sollte, dessen Nährstoffgehalt nicht bis aufs Mikrogramm berechnet worden war.

«Warum versuchen Sie, mir heimlich Karotten zu geben?»

«Das tue ich doch gar nicht.»

«Also sind hier keine Karotten drin?»

Ich starrte die winzigen orangefarbenen Stückchen an. «Na ja … also …»

Er wartete mit hochgezogenen Augenbrauen ab.

«Mmh … ich habe vermutlich gedacht, Gemüse wäre gut für Sie.»

Ehrlich gesagt hatte ich es nur zum Teil getan, um Mrs. Traynors Wünschen zu entsprechen, zum Teil war es aber auch schlicht Gewohnheit. Ich war nämlich daran gewöhnt, Thomas zu füttern, dessen Gemüse immer zu Brei zerdrückt und unter Bergen von Kartoffeln versteckt oder in die Nudelsoße gerührt werden musste. Jedes Stückchen, das er hinunterschluckte, war für uns ein kleiner Sieg.

«Damit wir uns recht verstehen. Sie glauben also, ein Teelöffel Karottenbrei würde meine Lebensqualität verbessern.»

Es klang tatsächlich ziemlich dumm, wenn er es so sagte. «Ich tu's nicht wieder.»

Und dann, urplötzlich, lachte Will Traynor. Es war ein richtiger Lachanfall.

«Verflucht», sagte er und schüttelte den Kopf.

Ich starrte ihn an.

«Und was zum Teufel haben Sie mir sonst noch alles ins Essen gemischt? Wollen Sie mir vielleicht auch noch sagen, dass ich den Tunnel öffnen soll, damit Herr Zug ein bisschen Rosenkohlpüree zur nächsten Bahnstation fahren kann?»

Ich dachte kurz nach. «Nein», sagte ich ernst. «Ich pflege nur Umgang mit Herrn Gabel, und Herr Gabel sieht nicht aus wie ein Zug.»

Das hatte mir Thomas ein paar Monate zuvor äußerst nachdrücklich erklärt.

«Hat Sie meine Mutter dazu angestiftet?»

«Nein. Hören Sie, Will, es tut mir leid. Ich habe einfach … nicht nachgedacht.»

«Als ob das eine Ausnahme wäre.»

«Schon gut, okay? Ich fische die Stückchen raus, wenn Sie die Karotten wirklich so stören.»

«Es sind nicht die Karottenstückchen, die mich stören. Es ist die Tatsache, dass sie mir von einer Verrückten ins Essen geschmuggelt werden, die das Besteck mit Herr und Frau Gabel anspricht.»

«Das war ein Witz. Wissen Sie, ich suche einfach die Karotten heraus und …»

Er drehte sich weg. «Ich möchte nichts mehr. Bringen Sie mir einfach eine Tasse Tee.» Als ich hinausging, rief er mir nach: «Aber versuchen Sie bloß nicht, heimlich eine pürierte Zucchini in den Tee zu rühren.»

Während ich abspülte, kam Nathan herein. «Er hat gute Laune», sagte er, als ich ihm einen Becher Tee gab.

«Wirklich?» Ich aß mein Sandwich in der Küche. Es war eiskalt draußen, und inzwischen kam mir die Stimmung im Haus nicht mehr ganz so unfreundlich vor.

«Er sagt, Sie hätten versucht, ihn zu vergiften. Aber er hat es auf eine … nette Art gesagt.»

Irgendwie freute ich mich über diese Nachricht.

«Ja … na ja …», sagte ich und versuchte, meine Freude zu verbergen. «Geben Sie mir noch Zeit.»

«Er redet auch mehr. Es gab schon ganze Wochen, in denen er kaum ein Wort gesagt hat, aber in den letzten Tagen plaudert er sogar ganz gerne ein bisschen.»

Ich musste daran denken, wie Will zu mir gesagt hatte, wenn ich nicht endlich aufhören würde, vor mich hin zu pfeifen, sähe er sich gezwungen, mich zu überfahren. «Ich glaube, seine Definition von einer Plauderei und meine unterscheiden sich ein bisschen.»

«Wir haben uns jedenfalls über Kricket unterhalten. Was ich Ihnen noch sagen wollte», Nathan senkte die Stimme, «Mrs. T. hat mich vor einer Woche oder so gefragt, wie Sie so klarkommen, und ich habe ihr gesagt, dass ich Sie für sehr fähig halte, aber ich wusste, dass sie etwas anderes meinte. Und gestern ist sie reingekommen und hat erzählt, sie hätte Will und Sie lachen hören.»

Ich dachte an den Abend zuvor. «Er hat *über* mich gelacht», sagte ich. Will hatte es höchst amüsant gefunden, dass ich nicht wusste, was Pesto ist. Ich hatte ihm nämlich erklärt, es gäbe zum Abendessen Nudeln ‹mit der grünen Soße›.

«Ach, das ist ihr egal. Es ist einfach ziemlich lange her, dass er überhaupt einmal gelacht hat.»

Es stimmte. Will und ich schienen einen Weg gefunden zu haben, miteinander umzugehen. Meist lief es darauf hinaus, dass er gemein zu mir war und ich es ihm manchmal heimzahlte. Wenn er mir sagte, ich hätte etwas schlecht gemacht, dann erklärte ich ihm, wenn es ihm wirklich wichtig wäre, könnte er mich ja nett darum bitten, es besser zu machen. Er verfluchte mich, nannte mich eine Nervensäge, und ich sagte ihm, er könne gern ausprobieren, wie weit er ohne diese spezielle Nervensäge kommen würde. Das war alles ein bisschen gekünstelt, aber es schien für uns beide zu funktionieren. Manchmal kam es mir sogar so vor, als wäre es eine Erleichterung für ihn, dass jemand ihn nicht mit Samthandschuhen anfasste, ihm widersprach oder ihm erklärte, er verhalte sich unmöglich. Anscheinend waren seit seinem Unfall alle nur auf Zehenspitzen um ihn herumgeschlichen, von Nathan vielleicht abgesehen, mit dem Will respektvoll umging und der Wills spitze Bemerkungen vermutlich sowieso an sich abperlen ließ. Nathan kam mir vor wie ein menschliches Panzerfahrzeug.

«Dann sorgen Sie einfach dafür, dass er sich weiter über Sie lustig machen kann, okay?»

Ich stellte meinen Becher in die Spüle. «Ich schätze, das dürfte kein Problem werden.»

Die zweite größere Veränderung, abgesehen von der besseren Atmosphäre, war, dass mich Will nicht mehr so oft bat, ihn allein zu lassen. Und ein paarmal hatte er mich nachmittags sogar gefragt, ob ich mir einen Film mit ihm ansehen wollte. Das hatte mich nicht besonders gestört, als es *Der Terminator* war – obwohl ich sämtliche Terminator-Filme kannte –, aber als er mir die DVD-Hülle eines französischen Films mit Untertiteln zeigte, warf ich nur einen kurzen Blick darauf und sagte, diesen Film würde ich lieber auslassen.

«Warum?»

Ich zuckte mit den Schultern. «Ich mag keine Filme mit Untertiteln.»

«Da könnten Sie genauso gut sagen, Sie mögen keine Filme mit Schauspielern. Machen Sie sich nicht lächerlich. Was gefällt Ihnen denn nicht daran? Die Tatsache, dass Sie gleichzeitig lesen und den Film schauen müssen?»

«Ich mag eben einfach keine ausländischen Filme.»

«Alles, was nach dem verdammten *Local Hero* kam, ist ein ausländischer Film. Oder glauben Sie etwa, Hollywood wäre ein Vorort von Birmingham?»

«Sehr witzig.»

Er konnte es kaum fassen, als ich zugab, noch nie einen Film mit Untertiteln gesehen zu haben. Aber meine Eltern neigten dazu, abends ihre Besitzrechte an der Fernbedienung geltend zu machen, und Patrick hätte sich genauso gern einen ausländischen Film angeschaut, wie er mit mir in einen Häkelkurs gegangen wäre. Und das Multiplex in der nächsten größeren Stadt zeigte nur die neuesten Blockbuster oder romantische Komödien und war derartig mit nerviger Pubertätsjugend in Kapuzenjacken verseucht, dass kaum jemand hinfuhr.

«Sie müssen sich diesen Film anschauen, Louisa. Ich ordne hiermit an, dass Sie sich diesen Film ansehen.» Will fuhr seinen Stuhl zurück und nickte in Richtung des Sessels. «Dort. Sie sitzen dort. Und Sie rühren sich nicht vom Fleck, bevor der Film zu Ende ist. Noch nie einen ausländischen Film gesehen! Das gibt's doch nicht», murmelte er.

Es war ein alter Film über einen buckligen Kerl, der in Frankreich ein Haus auf dem Land erbt, und Will sagte, die Geschichte stamme aus einem berühmten Buch. Allerdings kann ich nicht behaupten, dass ich schon jemals davon gehört hatte. Die ersten zwanzig Minuten war ich ein bisschen kribbelig, ich fand die Untertitel lästig und überlegte, ob Will böse werden würde, wenn ich erklärte, ich müsste mal.

Und dann passierte etwas. Ich hörte auf, darüber nachzudenken, wie kompliziert es war, gleichzeitig zuzuschauen und zu lesen, ich vergaß Wills Zeitplan und ob Mrs. Traynor fand, dass meine Leistungen nachließen. Stattdessen fing ich an, mir über den armen Buckligen und seine Familie Sorgen zu machen, weil sie von skrupellosen Nachbarn ausgetrickst wurden. Als der Bucklige schließlich starb, schluchzte ich leise und wischte mir die Triefnase am Ärmel ab.

«So», sagte Will, der an meiner Seite auftauchte. Er sah mich verschlagen an. «Das hat Ihnen also überhaupt nicht gefallen.»

Ich sah auf und stellte zu meiner Überraschung fest, dass es draußen dunkel geworden war. «Jetzt können Sie so richtig auftrumpfen, was?», murmelte ich und griff nach der Box mit den Taschentüchern.

«Ein bisschen. Ich wundere mich bloß darüber, dass Sie das reife Alter von … wie alt sind Sie noch mal?»

«Sechsundzwanzig.»

«Sechsundzwanzig Jahren erreicht haben, ohne je einen Film mit Untertiteln zu sehen.» Er sah zu, wie ich mir die Augen abtupfte.

Als ich das Papiertuch senkte, stellte ich fest, dass meine Wimperntusche zerlaufen war. «Ich wusste nicht, dass das Pflicht ist», grummelte ich.

«Okay. Und was fangen Sie sonst mit sich an, Louisa Clark, wenn Sie keine Filme anschauen?»

Ich zerknüllte das Papiertaschentuch in meiner Hand. «Sie wollen wirklich wissen, was ich mache, wenn ich nicht hier bin?»

«Sie waren doch diejenige, die wollte, dass wir uns besser kennenlernen. Dann los, erzählen Sie mir von sich.»

Er hatte so eine Art zu reden, bei der man nie ganz sicher sein konnte, ob er sich über einen lustig machte. Ich überlegte, ob er mir gerade eine Falle stellte. «Warum?», sagte ich. «Warum interessiert Sie das auf einmal?»

«Oh, meine Güte. Sie tun ja so, als wäre das ein Staatsgeheimnis.» Er wurde gereizt.

«Ich weiß nicht …», sagte ich. «Ich gehe auf ein Glas in den

Pub. Ich schaue ein bisschen fern. Ich sehe meinem Freund beim Lauftraining zu. Nichts Besonderes.»

«Sie sehen Ihrem Freund beim Lauftraining zu.»

«Ja.»

«Aber Sie laufen nicht selbst.»

«Nein. Dafür bin ich nicht richtig …», ich sah kurz auf meine Brust hinunter, «gebaut.»

Er musste lächeln.

«Und was sonst noch?»

«Wie meinen Sie das, was sonst noch?»

«Hobbys? Reisen? Orte, die Sie irgendwann einmal sehen möchten?»

Er fing an, sich wie mein Berufsberater anzuhören. Ich dachte nach. «Ich habe eigentlich keine Hobbys. Ich lese ein bisschen. Ich mag Kleider.»

«Praktisch», bemerkte er trocken.

«Sie haben gefragt. Ich habe eben keine Hobbys.» Komischerweise klang ich, als müsste ich mich verteidigen. «Ich unternehme nicht viel, okay? Ich arbeite hier, und dann gehe ich nach Hause.»

«Wo wohnen Sie?»

«Auf der anderen Seite der Burg. In der Renfrew Road.»

Er sah mich fragend an. Das war zu erwarten. Es gab ziemlich wenig Austausch zwischen den beiden Stadtteilen, über denen sich die Burg erhob. «Die liegt hinter der doppelspurigen Schnellstraße. In der Nähe vom McDonald's.»

Er nickte, ich war aber nicht sicher, ob er wirklich wusste, wovon ich redete.

«Und Ferien?»

«Ich war mal in Spanien, mit Patrick, meinem Freund.» Dann fügte ich hinzu: «In meiner Kindheit sind wir nur nach Dorset gefahren. Oder nach Tenby. Da wohnt meine Tante.»

«Und was wollen Sie?»

«Was ich will?»

«Vom Leben.»

Ich blinzelte. «Das ist jetzt ein bisschen sehr persönlich, oder?»

«Nur im Allgemeinen. Ich frage Sie ja nicht nach einem Psychogramm. Aber was wollen Sie? Heiraten? Ein paar Rotznasen in die Welt setzen? Karriere machen? Um die Welt reisen?»

Darauf folgte eine lange Pause.

Mir war klar, dass ihn meine Antwort enttäuschen würde. «Ich weiß nicht. Darüber habe ich eigentlich noch nie nachgedacht.»

Am Freitag mussten wir ins Krankenhaus. Ich war froh, dass ich von Wills Termin erst erfuhr, als ich morgens ankam, sonst hätte ich nämlich die ganze Nacht wachgelegen und mir Sorgen gemacht, weil ich das Auto fahren musste. Ich kann Auto fahren, das schon. Aber ich würde sagen, ich fahre genauso gut Auto, wie ich Französisch spreche. Ich habe zwar die Fahrprüfung abgelegt und bestanden, aber ich saß höchstens einmal im Jahr selbst hinterm Steuer. Der Gedanke, Will und seinen Rollstuhl in diesen umgebauten Kleinbus zu verfrachten und sicher in die nächste Stadt und zurück zu bringen, war für mich der reinste Albtraum.

Wochenlang hatte ich mir gewünscht, dass zu meiner Arbeit Ausflüge gehörten. Aber jetzt hätte ich alles getan, um im Haus zu bleiben. Ich fand den Merkzettel mit Wills Termin in einem der Ordner mit seinen Krankenunterlagen – es waren dicke Ordner, die mit ‹Transport›, ‹Versicherung›, ‹Leben mit Behinderung› und ‹Arzttermine› beschriftet waren. Ich nahm den Zettel und überprüfte das Datum. Ein winziger Teil von mir hatte gehofft, dass Will sich irrte.

«Kommt Ihre Mutter mit?»

«Nein. Sie begleitet mich nicht zu den Arztterminen.»

Ich konnte meine Überraschung nicht verbergen. Ich war davon ausgegangen, dass sie jedes Detail seiner Behandlung überprüfte.

«Früher ist sie mitgefahren», sagte Will. «Aber inzwischen haben wir eine Abmachung.»

«Und kommt Nathan mit?»

Ich kniete vor ihm. Ich war so nervös, dass ich ihm einen Teil seines Mittagessens in den Schoß gekippt hatte, und jetzt bemühte ich mich vergeblich, den Fleck mit einem feuchten Lappen herauszubekommen, sodass inzwischen ein beträchtlicher Teil seiner Hose tropfnass war. Will hatte nichts gesagt, mich nur gebeten, mit meinen Entschuldigungen aufzuhören, aber der Vorfall war nicht gerade das beste Mittel gewesen, meine Nervosität abzubauen.

«Warum?»

«Nur so.» Ich wollte ihn nicht merken lassen, wie ängstlich ich war. Ich hatte einen guten Teil dieses Vormittags – Zeit, in der ich normalerweise putzte – damit verbracht, wieder und wieder die Gebrauchsanweisung des Rollstuhllifts durchzulesen, und trotzdem fürchtete ich mich immer noch vor dem Moment, in dem ich ganz allein dafür verantwortlich war, Will in seinem Stuhl einen halben Meter über der Erde schweben zu lassen.

«Kommen Sie, Clark, was ist los?»

«Na gut. Ich ... ich dachte einfach, es wäre leichter, wenn das erste Mal jemand dabei wäre, der weiß, wie der Lift funktioniert.»

«Im Gegensatz zu mir», sagte er.

«Das habe ich nicht gemeint.»

«Weil man von mir schließlich nicht erwarten kann, dass ich über meine eigene Betreuung Bescheid weiß?»

«Bedienen Sie den Rollstuhllift?», fragte ich geradeheraus. «Und können Sie mir ganz genau erklären, was ich tun muss?»

Er sah mich ruhig an. Falls er auf einen Streit aus gewesen war, änderte er seine Meinung. «Okay, Sie haben recht. Ja, Nathan kommt. Es ist gut, ihn zusätzlich dabeizuhaben. Außerdem dachte ich, Sie würden sich nicht in so einen Zustand hineinsteigern, wenn er dabei ist.»

«Ich bin in überhaupt keinem Zustand», widersprach ich.

«Das sehe ich.» Er schaute auf seinen Schoß hinunter, an dem ich immer noch mit einem Lappen herumrieb. Die Nudelsoße hatte ich wegbekommen, aber die Hose war ziemlich nass. «Sie wollen also, dass ich dort als Inkontinenzfall auftrete.»

«Ich bin noch nicht fertig.» Ich schloss den Föhn an und richtete ihn auf seinen Schritt.

Als die warme Luft auf seine Hosen traf, hob er die Augenbrauen.

«Ja, ja», sagte ich. «Ich hatte mir meinen Freitagnachmittag auch anders vorgestellt.»

«Sie sind wirklich ziemlich nervös, oder?»

Ich spürte, dass er mich musterte.

«Kommen Sie, Clark, entspannen Sie sich. Schließlich bin ich derjenige, dem glühend heiße Luft auf die Genitalien geblasen wird.»

Ich reagierte nicht. Obwohl ich ihn trotz des lauten Föhns genau verstanden hatte.

«Wirklich, überlegen Sie doch mal: Was kann denn schlimmstenfalls passieren ... dass ich im Rollstuhl lande?»

Es klingt vielleicht dumm, aber ich musste einfach lachen. So einen eindeutigen Versuch, mich aufzuheitern, hatte Will noch nie unternommen.

Das Auto sah von außen aus wie ein ganz normaler Minivan, aber wenn man die hintere Tür auf der Beifahrerseite öffnete, fuhr eine Rampe heraus und senkte sich auf den Boden. Unter Nathans Aufsicht fuhr ich Wills Rollstuhl für draußen (er hatte einen eigenen für die Fahrten außer Haus) auf die Rampe, überprüfte die elektrische Hebelbremse und programmierte den Lift so, dass Will langsam in das Auto gehoben wurde. Nathan glitt auf den Sitz hinter dem Fahrer, schnallte Will an und stellte die Räder des Rollstuhls fest. Während ich das Zittern meiner Hände zu unterdrücken versuchte, löste ich die Handbremse und fuhr langsam die Auffahrt hinunter und Richtung Krankenhaus.

Außerhalb des Hauses schien sich Will ein bisschen in sich zurückzuziehen. Das Wetter war eisig, und Nathan und ich hatten ihn in einen dicken Mantel und einen Schal gepackt, aber er wurde immer schweigsamer, hielt das Kinn gesenkt und wirkte irgendwie kleiner. Immer, wenn ich in den Rückspiegel sah (was oft vorkam, weil ich trotz Nathans Begleitung Angst hatte, dass sich der Rollstuhl aus seiner Verankerung lösen könnte), schaute er mit undurchdringlicher Miene aus dem Fenster. Sogar wenn ich anhielt oder zu heftig bremste, was einige Male vorkam, zuckte er nur ein wenig zusammen und wartete, bis ich weiterfuhr.

Als wir beim Krankenhaus ankamen, stand ein leichter Schweißfilm auf meinem Gesicht. Ich fuhr dreimal über den gesamten Krankenhausparkplatz, weil ich so lange nach einer möglichst großen Parklücke suchte, in die ich rückwärts hineinfahren konnte, bis ich spürte, dass die zwei Männer ungeduldig wurden. Dann, endlich, ließ ich die Rampe herunter, und Nathan schob Wills Rollstuhl auf den Asphalt.

«Gut gemacht», sagte Nathan und klopfte mir auf den Rücken, aber das nahm ich ihm nicht ab.

Es gibt Dinge, die man erst wahrnimmt, wenn man einmal jemanden in einem Rollstuhl begleitet. Zum Beispiel, wie schlecht die meisten Bürgersteige gepflastert sind, voller notdürftig geflickter Löcher oder total uneben. Während ich langsam neben Will herging, stellte ich fest, dass ihm jedes Holpern Schmerzen durch den Körper jagte und wie oft er um irgendwelche Hindernisse herumsteuern musste. Nathan tat so, als würde er es nicht mitbekommen, aber ich sah, dass er in Wahrheit genau aufpasste. Und Will strahlte einfach nur grimmige Entschlossenheit aus.

Außerdem ist es erstaunlich, wie rücksichtslos die meisten Autofahrer sind. Sie parken an den abgesenkten Stellen des Bürgersteigs oder so eng aneinander, dass man mit einem Rollstuhl kaum die Straße überqueren kann. Mich regte das auf, und ich war ein paarmal nahe dran, eine grobe Bemerkung auf einen Zettel zu schreiben und ihn unter einen Scheibenwischer zu klemmen, aber Nathan und Will schienen das alles gewohnt zu sein. Nathan deutete auf eine Stelle, an der wir über die Straße gehen konnten, weil zwischen den Autos auf der anderen Seite genug Platz für den Rollstuhl war, und dann kamen wir endlich hinüber.

Will hatte kein Wort gesagt, seit wir das Haus verlassen hatten.

Das Krankenhaus war ein gläsernes, hypermodernes Gebäude. Der Empfangsbereich sah mehr nach einem schicken Hotel aus, was möglicherweise den vielen Privatpatienten hier geschuldet war. Ich blieb im Hintergrund, als Will der Empfangsdame seinen Namen nannte, und dann folgte ich ihm und Nathan durch einen langen Flur. Nathan trug einen großen Rucksack, in dem von Trinkbechern bis zu Ersatzkleidung alles verstaut war, was Will bei seinem kurzen Aufenthalt hier möglicherweise benötigen könnte. Während Nathan den Rucksack packte, hatte er mir jeden möglichen Zwischenfall genauestens beschrieben. «Ich schätze, es ist ganz gut, dass wir nicht oft ins Krankenhaus müssen», hatte er gesagt, als er mein entsetztes Gesicht sah.

Will fuhr allein ins Arztzimmer. Nathan und ich saßen davor auf bequemen Besucherstühlen. Es roch überhaupt nicht nach Krankenhaus, und auf dem Fensterbrett stand eine Vase mit frischen Blumen. Und zwar nicht mit irgendwelchen gewöhnlichen Blumen. Es waren riesige, exotische Dinger, deren Namen ich nicht kannte und die man kunstvoll arrangiert hatte.

«Was machen sie dadrin?», fragte ich, als wir eine halbe Stunde gewartet hatten.

Nathan sah von seinem Buch auf. «Das ist nur seine halbjährliche Untersuchung.»

«Um festzustellen, ob es besser wird?»

Nathan legte sein Buch weg. «Es wird nie mehr besser. Er hat eine Rückenmarksverletzung.»

«Aber Sie machen doch Physiotherapie und so weiter mit ihm.»

«Damit soll seine körperliche Verfassung aufrechterhalten werden – um den Muskelschwund und die Entmineralisierung der Knochen aufzuhalten und damit seine Beine beweglich bleiben, dafür machen wir das.»

Als er weitersprach, war seine Stimme sanft, als fürchtete er, mich zu enttäuschen. «Er wird nie wieder laufen können, Louisa. So was passiert nur im Kino. Alles, was wir tun können, ist zu versuchen, ihm Schmerzen zu ersparen und ihm die eingeschränkte Bewegungsfähigkeit zu erhalten, die er noch hat.»

«Macht er mit? Bei der Physiotherapie, meine ich. Egal, was ich ihm vorschlage, er will davon nichts wissen.»

Nathan verzog das Gesicht. «Er macht mit, aber ich glaube nicht, dass er mit Überzeugung dabei ist. Am Anfang, als ich kam, war er sehr engagiert. Er hat in der Reha ziemlich Fortschritte gemacht, aber nach einem weiteren Jahr ohne jede Verbesserung glaubt er vermutlich nicht mehr, dass es sich wirklich lohnt.»

«Glauben Sie, er sollte es weiter versuchen?»

Nathan starrte auf den Boden. «Ehrlich? Er ist ein C5/C6-Tetraplegiker. Das bedeutet, dass unterhalb von hier nichts mehr funktioniert.» Er legte eine Hand auf seinen oberen Brustbereich. «Es wurde noch keine Methode entwickelt, eine Rückenmarksverletzung zu heilen.»

Ich starrte die Tür an und dachte an Wills Gesicht im Auto, als wir durch die Wintersonne gefahren waren, und dann an das strahlende Gesicht von dem Foto aus dem Skiurlaub. «Es gibt doch andauernd Fortschritte in der Medizin, oder? Ich meine … an einem Ort wie dem hier … da müssen sie doch die ganze Zeit nach einer Heilmethode forschen.»

«Das hier ist ein ziemlich gutes Krankenhaus», sagte er ruhig.

«Wo sie so richtig engagiert sind und so weiter?»

Nathan sah mich an, dann wanderte sein Blick wieder zu seinem Buch. «Klar», sagte er.

Um Viertel vor drei schickte mich Nathan Kaffee holen. Er meinte, diese Untersuchungstermine könnten sich ziemlich hinziehen und dass er die Stellung halten würde, bis ich wieder zurückkam. Ich schlenderte ein bisschen durch den Empfangsbereich, blätterte in ein paar Heften beim Zeitschriftenladen und trödelte bei den Süßigkeiten herum.

Wie vermutlich zu erwarten, verirrte ich mich auf dem Rückweg, und ich musste mehrere Krankenschwestern fragen, wohin ich gehen sollte, von denen es zwei selbst nicht wussten. Als ich schließlich mit dem kalt gewordenen Kaffee ankam, war der Flur verlassen. Beim Näherkommen sah ich, dass die

Tür zum Behandlungszimmer einen Spalt aufstand. Ich blieb davor stehen, aber dann klang mir Mrs. Traynors Stimme in den Ohren, wie sie mich dafür kritisiert hatte, dass ich nicht bei Will geblieben war. Und jetzt hatte ich ihn schon wieder allein gelassen.

«Wir sehen uns also in drei Monaten wieder, Mr. Traynor», hörte ich jemanden sagen. «Ich habe Ihnen ein anderes Medikament zur Krampflösung verschrieben, und ich sorge dafür, dass Ihnen die Untersuchungsergebnisse telefonisch mitgeteilt werden. Wahrscheinlich haben wir sie am Montag.»

Dann hörte ich Wills Stimme: «Bekomme ich das Medikament unten in der Apotheke?»

«Ja. Hier im Haus. Von den anderen können Sie dort wahrscheinlich auch gleich welche mitnehmen.»

Dann sagte eine Frau: «Soll ich die Unterlagen nehmen?»

Sie waren offenbar im Aufbruch. Ich klopfte, und jemand rief, ich solle hereinkommen. Mehrere Augenpaare richteten sich auf mich.

«Entschuldigung», sagte der Arzt und stand von seinem Stuhl auf. «Ich dachte, Sie wären der Physiotherapeut.»

«Ich bin Wills ... Hilfe», sagte ich und blieb an der Tür stehen. Will saß vorgebeugt in seinem Stuhl, und Nathan zog ihm das Hemd über den Rücken. «Tut mir leid, ich habe geglaubt, Sie wären fertig.»

«Lassen Sie uns noch eine Minute, ja, Louisa?» Wills Stimme hallte durch den Raum.

Entschuldigungen murmelnd zog ich mich zurück. Mein Gesicht glühte.

Es war nicht der Anblick von Wills magerem und vernarbtem Körper, der mich schockiert hatte. Auch nicht der leicht irritierte Blick des Arztes, derselbe Blick, mit dem mich Mrs. Traynor Tag für Tag ansah – ein Blick, der mir klarmachte, dass ich immer noch die alte Vollidiotin war, auch wenn ich jetzt mehr Geld verdiente.

Nein, es waren die leuchtend roten Narben an Wills Handgelenken, die langen, gezackten Narben, die sie nicht mehr verstecken konnten, obwohl Nathan Wills Ärmel hastig heruntergezogen hatte.

Kapitel 6

Es begann so unvermittelt zu schneien, dass ich unter blauem
Himmel zu Hause wegging, und als ich keine halbe Stunde
später unterhalb der Burg vorbeikam, sah sie aus wie eine Torte
mit weißer Zuckerglasur.

Ich stapfte die Auffahrt hoch, meine Schritte wurden vom
Schnee gedämpft, meine Zehen waren schon taub, und ich fror
in meinem zu dünnen chinesischen Seidenmantel. Dicke weiße
Flocken fielen aus einer eisengrauen Unendlichkeit, sodass ich
Granta House kaum sah. Alle Geräusche schienen ausgeblen-
det, und alle Bewegungen wirkten unnatürlich verlangsamt.
Die Fußgänger auf den Gehwegen rutschten aus und schrien
erschrocken auf. Ich zog mir den Schal über die Nase und
wünschte, ich hätte etwas Passenderes angezogen als Ballerinas
und einen Samt-Minirock.

Zu meiner Überraschung öffnete mir nicht Nathan die Tür,
sondern Wills Vater.

«Er liegt im Bett», sagte er und sah von der Veranda aus zum
Himmel hinauf. «Es geht ihm nicht besonders. Ich habe gerade
überlegt, ob ich den Arzt rufen soll.»

«Wo ist Nathan?»

«Hat den Vormittag frei. Klar, dass es heute passieren muss. Die Krankenschwester vom Vertretungsdienst hat sich ungefähr sechs Sekunden um Will gekümmert, dann war sie wieder weg. Wenn es so weiterschneit, weiß ich nicht, was wir später machen sollen.» Er zuckte mit den Schultern, als gäbe es ohnehin keine Lösung, und ging in den Flur zurück. Anscheinend war er ziemlich erleichtert, dass er nicht mehr verantwortlich war. «Sie wissen doch, was er braucht, oder?», rief er über die Schulter zurück.

Ich zog Mantel und Schuhe aus, und da ich wusste, dass Mrs. Traynor bei Gericht war, weil sie die Verhandlungen in Wills Kalender eintrug, legte ich meine nassen Socken zum Trocknen auf die Heizung. In dem Korb mit frischer Wäsche lag ein Paar von Wills Socken, also zog ich sie an. Sie waren viel zu groß und sahen komisch an mir aus, aber es war himmlisch, wieder warme, trockene Füße zu haben. Will antwortete nicht, als ich rief, also machte ich ihm nach einer Weile etwas zu trinken, klopfte leise an seine Zimmertür und spähte hinein. In dem schwachen Licht konnte ich gerade eben seinen Körper unter der Decke ausmachen. Er schlief tief und fest.

Ich trat einen Schritt zurück, schloss die Tür hinter mir und begann mit der Vormittagsarbeit.

Meine Mutter schien eine beinahe körperliche Befriedigung aus einem ordentlichen Haushalt zu ziehen. Ich hatte inzwischen einen Monat lang täglich gestaubsaugt und geputzt und wusste immer noch nicht, was daran so toll war. Ich vermutete, dass in meinem Leben niemals der Zeitpunkt kommen würde, an dem ich lieber selbst putzte, als es jemand anderem zu überlassen.

Doch an einem Tag wie diesem, an dem Will im Bett lag und die Welt draußen zum Stillstand gekommen schien, erkannte ich etwas von dem meditativen Reiz, der darin lag, mich von einem Ende des Anbaus zum anderen vorzuarbeiten. Während ich abstaubte und wischte, nahm ich das Radio von Zimmer zu Zimmer mit und stellte es jeweils so leise, dass Will bestimmt nicht davon gestört wurde. Ab und zu schaute ich nach ihm, nur um sicher zu sein, dass er noch atmete, und erst, als er kurz vor ein Uhr immer noch nicht aufgewacht war, fing ich an, ein bisschen unruhig zu werden.

Ich füllte den Holzkorb auf. Draußen lag der Schnee inzwischen schon beinahe zehn Zentimeter hoch. Ich mischte ein Getränk für Will, und dann klopfte ich an seine Tür. Und beim zweiten Mal klopfte ich möglichst laut.

«Ja?» Seine Stimme war heiser, als hätte ich ihn geweckt.

«Ich bin's.» Als er nicht antwortete, sagte ich: «Louisa. Darf ich hereinkommen?»

«Ich werde wohl kaum den Tanz der sieben Schleier aufführen.»

Es war dämmrig im Zimmer, die Vorhänge waren immer noch zugezogen. Ich ging langsam hinein, meine Augen mussten sich erst an die Dunkelheit gewöhnen. Will lag auf der Seite, einen Arm vor sich angewinkelt, als wollte er sich gerade aufstützen. Man konnte leicht vergessen, dass er sich nicht allein umdrehen konnte. Sein Haar stand an einer Seite vom Kopf ab, und die Bettdecke war säuberlich um ihn festgesteckt. Der Geruch nach warmem, ungewaschenem Mann hing im Zimmer – es war nicht unangenehm, aber als Teil des Arbeitstages ein bisschen irritierend.

«Kann ich etwas für Sie tun? Möchten Sie Ihr Getränk?»

«Ich muss die Position wechseln.»

Ich stellte den Becher auf einer Kommode ab und ging zum Bett. «Was … was soll ich machen?»

Er schluckte langsam, als hätte er dabei Schmerzen. «Ziehen

Sie mich hoch und drehen Sie mich um, dann stellen Sie das Kopfteil des Bettes auf. Also …» Er nickte mir zu, damit ich näher kam. «Schieben Sie Ihre Arme unter meinen durch, verschränken Sie die Hände auf meinem Rücken, und dann ziehen Sie. Und stützen Sie sich dabei mit der Hüfte am Bett ab, damit Sie keine Zerrung bekommen.»

Ich fühlte mich schon ein bisschen komisch in dieser Situation. Ich schlang meine Arme um ihn, sein Geruch drang in meine Nase, seine Haut auf meiner fühlte sich warm an. Noch näher hätte ich ihm kaum kommen können, es sei denn, ich hätte angefangen, an seinen Ohrläppchen zu knabbern. Diese Vorstellung drohte bei mir einen kleinen hysterischen Anfall hervorzurufen, und ich musste mich schwer zusammenreißen.

«Was ist?»

«Gar nichts.» Ich atmete tief ein, verschränkte meine Hände und stellte mich so hin, dass ich ihn wirklich sicher festhalten konnte. Er war breiter gebaut, als ich gedacht hatte, und auch schwerer. Und dann, auf drei, zog ich ihn hoch.

«Mein Gott!», rief er plötzlich an meiner Schulter.

«Was ist denn?» Beinahe hätte ich ihn losgelassen.

«Ihre Hände sind ja eiskalt.»

«Ja. Na ja, wenn Sie sich die Mühe gemacht hätten, aus dem Bett zu kommen, würden Sie wissen, dass es draußen schneit.»

Das sollte eine Art Witz sein, aber dann wurde mir bewusst, wie heiß seine Haut unter dem langärmeligen T-Shirt war, das er trug. Es war eine sehr intensive Wärme, die tief aus seinem Körper aufzusteigen schien. Er stöhnte leise, als ich ihn an das Kissen lehnte, und ich versuchte, ihn so langsam und sanft zu bewegen, wie ich es nur vermochte. Er deutete auf die Fernbedienung für das Kopfteil des Bettes, über das sich sein Oberkörper aufrichten würde. «Aber nicht zu viel», murmelte er. «Ein bisschen schwindelig.»

Ich schaltete trotz seiner Proteste die Nachttischlampe an, sodass ich ihn mir genau ansehen konnte. «Will ... alles okay mit Ihnen?», musste ich zweimal fragen, bevor er antwortete.

«Nicht gerade mein bester Tag.»

«Brauchen Sie Schmerzmittel?»

«Ja ... starke.»

«Paracetamol?»

Mit einem Seufzen lehnte er sich in das kühle Kissen zurück. Ich hielt ihm den Becher hin, beobachtete, wie er schluckte.

«Danke», sagte er nach dem Trinken, und auf einmal wurde ich nervös.

Will bedankte sich nie für irgendetwas bei mir.

Er schloss die Augen, und eine Zeitlang blieb ich an der Tür stehen und sah zu, wie sich seine Brust unter dem Shirt hob und senkte. Sein Mund stand leicht offen. Sein Atem war flach und vielleicht etwas angestrengter als sonst. Allerdings hatte ich ihn bisher immer nur in seinem Rollstuhl gesehen, also wusste ich nicht, ob die veränderte Atmung etwas mit der liegenden Position zu tun hatte.

«Gehen Sie», murmelte er.

Ich ging.

Ich las meine Zeitschrift, und wenn ich manchmal den Kopf hob, sah ich durchs Fenster dem dichten Schnee zu, der ums Haus wirbelte, sich in pudrigen Hügellandschaften auf die Fensterbretter legte. Um halb zwei schrieb mir Mum in einer SMS, dass mein Vater nicht mit dem Auto auf die Straße kam. «Mach dich nicht auf den Heimweg, ohne uns vorher anzurufen», befahl sie mir. Ich wusste nicht, was sie dachte, dass sie tun könnte. Wollte sie Dad mit einem Schlitten und einem Bernhardinerhund losschicken?

Ich hörte mir beim Lokalsender die Nachrichten an. Sie meldeten die Autobahnstaus, die ausgefallenen Züge und die kurzfristigen Schulschließungen, die der überraschende Schneesturm zur Folge hatte. Ich ging wieder in Wills Zimmer und betrachtete ihn. Seine Gesichtsfarbe gefiel mir nicht. Er war blass, aber seine Wangen glänzten feucht.

«Will?», sagte ich leise.

Er rührte sich nicht.

«Will?»

Panik stieg in mir auf. Ich wiederholte seinen Namen noch zweimal, viel lauter. Keine Reaktion. Schließlich beugte ich mich über ihn. Ich sah keinerlei Bewegung, weder in seiner Miene noch die Atembewegung seiner Brust. Sein Atem. Ich müsste doch seinen Atem spüren können, oder? Ich senkte mein Gesicht ganz dicht an seines und versuchte, seinen Atem auf der Wange zu spüren. Als ich nichts wahrnahm, hob ich die Hand und berührte sanft sein Gesicht.

Er zuckte zusammen und schlug die Augen auf, die nur Zentimeter von meinen entfernt waren.

«Entschuldigung», sagte ich und fuhr zurück.

Er blinzelte und schaute sich im Zimmer um, als wäre er irgendwo weit weg gewesen.

«Ich bin's. Lou», sagte ich, weil ich nicht sicher war, dass er mich erkannt hatte.

Er sah mich mit milder Verzweiflung an. «Ich weiß.»

«Möchten Sie ein bisschen Suppe?»

«Nein. Danke.» Er schloss die Augen.

«Mehr Schmerzmittel?»

Ein leichter Schweißfilm lag auf seinen Wangen. Ich streckte meine Hand nach der Bettdecke aus. Sie fühlte sich etwas heiß und verschwitzt an. Ich wurde nervös.

«Kann ich irgendetwas tun? Ich meine, falls es Nathan bei dem Schnee nicht hierherschafft?»

«Nein ... Mir geht's gut», murmelte er und schloss erneut die Augen.

Ich blätterte durch den Folder, versuchte herauszubekommen, ob ich irgendetwas übersah. Ich schloss das Medikamentenschränkchen auf, schaute in die Schachteln mit den Latexhandschuhen und Gazeverbänden, und mir wurde klar, dass ich keine Ahnung hatte, was genau man damit anfing. Ich versuchte, Wills Vater über die Gegensprechanlage zu erreichen, aber das Klingeln hallte durch ein leeres Haus. Ich hörte es hinter der Verbindungstür des Anbaus.

Ich wollte gerade Mrs. Traynor anrufen, als die Hintertür geöffnet wurde und Nathan hereinkam. Er trug mehrere Lagen dicker Kleidung, hatte sich den Schal so um den Kopf gewickelt, dass von seinem Gesicht kaum noch etwas zu erkennen war, und brachte einen eiskalten Luftzug und ein paar Schneeflocken mit herein.

«Hey», sagte er, schüttelte den Schnee von seinen Stiefeln und knallte die Tür zu.

Es kam mir vor, als wäre das Haus plötzlich aus einem Traumzustand erwacht.

«Gott sei Dank, dass Sie da sind», sagte ich. «Es geht ihm nicht gut. Er hat fast den ganzen Vormittag geschlafen und wollte kaum etwas trinken. Ich wusste nicht, was ich tun soll.»

Nathan schlüpfte aus seinem Mantel. «Ich musste den ganzen Weg zu Fuß gehen. Die Busse fahren nicht.»

Ich begann, Tee für ihn zu kochen, während er nach Will sah.

Als er wieder auftauchte, kochte noch nicht einmal das Teewasser. «Er glüht ja», sagte er. «Wie lange ist das schon so?»

«Den ganzen Vormittag. Ich fand auch, dass er sich sehr warm anfühlt, aber er hat gesagt, er will einfach nur schlafen.»

«O Gott. Den ganzen Vormittag? Wissen Sie denn nicht, dass er seine Körpertemperatur nicht regulieren kann?» Er schob sich an mir vorbei und begann, in dem Medizinschränkchen herumzuwühlen. «Antibiotika. Die starken.» Er drückte mehrere Tabletten aus der Verpackung in den Mörser und begann, grimmig sie zu zermahlen.

Ich wich nicht von seiner Seite. «Ich habe ihm Paracetamol gegeben.»

«Da hätten Sie ihm genauso gut ein Smartie geben können.»

«Ich wusste es doch nicht. Niemand hat mir etwas gesagt. Ich habe ihn noch extra zugedeckt.»

«Es steht in dem Folder. Verstehen Sie, Will schwitzt nicht wie wir. Genau genommen schwitzt er überhaupt nicht, von seiner Verletzung abwärts. Das bedeutet, dass seine Temperatur schon bei einer leichten Erkältung verrücktspielt. Holen Sie den Ventilator. Wir lassen ihn in seinem Zimmer laufen, bis die Körpertemperatur runtergeht. Und bringen Sie ein feuchtes Handtuch, das legen wir ihm ins Genick. Wir können ihn nicht zum Arzt bringen, solange es dermaßen schneit. Diese verdammte Vertretungsschwester. Das hätte sie heute Morgen schon feststellen müssen.»

So ärgerlich hatte ich Nathan noch nie gesehen. Er sah mich kaum an.

Ich rannte los, um den Ventilator zu holen.

Wills Temperatur auf ein annehmbares Level zu senken, dauerte beinahe vierzig Minuten. Während wir darauf warteten, dass das extrastarke Fiebermedikament wirkte, legte ich Will auf Nathans Anweisung ein feuchtes Handtuch auf die Stirn und eines in den Nacken. Wir zogen ihm das Shirt aus, deckten ihn mit einem dünnen Baumwolllaken zu und richteten den kühlen Luftstrom des Ventilators auf ihn. Ohne Shirt waren die Narben an seinen Armen deutlich zu erkennen. Wir taten alle drei so, als würde ich sie nicht sehen.

Will ertrug das alles schweigend, nur auf Nathans Fragen

antwortete er mit Ja oder Nein, und selbst dabei war er kaum zu verstehen. Jetzt, wo er in hellem Licht lag, erkannte ich, dass er wirklich ernsthaft krank aussah, und ich fühlte mich schrecklich, weil ich es nicht begriffen hatte. Ich entschuldigte mich so lange, bis Nathan sagte, es ginge ihm auf die Nerven.

«Also», sagte er. «Sie müssen mir jetzt genau zuschauen. Es kann sein, dass Sie das später alleine machen müssen.»

Ich fühlte mich zu schwach, um Widerspruch einzulegen, aber es war mir schon ein bisschen peinlich, als Nathan den Bund von Wills Schlafanzughose herunterzog, sodass ein blasser Streifen Haut sichtbar wurde, und sorgsam den Gazeverband an dem kleinen Schlauch in Wills Bauch entfernte, den Schlauch säuberte und den Verband erneuerte. Dann zeigte er mir, wie man den Beutel wechselte, der an Wills Bett hing, erklärte, warum er immer tiefer hängen musste, als Will lag, und ich war über meine eigene Sachlichkeit überrascht, mit der ich mich mit dem Beutel voll warmer Flüssigkeit auf den Weg aus dem Zimmer machte. Ich war froh, dass mich Will kaum wahrzunehmen schien – nicht nur, weil er sicher eine bissige Bemerkung gemacht hätte, sondern weil ich das Gefühl hatte, es wäre ihm sonst peinlich gewesen, dass ich bei einem so intimen Teil seiner Pflege dabei war.

«Das war's», sagte Nathan, als Will eine Stunde später endlich zwischen frischen Baumwolllaken döste und zwar nicht gerade gesund, aber auch nicht mehr so furchtbar krank aussah.

«Lassen Sie ihn schlafen. Aber wecken Sie ihn in ein paar Stunden und sorgen Sie dafür, dass er möglichst einen ganzen Becher leertrinkt. Und um fünf Uhr noch eine Fiebertablette, okay? Seine Temperatur schießt vielleicht in der Stunde davor noch mal hoch, aber vor fünf soll er keine Tabletten mehr nehmen.»

Ich kritzelte alles auf einen Block, weil ich Angst hatte, irgendetwas falsch zu machen.

«Und heute Abend müssen Sie das, was wir gerade getan haben, alleine machen. Ist das okay für Sie?» Nathan zog sich wieder an wie ein Inuk und machte sich zum Gehen fertig. «Lesen Sie einfach noch mal den Folder durch. Und keine Panik. Wenn es Probleme gibt, rufen Sie mich einfach an. Ich sage Ihnen dann am Telefon, was zu tun ist. Und wenn es wirklich sein muss, komme ich noch einmal her.»

Als Nathan gegangen war, blieb ich in Wills Schlafzimmer. Ich wagte nicht, ihn allein zu lassen. In einer Ecke stand ein alter Ledersessel mit einer Leselampe, der vermutlich aus Wills früherem Leben stammte. Ich nahm mir ein Buch mit Kurzgeschichten aus dem Regal, setzte mich damit in den Sessel und zog die Beine unter meinen Körper.

Im Zimmer herrschte eine seltsam friedvolle Atmosphäre. Durch den Spalt zwischen den Vorhängen sah ich die weiß verschneite Welt, die schweigend und wunderschön dort draußen lag. Hier drinnen war es warm und still, nur das gelegentliche Ticken und Zischen der Heizung unterbrach meine Gedanken. Ich las, und immer wieder hob ich den Blick, um zu überprüfen, ob Will noch schlief. Mir fiel auf, dass es in meinem Leben noch nie Zeiten gegeben hatte, in denen ich einfach in Ruhe dagesessen und nichts getan hatte. Wenn man in einem Elternhaus wie meinem aufwächst, in dem ständig gestaubsaugt wird oder der Fernseher läuft, lernt man solch eine Ruhe nicht kennen. Und wenn der Fernseher ausnahmsweise einmal nicht lief, legte Dad seine alten Elvis-Platten auf und drehte die Lautstärke bis zum Anschlag hoch. Und im Café hatte natürlich auch immer ein gewisser Geräuschpegel geherrscht.

Hier aber konnte ich meine Gedanken hören. Ich konnte sogar beinahe meinen Herzschlag hören. Und ich stellte zu meiner Überraschung fest, wie sehr mir das gefiel.

Um fünf Uhr piepte mein Handy, um den Eingang einer SMS anzuzeigen. Will bewegte sich, und ich sprang auf und ging aus dem Zimmer, um ihn nicht zu stören.

> Keine Züge. Könnten Sie vielleicht über Nacht bleiben?
> Nathan schafft es nicht.
> Camilla Traynor

Ohne nachzudenken, schickte ich die Antwort.

> Kein Problem.

Dann rief ich meine Eltern an, um ihnen zu sagen, dass ich im Granta House übernachten würde. Meine Mutter klang erleichtert. Und als ich ihr erklärte, dass ich für die Übernachtung bezahlt werden würde, klang sie richtig glücklich.

«Hast du so was schon mal gehört, Bernard?», sagte sie zu meinem Vater. «Jetzt wird sie sogar schon fürs Schlafen bezahlt.»

Da hörte ich meinen Vater ausrufen: «Gelobt sei der Herr! Sie hat ihren Traumjob gefunden.»

Ich schickte Patrick eine SMS, um ihm zu sagen, dass ich gebeten worden war, über Nacht zu bleiben, und dass ich ihn später anrufen würde. Die Antwort kam innerhalb von Sekunden.

> Mache heute Abend einen Geländelauf im Schnee.
> Gute Übung für Norwegen! P.

Ich fragte mich, wie jemand solche Begeisterung dafür aufbringen konnte, bei unter null Grad in T-Shirt und kurzen Hosen herumzujoggen.

Will schlief. Ich machte mir etwas zu essen und taute für den Fall, dass er später Hunger bekam, etwas Suppe auf. Dann zündete ich im Kaminofen ein Feuer an, denn es konnte ja sein, dass er später noch ins Wohnzimmer kommen wollte. Ich las eine weitere Kurzgeschichte und überlegte, wann ich mir das letzte Mal ein Buch gekauft hatte. Als Kind hatte ich unheimlich gern gelesen, aber inzwischen las ich eigentlich nur noch Zeitschriften. Treen war bei uns die Leseratte. Es war beinahe so, dass ich das Gefühl hatte, in ihr Territorium einzudringen, wenn ich mir ein Buch nahm. Ich dachte daran, dass sie und Thomas Richtung Universität verschwinden würden, und mir wurde klar, dass ich immer noch nicht wusste, ob ich darüber froh oder traurig war – oder etwas Kompliziertes dazwischen.

Um sieben Uhr rief Nathan an. Er klang erleichtert darüber, dass ich über Nacht blieb.

«Ich konnte Mr. Traynor nicht erreichen. Ich habe es auch übers Festnetz versucht, aber da hat sich nur der Anrufbeantworter eingeschaltet», sagte ich.

«Tja. Na ja. Er wird weg sein.»

«Weg?»

Mir wurde unbehaglich bei der Vorstellung, dass die ganze Nacht nur Will und ich im Haus sein würden. Ich hatte Angst, wieder etwas komplett falsch zu machen, Wills Gesundheit zu gefährden. «Soll ich dann noch mal Mrs. Traynor anrufen?», fragte ich.

Am anderen Ende der Leitung trat ein kurzes Schweigen ein. «Nein. Besser nicht.»

«Aber …»

«Hören Sie, Lou, er … er geht oft anderswohin, wenn Mrs. T. in der Stadt übernachtet.»

Ich brauchte einen Moment, um zu begreifen, was er mir damit sagte.

«Oh.»

«Es ist gut, dass Sie da sind. Wenn Sie den Eindruck haben, dass Will besser aussieht, komme ich erst morgen früh.»

Es gibt normale Zeiten und solche, in denen die Stunden nicht zählen. Dann bleibt die Zeit stehen und entgleitet einem, und das Leben – das richtige Leben – scheint sich von einem zurückgezogen zu haben. Ich setzte mich ein bisschen vor den Fernseher, aß, räumte die Küche auf und lief durch den stillen Anbau. Schließlich ging ich wieder in Wills Zimmer.

Er hob den Kopf, als ich die Tür zumachte. «Wie viel Uhr ist es, Clark?»

«Viertel nach acht.»

Er ließ seinen Kopf zurücksinken, als müsste er darüber nachdenken. «Kann ich etwas zu trinken haben?»

Es lag keine Schärfe in seiner Stimme, keine Bissigkeit. Es war, als hätte ihn die Krankheit verletzlich gemacht. Ich gab ihm etwas zu trinken und schaltete die Nachttischlampe an. Ich beugte mich über sein Bett und legte die Hand auf seine Stirn, so wie es meine Mutter bei mir getan hatte, als ich noch klein war. Er hatte immer noch etwas erhöhte Temperatur, aber im Vergleich zu vorher war das gar nichts.

«Kühle Hände.»

«Heute Mittag haben Sie sich noch darüber beschwert.»

«Wirklich?» Er klang völlig überrascht.

«Möchten Sie ein bisschen Suppe?»

«Nein.»

«Haben Sie es bequem?»

Ich wusste nie, wie er sich wirklich fühlte, aber ich vermutete, es war schlimmer, als er zugab.

«Es wäre gut, wenn ich auf der anderen Seite liegen könnte. Rollen Sie mich einfach herum. Ich muss mich dazu nicht aufsetzen.»

Ich kletterte auf das Bett und rollte ihn so sanft wie möglich herum. Er strahlte keine ungesunde Hitze mehr aus, nur die gewöhnliche Wärme eines Körpers, der im Bett lag.

«Kann ich sonst noch etwas tun?»

«Sollten Sie sich nicht auf den Heimweg machen?»

«Das ist schon in Ordnung», sagte ich. «Ich bleibe über Nacht.»

Draußen war es schon lange dunkel geworden. Es schneite immer noch. Der schwache Schein der Verandabeleuchtung tauchte die Flocken draußen vor dem Fenster in schwachgoldenes, seltsam melancholisches Licht. Ich saß neben Will auf dem Bett, und in friedlichem Schweigen betrachteten wir den hypnotisch wirkenden Anblick.

«Darf ich Sie etwas fragen?», sagte ich schließlich. Ich sah seine Hände auf dem Laken. Es erschien mir merkwürdig, dass sie so normal aussahen, so kräftig, und doch so nutzlos sein sollten.

«Ich vermute, das werden Sie so oder so tun.»

«Was ist passiert?» Ich machte mir zwar immer noch Gedanken über die Narben an seinen Handgelenken, aber danach konnte ich ihn bestimmt nicht direkt fragen.

Er wandte mir den Blick zu. «Wie ich in diese Situation gekommen bin?»

Als ich nickte, schloss er kurz die Augen. «Motorradunfall. Aber ich saß nicht drauf. Ich war der unschuldige Fußgänger.»

«Ich dachte, es wäre beim Skifahren oder einem Bungee-Sprung passiert.»

«Das denken alle. Damit hat sich Gott einen kleinen Witz gegönnt. Ich bin nur vor meinem Haus über die Straße gegangen. Nicht hier», sagte er. «Vor meiner Londoner Wohnung.»

Ich starrte die Bücher im Regal an. Außer den Romanen und den abgegriffenen Taschenbüchern standen viele Sachbücher darin. *Firmenrecht, Geschäftsübernahme*, Namensverzeichnisse, mit denen ich nichts anfangen konnte.

«Und es gab überhaupt keine Möglichkeit, in Ihrem Beruf weiterzumachen?»

«Nein. Und auch nicht mit der Wohnung, mit den Urlaubsreisen, mit dem Leben … Meine Ex-Freundin haben Sie ja kennengelernt.» Er konnte die Bitterkeit in seiner Stimme nicht verbergen. «Aber vermutlich sollte ich trotzdem dankbar sein, denn zuerst sah es so aus, als würde ich überhaupt nicht am Leben bleiben.»

«Und hassen Sie es? Hier zu wohnen, meine ich.»

«Ja.»

«Könnten Sie denn nicht trotzdem wieder in London leben?»

«Nein, in diesem Zustand nicht.»

«Aber es könnte doch besser werden. Ich meine, Nathan hat gesagt, es gibt alle möglichen Fortschritte bei der Behandlung solcher Verletzungen.»

Wieder schloss er kurz die Augen.

Ich wartete ab, dann beugte ich mich über ihn und zog das Kissen hinter seinem Kopf und das Laken über seiner Brust zurecht. «Entschuldigung», sagte ich und richtete mich auf. «Ich wollte Sie mit meinen Fragen nicht belästigen. Soll ich gehen?»

«Nein. Bleiben Sie noch ein bisschen. Reden Sie mit mir.» Er schluckte und sah mich an. Er wirkte unendlich müde. «Erzählen Sie mir was Schönes.»

Ich zögerte einen Moment, dann lehnte ich mich an das Kissen neben ihm. So saßen wir im schwachen Schein der Nachttischlampe und schauten wieder zu den Schneeflocken hinaus, die nach ihrem kurzen Weg durch den Lichtkegel in die schwarze Nacht verschwanden.

«Wissen Sie … dasselbe habe ich meinen Vater oft gebeten», erklärte ich schließlich. «Aber wenn ich Ihnen erzähle, was er dann immer gemacht hat, halten Sie mich für verrückt.»

«Mehr als ohnehin schon?»

«Wenn ich einen Albtraum hatte oder traurig war oder mich vor irgendwas fürchtete, hat er mir immer …» Ich fing an zu lachen. «Oh … ich kann es nicht.»

«Reden Sie weiter.»

«Dann hat er mir immer den Molahonkey-Song vorgesungen.»

«Den was?»

«Den Molahonkey-Song. Früher dachte ich immer, den kennt jeder.»

«Glauben Sie mir, Clark», murmelte er. «Ich bin eine Molahonkey-Jungfrau.»

Ich holte tief Luft, schloss die Augen und begann zu singen.

Ich wün-nün-nünschte-te mi-mi-mir, ich wohn-non-nonte-te
    im Molahonkey-La-la-land
Dem La-la-land, in dem ich-ich-ich gebo-bo-bo-re-re-ren bi-bi-bin
Dann kön-nön-nönte-te ich auf mein-nein-neinem al-al-alten
    Ban-jo-jo-jo spie-spie-spielen
Ab-ab-aber mei-nein-nein al-al-altes Ban-jo-jo-jo will-ill-ill nicht
    funktionier-rier-ren

«O mein Gott.»

Ich holte erneut Luft.

Dan-nan-nann geh-he-he ich zur-rur-rur Werk-statt-statt rein
Die-die-die sol-lol-lolen et-et-etwas mach-ach-achen

Sie-sie-sie sag-gag-gagen mir, die Sait-tait-taiten sind geriss-siss-sissen
Die-die-die kann-nan-nanst du-du-du nich-ich-icht mehr
    gebrauch-rauch-rauchen

Darauf herrschte kurzes Schweigen.

«Sie sind ja verrückt. Ihre ganze Familie ist verrückt.»

«Aber es hat funktioniert.»

«Und Sie sind eine erbärmliche Sängerin. Ich hoffe, Ihr Vater war besser.»

«Ich glaube, eigentlich wollten Sie sagen: ‹Danke, Miss Clark, für den Versuch, mich zu unterhalten.›»

«Ich schätze, das hat ungefähr so viel gebracht wie die ganze Psychotherapie, mit der ich schon traktiert wurde», sagte er. «Okay, Clark. Erzählen Sie mir noch etwas. Etwas ohne Gesang.»

Ich dachte ein bisschen nach.

«Mmh … also … vor ein paar Tagen haben Sie doch meine Schuhe so angestarrt, oder?»

«Das lässt sich schwer vermeiden.»

«Also, meine Mum behauptet, das mit meinem Schuhtick hätte angefangen, als ich drei Jahre alt war. Sie hatte mir ein paar helltürkise Glitzergummistiefel mitgebracht – so etwas war damals ziemlich selten. Kinder hatten entweder die ganz normalen grünen oder rote, wenn man Glück hatte. Und sie sagt, ab dem Tag, an dem sie diese Gummistiefel mitgebracht hat, hätte ich mich geweigert, sie auszuziehen. Ich habe sie im Bett getragen, in der Badewanne, im Kindergarten, den ganzen Sommer lang. Meine Lieblingskombination waren diese Glitzerstiefel und meine Hummelstrumpfhosen.»

«Hummelstrumpfhosen?»

«Schwarz-gelb gestreift.»

«Hinreißend.»

«Das klingt jetzt aber ein bisschen brutal.»

«Aber es stimmt. Die Vorstellung ist furchtbar.»

«Vielleicht für Sie, aber erstaunlicherweise, Will Traynor, suchen sich nicht alle Frauen ihre Kleidung danach aus, ob sie den Männern darin gefallen.»

«Blödsinn.»

«Nein, überhaupt nicht.»

«Bei allem, was Frauen tun, denken sie an die Männer. Bei allem, was jeder tut, hat er Sex im Kopf. Haben Sie denn *Eros und Evolution* nicht gelesen?»

«Ich habe keine Ahnung, wovon Sie reden. Aber ich kann Ihnen versichern, dass ich nicht auf Ihrem Bett sitze und den Molahonkey-Song singe, um Sie zu verführen. Und als ich drei war, fand ich gestreifte Beine einfach ganz, ganz toll.»

Ich stellte fest, dass die Beklemmung, die mich den ganzen Tag beherrscht hatte, mit jeder Bemerkung Wills weiter abflaute. Ich fühlte mich nicht mehr so, als wäre ich ganz allein für einen hilflosen Querschnittsgelähmten verantwortlich. Ich saß einfach da, neben einem besonders sarkastischen Kerl, und unterhielt mich mit ihm.

«Und dann? Was ist aus diesen sagenhaften Glitzergummistiefeln geworden?»

«Mum musste sie wegwerfen. Ich habe schrecklichen Fußpilz bekommen.»

«Sehr angenehm.»

«Und die Strumpfhosen hat sie auch weggeschmissen.»

«Warum?»

«Das habe ich nie erfahren. Aber es hat mir das Herz gebrochen. Ich habe nie mehr ein Paar Strumpfhosen gefunden, die ich so schön fand. Sie werden nicht mehr hergestellt. Oder wenn, dann nicht für erwachsene Frauen.»

«Das kann man wirklich kaum nachvollziehen.»

«Oh, machen Sie sich nur lustig. Haben Sie denn schon einmal etwas so geliebt?»

Ich konnte ihn jetzt kaum mehr sehen, es war noch dämmriger im Zimmer geworden. Ich hätte die Deckenlampe einschalten können, aber irgendwie wollte ich das nicht. Und sobald mir klargeworden war, was ich da gesagt hatte, hätte ich es am liebsten zurückgenommen.

«Ja», sagte er leise. «Das habe ich.»

Wir unterhielten uns noch ein bisschen, dann nickte Will ein. Ich lag neben ihm, beobachtete, wie er atmete, und fragte mich, was er sagen würde, wenn er aufwachte und feststellte, dass ich ihn anstarrte. Seine zu langen Haare und die umschatteten Augen und den sprießenden Bart. Aber ich konnte mich nicht bewegen. Alles erschien mir so surreal, ich war auf einer Insel außerhalb der Zeit. Ich war der einzige Mensch, der mit ihm im Haus war, und ich hatte immer noch Angst, ihn allein zu lassen.

Kurz nach elf bemerkte ich, dass er wieder zu schwitzen begann, und seine Atmung wurde flacher. Ich weckte ihn und gab ihm eine fiebersenkende Tablette. Er sagte nichts weiter, murmelte nur einen Dank. Ich wechselte das Laken, mit dem er zugedeckt war, und bezog sein Kopfkissen neu, und dann, als er wieder eingeschlafen war, legte ich mich einen halben Meter von ihm entfernt auf sein Bett, und eine ganze Weile später schlief auch ich ein.

Ich wachte davon auf, dass jemand meinen Namen sagte. Ich war in einem Klassenzimmer mit dem Kopf auf der Schulbank eingeschlafen, und die Lehrerin klopfte auf die Tafel und sagte immer wieder meinen Namen. Ich wusste, dass ich aufpassen sollte, wusste, dass die Lehrerin dieses Nickerchen als subversiven Akt betrachtete, aber ich konnte meinen Kopf nicht von der Schulbank heben.

«Louisa.»

«Mmmh.»

«Louisa.»

Die Schulbank war unheimlich weich. Ich öffnete die Augen. Über meinem Kopf hörte ich wieder das leise, aber nachdrücklich gezischte *Louisa*.

Ich lag im Bett. Ich blinzelte, konzentrierte mich, und als ich aufsah, starrte Camilla Traynor auf mich herunter. Sie trug einen dicken Wollmantel, und eine Handtasche hing über ihrer Schulter.

«Louisa.»

Ich fuhr hoch. Neben mir schlief Will, den Mund etwas geöffnet, die Ellbogen im rechten Winkel von sich gestreckt. Licht sickerte durch das Fenster herein. Es sah nach einem kalten, klaren Morgen aus.

«Hrm.»

«Was tun Sie denn da?»

Ich kam mir vor, als hätte man mich bei irgendeinem schrecklichen Verbrechen erwischt. Ich rieb mir übers Gesicht und versuchte, einen klaren Gedanken zu fassen. Warum war ich hier? Was sollte ich ihr sagen?

«Was tun Sie in Wills Bett?»

«Will …», sagte ich leise. «Will hat sich nicht wohl gefühlt … ich dachte einfach, ich sollte ein Auge auf …»

«Was meinen Sie damit, er hat sich nicht wohl gefühlt? Kommen Sie doch bitte mit in die Diele.» Sie ging hinaus und erwartete, dass ich ihr folgte.

Ich ging ihr nach und zog dabei meine Kleider zurecht. Ich hatte das Gefühl, mein Make-up war über mein gesamtes Gesicht verschmiert.

Als ich in der Diele war, schloss sie die Tür zu Wills Zimmer.

Ich stand vor ihr und strich meine Haare glatt, während ich

richtig wach wurde. «Will hatte erhöhte Temperatur. Nathan konnte sie senken, als er hier war, aber ich wusste über diese Sache mit der körpereigenen Temperaturregelung nicht Bescheid, und ich wollte Will nicht aus den Augen lassen … Nathan hat gesagt, ich soll aufpassen …» Meine Stimme klang belegt und unklar. Ich war nicht ganz sicher, ob ich sinnvolle Sätze bildete.

«Warum haben Sie mich denn nicht angerufen? Wenn er krank war, hätten Sie mich unverzüglich anrufen müssen. Oder Mr. Traynor.»

Es war, als würden plötzlich die Synapsenschaltungen in meinem Gehirn wieder funktionieren. *Mr. Traynor. Oje.* Ich warf einen kurzen Blick auf die Uhr. Es war Viertel vor acht.

«Ich habe nicht … Ich dachte, Nathan …»

«Hören Sie, Louisa. Das ist doch wirklich nicht so kompliziert. Wenn Will derart krank war, dass Sie glaubten, in seinem Zimmer schlafen zu müssen, hätten Sie es mir sagen sollen.»

«Ja.»

Ich blinzelte und starrte auf den Boden.

«Ich verstehe nicht, warum Sie sich nicht gemeldet haben. Haben Sie es bei Mr. Traynor versucht?»

Nathan hat gesagt, ich soll mich raushalten.

«Ich …»

In diesem Augenblick wurde die Tür zum Anbau geöffnet, und Mr. Traynor stand vor uns, mit einer gefalteten Zeitung unter dem Arm. «Du hast es zurückgeschafft!», sagte er zu seiner Frau und wischte sich Schneeflocken von den Schultern. «Ich habe mich gerade die Straße raufgekämpft, um eine Zeitung und Milch zu besorgen. Es ist richtig gefährlich, draußen rumzulaufen. Ich musste einen ziemlichen Umweg nehmen, um nicht die ganze Zeit auf Glatteis zu gehen.»

Sie sah ihn an, und ich fragte mich, ob ihr auffiel, dass er dasselbe Hemd und denselben Pullover trug wie am Tag zuvor.

«Wusstest du, dass Will heute Nacht krank war?»

Er sah mich direkt an. Ich senkte meinen Blick und musterte meine Füße. Ich konnte mich nicht erinnern, jemals zuvor in einer so unangenehmen Situation gewesen zu sein.

«Haben Sie versucht, mich anzurufen, Louisa? Es tut mir leid, ich habe nichts gehört. Ich glaube, mit der Gegensprechanlage ist etwas nicht in Ordnung. In der letzten Zeit habe ich sie schon ein paarmal nicht gehört. Außerdem habe ich mich gestern Abend selbst nicht ganz wohl gefühlt. Hab geschlafen wie ein Stein.»

Ich trug immer noch Wills Strümpfe. Ich starrte die Strümpfe an und fragte mich, ob mich Mrs. Traynor dafür auch zur Rede stellen würde.

Aber sie schien sich zu entspannen. «Die Fahrt hierher war anstrengend. Ich glaube … ich ziehe mich ein wenig zurück. Aber wenn so etwas noch einmal vorkommt, rufen Sie mich augenblicklich an. Haben Sie das verstanden?»

Ich mied Mr. Traynors Blick. «Ja», sagte ich und verschwand in die Küche.

Kapitel 7

D er Frühling kam über Nacht, als hätte der Winter wie ein ungebetener Gast urplötzlich seinen Mantel genommen und wäre grußlos abgezogen. Alles wurde grün, die Straßen badeten in einem wässrigen Sonnenschein, die Luft war auf einmal mild. Die Vögel zwitscherten, und eine Ahnung von Blütenduft und Freude lag in der Luft.

Ich bekam nichts davon mit. Ich hatte bei Patrick übernachtet. Ich hatte ihn wegen seiner erweiterten Trainingszeiten seit einer Woche nicht gesehen, und nachdem er abends vierzig Minuten mit reichlich Badesalz in der Wanne gelegen hatte, war er so erledigt, dass er kaum noch sprechen konnte. Im Bett hatte ich ihm in einem meiner seltenen Versuche, ihn zu verführen, den Rücken gestreichelt, und er hatte gemurmelt, er wäre wirklich zu müde, und dabei gezuckt, als wollte er meine Hand abschütteln. Ich lag noch vier Stunden später wach und starrte an die Decke.

Patrick und ich hatten uns kennengelernt, als ich meinen einzigen anderen Job gehabt hatte, und zwar als Auszubildende bei *The Cutting Edge*, Hailsburys einzigem Unisex-Friseursalon. Er kam herein, als die Besitzerin des Salons, Samantha, gerade beschäftigt war, und bat um einen Haarschnitt. Ich verpasste ihm einen Schnitt, den er später nicht nur als den schlechtesten Haarschnitt, den er je gehabt hatte, beschrieb, sondern auch als den schlechtesten Haarschnitt, den es in der Menschheitsgeschichte jemals gegeben hätte. Drei Monate später hatte ich erkannt, dass meine Vorliebe dafür, mit meiner eigenen Frisur zu experimentieren, nicht unbedingt mit einer Begabung fürs Haareschneiden bei anderen verbunden war. Ich kündigte im Friseursalon und bekam von Frank den Job im Café.

Als Patrick und ich uns kennenlernten, arbeitete er als Verkäufer, und auf seiner Favoritenliste standen Bier, Tankstellen-Schokoriegel und Gespräche über Sport und Sex (machen, nicht darüber reden), und zwar in dieser Reihenfolge. Ein gelungener Abend konnte alle vier Elemente enthalten. Er sah mehr durchschnittlich als gut aus, und sein Hintern war dicker als meiner, aber das fand ich gut. Ich mochte Patricks Behäbigkeit und wie er sich anfühlte, wenn ich mich an ihn kuschelte. Sein Vater war schon seit langem tot, und mir gefiel die fürsorgliche Art, mit der er seine Mutter behandelte. Und seine vier Brüder und Schwestern waren wie die Waltons. Sie schienen sich wirklich gernzuhaben. Als wir das erste Mal zusammen ausgingen, sagte eine kleine Stimme in meinem Kopf: *Dieser Mann wird dich niemals verletzen*, und in den sieben Jahren danach hat er nichts getan, was mich daran hat zweifeln lassen.

Und dann verwandelte er sich in den Marathon-Mann.

Patricks Bauch gab nicht länger nach, wenn ich mich an ihn schmiegte. Er war hart und fest wie ein Brett, und Patrick zog gern sein Hemd hoch und knallte sich irgendwelche Sachen an den Bauch, um zu beweisen, wie muskulös er war. Sein Gesicht war ledrig und verwittert von all der Zeit, die er im Freien trainierte. Seine Oberschenkel waren reine Muskelmasse. Das wäre ja vielleicht sogar sexy gewesen, wenn er sich noch für Sex interessiert hätte. Aber wir lagen inzwischen bei zweimal pro Monat, und ich gehörte nicht zu den Frauen, die um Sex betteln.

Es war, als würde er sich, je fitter und besessener von seinem eigenen Körper er wurde, umso weniger für meinen interessieren. Ich fragte ihn ein paarmal, ob er überhaupt noch Lust auf mich hatte, und bekam eindeutige Antworten. «Du bist sagenhaft», sagte er. «Ich bin bloß völlig kaputt. Auf jeden Fall will ich nicht, dass du abnimmst. Die Mädels im Verein – die bekämen nicht mal ein ordentliches Paar Titten hin, wenn sie alle zusammenlegen.» Ich wollte ihn fragen, wie genau er zu dem Ergebnis dieser komplexen Gleichung gekommen war, aber er hatte es ja nett gemeint, also ließ ich es ihm durchgehen.

Ich wollte mich für das interessieren, was er tat, ehrlich. Ich ging zu den Vereinsabenden des Triathlon-Clubs, und ich versuchte, mit den anderen Frauen zu plaudern. Aber mir fiel bald auf, dass ich eine absolute Ausnahme war. Es gab dort keine Freundinnen wie mich. In diesem Verein waren alle entweder Single, oder sie waren mit jemandem zusammen, der genauso fit war wie sie selbst. Die Paare trieben sich beim Training gegenseitig an, planten Wochenenden in Elastan-Shorts, hatten Fotos in den Brieftaschen, auf denen sie Hand in Hand beim Triathlon-Zieleinlauf zu sehen waren, oder verglichen selbstgefällig mit den anderen ihre Medaillen. Es war unbeschreiblich.

«Ich weiß nicht, warum du dich beschwerst», sagte meine Schwester, wenn ich ihr davon erzählte. «Ich hatte seit Thomas genau ein einziges Mal Sex.»

«Was? Und mit wem?»

«Oh, mit so einem Typ, der reinkam und einen handgebundenen Strauß in lebhaften Farben verlangt hat», sagte sie. «Ich wollte bloß sicher sein, dass ich es überhaupt noch kann.»

Und dann, als mir gerade die Kinnlade runterfiel, fügte sie hinzu: «Jetzt guck doch nicht so. Es war schließlich nicht während der Arbeitszeit. Und der Strauß war für eine Beerdigung. Wenn es Ehefrauenblumen gewesen wären, hätte ich ihn natürlich nicht mal mit einer Gladiole angerührt.»

Ich war durchaus nicht sexbesessen oder so, wir waren schließlich schon ziemlich lange zusammen. Aber irgendein hinterhältiger Teil meiner Persönlichkeit hatte damit angefangen, meine eigene Attraktivität in Frage zu stellen.

Patrick hatte sich an meinem ‹kreativen Kleidergeschmack›, wie er es ausdrückte, nie gestört. Aber was war, wenn das nicht ganz der Wahrheit entsprach? Patricks Arbeit und sein gesamtes Sozialleben drehten sich inzwischen um die Kontrolle des Körpers – er musste gezähmt, abgespeckt, vervollkommnet werden. Was war, wenn er angesichts dieser festen kleinen Hintern in den Trainingshosen meinen plötzlich unzulänglich fand? Was, wenn meine Kurven, von denen ich immer geglaubt hatte, er fände sie schön. üppig, unter seinem anspruchsvollen Blick jetzt schlaff und weich erschienen?

Über all das dachte ich gerade nach, als Mrs. Traynor hereinkam und Will und mir beinahe befahl, endlich das Haus zu verlassen. «Ich habe die Reinigungsfirma herbestellt, damit sie einen richtigen Frühjahrsputz machen, also dachte ich, ihr könntet das schöne Wetter genießen, während sie da sind.»

Will sah mich mit einem kaum merklichen Heben der Augenbraue an. «Das ist eigentlich keine Bitte, oder, Mutter?»

«Ich denke einfach, es wäre gut, wenn du an die Luft kommst», sagte sie. «Die Rampe ist schon ausgelegt. Louisa, würden Sie vielleicht einen Tee mit hinausbringen?»

Es war kein vollkommen unsinniger Vorschlag. Der Garten war wunderschön. Es war, als hätte er sich nach dem leichten Temperaturanstieg entschlossen, so schnell wie möglich grün zu werden. Narzissen waren wie aus dem Nichts aufgetaucht, ihre gelben Blüten kündeten weitere Blumen an. An braunen

Ästen brachen Knospen auf, winterharte Stauden bohrten sich langsam durch die schwarze, klumpige Erde. Ich öffnete die Türen, und wir gingen hinaus. Will hielt sich mit seinem Stuhl auf dem mit Naturstein gepflasterten Weg. Er deutete auf eine schmiedeeiserne Bank, auf der Kissen lagen, und ich setzte mich. Wir hielten unsere Gesichter in den schwachen Sonnenschein und hörten den tschilpenden Spatzen in der Hecke zu.

«Was ist los mit Ihnen?»

«Warum fragen Sie?»

«Sie sind so schweigsam.»

«Sie sagen doch immer, ich soll lieber ruhig sein.»

«Aber nicht so ruhig. Da mache ich mir Sorgen.»

«Mit mir ist alles okay», sagte ich. Und dann: «Es ist nur Beziehungskram. Das wollen Sie garantiert nicht wissen.»

«Ah», sagte er. «Der Langstreckenläufer.»

Ich schlug die Augen auf, um festzustellen, ob er sich über mich lustig machte.

«Was ist los?», sagte er. «Kommen Sie, erzählen Sie es Onkel Will.»

«Nein.»

«Meine Mutter scheucht die Putzmannschaft dadrin bestimmt noch mindestens eine Stunde herum. Über irgendetwas müssen wir reden.»

Ich setzte mich auf und drehte mich zu ihm. Sein Haus-Rollstuhl hatte einen Mechanismus, mit dem er die Sitzhöhe verstellen konnte, sodass er mit seinem Gesprächspartner auf Augenhöhe kam. Er benutzte ihn nicht oft, weil ihm davon leicht schwindelig wurde, aber jetzt fuhr er damit hoch. Ich musste sogar zu ihm aufsehen.

Ich zog den Mantel enger um mich zusammen und blinzelte ihn an. «Also los, was wollen Sie wissen?»

«Wie lange sind Sie schon zusammen?»

«Ungefähr sieben Jahre.»

Er wirkte überrascht. «Das ist eine lange Zeit.»

«Ja», sagte ich. «Tja.»

Er beugte sich vor, und ich zog die Decke über seinen Knien zurecht. Der Sonnenschein war trügerisch, er versprach mehr, als er halten konnte. Ich dachte an Patrick, der um Punkt halb sieben aufgestanden war, um sein Frühtraining zu absolvieren. Vielleicht sollte ich auch mit dem Laufen anfangen, damit wir zu einem von diesen Lycra-Paaren würden. Oder vielleicht sollte ich mir Rüschenslips besorgen und mir im Internet Sextipps geben lassen. Aber ich wusste, dass ich weder das eine noch das andere tun würde.

«Was macht er?»

«Er ist Fitnesstrainer.»

«Daher das Laufen.»

«Daher das Laufen.»

«Und wie ist er? Nur drei Worte, falls Ihnen das unangenehm ist.»

Ich dachte darüber nach. «Optimistisch. Treu. Besessen von Körperfettwerten.»

«Das sind fünf Worte.»

«Dann haben Sie zwei umsonst bekommen. Wie ist sie?»

«Wer?»

«Alicia.» Ich sah ihn an, wie er mich angesehen hatte, ganz direkt. Er holte tief Luft und sah in eine hohe Platane hinauf. Sein Haar fiel ihm in die Augen, und ich unterdrückte den Impuls, es ihm aus dem Gesicht zu streichen.

«Hinreißend. Sexy. Wartungsintensiv. Überraschend unsicher.»

«Was hat sie denn für einen Grund, unsicher zu sein?» Die Worte waren heraus, bevor ich darüber nachdenken konnte.

Er sah mich beinahe amüsiert an. «Sie würden sich wundern»,

sagte er. «Frauen wie Lissa machen sich so lange ihr Aussehen zunutze, bis sie schließlich glauben, sie hätten nichts anderes zu bieten. Na ja, ich bin unfair. Sie hat ihre Fähigkeiten. Sie kann gut mit Dingen umgehen – Kleidung, Inneneinrichtung. Sie kann alles schön aussehen lassen.»

Ich verbiss mir die Bemerkung, dass es einfach war, alles schön aussehen zu lassen, wenn man eine Brieftasche besaß, die so ergiebig war wie eine niemals versiegende Diamantenmine.

«Sie stellt ein paar Sachen in einem Zimmer um, und es sieht vollkommen anders aus. Ich habe nie verstanden, wie sie das macht.» Er nickte zum Haus hin. «Sie hat den Anbau eingerichtet, als ich eingezogen bin.»

Ich ließ im Geist meinen Blick durch das perfekt gestylte Wohnzimmer wandern. Meine Bewunderung für den schönen Raum galt auf einmal nicht mehr ganz so uneingeschränkt wie zuvor.

«Wie lange waren Sie mit ihr zusammen?»

«Acht oder neun Monate.»

«Also nicht so lange.»

«Für mich schon.»

«Wie haben Sie sich kennengelernt?»

«Bei einer Dinnerparty. Es war eine schreckliche Party. Und Sie?»

«Beim Friseur. Da habe ich gearbeitet. Er war mein Kunde.»

«Hah. Sie waren also sein kleines Extra fürs Wochenende.»

Ich musste ihn verständnislos angesehen haben, denn er schüttelte den Kopf und sagte leise: «Vergessen Sie's.»

Aus dem Anbau hörten wir das dumpfe Dröhnen des Staubsaugers. Der Putztrupp bestand aus vier Frauen, die alle Kittel der Reinigungsfirma trugen. Ich fragte mich, wie sie sich vier Stunden in dem kleinen Anbau beschäftigen wollten.

«Fehlt sie Ihnen?»

Ich hörte, wie die Frauen sich unterhielten. Irgendwer hatte ein Fenster geöffnet, und manchmal hörte man sie lachen.

Will hatte den Blick in eine unbestimmte Ferne gerichtet. «Zuerst schon.» Dann sah er mich an und sagte sehr sachlich: «Aber ich habe darüber nachgedacht und bin zu dem Schluss gekommen, dass Rupert und sie gut zusammenpassen.»

Ich nickte. «Sie werden eine lächerliche Hochzeitsfeier organisieren, einen Schreihals oder zwei in die Welt setzen, ein Landhaus kaufen, und noch bevor fünf Jahre vorbei sind, bumst er seine Sekretärin.»

«Da haben Sie vermutlich recht.»

Ich erwärmte mich richtig für das Thema. «Und sie wird immer ein bisschen schnippisch zu ihm sein, ohne selbst genau zu wissen, warum, und dann meckert sie bei grausamen Dinnerpartys an ihm herum, sodass sich ihre Freunde vor Verlegenheit winden, und er verlässt sie trotz allem nicht, weil er einen Horror vor den Unterhaltszahlungen hat.»

Will musterte mich eingehend.

«Und sie schlafen alle sechs Wochen einmal miteinander, und er betet seine Kinder an und kümmert sich trotzdem einen Scheiß um ihre Erziehung. Und sie ist immer perfekt frisiert, hat aber diesen verkniffenen Gesichtsausdruck», ich presste die Lippen zusammen, «weil sie nie sagt, was sie wirklich denkt, und stattdessen wie irre Pilates macht oder einen Hund kauft oder ein Pferd, und dann verknallt sie sich in den Reitlehrer. Und mit vierzig fängt er an zu joggen, und er kauft sich vielleicht eine Harley-Davidson, die sie vulgär findet, und jeden Tag, wenn er ins Büro geht und seine jungen Kollegen sieht oder in der Bar hört, wie sie erzählen, wen sie am Wochenende abgeschleppt oder wo sie die Nacht durchgefeiert haben, fühlt er sich, als wäre er irgendwie reingelegt worden – aber wie das genau passiert ist, wird er nie verstehen.»

Will starrte mich an.

«Sorry», sagte ich nach einem Moment. «Ich weiß wirklich nicht, wo das alles auf einmal hergekommen ist.»

«Gerade spüre ich ein winziges bisschen Mitleid für den Langstreckenläufer in mir aufsteigen.»

«Oh, er hat damit nichts zu tun», sagte ich. «Es liegt an der jahrelangen Arbeit in einem Café. Man sieht und hört alles Mögliche. Die unterschiedlichsten Verhaltensmuster. Sie wären erstaunt, was es da so alles gibt.»

«Haben Sie deshalb nie geheiratet?»

Ich blinzelte. «Vermutlich.»

Ich wollte ihm nicht sagen, dass ich noch keinen Heiratsantrag bekommen hatte.

Es klingt vielleicht, als hätten wir nicht besonders viel getan. Aber in Wahrheit unterschied sich jeder Tag mit Will vom anderen, das hing ganz von seiner Stimmung und noch mehr davon ab, wie viele Schmerzen er hatte. An manchen Tagen kam ich an und sah an seinen angespannten Kiefermuskeln, dass er nicht mit mir reden wollte – oder mit sonst irgendjemandem –, dann beschäftigte ich mich anderweitig und versuchte, seine Bedürfnisse vorauszuahnen, damit er mich um nichts bitten musste.

Er hatte alle möglichen Schmerzen. Solche im ganzen Körper, die durch den Muskelabbau verursacht wurden. Obwohl Nathan mit der Physiotherapie alles versuchte, hatte Will immer weniger Muskeln, die ihn aufrecht halten konnten. Er hatte Magenschmerzen durch Verdauungsprobleme, Schmerzen in den Schultern, Schmerzen von Blaseninfektionen, die anscheinend trotz aller Bemühungen nicht zu vermeiden waren. Er hatte sogar ein Magengeschwür, weil er in der ersten Phase der Reha die Schmerzmittel wie Tic-Tacs eingeworfen hatte.

Manchmal schmerzten ihn die Druckwunden, die entstanden, weil er zu lange in derselben Haltung im Rollstuhl saß. Einige Male musste Will im Bett liegen, damit sie heilten, aber er hasste es, auf dem Bauch zu liegen, und die ganze Zeit funkelte in seinen Augen ein kaum beherrschbarer Zorn. Außerdem hatte Will häufig Kopfschmerzen, die, so glaubte ich, von seiner ständigen Wut und Frustration verursacht wurden. Er war so voller Energie und dabei außerstande, diese Energie loszuwerden. Irgendwo suchte sie sich bestimmt ein Ventil.

Aber das Schlimmste war ein Brennen, das er in den Händen und Füßen spürte; unaufhörlich und pulsierend verhinderte es, dass er sich auf etwas anderes konzentrieren konnte. Ich brachte ihm dann eine Schüssel mit kaltem Wasser und badete seine Hände und Füße darin, oder ich machte Umschläge mit gekühlten Handtüchern, weil ich hoffte, so seine Beschwerden zu lindern. In diesen Phasen zuckte ein Muskelstrang an seinem Kinn, und manchmal hatte ich das Gefühl, Will würde irgendwie verschwinden – sich aus seinem eigenen Körper zurückziehen, weil das die einzige Möglichkeit war, mit diesem Brennen fertigzuwerden.

Ich hatte mich überraschend schnell an die körperlichen Bedingungen gewöhnt, unter denen Will lebte. Und ich fand es unfair, dass ihm seine Extremitäten, obwohl er sie nicht mehr gebrauchen konnte, noch so viele Schmerzen bereiteten.

Und trotz alledem beschwerte sich Will nicht. Deshalb dauerte es Wochen, bis ich mitbekam, dass er überhaupt litt. Inzwischen konnte ich den angestrengten Zug um seine Augen deuten, das Schweigen, die Art, auf die er sich in sich selbst zurückzog. Er fragte dann nur: «Würden Sie bitte das kalte Wasser bringen, Louisa?», oder: «Ich glaube, es ist Zeit für eine Schmerztablette.» Manchmal litt er so, dass die Farbe aus seinem Gesicht wich und sein Teint fahl wie Kitt wurde. Das waren die schlimmsten Tage.

Aber an den meisten übrigen Tagen lief es gut. Anders als am Anfang fühlte er sich nicht mehr tödlich beleidigt, wenn ich ihn ansprach. Und an diesem Tag schien er gar keine Schmerzen zu haben. Als Mrs. Traynor herauskam, um uns zu sagen, dass die Reinigungskräfte noch zwanzig Minuten brauchen würden, holte ich uns etwas zu trinken, und wir machten eine Runde durch den Garten. Will hielt sich auf dem Weg, und ich beobachtete, wie sich meine Satinpumps auf dem feuchten Gras dunkel färbten.

«Interessante Schuhwahl», sagte Will.

Sie waren smaragdgrün. Ich hatte sie in einem Secondhandshop entdeckt. Patrick fand, ich sähe damit aus wie eine Kobold-Dragqueen.

«Wissen Sie, dass Sie sich überhaupt nicht anziehen, als würden Sie von hier kommen? Ich freue mich inzwischen schon richtig auf die nächste Wahnsinnskombination, in der Sie bei mir auftauchen.»

«Und was zieht jemand an, der ‹von hier› kommt?»

Er steuerte etwas nach links, um einem Ast auszuweichen, der über dem Weg herabhing. «Fleecejacken. Oder, wenn man zu den Kreisen meiner Mutter gehört, Twinset und Perlenkette.» Er sah mich an. «Also, woher haben Sie Ihren exotischen Geschmack? Wo haben Sie sonst noch gelebt?»

«Nirgends.»

«Wirklich? Sie haben immer nur hier gewohnt? Und wo haben Sie gearbeitet?»

«Auch nur hier.» Ich drehte mich zu ihm und verschränkte die Arme vor der Brust. «Na und? Was ist daran so komisch?»

«Die Stadt ist so klein. So einschränkend. Und alles dreht sich nur um die Burg.» Wir blieben auf dem Weg stehen und starrten zu ihr hinauf, wie sie sich auf ihrem seltsamen, kuppelförmigen Hügel erhob, so perfekt, als stammte sie aus einer Kinderzeichnung. «Ich habe immer gedacht, das wäre ein Ort, an den die Leute irgendwann zurückkehren. Wenn sie alles andere satthaben. Oder wenn sie nicht genügend Phantasie besitzen, um es noch woanders zu versuchen.»

«Vielen Dank auch.»

«Das ist ja per se nichts *Schlechtes.* Aber ... meine Güte. So richtig lebendig ist es hier nicht gerade, oder? Hier herrscht nicht unbedingt ein Überfluss an tollen Ideen oder interessanten Menschen und Möglichkeiten. Hier gilt es ja schon als revolutionär, wenn der Touristenladen Platzsets mit einem neuen Foto der Miniatur-Eisenbahn verkauft.»

Ich musste lachen. In der Lokalzeitung hatte in der Woche zuvor genau darüber ein Artikel gestanden.

«Sie sind sechsundzwanzig Jahre alt, Clark. Sie sollten hier raus, sollten die Welt erobern, sollten in irgendeiner Bar in Schwierigkeiten kommen, sollten Ihre seltsame Garderobe ein paar zwielichtigen Typen vorführen ...»

«Ich bin hier sehr zufrieden», sagte ich.

«Das sollten Sie aber nicht sein.»

«Sie erklären den Leuten gern, was sie tun sollen, oder?»

«Nur, wenn ich weiß, dass ich recht habe», sagte er. «Können Sie mir bitte den Becher ausrichten? Ich komme nicht an den Strohhalm.»

Ich drehte den Strohhalm um, sodass er ihn leichter erreichen konnte, und wartete, bis er etwas getrunken hatte. Die kühle Frühlingsluft hatte seine Ohrläppchen rosa gefärbt.

Er verzog das Gesicht. «Mein Gott, für eine Frau, die vom Teekochen gelebt hat, schmeckt das wirklich erbärmlich.»

«Das liegt daran, dass Sie nur Lesbentee gewohnt sind», sagte ich. «Dieses ganze Lapsang-Souchong-Kräuterzeug.»

«Lesbentee!» Er verschluckte sich beinahe. «Aber der ist jedenfalls immer noch besser als diese Holzpolitur. Gott. Da bleibt ja der Löffel drin stehen.»

«Also stimmt sogar mit meinem Tee etwas nicht.» Wir waren wieder bei der Bank angekommen, und ich setzte mich. «Wieso finden Sie es eigentlich in Ordnung, zu allem, was ich sage oder tue, einen Kommentar abzugeben, während niemand anders eine Meinung haben darf?»

«Na dann los, Louisa Clark. Sagen Sie mir Ihre Meinung.»

«Über Sie?»

Er seufzte theatralisch. «Hab ich denn eine Wahl?»

«Sie könnten sich mal um Ihre Haare kümmern. Sie sehen aus wie ein Landstreicher.»

«Jetzt klingen Sie aber wie meine Mutter.»

«Tja, Sie sehen schließlich auch total furchtbar aus. Sie könnten sich wenigstens rasieren. Jucken diese Bartsprossen nicht unheimlich?»

Er sah mich aus dem Augenwinkel an.

«Also stimmt es, oder? Ich wusste es. Gut … heute Nachmittag kommt das alles ab.»

«O nein.»

«Doch. Sie haben mich nach meiner Meinung gefragt. Und das ist meine Antwort. Sie selbst müssen gar nichts tun.»

«Und was ist, wenn ich nein sage?»

«Dann mache ich es vielleicht trotzdem. Wenn Ihr Bart noch länger wird, muss ich nämlich irgendwann anfangen, Essenskrümel zwischen den Stoppeln rauszupfriemeln. Und ehrlich gesagt, wenn das passiert, muss ich Sie wegen unzumutbarer Bedingungen am Arbeitsplatz verklagen.»

Er lächelte. Es klingt vielleicht ein bisschen komisch, aber Will lächelte so selten, dass mir beinahe ein bisschen schwindelig wurde vor Stolz, wenn ich ihn dazu gebracht hatte.

«Sagen Sie mal, Clark», sagte er. «Würden Sie mir einen Gefallen tun?»

«Was denn?»

«Kratzen Sie mich doch mal am Ohr, geht das? Es juckt zum Verrücktwerden.»

«Und wenn ich es tue, lassen Sie sich dann von mir die Haare schneiden? Nur ein bisschen die Spitzen nachschneiden, wissen Sie?»

«Strapazieren Sie Ihr Glück nicht zu sehr.»

«Schsch. Machen Sie mich nicht nervös. Ich kann auch so schon nicht besonders gut mit der Schere umgehen.»

Ich fand das Rasiermesser und etwas Rasierschaum im Badezimmerschrank, ziemlich weit hinten zwischen den Päckchen mit Feuchttüchern und Watte, so als wären sie schon sehr lange nicht mehr benutzt worden. Ich rief Will ins Bad, füllte das Waschbecken mit Wasser, ließ ihn die Kopfstütze nach hinten kippen und legte ihm dann ein Handtuch übers Kinn, das ich mit warmem Wasser angefeuchtet hatte.

«Was ist das denn? Wollen Sie hier einen Friseurladen aufmachen? Wozu soll das Handtuch gut sein?»

«Ich weiß auch nicht», gab ich zu. «Das machen sie doch im Film immer. Es ist wie mit dem heißen Wasser und den Tüchern, wenn jemand ein Kind kriegt.»

Ich sah seinen Mund unter dem Handtuch nicht, aber in seine Augen trat ein leicht erheiterter Blick. Ich wollte diesen Blick erhalten. Ich wollte, dass er glücklich war, wollte, dass sein Gesicht diesen getriebenen, wachsamen Ausdruck verlor. Ich redete drauflos. Ich erzählte Witze. Ich summte vor mich hin. Alles, um den Moment hinauszuzögern, in dem er wieder seine grimmige Miene aufsetzen würde.

Ich krempelte die Ärmel hoch und begann, den Rasierschaum über sein Kinn und bis zu den Ohren hinauf zu verteilen. Dann zögerte ich, während ich die Klinge über seiner Kehle schweben ließ. «Ist jetzt der richtige Zeitpunkt, Ihnen zu sagen, dass ich bisher nur Beine rasiert habe?»

Er schloss die Augen und entspannte sich. Ich begann, mit dem Rasiermesser sanft über seine Haut zu schaben. Die Stille wurde nur von dem Plätschern unterbrochen, mit dem ich die Klinge im gefüllten Waschbecken abspülte. Ich sagte nichts, musterte Will Traynors Gesicht beim Arbeiten, die Falten, die sich bis zu seinen Mundwinkeln zogen, Falten, die mir für jemanden seines Alters viel zu tief erschienen. Ich strich ihm die Haare aus dem Gesicht und sah die verräterischen Operationsnarben, die vermutlich von seinem Unfall herrührten. Ich sah die violetten Schatten unter seinen Augen, verursacht von zu vielen schlaflosen Nächten, und die senkrechte Falte zwischen seinen Augenbrauen, die von den Schmerzen sprach. Ein warmer, leicht süßer Geruch stieg von seiner Haut auf, der Geruch des Rasierschaums zusammen mit einem, der Wills ganz persönlicher Duft war, dezent und kostspielig. Langsam tauchte sein Gesicht unter dem wegrasierten Bart wieder auf, und ich konnte mir vorstellen, wie leicht es für ihn gewesen sein musste, jemanden wie Alicia für sich zu interessieren.

Ich arbeitete langsam und vorsichtig, ermutigt von der Tatsache, dass er ganz ruhig und friedlich dasaß. Mir ging der Gedanke durch den Kopf, dass Will nur noch berührt wurde, wenn es eine medizinische oder pflegerische Notwendigkeit gab, und deshalb ließ ich meine Finger ein bisschen länger auf seiner Haut liegen und bemühte mich darum, dass meine Berührungen so wenig wie möglich der routinierten Zügigkeit Nathans oder des Arztes glichen.

Will zu rasieren war ein seltsam intimer Akt. Mir wurde klar, dass ich geglaubt hatte, der Rollstuhl wäre eine Art Barriere und Wills Behinderung würde dafür sorgen, dass auch nicht die leiseste Ahnung von Sinnlichkeit aufkam. Aber es war unmöglich, einem Menschen so nahe zu sein, die Luft einzuatmen, die er ausgeatmet hatte, sich bis auf Zentimeter über sein Gesicht zu beugen, ohne dass man ein wenig aus der Ruhe kam. Bis ich bei seinem anderen Ohr angekommen war, fühlte ich mich unwohl, als hätte ich eine unsichtbare Grenze überschritten.

Vielleicht konnte Will die leichten Veränderungen in dem Druck deuten, den ich mit den Fingern auf seine Haut ausübte, weil er genügend Erfahrung mit den Stimmungen der Menschen in seiner Umgebung hatte. Er schlug die Lider auf und sah mir direkt in die Augen.

Es entstand eine kurze Pause, dann sagte er mit ernster Miene: «Erzählen Sie mir bloß nicht, dass Sie mir die Augenbrauen abrasiert haben.»

«Nur die eine», sagte ich. Und dann spülte ich das Rasiermesser ab, weil ich hoffte, dass sich das Blut aus meinen Wangen zurückgezogen hatte, wenn ich mich wieder zu ihm umdrehte. «Also», sagte ich schließlich. «Reicht es Ihnen? Müsste Nathan nicht gleich hier sein?»

«Was ist mit meinem Haar?», fragte er.

«Wollen Sie wirklich, dass ich es schneide?»

«Von mir aus.»

«Ich dachte, Sie vertrauen mir nicht.»

Er zuckte mit den Schultern, soweit er dazu fähig war. Es war nur eine winzige Bewegung. «Wenn es dazu führt, dass Sie mir ein paar Wochen lang nicht mehr die Ohren volljammern, lohnt sich der Einsatz bestimmt.»

«Oh, Ihre Mum wird sich unheimlich freuen», sagte ich und wischte einen letzten Klecks Rasierschaum weg.

«Ja, das stimmt, aber davon lassen wir uns auch nicht abhalten.»

Wir schnitten sein Haar im Wohnzimmer. Ich machte Feuer im Kaminofen, und wir ließen einen Film laufen – einen amerikanischen Thriller. Ich legte ihm ein Handtuch um die Schultern. «Ich bin ein bisschen eingerostet», gab ich zu bedenken. «Aber schlimmer als jetzt kann es eigentlich gar nicht aussehen.»

«Danke für das Kompliment», sagte er.

Ich machte mich an die Arbeit, ließ sein Haar durch meine Finger gleiten und versuchte, mich an das zu erinnern, was ich in dem Friseursalon gelernt hatte. Will, der sich den Film ansah, wirkte entspannt und beinahe zufrieden. Manchmal erklärte er mir etwas zu dem Film – wo der Hauptdarsteller sonst noch mitgespielt hatte, wann er den Film zum ersten Mal gesehen hatte –, und ich gab interessierte Geräusche von mir (ungefähr so wie bei Thomas, wenn er mir seine Spielzeuge vorführt), denn in Wahrheit war meine gesamte Aufmerksamkeit darauf gerichtet, seine Frisur nicht zu verpfuschen. Schließlich hatte ich den größten Teil der Mähne abgeschnitten und ging um ihn herum, um ihn mir anzusehen.

«Und?» Will stellte den DVD-Player auf Pause.

Ich straffte mich. «Ich weiß gar nicht recht, ob es mir gefällt, so viel von Ihrem Gesicht zu sehen. Das könnte ein bisschen nervtötend werden.»

«Fühlt sich kalt an», bemerkte er und drehte seinen Kopf von links nach rechts, als müsste er die Bewegung ausprobieren.

«Moment», sagte ich. «Ich hole zwei Spiegel. Dann können Sie es sich richtig ansehen. Aber nicht bewegen. Ich muss noch ein bisschen was nachschneiden. Vielleicht ein Ohr?»

Ich war im Schlafzimmer und zog auf der Suche nach einem kleinen Spiegel die Schubladen auf, als ich die Tür gehen hörte. Zwei Schuhpaare klapperten über die Fliesen, dann hörte ich Mrs. Traynor besorgt die Stimme erheben.

«Georgina, bitte, tu das nicht.»

Die Wohnzimmertür wurde aufgerissen. Ich schnappte mir den Spiegel und hastete aus dem Schlafzimmer. Ich wollte mich nicht wieder erwischen lassen, wenn ich nicht bei Will war. Mrs. Traynor stand an der Wohnzimmertür, hatte beide Hände vor den Mund gehoben und verfolgte den Streit, der sich im Zimmer abspielte.

«Du bist der egoistischste Kerl, der mir je untergekommen ist!», schrie eine junge Frau. «Ich fasse es nicht, Will. Du warst schon damals egoistisch, und jetzt bist du noch schlimmer geworden.»

«Georgina.» Mrs. Traynors Blick flackerte kurz zu mir, als ich näher kam. «Bitte, hör auf.»

Ich ging hinter ihr ins Wohnzimmer. Will, das Handtuch um die Schultern, sah eine junge Frau an. Sie hatte langes dunkles Haar, das sie am Hinterkopf zu einem unordentlichen Knoten zusammengesteckt hatte. Ihre Haut war sonnengebräunt, und sie trug teure, pseudoabgewetzte Jeans und Wildlederstiefel. Wie Alicia hatte sie schöne und sehr regelmäßige Gesichtszüge, und ihre Zähne waren so unglaublich weiß wie in einer Zahnpastareklame. Das konnte ich beurteilen, weil sie ihn immer noch mit zornrotem Gesicht anfauchte. «Ich fasse es nicht. Ich fasse es einfach nicht, dass du kein bisschen darüber nachdenkst. Was glaubst du eigentlich …?»

«*Bitte*. Georgina», sagte Mrs. Traynor scharf. «Das ist jetzt nicht der richtige Moment.»

Will starrte mit teilnahmsloser Miene vor sich hin.

«Entschuldigung … Will? Brauchen Sie etwas?», sagte ich leise.

Die junge Frau wirbelte zu mir herum und sagte: «Wer sind Sie denn?» Erst jetzt fiel mir auf, dass sie Tränen in den Augen hatte.

«Georgina», sagte Will. «Darf ich dir Louisa Clark, meine

bezahlte Gesellschafterin und schockierend originelle Friseurin, vorstellen? Louisa, das ist meine Schwester Georgina. Sie scheint den ganzen Weg von Australien hierhergeflogen zu sein, nur um mich anzubrüllen.»

«Spiel nicht den Unschuldigen», sagte Georgina. «Mummy hat mir genug erzählt. Sie hat mir *alles* erzählt.»

Niemand rührte sich.

«Ich lasse Sie lieber ein bisschen allein», sagte ich.

«Das ist eine gute Idee.» Mrs. Traynor saß auf dem Sofa, ihre Fingerknöchel waren weiß, so fest hatte sie die Fäuste geballt.

«Eigentlich wäre es sogar ein guter Moment, um Ihre Mittagspause zu machen, Louisa», sagte sie.

Ich glitt aus dem Zimmer.

Es sah nach einem Bushaltestellen-Mittagspausen-Tag aus. Ich holte mir mein Sandwich aus der Küche, streifte meinen Mantel über und ging zur Tür.

Bevor ich hinausging, hörte ich noch einmal Georgina Traynors erhobene Stimme. «Ist dir überhaupt schon mal in den Sinn gekommen, Will, dass diese Sache *nicht nur dich allein* betrifft?»

Als ich genau eine halbe Stunde später wiederkam, war es still im Haus. Nathan wusch in der Küchenspüle einen Becher ab.

Er drehte sich zu mir um, als ich hereinkam. «Wie geht's?»

«Ist sie weg?»

«Wer?»

«Die Schwester.»

Er warf einen Blick über seine Schulter. «Ah. Das war also seine Schwester. Ja, die ist weg. Ist gerade mit quietschenden Reifen weggefahren, als ich ankam. Hat wohl einen Familienstreit gegeben, was?»

«Keine Ahnung», sagte ich. «Ich habe Will gerade die Haare geschnitten, und da ist diese Frau reingekommen und hat angefangen, ihn runterzumachen. Ich dachte, das wäre eine von seinen Ex-Freundinnen.»

Nathan zuckte mit den Schultern.

Mir wurde klar, dass ihn die privaten Einzelheiten aus Wills Leben nicht interessierten, selbst wenn er sie kannte.

«Er ist ziemlich still. Übrigens gut gemacht, mit der Rasur. Ist nett, ihn mal ohne all das Gestrüpp zu sehen.»

Ich ging ins Wohnzimmer. Will starrte auf den Fernsehbildschirm, auf dem noch dasselbe Standbild zu sehen war wie in dem Moment, in dem ich mich auf die Suche nach den Spiegeln gemacht hatte.

«Soll ich den Film weiterlaufen lassen?», fragte ich.

Er schien mich nicht zu hören. Sein Kopf war zwischen die Schultern gesunken, die Entspannung von vorhin einem undurchsichtigen Vorhang gewichen. Will hatte sich wieder abgekapselt, eingeschlossen hinter etwas, das ich nicht durchdringen konnte.

Dann blinzelte er, als hätte er mich jetzt erst wahrgenommen.

«Klar», sagte er.

Ich trug einen Korb Wäsche durch den Flur, als ich sie hörte. Die Tür zum Anbau stand etwas offen, und die Stimmen von Mrs. Traynor und ihrer Tochter klangen bis in die Diele. Wills Schwester schluchzte leise, aller Zorn war aus ihrem Ton verschwunden. Sie klang beinahe wie ein Kind.

«Sie müssen doch irgendetwas tun können. Es gibt doch bestimmt Fortschritte in der Medizin. Kannst du ihn nicht nach Amerika bringen? Dort sind sie doch immer weiter als hier.»

«Dein Vater verfolgt alles, was sich tut, ganz genau. Aber … Liebling, es gibt nichts … Konkretes.»

«Er ist so … anders geworden. Es ist, als wäre er wild entschlossen, überhaupt nichts Gutes mehr an irgendetwas zu sehen.»

«So war er zu Hause von Anfang an, George. Ich glaube, es liegt einfach daran, dass du ihn nicht mehr gesehen hast, seit du zurückgeflogen bist. Davor war er noch ... willensstark, glaube ich. Davor war er noch überzeugt, dass sich etwas verbessern würde.»

Ich fühlte mich unbehaglich, weil ich eine so private Unterhaltung belauschte. Trotzdem zog mich der merkwürdige Tonfall des Gesprächs an. Ich ging noch näher an die Tür, unhörbar, weil ich nur Socken an den Füßen hatte.

«Weißt du, Daddy und ich haben dir nichts davon gesagt. Wir wollten nicht, dass du dir Sorgen machst. Aber er hat versucht ...» Sie kämpfte mit den Worten. «Will hat versucht ... sich umzubringen.»

«Was?»

«Daddy hat ihn gefunden. Es war im Januar. Es war ... es war schrecklich.»

Obwohl das nur meine Ahnungen bestätigte, spürte ich, dass ich blass wurde. Ich hörte einen erstickten Aufschrei, eine geflüsterte Beruhigung. Es folgte ein langes Schweigen. Und dann sagte Georgina mit tränenerstickter Stimme: «Und die Frau ...»

«Ja. Louisa ist hier, um zu verhindern, dass so etwas noch einmal passiert.»

Ich erstarrte. Am anderen Ende des Flurs hörte ich leises Gemurmel aus dem Badezimmer, wo sich Nathan und Will unterhielten und glücklicherweise nicht mitbekamen, was ein paar Meter von ihnen entfernt besprochen wurde. Ich ging noch näher zu der Tür. Im Grunde wusste ich es, seit ich die Narben an seinen Handgelenken gesehen hatte. Das erklärte alles – Mrs. Traynors Angst, dass ich Will zu lange allein lassen könnte, seinen Widerwillen gegen meine Anwesenheit, die Tatsache, dass ich oft das Gefühl hatte, es gäbe überhaupt nicht genügend Arbeit, um meine Anstellung zu rechtfertigen. Ich war als Babysitter eingesetzt worden. Ich hatte das nicht gewusst, Will aber schon, und dafür hatte er mich gehasst.

Ich streckte die Hand nach der Türklinke aus, um sie leise ins Schloss zu ziehen. Ich fragte mich, ob Nathan darüber Bescheid wusste. Ich fragte mich, ob Will inzwischen ein bisschen glücklicher war. Mir wurde klar, dass es mich erleichterte – selbstsüchtig, ich weiß –, dass nicht ich es war, gegen die Will etwas hatte, sondern einfach gegen die Tatsache, dass ich – und es hätte auch irgendwer sonst sein können – als Aufpasserin angestellt worden war. Es arbeitete so heftig in meinem Kopf, dass ich beinahe die Fortsetzung des Gesprächs verpasste.

«Du darfst ihn das nicht tun lassen, Mum. Du musst ihn daran hindern.»

«Das ist nicht unsere Entscheidung, Liebling.»

«Doch. Ist es doch … wenn er dich darum bittet, dich daran zu beteiligen», widersprach Georgina.

Meine Hand lag auf der Türklinke.

«Ich glaube einfach nicht, dass du ihm zugestimmt hast. Was ist mit deinem Glauben? Was mit allem, was du bisher für ihn getan hast? Was für einen Zweck hatte es dann, dass ihr ihm das letzte Mal das Leben gerettet habt?»

Mrs. Traynor bemühte sich, ruhig zu bleiben. «Das ist nicht fair.»

«Aber du hast gesagt, du bringst ihn hin. Was soll …?»

«Hast du schon einmal daran gedacht, dass er jemand anderen darum bitten wird, wenn ich es ablehne?»

«Aber Dignitas! Das ist einfach falsch. Ich weiß, dass es schwer für ihn ist, aber es wird Daddy und dich für immer kaputtmachen. Das weiß ich. Denk doch mal dran, wie du dich damit fühlen wirst! Denk an die Reaktionen in der Öffentlichkeit.

Denk an deine Arbeit. Und was ist mit eurem Ruf? Das muss er doch wissen. Schon darum zu bitten ist reiner Egoismus. Wie kann er nur? Wie kann er das nur machen? Wie kannst *du* das nur machen?» Sie begann wieder zu schluchzen.

«George ...»

«Sieh mich nicht so an. Er bedeutet mir viel, Mummy. Wirklich. Er ist mein Bruder, und ich liebe ihn. Aber ich kann es nicht ertragen. Ich kann nicht einmal den Gedanken daran ertragen. Er darf keinen um so etwas bitten, und du darfst nicht einmal darüber nachdenken. Er zerstört nicht nur sein eigenes Leben, wenn ihr das durchzieht.»

Ich trat einen Schritt zurück. Das Blut rauschte so laut in meinen Ohren, dass ich Mrs. Traynors Erwiderung kaum hören konnte.

«Sechs Monate, George. Er hat mir sechs Monate versprochen. Ich will nicht, dass du noch einmal davon sprichst und schon gar nicht mit anderen Leuten. Und wir müssen ...» Sie holte tief Luft. «Wir müssen beten, dass in dieser Zeit etwas passiert, das ihn seine Meinung ändern lässt.»

Kapitel 8

Camilla

Ich hätte nie gedacht, dass ich einmal daran beteiligt sein würde, meinen Sohn umzubringen.

Sogar diese Worte zu lesen erscheint mir abwegig – wie etwas, das in einer Boulevardzeitung steht oder in einer von diesen grässlichen Zeitschriften, die unsere Putzfrau immer in der Handtasche hat, mit all diesen Geschichten über Frauen, deren Töchter mit ihren Liebhabern durchgebrannt sind, oder über sagenhafte Diäterfolge und zweiköpfige Babys.

Ich gehörte nicht zu den Leuten, denen so etwas passiert. Jedenfalls glaubte ich das. Mein Leben war klar geordnet. Es war ein ganz normales Leben für eine Frau meiner Generation. Ich war beinahe siebenunddreißig Jahre verheiratet. Ich hatte zwei Kinder großgezogen. Ich hatte mit meiner Ausbildung ausgesetzt, in der Schule ausgeholfen, war im Elternausschuss und studierte weiter, als mich die Kinder nicht mehr brauchten.

Ich war seit fast elf Jahren Richterin. Ich sah bei Gericht sämtliche Facetten des menschlichen Lebens: die Straßenkinder ohne jede Perspektive, die es nicht einmal schafften, pünktlich zu einem Gerichtstermin zu erscheinen; die Wiederholungstäter; die aggressiven, knallharten jungen Männer und die hochverschuldeten Mütter. Es ist schwer, ruhig und verständnisvoll zu bleiben, wenn man dieselben Gesichter, dieselben Fehler wieder und wieder sieht. Gelegentlich hörte ich die Ungeduld in meiner eigenen Stimme. Es hatte manchmal eine äußerst entmutigende Wirkung, dass der Mensch imstande ist, sich einem verantwortungsbewussten Verhalten einfach zu verweigern.

Und unsere kleine Stadt war, trotz ihrer schönen Burg, der vielen denkmalgeschützten Gebäude oder unserer pittoresken Landstraßen, keineswegs immun gegen verantwortungsloses Verhalten. Auf unseren Regency-Plätzen betranken sich Teenager, unsere strohgedeckten Cottages dämpften die Geräusche, wenn Männer ihre Frauen und Kinder prügelten. Manchmal fühlte ich mich wie Knut der Große mit seinen sinnlosen Urteilsverkündungen angesichts einer Flut von Chaos und Verwüstung. Trotzdem liebte ich meine Arbeit, weil ich an Ordnung glaube und an einen Moralkodex. Ich glaube, dass es Richtig und Falsch gibt, auch wenn diese Ansicht inzwischen ziemlich außer Mode ist.

Über die besonders anstrengenden Tage half mir mein Garten hinweg. Als die Kinder größer wurden, entwickelte ich eine richtige Besessenheit dafür. Ich kannte den lateinischen Namen beinahe jeder Pflanze, die dort wuchs. Das Komische daran war, dass ich in der Schule gar kein Latein gehabt hatte – meine Schule war eine ziemlich kleine Mädchenschule, wo mehr Wert auf Kochen und Sticken gelegt wurde, also Dinge, die uns helfen sollten, gute Ehefrauen zu werden –, aber die Pflanzennamen konnte ich mir trotzdem mühelos merken. Ich brauchte eine Bezeichnung nur einmal zu hören, und sie war für alle Zeiten in meinem Gedächtnis. *Helleborus niger*, *Eremurus stenophyllus*, *Athyrium niponicum*. Ich kann diese Namen herunterbeten.

Es heißt, dass man einen Garten erst zu schätzen lernt, wenn man ein gewisses Alter erreicht hat, und ich vermute, da ist etwas Wahres dran. Es hat vermutlich etwas mit dem Kreislauf des Lebens zu tun. Es ist wie ein Wunder, jedes Jahr nach dem kahlen Winter die unbändige Lebenskraft zu beobachten, die sich Bahn bricht, es macht Freude, jedes Jahr die Veränderungen zu sehen, wenn die Natur dafür sorgt, dass dieses Mal eine andere Ecke des Gartens am besten zur Geltung kommt. Es hat Zeiten gegeben – Zeiten, in denen sich meine Ehe als bevölkerungsreicher herausstellte, als ich angenommen hatte –, in denen der Garten meine Zuflucht war.

Und es hat Zeiten gegeben, in denen er mir nichts als Kummer machte. Es gibt kaum etwas Enttäuschenderes, als eine neue Rabatte anzulegen, die dann nicht blüht, oder eine Reihe wunderschöner Allium-Gewächse, die über Nacht von einem schleimigen Missetäter zerstört werden. Aber selbst wenn ich mich über die vielen Stunden Gartenarbeit, all die Mühe, die Gelenkschmerzen nach dem Unkrautjäten beschwerte oder darüber klagte, dass meine Fingernägel nie mehr richtig sauber wurden, liebte ich ihn. Ich liebte es, draußen zu sein, die Gerüche, das Gefühl von Erde unter meinen Fingern, die Befriedigung, die Pflanzen wachsen und strahlen zu sehen, betört von ihrer eigenen, vergänglichen Schönheit.

Nach Wills Unfall habe ich ein Jahr lang nichts mehr im Garten gemacht. Es lag nicht nur an der mangelnden Zeit, obwohl die endlosen Stunden, die ich im Krankenhaus verbrachte, oder die Hin- und Rückfahrten im Auto und die Arztgespräche – o Gott, die Arztgespräche – so viel davon auffraßen. Ich nahm sechs Monate Sonderurlaub, und die Zeit reichte immer noch nicht.

Es lag mehr daran, dass ich auf einmal keinen Sinn mehr in der Gartenarbeit sah. Ich bezahlte einen Gärtner, damit er sich um das Nötigste kümmerte, und ich glaube, ich habe das ganze Jahr kaum einen Blick hinausgeworfen.

Erst nachdem der Anbau fertig war und wir Will nach Hause holten, sah ich wieder einen Sinn darin, den Garten schön zu gestalten. Ich musste meinem Sohn etwas zum Anschauen geben. Ich musste ihm auf diese wortlose Art vermitteln, dass sich alles ändern kann, es kann wachsen oder vergehen, aber das Leben geht trotzdem weiter. Ich musste ihm erklären, dass wir alle zu demselben großen Kreislauf gehören, zu einem Muster, dessen Zweck nur Gott allein durchschaute. Das konnte ich ihm natürlich nicht einfach so sagen – Will und ich hatten eigentlich nie wirklich miteinander reden können –, aber ich wollte es ihm zeigen. Ein stummes Versprechen, wenn man so möchte, dass es eine größere Perspektive gab, eine bessere Zukunft.

Steven stocherte im Kaminfeuer herum. Mit einem Schürhaken schob er geschickt halbverbrannte Scheite auseinander, sodass Funken stoben, und legte dann einen neuen Holzscheit in die Mitte. Er trat einen Schritt zurück, wie er es immer tat, beobachtete mit ruhiger Befriedigung, wie die Flammen an dem neuen Scheit leckten, und klopfte sich die Hände an seiner Cordhose ab. Als ich hereinkam, drehte er sich um. Ich hielt ihm ein Glas entgegen.

«Danke. Trinkt George noch etwas mit uns?»

«Anscheinend nicht.»

«Was macht sie?»

«Sitzt vor dem Fernseher. Sie will allein sein. Ich habe sie gefragt.»

«Sie wird schon noch runterkommen. Wahrscheinlich macht ihr der Jetlag zu schaffen.»

«Das hoffe ich, Steven. Sie ist zurzeit nicht gerade zufrieden mit uns.»

Schweigend sahen wir ins Feuer. Der Raum war dämmrig

und still, nur die Fensterläden klapperten leise, als würden Wind und Regen daran rütteln.

«Scheußliche Nacht.»

«Ja.»

Der Hund trabte herein, ließ sich mit einem Seufzer vor dem Kamin nieder und sah bewundernd zu uns auf.

«Also, was hältst du davon?», sagte er. «Von dieser Haarschnitt-Geschichte.»

«Ich weiß nicht. Ich würde es gern für ein gutes Zeichen halten.»

«Diese Louisa ist ein ziemlicher Charakter, was?»

Ich sah, wie mein Mann in sich hineinlächelte. *Nicht sie auch noch*, dachte ich, und dann verbannte ich die Vorstellung aus meinem Kopf.

«Ja. Ja, das scheint mir auch so.»

«Meinst du, sie ist die Richtige?»

Ich nippte an meinem Drink, bevor ich antwortete. Zwei Fingerbreit Gin, eine Scheibe Zitrone und sehr viel Tonicwater. «Wer weiß?», sagte ich. «Es kommt mir vor, als hätte ich keine Ahnung mehr, was richtig und was falsch ist.»

«Er mag sie. Da bin ich ganz sicher. Wir haben uns vor ein paar Tagen beim Fernsehen unterhalten, und er hat sie zweimal erwähnt. Das hat er vorher nicht getan.»

«Ja. Aber mach dir lieber nicht zu große Hoffnungen.»

«Musst du das jetzt sagen?»

Steven wandte sich vom Feuer ab. Er musterte mich, vielleicht fielen ihm die neuen Falten um meine Augen auf oder dass ich meinen Mund in letzter Zeit ständig zu einem dünnen, beunruhigten Strich zusammenpresste. Dann wanderte sein Blick zu dem kleinen Goldkreuz, das ich jetzt immer trage. Ich mochte es nicht, wenn er mich so ansah. Ich wurde dabei nie das Gefühl los, dass er mich mit einer anderen verglich.

«Ich bin nur realistisch.»

«Du klingst … du klingst, als würdest du schon damit rechnen, dass es passiert.»

«Ich kenne meinen Sohn.»

«Unseren Sohn.»

«Ja. Unseren Sohn.» Aber mehr mein Sohn, dachte ich. *Du warst doch im Grunde nie für ihn da. Du warst bloß die Leerstelle, die er immer mit aller Kraft beeindrucken wollte.*

«Er wird seine Meinung ändern», sagte Steven. «Wir haben noch viel Zeit.»

Da standen wir also. Ich trank einen großen Schluck, das eisgekühlte Getränk fühlte sich gegen die Wärme, die das Kaminfeuer abstrahlte, sehr kalt an.

«Ich denke immer …», sagte ich und starrte in die Flammen, «dass ich etwas übersehe, was ich tun könnte.»

Mein Mann beobachtete mich immer noch. Ich spürte seinen Blick auf mir, aber ich konnte ihn nicht erwidern. Vielleicht hätte er dann den Arm um mich gelegt, aber ich glaube, dafür war es mit uns schon zu weit gekommen.

Er nippte an seinem Drink. «Du kannst nur tun, was in deiner Macht steht, Darling.»

«Das ist mir klar. Aber es reicht trotzdem nicht, oder?»

Er drehte sich wieder zum Feuer um und stocherte an einem Holzscheit herum, bis ich mich umgedreht hatte und leise aus dem Zimmer gegangen war.

Genau wie er es vorausgeahnt hatte.

Als mir Will erzählte, was er vorhat, musste er sich wiederholen, weil ich nicht glauben konnte, dass ich ihn beim ersten Mal richtig verstanden hatte. Ich blieb ganz ruhig, als mir aufging, was er da vorschlug, und dann erklärte ich ihm, das sei vollkommen lächerlich, und ging entschlossen aus dem Zimmer. Es ist ein unfairer Vorteil, den man gegenüber einem Mann im Rollstuhl hat, dass man einfach gehen kann. Zwischen dem Anbau und dem Haupthaus sind zwei Stufen, und ohne Nathans Hilfe bewältigt er sie nicht. Ich schloss die Tür zum Anbau hinter mir, stand in meinem Korridor, und die Worte, die mein Sohn so ruhig ausgesprochen hatte, schrillten in meinen Ohren.

Ich glaube, ich stand über eine halbe Stunde bewegungslos da.

Er weigerte sich, es dabei zu belassen. Will hatte schon immer das letzte Wort haben müssen. Er wiederholte seine Forderung jedes Mal, wenn ich zu ihm kam, bis ich mich beinahe selbst dazu überreden musste, ihn täglich wenigstens einmal zu besuchen. *Ich will so nicht leben, Mutter. Das ist nicht das Leben, das ich mir ausgesucht habe. Es gibt keine Aussicht auf Besserung, und deshalb ist es ein vollkommen vernünftiger Wunsch, diesen Zustand auf eine Art zu beenden, die ich für geeignet halte.* Ich hörte ihn und konnte mir genau vorstellen, wie er bei seinen Geschäftsterminen aufgetreten war, während seiner Karriere, die ihn reich und überheblich gemacht hatte. Er war ein Mann, der daran gewöhnt war, sich Gehör zu verschaffen. Er konnte es nicht ertragen, dass ich bis zu einem gewissen Grad die Macht hatte, über seine Zukunft zu bestimmen; dass ich wieder zur *Mutter* geworden war.

Er musste den Selbstmordversuch unternehmen, bevor ich zustimmte. Ich habe es nicht aus religiösen Gründen abgelehnt – obwohl die Vorstellung schrecklich war, dass Will durch seine eigene Verzweiflung zur Hölle verdammt war. (Ich glaubte lieber, dass Gott, ein gütiger Gott, unsere Leiden versteht und uns unsere Schuld vergibt.)

Es ist einfach diese Sache, die man am Muttersein erst versteht, wenn man eine ist: Man sieht nicht den erwachsenen Mann vor sich – den unrasierten, stinkenden, rechthaberischen Sprössling –, mit seinen Strafzetteln, ungeputzten Schuhen und einem komplizierten Liebesleben. Sondern man sieht all die Menschen, die er je war, in einem.

Ich sah Will an und hatte das Baby vor mir, das ich in den Armen gehalten hatte, in das ich völlig vernarrt gewesen war, beinahe außerstande zu glauben, dass aus mir ein anderes menschliches Wesen hervorgegangen war. Ich sah das Kleinkind, das nach meiner Hand griff, den Schuljungen, der sich Tränen des Zorns abwischte, weil ihn ein anderes Kind schikaniert hatte. Ich sah die Verletzlichkeit, die Liebe, die Geschichte. Und er bat mich darum, das alles auszulöschen – das kleine Kind genauso wie den Mann –, all die Liebe, all die Geschichte.

Und dann, am 22. Januar, während ich bei Gericht eine unendliche Reihe von Ladendieben, Autofahrern ohne Versicherung und schluchzenden, wütenden Ex-Ehepartnern aufzurufen hatte, ging Steven in den Anbau und entdeckte unseren Sohn beinahe bewusstlos, den Kopf auf die Armlehne des Rollstuhls gesunken, um dessen Reifen sich ein See aus dunklem, klebrigem Blut ausbreitete. Er hatte einen rostigen Nagel entdeckt, der nach einer schlampig ausgeführten Reparatur am Türrahmen des Hinterausgangs kaum einen Zentimeter aus dem Holz ragte, und er hatte sein Handgelenk dagegengedrückt und war mit dem Rollstuhl so lange vor- und zurückgefahren, bis das Fleisch an seinem Handgelenk völlig zerfetzt war. Bis heute kann ich die wilde Entschlossenheit nicht fassen, mit der er vorgegangen ist, auch dann noch, als er beinahe wahnsinnig vor Schmerzen gewesen sein musste. Die Ärzte sagten, hätten wir ihn zwanzig Minuten später gefunden, wäre er tot gewesen.

Und mit ausgesuchter Untertreibung erklärten sie: *Das war kein Hilferuf.*

Als sie mir im Krankenhaus gesagt hatten, dass Will überleben würde, ging ich in meinen Garten und tobte. Ich wütete gegen Gott, die Natur und das Schicksal, das unsere Familie in diese Verzweiflung gestoßen hatte. Im Rückblick betrachtet glaube ich, dass ich die Grenze zum Wahnsinn überschritten hatte. Ich stand an diesem kalten Abend in meinem Garten, und ich schleuderte mein Brandyglas zwanzig Fuß weit in den *Euonymus compactus*, und ich schrie so laut, dass meine Stimme überkippte, von den Burgmauern widerhallte und in der Ferne echote. Ich war so zornig, verstehen Sie, weil sich alles um mich herum bewegen und biegen konnte und wachsen und sich vermehren, nur mein Sohn – mein sportlicher, charismatischer, wunderschöner Junge – war bloß noch dieses *Ding*. Bewegungsunfähig, gebrochen, blutbeschmiert, leidend. Die Schönheit der Welt erschien mir mit einem Mal obszön. Ich schrie und schrie und fluchte mit Worten, von denen ich nicht gewusst hatte, dass ich sie überhaupt kannte, bis Steven herauskam, mir die Hand auf die Schulter legte und so lange wartete, bis er sicher war, dass ich nicht wieder losbrüllen würde.

Er verstand es nicht, wissen Sie? Er hatte noch nicht genügend darüber nachgedacht. Dass Will es wieder versuchen würde. Dass wir unser Leben in ständiger Wachsamkeit verbringen mussten, während wir auf das nächste Mal warteten, auf den nächsten Horror, den er sich zufügen würde. Wir mussten anfangen, die Welt durch seine Augen zu sehen – was sich möglicherweise als Gift eignete, welche scharfen Gegenstände in der Nähe waren, welchen Einfallsreichtum er an den Tag legen würde, um zu beenden, was dieser verdammte Motorradfahrer angefangen hatte. Unser Leben würde auf die potenzielle Möglichkeit dieser einen Tat zusammenschrumpfen. Und Will war im Vorteil, er hatte ja nichts anderes, über das er nachdenken musste, verstehen Sie?

Zwei Wochen später sagte ich zu Will: «Ja.»
Natürlich tat ich das.
Was hätte ich denn sonst tun können?

Kapitel 9

In dieser Nacht schlief ich nicht. Ich lag in der kleinen Abstellkammer wach, starrte an die Decke und ließ die vergangenen zwei Monate vor dem Hintergrund dessen Revue passieren, was ich erfahren hatte. Es war, als hätte sich alles verschoben, sei zersplittert und hätte sich zu einem anderen Muster zusammengefügt, das ich kaum wiedererkannte.

Ich fühlte mich hintergangen, ich war die naive Mittäterin, die nicht wusste, was vorging. Wahrscheinlich hatten sie heimlich gelacht über meine Versuche, Will Gemüse zu geben, oder darüber, dass ich sein Haar geschnitten hatte, über all die kleinen Dinge, durch die er sich besser fühlen sollte. Was hatte das überhaupt für einen Zweck gehabt?

Ich ließ mir das Gespräch, das ich mitgehört hatte, wieder und wieder durch den Kopf gehen. Ich versuchte, eine andere Deutung zu entdecken, versuchte, mich davon zu überzeugen, dass ich etwas missverstanden hatte. Aber zu Dignitas fuhr man nun einmal nicht zum Kurzurlaub. Ich wollte nicht glauben, dass Camilla Traynor ihrem Sohn so etwas antun konnte. Ja, ich hatte sie für gefühlskalt gehalten, und, ja, ich fand, dass sie unbeholfen mit ihm umging. Es war schwer vorstellbar, dass sie früher mit ihm herumgeschmust hatte so wie unsere Mutter mit uns – ständig und mit Begeisterung –, bis wir uns aus ihren Armen wanden und losgelassen werden wollten. Und wenn ich ehrlich sein soll, war Camilla Traynors Umgang mit ihrem Sohn genau so, wie ich ihn mir bei der Upperclass vorgestellt hatte. Ich hatte schließlich gerade *Liebe unter kaltem Himmel* gelesen. Aber das war etwas anderes, als aktiv und freiwillig eine Rolle beim Sterben des eigenen Sohnes zu spielen, oder?

Im Rückblick erschien mir ihr Verhalten noch kühler, ihre Handlungen von einem bösen Vorsatz bestimmt. Ich war wütend auf sie und wütend auf Will. Wütend, weil sie mich dazu gebracht hatten, mich unter falschen Voraussetzungen ins Zeug zu legen. Wütend wegen all der Momente, in denen ich darüber nachgedacht hatte, was ich tun könnte, damit es ihm besserging, damit er es bequemer hatte oder sogar ein bisschen glücklich war. Und wenn ich nicht wütend war, dann war ich traurig. Ich dachte daran, wie ihre Stimme beinahe gebrochen war, als sie versucht hatte, Georgina zu trösten, und ich hatte echtes Mitgefühl mit ihr. Sie war, und das wusste ich, in einer ausweglosen Situation.

Aber vor allem war ich vollkommen entsetzt. Der Gedanke an das, was ich jetzt wusste, verfolgte mich. Wie konnte man jeden Tag einfach so vor sich hin leben, während man wusste, dass man in absehbarer Zeit sterben würde? Wie konnte sich dieser Mann, dessen Haut ich noch am Vormittag unter meinen Fingern gespürt hatte – warm und lebendig –, dafür entscheiden, sich umzubringen? Wie konnte es sein, dass mit allseitigem Einverständnis diese Haut in sechs Monaten unter der Erde verwesen würde?

Ich konnte mit niemandem darüber reden. Das war beinahe das Schlimmste daran. Ich war nun eine Komplizin der Traynors. Schlaff und lustlos rief ich Patrick an, um ihm zu sagen, mir ginge es nicht gut und ich würde zu Hause bleiben. Kein Problem, er wolle eh noch einen Zehnmeilenlauf machen, sagte er, und sei ohnehin erst nach neun Uhr im Sportzentrum fertig. Wir würden uns dann am Samstag sehen. Er klang abgelenkt, als wäre er mit den Gedanken schon woanders, würde schon weiterrennen auf irgendeinem mythischen Pfad.

Ich wollte nichts essen. Ich lag im Bett, bis ich mich so in meine düsteren Gedanken verstrickt hatte, dass ich es nicht mehr aushielt, und um halb neun ging ich hinunter und setzte mich schweigend zu Großvater vor den Fernseher, denn Großvater war das einzige Familienmitglied, das mir garantiert keine Fragen stellen würde. Er saß in seinem Lieblingssessel und starrte mit klarem Blick auf den Bildschirm. Ich war nie sicher, ob er wirklich zuschaute oder mit den Gedanken ganz woanders war.

«Bist du sicher, dass du nichts essen willst, Liebes?» Mum tauchte mit einer Tasse Tee neben mir auf. In unserer Familie gab es angeblich nichts, was nicht durch eine Tasse Tee besser wurde.

«Nein. Keinen Hunger, danke.»

Ich sah den Blick, den sie Dad zuwarf. Später, wenn sie allein waren, würden sie darüber reden, dass mich die Traynors zu hart arbeiten ließen und mich die Versorgung dieses Schwerbehinderten zu stark belastete. Mir war klar, dass sie sich Vorwürfe machen würden, weil sie mich dazu ermutigt hatten, diesen Job anzunehmen.

Und in diesem Glauben musste ich sie bestärken.

Paradoxerweise war Will am nächsten Tag in guter Verfassung – ungewöhnlich gesprächig, rechthaberisch und streitlustig. Er redete vermutlich mehr als jemals zuvor, seit ich ihn kannte. Es war, als wollte er sich absichtlich mit mir zanken, und er war enttäuscht, als ich nicht mitspielte.

«Wann wollen Sie eigentlich Ihr Schreckenswerk zu Ende bringen?»

Ich hatte gerade das Wohnzimmer aufgeräumt und schüttelte die Sofakissen auf. Ich sah auf. «Wie bitte?»

«Meine Haare. Die sind erst zur Hälfte geschnitten. Ich sehe aus wie ein viktorianisches Waisenkind. Oder wie jemand aus der Irrenanstalt.» Er drehte den Kopf, sodass ich das Ergebnis meiner Arbeit besser sehen konnte. «Es sei denn, das soll eines Ihrer alternativen Modestatements sein.»

«Sie möchten, dass ich mit dem Haarschnitt weitermache?»

«Na ja, es hat Ihnen ja anscheinend Spaß gemacht. Und es wäre nett, nicht mehr so auszusehen, als wäre ich aus einer Anstalt ausgebrochen.»

Schweigend holte ich ein Handtuch und die Schere.

«Nathan fühlt sich eindeutig wohler, seit ich wie ein Mann aussehe», sagte er. «Allerdings hat er mich darauf hingewiesen, dass ich mich jeden Tag rasieren muss, wenn ich mein Gesicht nicht mehr hinter meinen Haaren verstecken kann.»

«Oh», sagte ich.

«Das stört Sie doch nicht, oder? Und über die Wochenenden lasse ich mir einen schicken Dreitagebart wachsen.»

Ich konnte nicht mit ihm sprechen. Es fiel mir sogar schwer, ihn auch nur anzusehen. Ich fühlte mich seltsamerweise, als wäre mein Freund fremdgegangen. Es war, als hätte Will mich betrogen.

«Clark?»

«Hm?»

«Sie haben wieder einen Ihrer nervtötend schweigsamen Tage. Was ist mit ‹gesprächig bis zur Grenze der Belästigung›?»

«Sorry», sagte ich.

«Wieder der Marathon-Mann? Was hat er dieses Mal gemacht? Er ist doch nicht losgelaufen und einfach nicht mehr wiedergekommen, oder?»

«Nein.» Ich nahm eine Strähne von Wills weichem Haar zwischen Zeige- und Mittelfinger und hob die Schere, um das Stück abzuschneiden, das zwischen den Fingern hervorsah. Die Schere erstarrte in meiner Hand. Wie würden sie es machen? Würden sie ihm eine Spritze geben? Eine Pille? Oder würden sie ihn einfach in einem Zimmer mit einem Haufen Rasierklingen allein lassen?

«Sie sehen müde aus. Ich wollte nichts sagen, als Sie herein-kamen, aber … echt … Sie sehen schrecklich aus.»

«Oh.»

Auf welche Art unterstützten sie wohl jemanden dabei, der sich nicht bewegen konnte? Ich ertappte mich, wie ich auf seine Handgelenke hinabsah, die immer von langen Ärmeln verdeckt wurden. Wochenlang hatte ich geglaubt, das läge daran, dass er die Kälte stärker empfand. Noch so eine Lüge.

«Clark?»

«Ja?»

Ich war froh, dass ich hinter ihm stand. Ich wollte ihn nicht ansehen.

Er zögerte. Sein Nacken, über den vorher das lange Haar ge-hangen hatte, war sogar noch blasser als der Rest seiner Haut. Der Nacken wirkte weich und weiß und seltsam verletzlich.

«Hören Sie, es tut mir leid, wie sich meine Schwester benom-men hat. Sie war … sie war ziemlich durcheinander, aber das gibt ihr noch nicht das Recht, so grob zu sein. Sie ist manchmal ein bisschen direkt. Dann merkt sie überhaupt nicht, wie un-gerecht sie ist.» Er schwieg kurz. «Ich glaube, deswegen lebt sie auch in Australien.»

«Sie glauben, dort sagen sich die Leute die Wahrheit?»

«Wie bitte?»

«Ach nichts. Heben Sie bitte Ihren Kopf.»

Ich schnitt und kämmte, arbeitete mich systematisch um seinen Kopf herum, bis kein Haar mehr abstand und um die Reifen des Rollstuhls ein feiner Rieselteppich aus Haaren lag.

Gegen Abend bekam ich endlich Ordnung in meine Gedanken. Während Will mit seinem Vater vor dem Fernseher saß, nahm ich ein Blatt DIN-A4-Papier aus dem Drucker und einen Stift aus dem Becher auf dem Fensterbrett in der Küche und schrieb auf, was ich sagen wollte. Dann faltete ich das Blatt, suchte mir einen Umschlag, schrieb den Namen seiner Mutter darauf und ließ den Umschlag auf dem Küchentisch liegen.

Als ich abends ging, hörte ich, wie sich Will und sein Vater unterhielten. Will lachte sogar. Ich blieb im Flur stehen, die Tasche schon über die Schulter gehängt. Worüber lachte er? Was brachte jemanden zum Lachen, der sich in ein paar Monaten das Leben nehmen wollte?

«Ich bin weg», rief ich in Richtung der Wohnzimmertür und setzte mich in Bewegung.

«Hey, Clark ...», fing er an, aber da zog ich schon die Haustür hinter mir zu.

Auf der kurzen Busfahrt überlegte ich, was ich meinen Eltern erzählen sollte. Sie würden toben, dass ich eine Stelle aufgegeben hatte, die sie für ideal und sehr gut bezahlt hielten. Nach dem ersten Schreck würde meine Mutter ihren gequälten Blick aufsetzen und anfangen, mich zu verteidigen, indem sie verkündete, dieser Job sei wirklich zu zermürbend für mich gewesen. Mein Vater würde vermutlich fragen, warum ich nicht ein bisschen mehr wie meine Schwester sein konnte. Das tat er oft, obwohl nicht ich diejenige war, die sich das Leben versaut hatte, indem sie schwanger wurde und nun auf die finanzielle Unterstützung und Babysitterdienste der Familie angewiesen war. So etwas durfte man allerdings bei uns zu Hause nicht sagen, denn meiner Mutter zufolge bedeutete es, dass man Thomas nicht als wahren Segen für uns alle betrachtete. Es waren nämlich alle Kinder Gottesgeschenke, sogar, wenn sie reichlich oft Scheißer sagten, und sogar, wenn ihre Existenz bedeutete, dass sich die Hälfte der potenziellen Verdiener in unserer Familie keinen anständigen Job suchen konnten.

Ich durfte ihnen nicht die Wahrheit sagen. Ich wusste, dass ich Will und seiner Familie nichts schuldete, aber ich wollte sie nicht den neugierigen Blicken der Leute aussetzen.

All das ging mir durch den Kopf, als ich aus dem Bus stieg und den Hügel hinunterging. Und dann kam ich zur Einmündung unserer Straße, hörte Geschrei und spürte die Anspannung, die in der Luft lag, und alles war für einen Moment vergessen.

Vor unserem Haus hatte sich eine kleine Menschentraube gebildet. Ich ging schneller, befürchtete, dass etwas passiert war, aber dann sah ich meine Eltern auf der Veranda stehen und die Hälse recken. Es ging überhaupt nicht um unser Haus, sondern nur um den jüngsten der vielen Kleinkriege, die das Nachbarsehepaar ständig führte.

Dass Richard Grisham nicht der treueste Ehemann aller Zeiten war, wusste in unserer Straße jeder. Aber angesichts der Szene in seinem Vorgarten hätte man denken können, seine Frau wäre vollkommen ahnungslos gewesen.

«Du hältst mich wohl für blöd! Sie hat dein T-Shirt getragen! Das T-Shirt, das ich dir zum Geburtstag geschenkt habe!»

«Babe ... Dympna ... es ist nicht so, wie du denkst.»

«Ich wollte deine verdammten schottischen Eier kaufen! Und da sehe ich sie, in deinem T-Shirt! Frech wie Oskar! Und ich esse nicht mal gern schottische Eier!»

Ich verlangsamte meinen Schritt und schob mich zwischen

den Leuten zu unserer Gartentür durch, während sich Richard duckte, um dem DVD-Player auszuweichen. Als Nächstes kam ein Paar Schuhe.

«Wie lange geht das schon?»

Meine Mutter, die Schürze ordentlich um die Taille gebunden, löste ihre verschränkten Arme und warf einen Blick auf die Uhr. «Eine gute Dreiviertelstunde. Bernard, was meinst du? Eine Dreiviertelstunde?»

«Kommt darauf an, ob du von dem Moment an rechnest, in dem sie die Kleidung rausgeworfen hat, oder von da ab, wo er nach Hause gekommen ist und die Sachen im Garten entdeckt hat.»

«Ich würde sagen, ab da, wo er nach Hause gekommen ist.»

Dad dachte kurz nach. «Dann ist es eher eine halbe Stunde. Allerdings hat sie in den ersten fünfzehn Minuten ziemlich viel aus dem Fenster geworfen.»

«Dein Dad sagt, wenn sie ihn dieses Mal tatsächlich an die Luft setzt, geht er zu ihr und macht ihr ein Angebot für Richards Black and Decker.»

Inzwischen war die Menge angewachsen, und Dympna Grisham zeigte keinerlei Ermüdungserscheinungen. Im Gegenteil, das größer werdende Publikum schien sie noch anzuspornen.

«Und deine Schmuddellektüre kannst du ihr auch gleich mitbringen», kreischte sie und schleuderte einen Stapel Zeitschriften aus dem Fenster.

Die Menge johlte.

«Dann wirst du ja sehen, wie es ihr gefällt, wenn du mit diesem Schweinkram den halben Sonntagnachmittag auf dem Klo sitzt!» Sie verschwand im Inneren des Hauses, tauchte gleich wieder am Fenster auf und kippte den Inhalt eines Wäschekorbs auf den Rasen. «Und deine dreckigen Unterhosen. Mal sehen, ob sie dich immer noch für so einen … wie war das noch? … *heißen Hengst* hält, wenn sie die jeden Tag für dich waschen muss!»

Richard raffte sinnlos die Sachen zusammen, die sie auf den Rasen warf. Er rief etwas zum Fenster hinauf, war aber bei dem Lärm und dem Gejohle kaum zu verstehen. Als wollte er sich für den Moment geschlagen geben, schob er sich durch die Menge, schloss sein Auto auf, hievte einen Armvoll seiner Sachen auf den Rücksitz und knallte die Autotür zu. Während seine CD-Sammlung und seine Videospiele schon diverse Liebhaber gefunden hatten, rührte kein Mensch seine dreckige Wäsche an.

Rums. Einen Moment herrschte Stille, nachdem seine Stereoanlage auf dem Gartenweg gelandet war.

Er starrte ungläubig zu ihr hoch. «Du durchgeknallte Kuh!»

«Du fickst diese pilzverseuchte schielende Schlampe, und *ich* soll die durchgeknallte Kuh sein?»

Meine Mutter wandte sich an meinen Vater: «Möchtest du eine Tasse Tee, Bernard? Ich finde, es wird ein bisschen kühl.»

Mein Vater sagte, ohne die Augen vom Nachbarhaus abzuwenden: «Das wäre wundervoll, Liebling. Danke.»

Als meine Mutter hineinging, fiel mir das Auto auf. Es kam so unerwartet, dass ich es zuerst nicht erkannte – Mrs. Traynors Mercedes, marineblau und diskret. Sie hielt an, betrachtete die Szene auf dem Gehweg und zögerte kurz, bevor sie ausstieg. Dann stand sie vor ihrem Wagen und ließ ihren Blick über die Häuser wandern, vermutlich suchte sie nach den Hausnummern. Und dann sah sie mich.

Ich kam von der Veranda herunter und ging durch den Vorgarten, bevor mich Dad fragen konnte, wohin ich wollte. Mrs. Traynor stand nun am Rand der Menge und blickte auf das Chaos wie Marie-Antoinette auf den randalierenden Pöbel.

«Ehestreit», sagte ich.

Sie wandte den Blick ab, als wäre es ihr peinlich, beim Zusehen erwischt worden zu sein. «Ich verstehe.»

«Für ihre Verhältnisse geht es ziemlich konstruktiv zu. Sie waren kürzlich bei einer Eheberatung.»

Ihr eleganter Wollanzug, die Perlen und die perfekte Frisur machten sie zu einer Erscheinung in unserer Straße, in der Jogginghosen und Polyesterkleidung in leuchtenden Farben dominierten. Sie wirkte starr und unnachgiebig, schlimmer noch als an dem Morgen, an dem sie mich schlafend in Wills Zimmer entdeckt hatte. Flüchtig ging mir durch den Kopf, dass ich Camilla Traynor jedenfalls nicht vermissen würde.

«Ich würde mich gerne mit Ihnen unterhalten.» Sie musste ihre Stimme heben, um über das Geschrei hinweg verständlich zu werden.

Mrs. Grisham warf inzwischen Richards teuren Wein aus dem Fenster. Jede explodierende Flasche wurde mit lautem Beifall gewürdigt, nachdem ihr Flug von flehentlichen Rufen Mr. Grishams begleitet worden war. Ein Strom Rotwein floss zwischen den Füßen der Leute in den Rinnstein.

Ich sah zu der Menge hinüber und dann zurück zu unserem Haus. Ich konnte mir nicht vorstellen, mit Mrs. Traynor in unser Wohnzimmer zu gehen, in dem überall Spielzeugautos herumlagen, Großvater leise vor dem Fernseher schnarchte, Mum mit Raumspray den Geruch von Dads Socken zu vertreiben versuchte und Thomas vorbeikam, um dem neuen Gast ein *Scheißer* zuzumurmeln.

«Also … es passt gerade nicht so gut.»

«Könnten wir vielleicht in meinem Auto reden? Nur fünf Minuten, Louisa. Das schulden Sie uns.»

Ein paar Nachbarn sahen zu uns herüber, als ich in das Auto stieg. Ich war froh, dass die Grishams für die Abendunterhaltung sorgten, sonst wäre ich zum Gesprächsthema geworden.

Wenn man in unserer Straße in ein teures Auto stieg, bedeutete das, dass man entweder einen Fußballer aufgerissen hatte oder von der Polizei verhaftet wurde.

Die Türen schlossen sich mit einem luxuriösen, satten Geräusch, und plötzlich herrschte Stille. In dem Wagen roch es nach Leder, und außer mir und Mrs. Traynor befand sich darin nichts. Keine Bonbonpapiere, kein angetrockneter Schlamm, keine vergessenen Spielsachen und keine Duftbäume am Rückspiegel, die den Geruch der Milch überdecken sollten, die vor drei Monaten ausgelaufen war.

«Ich dachte, Will und Sie kommen gut zurecht.» Sie sprach, als würde jemand direkt vor ihr sitzen. Als ich nichts sagte, fuhr sie fort: «Haben Sie ein Problem mit der Bezahlung?»

«Nein.»

«Brauchen Sie eine längere Mittagspause? Mir ist klar, dass sie sehr kurz ist. Ich könnte Nathan fragen, ob er …»

«Es liegt nicht an der Arbeitszeit. Oder am Geld.»

«Dann …»

«Ich möchte wirklich nicht …»

«Hören Sie, Sie können nicht Ihre sofortige Kündigung einreichen und erwarten, dass ich nicht einmal frage, was um alles in der Welt los ist.»

Ich holte tief Luft. «Ich habe zufällig Ihr Gespräch mitbekommen. Das zwischen Ihnen und Ihrer Tochter. Gestern Abend. Und ich will nicht … ich will an dieser Sache nicht beteiligt sein.»

«Ah.»

Schweigend saßen wir nebeneinander. Mr. Grisham versuchte gerade, zur Haustür hineinzukommen, und Mrs. Grisham bewarf ihn von einem Fenster aus mit allem, was ihr in die Hände fiel. Die Auswahl an Wurfgegenständen – Toilettenpapierrollen, Tamponschachteln, Toilettenbürste, Shampooflaschen – deutete darauf hin, dass sie sich nun im Badezimmer befand.

«Bitte, gehen Sie nicht», sagte Mrs. Traynor ruhig. «Will fühlt sich wohl mit Ihnen. Es geht ihm so gut wie seit langem nicht mehr. Ich … es wäre sehr schwer für uns, das mit jemand anderem wieder aufzubauen.»

«Aber Sie … Sie bringen ihn dorthin, wo die Leute Selbstmord begehen. Dignitas.»

«Nein. Ich unternehme alles, was ich kann, damit er das nicht tut.»

«Und was ist das genau? Beten?»

Sie warf mir das zu, was meine Mutter einen «altmodischen Blick» genannt hätte. «Sie müssen doch inzwischen wissen, dass niemand an Will herankommt, wenn er beschlossen hat, den Unnahbaren zu spielen.»

«Ich habe das Ganze jetzt verstanden», sagte ich. «Im Grunde bin ich nur da, um dafür zu sorgen, dass er die Abmachung einhält und es nicht tut, bevor die sechs Monate um sind. So einfach ist es doch, oder?»

«Nein, so einfach ist es nicht.»

«Und deshalb hat für Sie auch meine Qualifikation keine Rolle gespielt.»

«Ich dachte, Sie sind intelligent und fröhlich und anders. Sie haben nicht wie eine Krankenschwester ausgesehen. Sie haben sich nicht so benommen … wie all die anderen. Ich dachte … ich dachte, Sie könnten ihn aufheitern. Und das tun Sie auch … er ist fröhlicher mit Ihnen, Louisa. Als ich ihn gestern ohne diesen schrecklichen Bart gesehen habe … Sie scheinen einer der wenigen Menschen zu sein, die zu ihm durchdringen können.»

Das Bettzeug flog aus dem Fenster. Das Knäuel löste sich, und die Laken schwebten einen Moment lang graziös durch die

Luft, bevor sie auf den Boden trafen. Zwei Kinder schnappten sich eines, rannten damit durch den kleinen Garten und ließen es hinter sich herflattern.

«Finden Sie nicht, es wäre fair gewesen, mir zu sagen, dass ich im Grunde zur Beobachtung eines Selbstmordkandidaten eingestellt wurde?»

Camilla Traynors Seufzer klang, als würde jemand gezwungen, einem Schwachsinnigen höfliche Erklärungen zu geben. Ich fragte mich, ob sie wusste, dass sie ihrem Gegenüber mit allem, was sie sagte, das Gefühl gab, ein Idiot zu sein. Ich fragte mich, ob sie das womöglich sogar absichtlich tat. Ich glaubte nicht, dass ich jemals imstande wäre, einem anderen ein derartiges Gefühl der Unterlegenheit einzuflößen.

«Das könnte man vielleicht für unser erstes Gespräch so sehen ... aber ich gehe fest davon aus, dass Will sein Versprechen einhält. Er hat mir sechs Monate zugesagt, und die werde ich bekommen. Wir brauchen diese Zeit, Louisa. Wir brauchen diese Zeit, um ihm beizubringen, dass es Möglichkeiten gibt. Ich habe gehofft, er würde auf den Gedanken kommen, dass es für ihn doch ein lebenswertes Leben gibt, auch wenn es nicht das Leben ist, das er sich vorgestellt hat.»

«Aber all diese Lügen. Sie haben mich angelogen, und Sie belügen sich gegenseitig.»

Sie schien mich nicht zu hören. Sie drehte sich zu mir, nahm ein Scheckbuch aus ihrer Handtasche und zückte einen Stift.

«Hören Sie, wie viel wollen Sie? Ich verdopple Ihr Gehalt. Sagen Sie mir, wie viel Sie wollen.»

«Ich will Ihr Geld nicht.»

«Ein Auto. Ein paar Vergünstigungen. Bonuszahlungen ...»

«Nein.»

«Dann ... was kann ich tun, um Sie umzustimmen?»

«Es tut mir leid. Ich kann das nicht ...»

Ich wollte aussteigen. Ihre Hand schoss vor. Dann lag sie auf meinem Arm, fremd und radioaktiv. Wir starrten auf die Hand.

«Sie haben einen Vertrag unterschrieben, Miss Clark», sagte sie. «Sie haben unterschrieben, dass Sie sechs Monate lang für uns arbeiten werden. Wenn ich richtig gerechnet habe, sind Sie erst zwei Monate bei uns gewesen. Also verlange ich, dass Sie Ihre vertraglichen Verpflichtungen erfüllen.»

Ihre Stimme klang brüchig. Ich schaute auf ihre Hand. Sie zitterte.

Mrs. Traynor schluckte. «Bitte.»

Meine Eltern beobachteten das Auto von der Veranda aus. Ich sah sie, mit ihren Teebechern, die einzigen Menschen, deren Blick nicht auf das Nachbarhaus gerichtet war. Dann drehten sie sich unvermittelt weg, als sie mitbekamen, dass ich sie bemerkt hatte. Dad, fiel mir jetzt auf, trug die karierten Filzschlappen mit den Farbflecken vom Anstreichen.

Ich schob die Tür auf. «Mrs. Traynor, ich kann wirklich nicht dasitzen und warten, bis ... es ist zu beklemmend. Ich will mich an dieser Sache nicht beteiligen.»

«Denken Sie noch einmal darüber nach. Morgen ist Karfreitag. Ich sage Will, dass Sie eine familiäre Verpflichtung haben, wenn Sie ein bisschen Zeit brauchen. Denken Sie über die Feiertage noch einmal nach. Aber bitte. Kommen Sie zurück. Kommen Sie zurück und helfen Sie Will.»

Ich ging ins Haus, ohne mich noch einmal umzudrehen. Ich setzte mich ins Wohnzimmer und starrte auf den Fernseher, während mir meine Eltern folgten, Blicke wechselten und so taten, als würden sie mich nicht beobachten.

Es dauerte beinahe elf Minuten, bis ich endlich hörte, dass Mrs. Traynor den Motor anließ und wegfuhr.

Meine Schwester war noch keine fünf Minuten zurück, als sie mich zur Rede stellte. Sie polterte die Treppe hoch und riss die Tür zu meinem Zimmer auf.

«Ja bitte, herein», sagte ich. Ich lag rücklings auf dem Bett, die Beine an der Wand hochgestreckt, und starrte an die Decke. Ich trug Strumpfhosen und blaue Paillettenshorts, die nun unvorteilhaft zurückgerutscht waren.

Katrina stand an der Tür. «Stimmt es?»

«Dass Dympna Grisham endlich ihr untreues, nichtsnutziges Lügenmaul von einem Mann vor die Tür gesetzt hat und ...?»

«Willst du mich verschaukeln? Was ist mit deinem Job?»

Ich folgte dem Tapetenmuster mit meinem großen Zeh. «Ja, ich habe meine Kündigung eingereicht. Ja, ich weiß, dass Mum und Dad nicht besonders glücklich darüber sind. Ja, ja, ja, zu allem, was du mir gleich vorwerfen wirst.»

Sie zog behutsam die Tür hinter sich zu, ließ sich aufs Bett plumpsen und sagte wütend: «Das glaub ich einfach nicht.»

Sie schob meine Beine weg, sodass sie an der Wand herunterglitten. Ich richtete mich auf.

«Au!»

Sie war puterrot. «Ich glaub es einfach nicht. Mum ist am Ende. Dad tut so, als wäre nichts, aber er ist genauso fertig. Wie sollen sie jetzt mit dem Geld klarkommen? Du weißt, dass Dad jetzt schon Panik vor einer Kündigung hat. Warum zum Teufel hast du diesen tollen Job hingeschmissen?»

«Halt mir keine Vorträge, Treen.»

«Tja, irgendwer muss das ja wohl machen! Du kriegst nirgendwo anders so viel Geld. Und was glaubst du, wie sich so etwas in deinem Lebenslauf macht?»

«Oh, und tu nicht so, als ob es dir um irgendetwas anderes ginge als um dich und deine Wünsche.»

«Was?»

«Dir ist es doch egal, was ich mache, solange du nur deine Überflieger-Karriere wiederbeleben kannst. Du brauchst mich nur, damit ich das Haushaltsgeld aufstocke und den verdammten Babysitter spiele. Du scheißt doch auf alle anderen.» Ich wusste, dass ich gemein und boshaft klang, aber ich konnte nicht anders. Meine Schwester hatte uns schließlich erst in diese katastrophale Situation gebracht. Jahrelang aufgestauter Ärger brach aus mir heraus. «Wir müssen alle irgendwelche grässlichen Jobs machen, damit die kleine Katrina ihren verdammten Ehrgeiz befriedigen kann.»

«Es geht hier *nicht* um mich.»

«Ach nein?»

«Nein, es geht darum, dass du nicht imstande bist, den einzigen anständigen Job durchzuhalten, den du innerhalb von Monaten gefunden hast.»

«Du hast *keine Ahnung* von diesem Job, okay?»

«Ich weiß jedenfalls, dass das Gehalt weit über dem Mindestlohn liegt. Und mehr muss ich darüber nicht wissen.»

«Im Leben geht es nicht immer nur ums Geld, weißt du?»

«Ach ja? Dann kannst du ja runtergehen und das mal Mum und Dad erklären.»

«Du kannst es dir jedenfalls bestimmt nicht erlauben, mir Vorträge übers Geld zu halten, nachdem du jahrelang keinen Cent zu diesem Haushalt beigesteuert hast.»

«Du weißt, dass ich wegen Thomas nicht viel Luft habe.»

Ich begann, meine Schwester aus dem Zimmer zu schieben. Ich kann mich nicht mehr erinnern, wann wir uns davor zum letzten Mal richtig gestritten hatten, aber in diesem Moment hatte ich unheimliche Lust, jemandem eine reinzuhauen, und ich wusste nicht, was passieren würde, wenn ich sie weiter vor mir hatte. «Verpiss dich einfach, Treen. Okay? Verpiss dich und lass mich allein.»

Ich knallte die Tür hinter ihr zu. Und als ich sie schließlich langsam die Treppe hinuntergehen hörte, stellte ich mir lieber nicht vor, wie sie diese Situation vor meinen Eltern als einen weiteren Beweis für meine totale Unfähigkeit hinstellen würde, irgendetwas Sinnvolles im Leben anzufangen. Und ich stellte mir lieber nicht vor, wie das nächste Gespräch mit Syed im Jobcenter laufen würde, bei dem ich erklären musste, warum ich diese wahnsinnig gut bezahlte Stelle aufgegeben hatte. Und ich stellte mir lieber nicht vor, dass irgendwo in den Eingeweiden der Hühnerfabrik vermutlich noch ein Plastikoverall und eine Arbeitshaube lagen, auf denen mein Name stand.

Ich legte mich wieder aufs Bett und dachte über Will nach. Über seine Wut und seine Traurigkeit. Darüber, was seine Mutter gesagt hatte – dass ich einer der wenigen Menschen wäre, die zu ihm durchdringen konnten. Ich dachte daran, wie er versucht hatte, nicht über den ‹Molahonkey-Song› zu lachen, während draußen goldene Schneeflocken am Fenster vorbeigezogen waren. Ich dachte an die warme Haut und das weiche Haar und die Hände eines lebendigen Menschen, der viel klüger und witziger war, als ich es je sein würde, und der doch keine bessere Zukunft für sich sehen konnte, als sich umzubringen. Und dann, den Kopf ins Kissen gedrückt, weinte ich, weil mein Leben auf einmal so viel düsterer und komplizierter zu sein schien, als ich es mir je hätte vorstellen können, und ich wünschte mir, ich könnte die Uhr zurückdrehen, zurück bis zu der Zeit, in der meine größte Sorge gewesen war, ob Frank und ich genügend Rosinenschnecken bestellt hatten.

Es klopfte.

Ich putzte mir die Nase. «Verpiss dich, Katrina.»

«Es tut mir leid.»

Ich starrte zur Tür.

Ihre Stimme klang, als würde sie durchs Schlüsselloch sprechen. «Ich hab Wein. Jetzt komm schon, lass mich rein, sonst hört Mum mich noch. Ich habe zwei Becher unter dem Pullover, und du weißt, wie sauer sie wird, wenn sie mitbekommt, dass wir oben was trinken.»

Ich stand vom Bett auf und öffnete die Tür.

Sie betrachtete mein tränenverschmiertes Gesicht und zog schnell die Tür hinter sich zu. «Okay», sagte sie, schraubte den Verschluss von der Flasche und goss mir Wein in einen Becher. «Was ist wirklich passiert?»

Ich sah meine Schwester eindringlich an. «Du darfst niemandem ein Wort von dem sagen, was ich dir erzähle. Auch nicht Dad. Und Mum schon gar nicht.»

Dann erzählte ich es ihr.

Ich musste es einfach loswerden.

Es gab viele Gründe, weshalb ich meine Schwester nicht leiden konnte. Ein paar Jahre zuvor hatte ich noch ganze Listen zu diesem Thema geschrieben. Ich hasste sie für die Tatsache, dass sie dickes, glattes Haar hatte, während meins sofort splisst, wenn es mehr als schulterlang ist. Ich hasste sie für die Tatsache, dass man ihr nie etwas erzählen konnte, was sie nicht schon wusste. Ich hasste es, dass mir meine Lehrer während meiner gesamten Schulzeit mit gesenkter Stimme berichteten, wie intelligent sie sei, als ob ihre Klugheit bedeutete, dass ich automatisch in ihrem Schatten stand. Ich hasste sie für die Tatsache, dass ich mit sechsundzwanzig Jahren in einer Abstellkammer in einer Doppelhaushälfte wohnen musste, damit sie und ihr unehelicher Sohn das größere Schlafzimmer haben konnten. Aber ab und zu war ich auch richtig froh, dass sie meine Schwester war.

Katrina schrie nicht entsetzt auf. Sie starrte mich nicht schockiert an, und sie verlangte nicht, dass ich es Mum und Dad erzählte. Sie sagte sogar kein einziges Mal, dass es falsch gewesen war, dort wegzugehen.

Sie trank einen großen Schluck Wein. «Mannomann.»

«Genau.»

«Noch dazu ist es legal. Sie könnten ihn gar nicht daran hindern.»

«Ich weiß.»

«Verdammt. Ich kann es immer noch nicht fassen.»

Wir hatten zwei Becher geleert, während ich erzählte, und langsam stieg mir der Wein zu Kopf. «Ich will überhaupt nicht von ihm weg. Aber ich kann da nicht mitmachen, Treen. Ich kann einfach nicht.»

«Mmm.» Sie dachte nach. Meine Schwester hat ein richtiges ‹Denkgesicht›. Wenn sie dieses Gesicht aufsetzt, warten die Leute ab, bevor sie etwas zu ihr sagen. Dad sagt, mein Denkgesicht sähe aus, als müsste ich dringend mal.

«Ich weiß nicht, was ich machen soll», sagte ich.

Sie sah mich an, und auf einmal erhellte sich ihre Miene. «Das ist doch ganz einfach.»

«Einfach.»

Sie schenkte uns nach. «Oh. Wir haben die Flasche schon leer gemacht. Ja. Einfach. Sie haben doch Geld, oder?»

«Ich will ihr Geld nicht. Sie hat mir eine Gehaltserhöhung angeboten. Darum geht es nicht.»

«Scht. Halt die Klappe. Das Geld ist nicht für dich, du Hirni. Sie haben also Geld. Und er hat vermutlich einen Riesenhaufen Schotter von der Versicherung des Unfallverursachers bekommen. Tja, du sagst ihnen, du willst ein Budget, und dann setzt du dieses Geld ein, und du nutzt die – wie lange war es noch? – vier Monate, die noch übrig sind. Und in dieser Zeit stimmst du Will Traynor um.»

«Wie bitte?»

«Du stimmst ihn um. Du hast gesagt, er verbringt die meiste Zeit im Haus, oder? Also fängst du mit etwas Kleinem an, und wenn du ihn erst einmal dazu gebracht hast, seine vier Wände zu verlassen, denkst du dir lauter tolle Sachen für ihn aus, alles Mögliche, durch das er seine Lebenslust wiederfinden könnte – Ausflüge, Fernreisen, Schwimmen mit Delfinen, egal –, und dann setzt du die Ideen in die Tat um. Ich helfe dir. Ich gehe in die Bibliothek und recherchiere für dich im Internet. Ich wette, uns fallen ein paar sagenhafte Unternehmungen für ihn ein. Aktionen, bei denen er so richtig glücklich ist.»

Ich starrte sie an.

«Katrina …»

«Ja. Ich weiß.» Sie grinste, als ich zu lächeln begann. «Ich bin ein verdammtes Genie.»

Kapitel 10

S ie wirkten ziemlich überrascht. Und das ist noch unter-
trieben. Mrs. Traynor war sprachlos und ziemlich befremdet, und dann setzte sie eine total abweisende Miene auf. Ihre
Tochter, die mit hochgezogenen Beinen neben ihr auf dem Sofa
saß, schaute mich einfach nur böse an – mit einem Gesichtsausdruck, von dem unsere Mum immer gesagt hat, dass wir ihn
für immer behalten würden, falls sich in diesem Augenblick der
Wind drehte. Es war überhaupt nicht die begeisterte Reaktion,
auf die ich gehofft hatte.

«Und was genau wollen Sie unternehmen?»

«Das weiß ich noch nicht. Meine Schwester ist ziemlich gut
im Recherchieren. Sie versucht herauszufinden, was Tetraplegiker alles machen können. Aber vorher wollte ich von
Ihnen wissen, ob Sie mit dem Plan einverstanden sind.»

Wir saßen im Salon. Es war derselbe Raum, in dem das Bewerbungsgespräch stattgefunden hatte, nur dass dieses Mal
Mrs. Traynor und ihre Tochter mit dem sabbernden alten Hund
zwischen sich auf dem Sofa saßen. Mr. Traynor stand beim Kamin. Ich trug meine jeansblaue französische Bauernjacke, einen

Minirock und Armeestiefel. Im Rückblick ist mir klar, dass ich ein professioneller wirkendes Outfit hätte wählen können, um meinen Plan vorzustellen.

«Damit ich es recht verstehe …» Camilla Traynor beugte sich vor. «Sie wollen Will aus diesem Haus hier herausbringen.»

«Ja.»

«Und mit ihm ‹Abenteuerfahrten› machen.» Sie sagte es, als hätte ich vorgeschlagen, an Will ein paar endoskopische Amateuroperationen auszuprobieren.

«Ja. Wie ich schon sagte, ich weiß noch nicht, was in Frage kommt. Aber es geht darum, mit ihm unterwegs zu sein, seinen Horizont für das zu erweitern, was alles möglich ist. Vielleicht könnten wir zu Beginn einiges in der Nähe unternehmen und dann hoffentlich bald weiter weg fahren.»

«Meinen Sie damit Auslandsreisen?»

«Ausland?» Ich blinzelte. «Ich hatte mehr an einen Besuch im Pub gedacht. Oder im Kino, für den Anfang.»

«Will hat dieses Haus in den letzten beiden Jahren kaum verlassen, abgesehen von seinen Terminen im Krankenhaus.»

«Na ja … ich dachte, ich versuche, ihn von einer Änderung seiner Gewohnheiten zu überzeugen.»

«Und all diese Abenteuerfahrten würden Sie natürlich gemeinsam mit ihm unternehmen», sagte Georgina Traynor.

«Hören Sie. Es geht um nichts Besonderes. Zu Beginn will ich ihn einfach nur aus diesem Haus herausbringen. Zu einem Spaziergang um die Burg oder einem Stündchen im Pub. Wenn wir am Schluss in Florida mit Delfinen schwimmen, ist das natürlich großartig. Aber eigentlich will ich ihn vor allem aus dem Haus und auf andere Gedanken bringen.»

Ich fügte nicht hinzu, dass mir schon der bloße Gedanke, Will allein ins Krankenhaus fahren zu müssen, den kalten

Schweiß auf die Stirn trieb. Die Vorstellung, mit ihm ins Ausland zu verreisen, war genauso realistisch wie meine Teilnahme an einem Marathon.

«Ich halte das für eine großartige Idee», sagte Mr. Traynor. «Ich glaube, es wäre fabelhaft, wenn Will mal rauskäme. Dir ist doch klar, dass es nicht gut für ihn sein kann, wenn er Tag für Tag nur seine eigenen vier Wände anstarrt.»

«Wir haben doch versucht, ihn aus dem Haus zu bringen, Steven», sagte Mrs. Traynor. «Es ist schließlich nicht so, dass wir ihn hier haben verrotten lassen. Ich habe es wer weiß wie oft versucht.»

«Das weiß ich, Darling, aber wir waren nicht besonders erfolgreich, oder? Wenn sich Louisa etwas einfallen lässt, das Will mitmachen würde, kann das doch nur gut sein, oder?»

«Aber er wird nicht mitmachen.»

«Es war ja nur ein Vorschlag», sagte ich. Auf einmal war ich genervt. Ich wusste, was sie dachte. «Wenn Sie nicht möchten, dass ich es mache …»

«Dann gehen Sie?» Sie sah mich direkt an.

Ich wandte den Blick nicht ab. Sie konnte mir keine Angst mehr einjagen. Inzwischen wusste ich nämlich, dass sie keinen Grund hatte, die Überlegene zu spielen. Ich hatte eine Frau vor mir, die tatenlos zusehen konnte, wie ihr Sohn vor ihren Augen starb.

«Ja, das werde ich wahrscheinlich.»

«Also ist das ein Erpressungsversuch.»

«Georgina!»

«Reden wir doch nicht um den heißen Brei herum, Daddy.»

Ich setzte mich gerader hin. «Nein. Es ist keine Erpressung. Es geht darum, an was ich mich beteiligen kann und an was nicht. Und ich kann nicht ruhig danebensitzen und abwarten, bis … Will … also …» Meine Stimme erstarb.

Wir starrten alle in unsere Teetassen.

«Wie ich schon sagte», kam es entschlossen von Mr. Traynor. «Ich halte das für eine sehr gute Idee. Wenn Sie Will dazu bringen können, sich einverstanden zu erklären, weiß ich nicht, wo der Nachteil sein soll. Es würde mir unheimlich gut gefallen, wenn er mal Urlaub macht. Sagen Sie … sagen Sie uns einfach, was Sie von uns brauchen.»

«Ich habe eine Idee.» Mrs. Traynor legte ihrer Tochter die Hand auf die Schulter. «Wie wäre es, wenn du zusammen mit ihnen verreist, Georgina?»

«Von mir aus sehr gern», sagte ich, weil meine Chancen, Will zu einer Urlaubsreise zu überreden, ungefähr so hoch waren wie die, bei *Superhirn* zu gewinnen.

Georgina wand sich ein bisschen. «Das kann ich nicht. Ihr wisst, dass ich in zwei Wochen mit dem neuen Job anfange. Ich kann dann nicht gleich wieder nach England kommen.»

«Du gehst nach Australien zurück?»

«Jetzt tu nicht so überrascht. Ich habe dir gesagt, dass das nur ein Besuch ist.»

«Ich dachte nur, dass du … angesichts … angesichts der jüngsten Entwicklungen ein bisschen länger bleiben möchtest.» Camilla Traynor sah ihre Tochter auf eine Art an, auf die sie Will niemals anschaute, ganz gleich, wie grob er sich ihr gegenüber verhielt.

«Es ist eine richtig aussichtsreiche Stelle, Mum. Ich habe zwei Jahre lang geackert, bis ich sie bekommen habe.» Sie warf ihrem Vater einen Blick zu. «Ich kann wegen Wills Befindlichkeit nicht mein ganzes Leben auf Eis legen.»

Darauf herrschte Stille.

«Das ist nicht fair. Wenn ich es wäre, die im Rollstuhl sitzt, würdest du dann etwa zu Will sagen, er soll all seine Pläne aufgeben?»

Mrs. Traynor hatte den Blick von ihrer Tochter abgewandt. Ich schaute auf meine Liste hinunter und las den ersten Punkt wieder und wieder durch.

«Ich habe auch ein Leben, verstehst du?» Das klang wie ein Protest.

«Besprechen wir das lieber ein anderes Mal.» Mr. Traynor legte seiner Tochter die Hand auf die Schulter und drückte sie sanft.

«Ja, das ist das Beste.» Mrs. Traynor begann, die Papiere zusammenzuschieben, die vor ihr lagen. «Also gut. Ich schlage folgendes Procedere vor: Ich will über alles Bescheid wissen, was Sie planen.» Sie sah mich an. «Ich kümmere mich um die Kosten, und wenn es geht, hätte ich gern einen Zeitplan, sodass ich versuchen kann, mir freizunehmen und mitzukommen. Ich habe noch Urlaub übrig, und ich …»

«Nein.»

Alle sahen Mr. Traynor an. Er streichelte den Hund und machte ein freundliches Gesicht, aber seine Stimme klang unnachgiebig. «Nein. Ich glaube nicht, dass du mitfahren solltest, Camilla. Wir sollten Will die Möglichkeit geben, das allein zu machen.»

«Will kann das nicht allein machen, Steven. Es gibt unheimlich viel zu bedenken, wenn Will irgendwohin geht. Es ist kompliziert. Und ich glaube kaum, dass …»

«Nein, Darling», sagte er. «Nathan wird Will unterstützen, und Louisa kommt bestimmt gut zurecht.»

«Aber …»

«Will muss sich wieder als Mann fühlen. Und das ist unmöglich, wenn seine Mutter – oder im Übrigen auch seine Schwester – ständig auf der Lauer liegt.»

Mrs. Traynor begann mir leidzutun. Sie hatte immer noch diesen arroganten Blick, aber dahinter wirkte sie irgendwie orientierungslos, so als könnte sie nicht verstehen, was gerade passierte. Ihre Hand hob sich zu ihrer Kette.

«Ich sorge dafür, dass ihm nichts fehlt», sagte ich. «Und ich teile Ihnen jeweils so früh wie möglich mit, was wir planen.»

Ihr Kiefer war so angespannt, dass der kleine Muskel unterhalb des Wangenknochens hervortrat. Ich fragte mich, ob sie mich jetzt hasste.

«Ich möchte auch, dass Will am Leben bleibt», sagte ich schließlich.

«Das verstehen wir nur allzu gut», sagte Mr. Traynor. «Und wir schätzen Ihre Entschlossenheit sehr. Und Ihre Diskretion.» Ich überlegte, ob er das in Bezug auf Will sagte oder etwas ganz anderes meinte, und dann wurde mir klar, dass er mich mit diesem Satz aus dem Gespräch entlassen hatte. Georgina und ihre Mutter saßen schweigend auf dem Sofa. Ich hatte den Eindruck, dass sie sich noch lange weiterunterhalten würden, wenn ich aus dem Zimmer war.

«Gut», sagte ich. «Ich mache Ihnen eine schriftliche Aufstellung, sobald ich mir alles genau überlegt habe. Das wird schnell gehen. Wir haben nicht viel …»

Mr. Traynor klopfte mir auf die Schulter.

«Ich weiß. Teilen Sie uns einfach mit, welche Ideen Sie haben», sagte er.

Treena blies sich in die Hände und stampfte unbewusst mit den Füßen auf der Stelle. Sie trug meine dunkelgrüne Baskenmütze, die ihr ärgerlicherweise viel besser stand als mir. Sie beugte sich zu mir und deutete auf die Liste, die sie gerade aus der Tasche gezogen und mir gegeben hatte.

«Punkt drei musst du vermutlich streichen oder jedenfalls aufschieben, bis es wärmer ist.»

Ich überflog die Liste. «Rollstuhl-Basketball? Ich weiß ja nicht mal, ob er sich für Basketball interessiert.»

«Darum geht es nicht. Verdammt noch mal, ist das kalt hier oben.» Sie zog sich die Mütze tiefer über die Ohren. «Es geht darum, ihm zu zeigen, was alles möglich ist. Er sieht dabei, dass es Leute gibt, die genauso schlecht dran sind wie er und Sport und so was machen.»

«Ich weiß nicht. Er kann ja nicht mal eine Tasse hochheben. Diese Leute sind vermutlich nur von der Hüfte abwärts gelähmt. Ich kann mir nicht vorstellen, wie man einen Ball werfen soll, wenn man seine Hände nicht gebrauchen kann.»

«Ich hab doch schon gesagt, dass es darum nicht geht. Er muss überhaupt nichts *machen*, er soll seinen Horizont erweitern, klar? Wir zeigen ihm, wie aktiv andere Behinderte sind.»

«Wenn du meinst.»

Ein leises Murmeln ging durch die Menge. Die Läufer waren in Sicht gekommen. Wenn ich mich auf die Zehenspitzen stellte, konnte ich sie gerade so sehen. Sie waren ungefähr zwei Meilen entfernt in einem Tal, eine kleine Gruppe auf und ab tanzender weißer Punkte, die sich in der Kälte eine feuchte graue Straße entlangkämpften. Wir standen seit beinahe vierzig Minuten auf einer Anhöhe mit dem passenden Namen Windhügel, und ich spürte meine Füße nicht mehr.

«Ich habe in der Nähe gesucht, falls du nicht weit fahren willst. In ein paar Wochen ist ein Spiel in einem Sportzentrum. Er könnte sogar eine Wette darauf abschließen, wer gewinnt.»

«Wetten?»

«So wäre er ein bisschen mehr beteiligt, obwohl er nicht mitspielt. Oh, sieh mal, da sind sie. Was meinst du, wie lange sie noch bis zu uns brauchen?»

Wir standen kurz vor der Ziellinie. Auf einem Banner, das

in der steifen Brise über unseren Köpfen flatterte, stand ‹Frühlingstriathlon Zieleinlauf›.

«Keine Ahnung. Zwanzig Minuten? Länger? Ich habe ein Notfall-Mars dabei. Sollen wir teilen?» Ich griff in meine Tasche. Der Wind zerrte an der Liste in meiner anderen Hand. «Und was hast du noch gefunden?»

«Du hast doch gesagt, du willst ein bisschen weiter weg, oder?» Sie deutete auf meine Hand. «Du hast dir das größere Stück gegeben.»

«Dann tauschen wir eben. Ich glaube, seine Familie hält mich für eine Schmarotzerin.»

«Was? Weil du ihn zu ein paar schäbigen Ausflügen überreden willst? Echt. Die sollten dankbar sein, dass du dir all diese Mühe machst. Kann man von ihnen schließlich nicht behaupten.»

Treena nahm das andere Stück von dem Marsriegel. «Egal. Sieh dir mal Nummer fünf an. Es gibt einen Computerkurs, den er machen könnte. Sie ziehen sich ein Ding über den Kopf mit so einer Art Stab dran, und dann nicken sie, um die Tastatur zu bedienen. Es gibt online einen Haufen Tetraplegiker-Gruppen. Da könnte er neue Freunde finden. Und dazu müsste er nicht jedes Mal aus dem Haus. Ich habe sogar mit ein paar von denen in einem Chatroom Kontakt aufgenommen. Die kamen mir sehr nett vor. Richtig …», sie zuckte mit den Schultern, «… normal.»

Wir aßen schweigend unsere Mars-Hälften, während wir beobachteten, wie sich die Gruppe elend wirkender Läufer näherte. Ich konnte Patrick unter ihnen nicht ausmachen. Das konnte ich nie. Er hatte so ein Gesicht, das in einer Menge sofort unsichtbar wird.

Sie deutete auf die Liste.

«Also, danach kommen die kulturellen Sachen. Da gibt es ein Konzert speziell für Menschen mit Behinderung. Du hast doch gesagt, er ist gebildet, oder? Er könnte sich einfach in das Konzert setzen und sich von der Musik davontragen lassen. Und dabei seinen Körper vergessen, verstehst du? Derek mit dem Schnurrbart, der mit mir arbeitet, hat mir davon erzählt. Er meinte, es könnte ein bisschen laut werden, weil die richtig Behinderten anscheinend öfter mal rumschreien, aber ich bin sicher, es wird ihm trotzdem gefallen.»

Ich verzog das Gesicht. «Ich weiß nicht, Treen …»

«Du hast doch bloß Angst, weil ich ‹Kultur› erwähnt habe. Du musst nur neben ihm sitzen. Und nicht zu laut mit deiner Chipstüte rascheln. Oder, wenn du was Gewagteres möchtest …» Sie grinste mich an. «Da gibt es so einen Strip-Club. In London.»

«Ich soll meinen Arbeitgeber zu einem Striptease schleppen?»

«Na ja, du machst doch schon alles für ihn … wischst ihm den Mund ab, fütterst ihn und so weiter. Da kannst du auch neben ihm sitzen, während er eine Latte kriegt.»

«Treena!»

«Wieso? Das fehlt ihm garantiert. Du könntest ihm sogar eine Tänzerin organisieren, die sich ein bisschen auf seinem Schoß rekelt.»

Mehrere Leute drehten sich nach uns um. Meine Schwester lachte. Sie konnte immer so über Sex reden. Als wäre es nichts anderes als ein Gymnastikkurs nach Feierabend. Als wäre es nebensächlich.

«Und dann gibt es noch die größeren Ausflüge. Ich weiß nicht, an was du gedacht hast, aber du könntest zu einer Weinprobe an die Loire fahren … das ist nicht zu weit.»

«Können Tetraplegiker betrunken werden?»

«Das weiß ich nicht. Frag ihn.»

Stirnrunzelnd betrachtete ich die Liste. «Ich soll also zu den

Traynors gehen und ihnen erklären, dass ich ihren gelähmten Sohn betrunken machen, ihr Geld für Stripperinnen ausgeben und ihn anschließend zur Behindertenolympiade fahren will.»

Treena riss mir den Zettel aus der Hand. «Na und? Du hast dir schließlich auch noch nichts Besseres einfallen lassen.»

«Ich habe einfach gedacht … ich weiß auch nicht.» Ich rieb mir die Nase. «Ehrlich gesagt, bin ich ein bisschen entmutigt. Ich habe ja schon Probleme, wenn ich ihn dazu überreden will, mal in den Garten rauszugehen.»

«Also, das ist ja wohl kaum die richtige Einstellung, oder? Oh, sieh mal. Sie kommen. Lächeln!»

Wir schoben uns nach vorn und begannen, die Läufer anzufeuern. Es war ziemlich schwer, das erforderliche Maß an Motivationslärm zu produzieren, da wir vor Kälte kaum noch die Lippen auseinanderbekamen.

Inzwischen sah ich Patrick mit gesenktem Kopf in einem Meer angespannter Körper, das Gesicht schweißnass, sämtliche Sehnen im Hals angespannt und die Miene verzerrt, als würde er gerade gefoltert. Genau dieses Gesicht würde zu strahlen beginnen, sobald er die Ziellinie hinter sich hatte. Es war, als könnte er nur dann ein Hochgefühl erreichen, wenn er vorher seine Leistungsfähigkeit bis über die Schmerzgrenze hinaus ausgelotet hatte. Er sah mich nicht.

«Los, Patrick!», rief ich matt.

Und er flitzte vorbei in Richtung Ziellinie.

Nachdem ich nicht die gewünschte Begeisterung für ihre To-do-Liste gezeigt hatte, redete Treena zwei Tage lang nicht mit mir. Meine Eltern bekamen davon nichts mit; sie waren einfach nur froh, dass ich beschlossen hatte, meinen Job doch nicht aufzugeben. Die Geschäftsleitung der Möbelfabrik hatte zum Ende der Woche mehrere Versammlungen einberufen, und Dad war überzeugt davon, entlassen zu werden. Sie siebten anscheinend alle aus, die über vierzig waren.

«Wir sind so dankbar für das Haushaltsgeld von dir, Liebes», sagte Mum derartig oft, dass es mir unangenehm wurde.

Es war eine merkwürdige Woche. Treena begann für die Uni zu packen, und jeden Tag musste ich mich in den ersten Stock schleichen, um in ihren Reisetaschen zu überprüfen, welche meiner Sachen sie mitzunehmen gedachte. Meine Kleidung schien sie weniger zu interessieren, aber ich hatte schon meinen Föhn, meine gefälschte Prada-Sonnenbrille und meine liebste Kulturtasche mit dem Zitronenmuster aus ihrem Gepäck geholt. Wenn ich sie zur Rede stellte, sagte sie nur schulterzuckend so etwas wie: «Wieso? Du benutzt das doch eh nie.» Als ginge es darum.

Das war typisch Treena. Sie glaubte wirklich, sie hätte das Recht dazu. Sogar als Thomas schon da war, hatte sie sich immer noch als das Nesthäkchen der Familie gefühlt. Sie lebte in der tiefverwurzelten Überzeugung, dass sich die ganze Welt nur um sie drehte. Früher, als wir noch klein waren, steigerte sie sich immer in einen Wutanfall hinein, wenn sie etwas haben wollte, das mir gehörte. Mum sagte dann meist zu mir: «Bitte, gib's ihr doch einfach», nur um endlich Ruhe zu haben. Und beinahe zwanzig Jahre später hatte sich daran eigentlich nichts geändert. Wir mussten für Thomas den Babysitter spielen, damit Treena ausgehen konnte, ihn füttern, damit sich Treena nicht darum kümmern musste, ihr extratolle Geschenke zum Geburtstag und an Weihnachten machen, «weil sie wegen Thomas so oft leer ausgeht». Tja, aber jetzt sollte sie gefälligst ohne meine verdammte Zitronenkulturtasche abziehen. Ich klebte einen Zettel an meine Tür, auf dem stand: «Meine Sachen gehören MIR. GEH WEG.» Treena riss den Zettel ab und erklärte Mum, ich wäre dermaßen kindisch, wie sie es noch nie erlebt hätte, und Thomas wäre jetzt schon vernünftiger, als ich es je werden würde.

Aber das brachte mich zum Nachdenken. Eines Abends, als Treena in der Abendschule war, saß ich in der Küche, während Mum die Hemden heraussuchte, die sie für Dad bügeln wollte.

«Mum ...»

«Ja, Liebes?»

«Meinst du, ich könnte in Treenas Zimmer ziehen, wenn sie weg ist?»

Mum hielt inne, ein halb gefaltetes Hemd an die Brust gedrückt. «Ich weiß nicht. Auf diese Idee bin ich noch gar nicht gekommen.»

«Ich meine, wenn sie und Thomas nicht hier sind, ist es nur fair, dass ich ein richtiges Schlafzimmer bekomme. Es hat doch keinen Sinn, es leer stehen zu lassen.»

Mum nickte und legte das Hemd sorgsam in den Wäschekorb. «Ich glaube, da hast du recht.»

«Und eigentlich sollte sowieso ich dieses Zimmer haben, wo ich doch die Ältere bin und so weiter. Sie hat es nur wegen Thomas bekommen.»

Mum fand meine Einstellung vernünftig. «Das stimmt. Ich spreche mit Treena», sagte sie.

Rückblickend hätte ich vermutlich besser zuerst mit meiner Schwester darüber reden sollen.

Drei Stunden später stürmte sie wutentbrannt ins Wohnzimmer.

«Du freust dich wohl schon, dass du bald auf meinem Grab tanzen kannst, was?»

Mit einem Ruck wachte Großvater in seinem Sessel auf und griff sich automatisch an die Brust.

Ich sah vom Fernseher weg. «Was redest du denn da?»

«Wo sollen Thomas und ich deiner Meinung nach am Wo-

chenende schlafen? Wir passen nicht zu zweit in die Abstellkammer. Dadrin ist nicht mal genügend Platz für zwei Betten.»

«Ganz genau. Und ich bin dort fünf Jahre lang reingesteckt
worden.» Das Gefühl, dauernd den Kürzeren zu ziehen, ließ
mich kratzbürstiger klingen, als ich es gewollt hatte.

«Du kannst dir nicht mein Zimmer nehmen. Das ist unfair.»

«Du bist doch nicht mal da!»

«Aber ich brauche es trotzdem! Auf keinen Fall passen Thomas und ich in die Abstellkammer. Dad, sag du es ihr!»

Dad ließ sein Kinn tief in den Kragen sinken und verschränkte die Arme vor der Brust. Er hasste es, wenn wir stritten, und
neigte dazu, Mum die Schlichtung zu überlassen. «Macht mal
halblang, Mädchen», sagte er.

Großvater schüttelte den Kopf, als wären wir ihm alle ein
Rätsel. Großvater schüttelte dieser Tage ziemlich häufig den
Kopf.

«Ich fasse es nicht. Kein Wunder, dass du mir so eifrig geholfen hast, damit ich möglichst bald weg bin.»

«Was? Und wenn du darum bettelst, dass ich bei meinem Job
bleibe, damit ich dich finanziell unterstützen kann, ist das auch
Teil meines teuflischen Plans?»

«Du bist *dermaßen* hinterlistig.»

«Katrina, beruhige dich.» Mum war an der Tür aufgetaucht,
von ihren Gummihandschuhen tropfte Seifenwasser auf den
Wohnzimmerteppich. «Wir können das in aller Ruhe besprechen. Ich will nicht, dass ihr Großvater so aufregt.»

Katrinas Gesicht war fleckig geworden, genau wie als Kind,
wenn sie nicht bekam, was sie wollte. «Sie will mich weghaben.
Das ist es. Sie kann es kaum abwarten, bis ich verschwunden
bin, bloß weil sie eifersüchtig ist, dass ich etwas aus meinem
Leben mache. Und deshalb will sie es mir möglichst schwer machen, zwischendurch nach Hause zu kommen.»

«Es steht ja noch nicht mal fest, ob du überhaupt an den Wochenenden heimkommst», schrie ich verletzt. «Ich brauche ein Schlafzimmer, keinen Schrank, und du hast die ganze Zeit das beste Zimmer gehabt, nur weil du so bescheuert warst, dir ein Kind machen zu lassen.»

«Louisa!», sagte Mum.

«Und wenn du nicht zu blöd wärst, eine richtige Arbeit zu kriegen, könntest du schon längst deine eigene Wohnung haben. Du bist alt genug. Oder worum geht's? Bist du endlich draufgekommen, dass dich Patrick niemals fragen wird?»

«Das reicht!» Dad brüllte in die Stille. «Ich habe jetzt genug! Treena, du gehst in die Küche. Lou, setz dich und halt den Mund. Ich habe schon genügend Stress im Leben, auch ohne euer Gekeife.»

«Wenn du glaubst, dass ich dir jetzt noch mit deiner blöden Liste helfe, wirst du dich wundern», zischte mir Treena zu, als sie von Mum aus dem Wohnzimmer gezerrt wurde.

«Sehr gut. Ich brauche deine Hilfe sowieso nicht, du *Parasit*», sagte ich, und dann musste ich mich ducken, weil Dad die Fernsehzeitung nach mir warf.

Am Samstagvormittag ging ich in die Bibliothek. Ich glaube, ich war seit meiner Schulzeit nicht mehr dort gewesen – vermutlich hatte ich Angst, dass sie sich an das Judy-Blume-Buch erinnern würden, das ich in der siebten Klasse verloren hatte, und dass mich die klamme Hand eines Behördenvertreters aufhalten würde, wenn ich durch das Säulenportal kam, um mir 3853 Pfund Mahngebühren abzufordern.

Es war nicht mehr wie früher. Anscheinend war die Hälfte der Bücher durch CDs und DVDs, große Regale voller Hörbücher und sogar Gestelle mit Postkarten ersetzt worden. Und es war nicht ruhig. Singen und Klatschen drang aus der Kinderbuchecke zu mir herüber, wo eine Mutter-Kind-Gruppe in voller Aktion war. Leute lasen Zeitschriften oder unterhielten sich leise. In der Abteilung, in der immer alte Männer über den Tageszeitungen geschnarcht hatten, stand nun ein großer, ovaler Tisch mit Computern. Ich setzte mich zögernd vor einen davon und hoffte, dass mich niemand beobachtete. Computer sind, genauso wie Bücher, eher das Ding meiner Schwester. Glücklicherweise hatte man in der Bibliothek anscheinend mit der Panik von Leuten wie mir gerechnet. Eine Bibliothekarin blieb neben mir stehen und gab mir eine Karte und ein laminiertes Blatt mit einer Anleitung. Sie schaute mir nicht über die Schulter, sondern murmelte, sie wäre an der Ausgabe, falls ich noch Fragen hätte, und dann saß ich allein auf meinem Stuhl vor dem leeren Bildschirm.

Der einzige Computer, mit dem ich in den vergangenen Jahren zu tun gehabt hatte, war der von Patrick. Er benutzte ihn eigentlich nur, um Trainingspläne herunterzuladen oder bei Amazon Bücher über Sport zu bestellen. Falls er sonst noch etwas damit machte, wollte ich es lieber gar nicht wissen. Ich befolgte die Anleitung und überprüfte jeden Schritt doppelt und dreifach, bevor ich auf die Return-Taste drückte. Und erstaunlicherweise funktionierte es, und es funktionierte nicht nur, es war sogar *ganz einfach.*

Vier Stunden später hatte ich den Anfang meiner Liste.

Und niemand erwähnte das verschollene Buch. Das lag allerdings wahrscheinlich daran, dass ich damals den Bibliotheksausweis meiner Schwester benutzt hatte.

Auf dem Heimweg ging ich noch kurz in den Schreibwarenladen und kaufte einen Kalender. Keinen von diesen Motivkalendern, wo einen jeden Monat ein anderes Bild von Justin Timberlake erwartete. Es war ein Wandkalender – wie man sie aus Büros kennt, auf denen mit Filzstift die Urlaubszeiten eingetragen werden. Ich kaufte ihn mit der munteren Entschlossenheit einer Person, die nichts lieber tut, als sich in Planungsaufgaben zu stürzen.

In meinem Zimmer faltete ich den Kalender auf, hängte ihn an die Tür und kreiste den Tag ein, an dem ich bei den Traynors angefangen hatte. Anfang Februar, es schien mir eine Ewigkeit her. Dann zählte ich nach vorn und kreiste das andere Datum ein, den zwölften August – bis dahin waren es nur noch knapp vier Monate. Ich trat einen Schritt zurück und schaute den kleinen schwarzen Kreis an, versuchte, in ihm die schwerwiegende Bedeutung dessen zu erkennen, was er ankündigte. Und während ich das tat, wurde mir erst richtig klar, was ich mir vorgenommen hatte.

Ich musste diese kleinen weißen Rechtecke mit Dingen füllen, die Glück, Zufriedenheit, Erfüllung oder Freude brachten, damit es für ein ganzes Leben reichte. Ich würde sie mit jeder guten Erfahrung füllen müssen, die ich mir für einen Mann ausdenken konnte, dessen kraftlose Arme und Beine dazu führten, dass er solche Erfahrungen nicht mehr selbst auslösen konnte. Ich hatte knapp vier Monate kleiner Rechtecke mit Ausflügen, Reisen, Besuchen, Abendessen und Konzerten vollzupacken. Ich musste alle praktischen Fragen vor der Durchführung klären und mich so genau informieren, dass nichts schiefgehen konnte.

Und dann musste ich Will dazu bringen mitzumachen.

Ich starrte meinen Kalender an, den Stift immer noch in der Hand. Auf einmal vermittelte mir die mit Rechtecken bedruckte Fläche das Gefühl einer unglaublichen Verantwortung.

Ich hatte hundertsiebzehn Tage, um Will Traynor davon zu überzeugen, dass es sich lohnte weiterzuleben.

Kapitel 11

Es gibt Orte, an denen der Jahreszeitenwechsel an Zug-
vögeln oder der Gezeitenhöhe ablesbar ist. In unserer kleinen Stadt war es die Rückkehr der Touristen. Zuerst tröpfelten
sie nur vereinzelt aus Bussen oder Autos, in leuchtend bunten
Regenjacken, den Reiseführer und die Eintrittskarte für das
Museum fest in der Hand; und dann, wenn es wärmer wurde
und die Ferienzeit kam, strömten sie unaufhörlich aus zischend
stoppenden Reisebussen, verstopften die Hauptstraße, und
Amerikaner, Japaner und Schulklassen aus dem ganzen Land
verteilten sich um die Burg.

Im Winter waren die meisten Geschäfte geschlossen. Die
wohlhabenderen Ladenbesitzer verbrachten die langen, dunklen Monate in ihren Ferienhäusern im Süden, während die
anderen Weihnachtsveranstaltungen organisierten oder von
gelegentlichen Adventskonzerten in der Burganlage oder fest-
lichen Kunsthandwerksmärkten profitierten. Aber wenn die
Temperaturen anstiegen, war der Parkplatz an der Burg gleich
wieder überfüllt, und in den Pubs stieg die Nachfrage nach dem
Bauernfrühstück, und nach ein paar sonnigen Wochenenden

hatten wir uns wieder von einer schläfrigen Kleinstadt in ein beliebtes englisches Reiseziel verwandelt.

Ich ging den Hügel hinauf und wich den vereinzelten frühen Touristen aus, die ihre Neopren-Bauchtaschen und abgegriffenen Reiseführer festhielten und die Kameras hoben, um ihr Erinnerungsfoto von der Burg im Frühling zu schießen. Ich lächelte ein paar an und blieb bei anderen stehen, um sie mit ihren eigenen Kameras zu fotografieren. Einige Einwohner jammerten über die Touristen – über die Staus, den Ansturm auf die öffentlichen Toilettenhäuschen oder die Bestellwünsche im Buttered Bun («Haben Sie kein Sushi? Nicht mal handgerolltes?»). Aber ich beschwerte mich nicht. Ich mochte diesen Hauch fremder Luft bei uns, die flüchtigen Blicke auf das Dasein von Menschen, die so ganz anders lebten als ich. Ich mochte die Akzente und überlegte gern, woher jemand kam, und es gefiel mir, die Kleidung von Leuten anzuschauen, die noch nie im Leben einen Versandhauskatalog gesehen hatten und ihre Unterhosen nicht im Fünferpack bei Marks and Spencer kauften.

«Sie scheinen gute Laune zu haben», sagte Will, als ich meine Tasche im Flur fallen ließ. Es klang beinahe wie ein Vorwurf.

«Das liegt daran, dass er heute ist.»

«Was ist heute?»

«Unser Ausflug. Wir fahren mit Nathan zu einem Pferderennen.»

Will und Nathan sahen sich an. Ich musste mir das Lachen verkneifen. Das gute Wetter hatte mich unheimlich erleichtert; nachdem ich erst einmal die Sonne gesehen hatte, wusste ich, dass alles klappen würde.

«Pferderennen?»

«Genau. Ein Flachrennen in …», ich zog mein Notizbuch aus der Tasche, «… Longfield. Wenn wir jetzt losfahren, kommen wir noch pünktlich zum dritten Rennen. Und ich habe fünf Pfund Sieg oder Platz auf Man Oh Man gesetzt, also halten wir uns besser ran.»

«Pferderennen.»

«Ja. Nathan hat noch nie eins gesehen.»

Zur Feier des Tages trug ich meinen blauen Stepp-Minirock, den Schal mit dem Pferdemuster am Rand und lederne Reitstiefel.

Will musterte mich aufmerksam, dann fuhr er seinen Stuhl herum, sodass er seinen Pfleger besser sehen konnte. «Davon haben Sie bestimmt schon seit Ewigkeiten geträumt, oder, Nathan?»

Ich warf Nathan einen warnenden Blick zu.

«Jau», sagte er und lächelte. «Ja, ganz genau. Fahren wir zu den Hottehüs.»

Ich hatte ihn natürlich bestochen. Ich hatte ihn am Freitag angerufen, um zu fragen, an welchem Tag er Zeit hatte. Die Traynors hatten zugestimmt, seine Extrastunden zu bezahlen (Wills Schwester war nach Australien abgereist, und ich glaube, sie wollten sichergehen, dass jemand ‹Vernünftiges› mitkam), aber ich hatte bis zum Sonntag noch nicht gewusst, was genau wir unternehmen würden. Das Pferderennen schien mir ein idealer Auftakt zu sein – ein schöner Ausflug bei gutem Wetter, und die Autofahrt dauerte keine halbe Stunde.

«Und was ist, wenn ich sage, dass ich nicht dorthin will?»

«Dann schulden Sie mir vierzig Pfund», sagte ich.

«Vierzig Pfund? Wie kommen Sie denn auf diese Summe?»

«Mein Gewinn. Fünf Pfund Platz oder Sieg bei einer Quote von acht zu eins.» Ich zuckte mit den Schultern. «Man Oh Man gewinnt garantiert.»

Anscheinend hatte ich ihn damit zum Nachdenken gebracht. Nathan schlug sich die Hände auf die Knie. «Klingt super.

Und das schöne Wetter», sagte er. «Soll ich etwas zum Mittagessen einpacken?»

«Nein», sagte ich. «Es gibt dort ein Restaurant. Wenn mein Pferd gewinnt, geht das Essen auf mich.»

«Sie waren wohl schon oft beim Pferderennen, oder?», sagte Will.

Und dann, bevor er noch etwas einwenden konnte, hatten wir ihn in seinen Mantel gepackt, und ich hastete hinaus, um den Wagen zu wenden.

Ich hatte mir alles in leuchtenden Farben ausgemalt. Wir würden an einem strahlenden Sonnentag zur Pferderennbahn fahren. Dort würden wir die gestriegelten, dünnbeinigen Vollblüter sehen, die mit ihren Jockeys in Blousonjacken aus Seide vorbeigaloppierten. Vielleicht gab es auch eine Blaskapelle oder zwei. Die Tribüne wäre voller jubelnder Leute, und wir würden einen Platz finden, von dem aus wir unsere Wettzettel schwenken konnten. Will würde der Ehrgeiz packen, und er würde automatisch anfangen, die Gewinnchancen zu berechnen und mehr gewinnen wollen als Nathan oder ich. So hatte ich es mir vorgestellt. Und dann, wenn wir genug von den Pferden hätten, würden wir in das renommierte Rennbahn-Restaurant gehen und richtig feudal essen.

Ich hätte auf meinen Vater hören sollen. «Willst du wissen, was die Definition für den Sieg der Hoffnung über die Erfahrung ist?», hatte er schon mehr als einmal gesagt. «Dann plan einen netten Familienausflug.»

Es begann mit dem Parkplatz. Wir kamen ohne Zwischenfälle dort an, weil ich inzwischen etwas mutiger war und nicht mehr glaubte, ich würde Will womöglich mit seinem Rollstuhl zum Umkippen bringen, wenn ich schneller als zwanzig Stundenkilometer fuhr. Ich hatte mir die Strecke in der Bibliothek angesehen und machte auf dem ganzen Weg Scherze, kommentierte den wundervoll blauen Himmel, die Landschaft, den spärlichen Verkehr. Am Eingang der Rennbahn gab es keine Schlange, was ich zugegeben ein bisschen weniger großartig als erwartet fand, und der Weg zum Parkplatz war gut ausgeschildert.

Aber niemand hatte mir gesagt, dass er aus einer Wiese bestand, und zwar aus einer Wiese, über die in einem ziemlich feuchten Winter eine Menge Autos gefahren waren. Wir parkten (das war einfach, weil der Parkplatz nur halb voll war), und in beinahe demselben Augenblick, in dem die Rampe heruntergelassen war, bekam Nathan einen besorgten Gesichtsausdruck.

«Das ist zu weich hier», sagte er. «Der Rollstuhl wird einsinken.»

Ich sah zu der Tribüne hinüber. «Aber wenn wir es bis zu diesem gepflasterten Weg dort schaffen, ist doch alles klar.»

«Der Stuhl wiegt eine Tonne», sagte er. «Und bis zu dem Weg sind es mindestens fünfzehn Meter.»

«Oh, jetzt kommen Sie schon. Diese Stühle müssen doch wohl so konstruiert sein, dass man damit über ein bisschen weichen Boden kommt.»

Ich rollte den Stuhl mit Will vorsichtig von der Rampe und sah dann zu, wie er mehrere Zentimeter tief in den Schlamm einsank.

Will sagte nichts. Er schaute nicht gerade glücklich, und er hatte fast die gesamte Autofahrt über geschwiegen. Wir standen neben ihm und probierten an der Lenkautomatik des Rollstuhls herum. Eine Brise war aufgekommen, und Wills Wangen wurden rosig.

«Los», sagte ich. «Wir schieben. Ich bin sicher, dass wir es zu zweit bis dorthin schaffen.»

Wir kippten den Stuhl leicht zurück. Ich nahm einen Griff

und Nathan den anderen, und dann zerrten wir den Rollstuhl in Richtung des Weges. Wir kamen nur langsam voran, auch deshalb, weil ich öfter mit schmerzenden Armen stehen bleiben musste. Meine ehemals makellosen Stiefel waren bald mit Schlamm verklebt. Als wir endlich den Weg erreichten, war Wills Decke halb heruntergerutscht und hatte sich irgendwie in den Reifen verfangen, sodass eine Ecke zerrissen und schmutzig war.

«Halb so wild», sagte Will trocken. «Ist ja nur Kaschmir.»

Ich ging nicht darauf ein. «So. Wir haben es geschafft. Und jetzt kommt der unterhaltsame Teil.»

Ach ja. Der unterhaltsame Teil. Wer hat sich eigentlich einfallen lassen, dass man auf einer Pferderennbahn Drehkreuze braucht? Personenkontrollen waren hier nicht notwendig. Schließlich gab es keine grölenden Fanhorden, die mit Randale drohten, falls Charlie's Darling nicht den dritten Platz machte, und auch keine kreischenden Stallmädchen, die eingepfercht oder draußen gehalten werden mussten. Wir sahen das Drehkreuz an und dann wieder Wills Stuhl, und dann sahen Nathan und ich uns gegenseitig an.

Nathan ging zum Kartenschalter und erklärte der Frau unser Problem. Sie streckte den Kopf vor, um Will anzuschauen, dann deutete sie auf das andere Ende der Tribüne.

«Der Behinderteneingang ist dahinten», sagte sie.

Sie sagte *Behinderteneingang*, als würde sie an einem Artikulationswettbewerb teilnehmen. Der Eingang war fast zweihundert Meter entfernt, und bis wir es endlich dorthin geschafft hatten, war der blaue Himmel von einem unvorhergesehenen Tief verdrängt worden. Natürlich hatte ich keinen Schirm mitgenommen. Ich fing mit einem endlosen, fröhlichen Geplapper darüber an, wie lustig und verrückt das war, und sogar ich selbst bekam mit, wie angespannt und nervig ich klang.

«Clark», sagte Will schließlich. «Entspannen Sie sich einfach, okay? Sie werden anstrengend.»

Wir kauften Tickets für die Tribüne, und mir wurde ganz schwach vor Erleichterung, als wir es endlich bis dorthin geschafft hatten. Ich schob Will an eine überdachte Stelle neben der Haupttribüne. Während Nathan etwas zu trinken für Will herausholte, hatte ich Zeit, mir die anderen Rennbahnbesucher anzusehen.

Es war eigentlich sehr angenehm dort unten an der Tribüne, trotz der gelegentlichen Regenböen. Über uns stießen auf einem verglasten Balkon Männer in Anzügen und Frauen in Cocktailkleidern mit Champagnergläsern an. Es sah dort warm und gemütlich aus, vermutlich war es der sogenannte A-Bereich, neben dem am Kartenschalter astronomische Preise gestanden hatten. Die Leute trugen kleine Anstecker mit roten Bändern, die sie als etwas Besonderes auszeichneten. Ich überlegte kurz, ob wir unsere blauen irgendwie austauschen könnten, aber dann fand ich, dass wir wohl zu auffällig waren, weil es außer uns niemanden mit einem Rollstuhl gab.

Neben uns auf der Tribüne standen Männer in Tweedanzügen, die sich entweder mit Kaffee oder dem Inhalt ihrer Flachmänner wärmten, und Frauen mit eleganten Steppjacken. Sie wirkten ein bisschen normaler, und ihre kleinen Anstecker waren auch blau. Ich vermutete, dass viele von ihnen Reitlehrer oder Stallbesitzer waren oder auf eine andere Art mit Pferden zu tun hatten. Ganz vorne standen neben Schreibtafeln die Buchmacher und gaben mit seltsamen, weit ausholenden Armbewegungen irgendwelche Zeichen, die ich nicht verstand. Dann schrieben sie neue Zahlenkombinationen an ihre Tafeln, die sie bald darauf wieder mit ihren Ärmeln wegwischten.

Außerdem stand am Vorführplatz der Pferde eine Gruppe Männer in gestreiften Polohemden. Sie hatten Bierdosen in der

Hand und schienen eine Art Herrentag zu begehen. Ihre rasierten Schädel deuteten darauf hin, dass sie beim Militär waren. Ab und zu sangen sie ein Lied oder fingen lautstark an zu streiten, wobei sie mit den Köpfen gegeneinanderstießen oder den Gegner in den Schwitzkasten nahmen. Als ich an ihnen vorbei zur Toilette ging, pfiffen sie mir in meinem Minirock hinterher (ich war anscheinend die Einzige auf der Tribüne, die einen Rock trug), und ich streckte hinter meinem Rücken den Mittelfinger hoch. Aber da hatten sie schon das Interesse verloren. Gerade trabten sieben oder acht Pferde heran und wurden in die Startkabinen manövriert, weil das nächste Rennen bevorstand.

Zurück bei der Tribüne, fuhr ich zusammen, als die Leute um uns herum unvermittelt anfingen zu brüllen und die Pferde aus der Startmaschine schossen. Ich stand nur da und war mit einem Mal wie gebannt, unfähig, die Aufregung zu unterdrücken, als sie mit fliegenden Schwänzen vorbeikamen, wie wild von den Jockeys in den leuchtenden Jacken angetrieben, weil alle um eine Platzierung kämpften. Als der Gewinner über die Ziellinie kam, war es beinahe unmöglich, nicht loszujubeln.

Wir sahen den Sisterwood Cup und dann den Maiden Stakes, und Nathan gewann sechs Pfund bei einer kleinen Sieg-oder-Platz-Wette. Will hatte keine Lust zu wetten. Er sah sich jedes Rennen an, aber er war schweigsam und hatte den Kopf tief in den hohen Kragen seiner Jacke zurückgezogen. Ich dachte, er sei vielleicht inzwischen schon so lange nicht mehr aus dem Haus gekommen, dass die gesamte Außenwelt seltsam auf ihn wirkte, und ich beschloss, das einfach nicht zur Kenntnis zu nehmen.

«Ich glaube, jetzt kommt Ihr Rennen, der Hempworth Cup», sagte Nathan mit einem Blick auf die Anzeigetafel. «Auf welchen Gaul haben Sie noch mal gesetzt? Man Oh Man?» Er grinste. «Mir war gar nicht klar, dass es noch viel mehr Spaß macht zu wetten, wenn man sich das Rennen tatsächlich *anschaut*.»

«Ehrlich gesagt, war ich noch nie bei einem Pferderennen», erklärte ich Nathan.

«Das soll wohl ein Witz sein.»

«Ich bin auch noch nie geritten. Meine Mum fürchtet sich unheimlich vor Pferden. Wollte mich nicht mal in einen Pferdestall gehen lassen.»

«Meine Schwester in Christchurch hat zwei Pferde. Sie behandelt sie wie richtige Babys. Steckt ihr ganzes Geld in die Viecher.» Er zuckte mit den Schultern. «Und am Schluss landen sie nicht mal auf ihrem Teller.»

Wills Stimme klang zu uns herauf. «Und wie viele Rennen müssen wir uns noch ansehen, bis Sie Ihren langgehegten Traum erfüllt haben?»

«Seien Sie nicht so muffelig. Es heißt doch, man soll im Leben alles einmal ausprobieren», sagte ich.

«Ich glaube, Pferderennen fallen in die Kategorie ‹alles außer Inzest und Volkstanz›.»

«Sie predigen mir doch immer, dass ich meinen Horizont erweitern soll. Außerdem gefällt es Ihnen unheimlich gut hier», sagte ich. «Versuchen Sie gar nicht erst, mir etwas anderes vorzumachen.»

Und dann startete das Rennen. Man Oh Mans Jockey trug einen violetten Seidenblouson mit einer gelben Raute.

«Los, schneller, Kumpel!» Nathan konnte sich nicht mehr zurückhalten. Seine Fäuste waren geballt, sein Blick hing an der verschwommenen Gruppe der Rennpferde, die gerade die Gegengerade entlanggaloppierte.

«Los, Man Oh Man!», schrie ich. «Von dir hängt unser Mittagessen ab!» Ich beobachtete, wie er erfolglos versuchte, Boden gutzumachen, die Nüstern geweitet, die Ohren flach zurückgelegt. Mein Herz raste. Und dann, als sie die Zielgerade erreichten, wurden meine Anfeuerungsrufe immer schwächer. «Na gut, ein Kaffee», sagte ich. «Ich übernehme einen Kaffee.»

Die Leute auf der Tribüne waren in lautes Rufen ausgebrochen. Zwei Plätze weiter hüpfte ein Mädchen auf und ab, die Stimme schon ganz heiser vom Schreien. Ich stellte mich auf die Zehenspitzen. Und als ich einen Blick nach unten warf, sah ich, dass Will die Augen geschlossen und eine steile Falte auf der Stirn hatte. Ich riss mich von dem Rennen los und beugte mich zu ihm.

«Alles okay, Will?», sagte ich. «Brauchen Sie irgendetwas?» Ich musste beinahe brüllen, damit er mich über all den Lärm hinweg verstand.

«Scotch», sagte er. «Einen doppelten.»

Ich starrte ihn an, und er hob den Blick zu mir. Er wirkte, als hätte er die Nase endgültig voll.

«Essen wir etwas», sagte ich zu Nathan.

Man Oh Man, dieser vierbeinige Blender, kam auf einem miserablen sechsten Platz über die Ziellinie. Neuer Jubel, und dann ertönte die Stimme des Ansagers aus den Lautsprechern: *Ladies and Gentlemen, ein klarer Sieg für Love Be A Lady auf dem ersten Platz, gefolgt von Winter Sun und Barney Rubble zwei Längen danach auf dem dritten Platz.*

Ich schob Wills Stuhl zwischen unaufmerksamen Leuten hindurch und fuhr ihnen absichtlich in die Hacken, wenn sie auf meine zweite Bitte, Platz zu machen, nicht reagiert hatten.

Wir waren gerade beim Aufzug angekommen, als Will sagte: «Und, Clark? Heißt das jetzt, dass Sie mir vierzig Pfund schulden?»

Das Restaurant war frisch renoviert, und die Küche stand unter der Leitung eines Fernsehkochs, dessen Gesicht von mehreren

Plakaten an der Rennstrecke heruntergrinste. Die Speisekarte hatte ich mir schon online angesehen.

«Das Spezialgericht ist Ente in Orangensoße», erklärte ich den beiden Männern. «Anscheinend machen sie einen auf Siebziger-Jahre-Retro.»

«Gilt ja auch für Ihre Kleidung», sagte Will.

Aus der Kälte heraus und ein Stück von dem Gedränge entfernt, schien sich seine Laune zu bessern. Er hatte angefangen, sich umzusehen, statt weiter in sich zurückgezogen dazusitzen. Mein Magen begann zu knurren, weil ich schon an ein gutes, warmes Mittagessen dachte. Wills Mutter hatte uns achtzig Pfund «Startkapital» gegeben. Ich hatte beschlossen, mein Essen selbst zu bezahlen und ihr die Rechnung zu zeigen, und deswegen musste ich mich nicht zurückhalten und konnte mir bestellen, was immer mich auf der Karte anlachte – selbst einen Retro-Entenbraten.

«Mögen Sie Restaurants, Nathan?», fragte ich.

«Ich bin mehr so ein Bier-und-Imbiss-Typ», sagte Nathan. «Aber heute bin ich natürlich gern dabei.»

«Wann waren Sie das letzte Mal essen, Will?»

Er und Nathan wechselten einen Blick. «Nicht, solange ich da bin», sagte Nathan.

«Seltsamerweise bin ich nicht gerade wahnsinnig versessen darauf, mich vor Fremden füttern zu lassen.»

«Dann nehmen wir einen Tisch, an dem Sie mit dem Rücken zum Raum sitzen», sagte ich. So etwas hatte ich schon geahnt. «Und falls irgendwelche Promis rumlaufen, haben Sie eben Pech gehabt.»

«Weil sich die Promis auf einer zweitklassigen Rennbahn an einem verregneten Märztag ja nur so drängeln.»

«Sie werden mir diesen Ausflug nicht verderben, Will Traynor», sagte ich, während die Lifttüren aufglitten. «Das letzte

Mal auswärts gegessen habe ich bei einer Geburtstagsfeier für Vierjährige, und zwar in Hailsburys einziger Bowlingbahn; dort gab es nichts, was nicht mit Backteig überzogen war. Einschließlich der Kinder.»

Wir rollten Will durch den langen, teppichbedeckten Flur. Das Restaurant erstreckte sich seitlich hinter einer Glaswand, und ich sah, dass noch sehr viele Tische frei waren. Wieder knurrte mein Magen.

«Hallo», sagte ich, als wir in den Empfangsbereich kamen. «Ich hätte gern einen Tisch für drei Personen.» *Bitte starren Sie Will nicht an*, versuchte ich der Frau durch Gedankenübertragung zu übermitteln. *Er soll sich nicht unwohl fühlen. Es ist wichtig, dass er diesen Tag genießt.*

«Anstecker, bitte», sagte sie.

«Wie bitte?»

«Ihre Anstecker für den A-Bereich.»

Ich sah sie verständnislos an.

«Dieses Restaurant ist für Gäste des A-Bereichs reserviert.»

Ich warf Nathan und Will einen Blick über die Schulter zu. Sie konnten mich nicht hören, schauten aber erwartungsvoll zu mir. Nathan half Will aus dem Mantel.

«Mmm … Ich wusste nicht, dass wir nicht überall essen können. Wir haben die blauen Anstecker.»

Sie lächelte. «Tut mir leid», sagte sie. «Dieses Restaurant ist exklusiv den Besitzern der roten Anstecker vorbehalten. Das steht auf sämtlichen Werbematerialien.»

Ich atmete tief ein. «Okay. Gibt es noch andere Restaurants?»

«Der Waage-Raum, das ist unser zwangloser Essbereich, wird leider zurzeit renoviert, aber an der Tribüne entlang gibt es Imbissbuden, bei denen Sie etwas zu essen bekommen.» Sie sah, wie mir die Gesichtszüge entgleisten, und fügte hinzu:

«Das *Pig in A Poke* ist sehr gut. Da bekommt man Rostbraten im Brötchen. Und Apfelsoße machen sie auch.»

«Eine Imbissbude.»

«Ja.»

Ich beugte mich zu ihr vor. «Bitte», sagte ich. «Wir sind weit gefahren, und mein Freund dort verträgt die Kälte nicht. Gibt es denn nicht doch die Möglichkeit, hier einen Tisch zu bekommen? Wir müssen dafür sorgen, dass er es warm hat. Es ist wirklich wichtig, dass der Tag gut für ihn läuft.»

Sie verzog das Gesicht. «Es tut mir sehr leid», sagte sie. «Wenn ich die Regeln nicht einhalte, verliere ich meinen Job. Aber unten gibt es einen Sitzbereich für Behinderte, bei dem man die Tür schließen kann. Von dort aus sieht man zwar die Rennbahn nicht, aber es ist ziemlich gemütlich. Es gibt eine Heizung und so weiter. Sie könnten den Imbiss ja dort essen.»

Ich starrte sie an. Ich spürte, wie die Wut in mir aufstieg. Ich glaube, ich hätte vor Wut erstarren können.

Ich warf einen Blick auf ihr Namensschildchen. «Sharon», sagte ich. «Es sind doch nicht mal annähernd alle Tische besetzt. Es ist doch bestimmt sinnvoller, wenn hier ein paar mehr Leute essen, als die Hälfte der Tische unbesetzt zu lassen, nur wegen einer obskuren, diskriminierenden Richtlinie in einem Vorschriftenkatalog.»

Ihr Lächeln schimmerte unter dem gedämpften Licht. «Madam, ich habe Ihnen die Situation deutlich gemacht. Wenn wir die Regeln für Sie aufweichen, müssen wir es für jedermann tun.»

«Aber das ist doch sinnlos», sagte ich. «Es ist ein verregneter Montagmittag. Sie haben freie Tische. Wir möchten etwas essen. Ein richtiges, teures Essen, mit Stoffservietten und allem. Wir wollen keine Fleischbrötchen in einer Garderobe essen, ganz egal, wie gemütlich es dort ist.»

Die ersten Gäste drehten sich auf ihren Stühlen nach uns um, weil sie wissen wollten, warum es an der Tür Streit gab. Ich sah, dass Will die Situation peinlich war. Nathan und er hatten mitbekommen, dass etwas falsch lief.

«Dann, fürchte ich, hätten Sie Anstecker für den A-Bereich kaufen müssen.»

«Okay.» Ich begann, auf der Suche nach meinem Portemonnaie in meiner Handtasche zu wühlen. «Wie viel kostet ein Anstecker für den A-Bereich?» Taschentücher, alte Busfahrscheine und eines von Thomas' Spielzeugautos fielen heraus. Es war mir egal. Ich würde Will sein Luxusessen in einem Restaurant verschaffen. «Hier. Wie viel kostet es? Noch zehn Pfund mehr? Zwanzig?» Ich streckte ihr eine Handvoll Geldscheine entgegen.

Sie schaute auf meine Hand herunter. «Es tut mir leid, Madam, wir verkaufen hier keine Anstecker. Dies ist ein Restaurant. Sie müssen zum Kartenschalter zurück.»

«Meinen Sie den Kartenschalter ganz am anderen Ende der Rennbahn?»

«Ja.»

Wir starrten uns an.

Da erklang Wills Stimme. «Louisa. Gehen wir.»

Auf einmal brannten Tränen in meinen Augen. «Nein», sagte ich. «Das ist lächerlich. Wir haben uns so viel Mühe gemacht. Sie bleiben hier, und ich gehe und kaufe für uns die Anstecker für den A-Bereich. Und dann essen wir.»

«Louisa, ich habe keinen Hunger.»

«Es geht uns besser, wenn wir erst einmal etwas gegessen haben. Wir können die Pferde und alles von hier aus sehen. Es wird schön.»

Nathan kam zu mir und legte mir die Hand auf den Arm. «Louisa, ich glaube, Will möchte einfach nach Hause.»

Wir hatten inzwischen die Aufmerksamkeit aller auf uns gezogen. Die Restaurantgäste ließen ihre Blicke über uns schweifen, schauten von mir zu Will, und über ihre Mienen zog ein leicht mitleidiger oder widerwilliger Ausdruck. Er tat mir leid. Und ich fühlte mich wie eine komplette Versagerin. Als ich wieder die Frau ansah, hatte sie wenigstens den Anstand, peinlich berührt zu wirken, nachdem nun Will selbst etwas gesagt hatte.

«Tja, dann vielen Dank auch», sagte ich zu ihr. «Vielen Dank, dass Sie so verdammt gastfreundlich waren.»

«Clark», sagte Will mahnend.

«Ich bin ja so froh, dass Sie dermaßen flexibel sind. Ich werde Sie bestimmt meinen sämtlichen Bekannten weiterempfehlen.»

«Louisa!»

Ich klemmte mir meine Tasche unter den Arm.

«Sie haben Ihr Spielzeugauto vergessen», rief sie mir nach, als ich durch die Tür hinausrauschte, die Nathan für mich aufhielt.

«Wieso, braucht das Auto auch so einen bescheuerten Anstecker?», sagte ich und stieg in den Aufzug.

Schweigend fuhren wir ins Erdgeschoss. Ich versuchte, meine vor Wut zitternden Hände unter Kontrolle zu bringen.

Als wir unten in der Halle angekommen waren, murmelte mir Nathan zu: «Ich glaube, wir sollten etwas bei einer von diesen Imbissbuden kaufen. Wir haben seit Stunden nichts gegessen.» Er warf einen Blick auf Will, sodass ich begriff, wer seiner Meinung nach wirklich etwas essen sollte.

«Gut», sagte ich, um Heiterkeit bemüht. Ich holte Luft. «Ich freue mich schon auf die Kruste. Besorgen wir uns ein Stück Schweinebraten.»

Wir bestellten drei Scheiben Schweinebraten mit Apfelsoße im Brötchen und stellten uns zum Essen unter die gestreifte Markise. Ich setzte mich auf einen kleinen Abfalleimer, sodass ich auf derselben Höhe mit Will war, und reichte ihm kleine Stückchen Fleisch, die ich mit den Fingern zerdrückt hatte. Die zwei Frauen, die hinter der Theke standen, taten so, als würden sie uns nicht beachten. Aber ich sah, wie sie Will aus den Augenwinkeln ansahen und sich ab und zu etwas zumurmelten, wenn sie glaubten, wir bekämen es nicht mit. *Der arme Mann*, konnte ich sie beinahe sagen hören. *Was für ein schreckliches Leben.* Ich starrte sie böse an, damit sie sich nicht mehr trauten, zu ihm herüberzuschauen. Ich versuchte, mir lieber nicht vorzustellen, wie Will sich fühlen musste.

Es hatte aufgehört zu regnen, aber der windige Rennplatz sah auf einmal vollkommen trostlos aus, der braune Schlamm und der Rasen waren mit weggeworfenen Wettzetteln übersät, alles wirkte öde. Der Parkplatz war leerer geworden, weil es geregnet hatte, und in der Entfernung hörten wir die verzerrten Lautsprecheransagen, als die Pferde bei einem weiteren Rennen über die Ziellinie galoppierten.

«Ich glaube, wir machen uns besser auf den Heimweg», sagte Nathan und wischte sich den Mund ab. «Ich meine, es war sehr schön und so weiter, aber besser, wir vermeiden den Berufsverkehr.»

«Gut», sagte ich. Dann zerknüllte ich meine Papierserviette und warf sie in den Mülleimer. Will lehnte das letzte Drittel seines Brötchens ab.

«Hat es ihm nicht geschmeckt?», fragte eine der Frauen, als Nathan anfing, den Rollstuhl übers Gras zu schieben.

«Ich weiß nicht. Vielleicht hätte es ihm besser geschmeckt, wenn als Beilage keine gaffenden Blicke serviert worden wären», sagte ich und knallte den Brötchenrest in den Mülleimer.

Aber zurück zum Auto und auf die Rampe zu kommen, war leichter gesagt als getan. In den paar Stunden, die wir auf dem Rennplatz gewesen waren, hatten die ankommenden und abfahrenden Autos den Parkplatz in ein Matschfeld verwandelt. Obwohl Nathan ziemlich viel Kraft hatte und ich mich mit meinem ganzen Gewicht gegen den Rollstuhl stemmte, kamen wir nicht einmal die halbe Strecke bis zum Auto. Die Reifen rutschten und sanken ein, und der Rollstuhl fand keinen Halt. Nathan und ich schlitterten im Matsch herum, der immer weiter an unseren Schuhen hochstieg.

«Das wird nicht klappen», sagte Will.

Ich wollte nichts hören. Ich konnte die Vorstellung nicht ertragen, wie dieser Ausflug endete.

«Ich glaube, wir brauchen Hilfe», sagte Nathan. «Ich bekomme den Stuhl nicht mal mehr auf den Weg zurück, er steckt fest.»

Will seufzte laut. Er sah so genervt aus, wie ich ihn noch nie erlebt hatte.

«Ich könnte Sie auf den Vordersitz heben, Will, wenn ich die Rückenlehne ein bisschen nach hinten stelle. Und dann könnten Louisa und ich versuchen, den Stuhl ins Auto zu bekommen.»

Will sagte durch zusammengebissene Zähne: «Ich beende diesen Tag nicht damit, dass ich über Ihrer Schulter hänge.»

«Sorry, Kumpel», sagte Nathan. «Aber Louisa und ich schaffen das nicht allein. Also, Lou, Sie sind hübscher als ich. Gehen Sie los und besorgen Sie uns ein paar kräftige Typen, okay?»

Will schloss die Augen, presste den Mund zusammen, und ich rannte zur Tribüne.

Ich hätte nie geglaubt, wie viele Leute eine Bitte um Hilfe ablehnen, wenn es um einen Rollstuhl geht, der im Schlamm stecken geblieben ist. Besonders, wenn die Bitte von einem Mädchen im Minirock vorgetragen wird, das sein nettestes Lächeln aufgesetzt hat. Ich gehe normalerweise nicht so schnell auf Fremde zu, aber die Verzweiflung verlieh mir Mut.

Ich lief bei der Haupttribüne von einer Gruppe zur anderen und fragte, ob jemand ein paar Minuten Zeit hätte, um uns zu helfen. Sie sahen mich und meine Aufmachung an, als wollte ich sie in eine Falle locken.

«Es geht um einen Mann in einem Rollstuhl», sagte ich. «Er ist stecken geblieben.»

«Wir warten gerade auf das nächste Rennen», sagten sie. Oder: «Tut mir leid.» Oder: «Ich habe erst nach dem Rennen um halb drei Zeit. Da haben wir einen Fünfhunderter gesetzt.»

Ich überlegte, ob ich ein oder zwei Jockeys fragen sollte. Aber als ich zu der Koppel kam, stellte ich fest, dass sie sogar noch kleiner waren als ich.

Als ich den Vorführplatz erreichte, kochte ich vor unterdrückter Wut. Vermutlich habe ich die Leute bloß noch angeknurrt und auch nicht mehr gelächelt. Und dort, endlich, Freude über Freude, waren die Männer mit den gestreiften Polohemden. Auf den Rücken ihrer Hemden stand ‹Markys letztes Gefecht›, und sie hielten sich an Dosen mit Pils und Tennant's Extra fest. Ihrer Aussprache zufolge stammten sie aus dem Nordosten, und ich war ziemlich sicher, dass sie während der letzten vierundzwanzig Stunden beim Trinken keine nennenswerte Pause eingelegt hatten. Sie fingen an zu pfeifen, als ich auf sie zuging, und ich musste mich beherrschen, damit ich ihnen nicht wieder den Finger zeigte.

«Guck doch nicht so giftig, Süße. Wir feiern dieses Wochenende Markys Junggesellenabschied», lallte einer und knallte mir seine Riesenpranke auf die Schulter.

«Heute ist Montag.» Ich versuchte, keine Miene zu verziehen, als ich seine Hand von meiner Schulter schob.

«Was? Machst du Witze? Schon Montag?» Er schwankte einen Schritt zurück.

«Trotzdem, ein Küsschen kannst du ihm doch geben, was?»

«Eigentlich», sagte ich, «wollte ich Sie um Hilfe bitten.»

«Ah, von mir kriegst du jede Hilfe, die du brauchst, Mausi.» Dieses Angebot begleitete er mit einem lüsternen Zwinkern.

Seine Freunde standen um ihn herum und schwankten wie Wasserpflanzen.

«Das ist nett, aber danke, wirklich. Ich brauche Ihre Hilfe für einen Freund. Drüben auf dem Parkplatz.»

«Ahm, sorry, ich glaub, ehrlich gesagt, ich bin nicht ganz in der Verfassung, um irgendwem zu helfen, Mausi.»

«He, Achtung. Jetzt kommt das nächste Rennen, Marky. Da hast du doch 'ne Wette laufen, oder? Ich glaub, bei dem hast du 'ne Wette laufen.»

Sie drehten sich wieder zur Rennstrecke um, und ich war vergessen. Ich warf einen Blick über die Schulter zum Parkplatz, sah die zusammengesunkene Gestalt Wills und Nathan, der erfolglos an den Griffen des Rollstuhls zerrte. Ich stellte mir vor, wie ich zurückkam und Wills Eltern erzählte, dass wir den hyperteuren Rollstuhl auf einem Parkplatz hatten stehen lassen. Und dann sah ich das Tattoo.

«Er ist Soldat», sagte ich laut. «Ex-Soldat.»

Einer nach dem anderen drehten sie sich wieder zu mir um.

«Er ist verletzt worden. Im Irak. Wir wollten einfach nur, dass er mal einen schönen Tag hat. Aber niemand will uns helfen.» Während ich redete, spürte ich, wie mir die Tränen in die Augen stiegen.

«Ein Veteran? Verarschst du uns auch nicht? Wo ist er?»

«Auf dem Parkplatz. Ich habe schon so viele Leute gefragt, aber sie wollen uns einfach nicht helfen.»

Es kam mir vor, als würde es eine Minute dauern, bis sie meine Worte verdaut hatten. Aber dann sahen sie sich fassungslos an.

«Los, Jungs. Das können wir nicht zulassen.» Schwankend

stapften sie hinter mir her. Ich hörte sie untereinander Bemerkungen machen. «Verdammte Zivilisten ... haben doch keine Ahnung, wie es ist ...»

Als wir angekommen waren, stand Nathan neben Will, der sich frierend so tief wie möglich in seinen Mantel zurückgezogen hatte, obwohl ihm Nathan eine zusätzliche Decke über die Schultern gelegt hatte.

«Diese netten Gentlemen haben angeboten, uns zu helfen», sagte ich.

Nathan starrte auf die Bierdosen. Ich muss zugeben, dass man schon sehr genau hinschauen musste, um in ihnen Soldaten zu erkennen.

«Wo soll er hin?», sagte einer.

Die anderen standen um Will herum und nickten ihm zur Begrüßung zu. Einer bot ihm sein Bier an, weil er anscheinend nicht begriff, dass Will es nicht nehmen konnte.

Nathan deutete auf unser Auto. «In den Wagen. Aber damit wir das machen können, müssen wir ihn zurück zur Tribüne bringen und dann das Auto hinfahren.»

«Das brauchen wir nicht», sagte einer und klopfte Nathan auf den Rücken. «Wir können ihn zum Auto tragen, können wir doch, oder, Jungs?»

Allgemeine Zustimmung. Sie begannen, um Wills Rollstuhl Aufstellung zu nehmen.

Ich trat unruhig von einem Fuß auf den anderen. «Ich weiß nicht ... das ist ein ziemlich weites Stück zum Tragen», sagte ich. «Und der Stuhl ist unheimlich schwer.»

Sie waren sturzbetrunken. Ein paar konnten kaum noch ihre Bierdosen festhalten. Einer drückte mir sein Tennant's in die Hand.

«Keine Sorge, Mausi. Für 'nen Kameraden tun wir alles, stimmt doch, Männer, oder?»

«Wir lassen dich nicht hängen, Kumpel. Wir lassen keinen zurück, so sind wir.»

Ich sah Nathans fragenden Gesichtsausdruck und schüttelte wild den Kopf. Will sagte gar nichts. Er starrte nur düster vor sich hin, und dann, als sich die Männer um seinen Stuhl gruppiert hatten und ihn mit einem Ruf zwischen sich hochhoben, wirkte er leicht beunruhigt.

«Bei welchem Regiment war er denn, Mausi?»

Ich versuchte zu lächeln, suchte in meinem Gedächtnis nach Regimentsbezeichnungen. «Schützen …», sagte ich. «Elftes Schützenregiment.»

«Ich kenn kein elftes Schützenregiment», sagte ein anderer.

«Das ist ein neues Regiment», stotterte ich. «Streng geheim. Im Irak stationiert.»

Ihre Turnschuhe rutschten durch den Schlamm, und mein Herz machte einen Satz. Wills Stuhl wurde mehrere Zentimeter hochgehoben, wie eine Art Sänfte. Nathan rannte mit Wills Tasche los und schloss das Auto auf.

«Hatten die Jungs ihre Ausbildung drüben in Catterick?»

«Ja, genau», sagte ich und wechselte das Thema. «Und … wer von Ihnen heiratet jetzt?»

Bis ich Marky und seine Freunde endlich loswurde, hatten wir Telefonnummern ausgetauscht. Sie hatten eine Sammlung veranstaltet und wollten uns beinahe vierzig Pfund als Beihilfe für Wills Rehabilitationskasse geben, wovon sie sich erst abbringen ließen, als ich sagte, sie würden uns eine größere Freude machen, wenn sie ein Glas auf unser Wohl trinken würden. Dann musste ich jedem von ihnen einen Kuss geben. Danach war ich leicht benebelt von all den Alkoholdünsten, die von den Männern aufstiegen. Ich winkte ihnen nach, bis sie bei der Tribüne verschwunden waren, und Nathan hupte, damit ich endlich ins Auto stieg.

«Die waren echt hilfsbereit, oder?», sagte ich mit fröhlicher Stimme, während ich den Motor anließ.

«Der Große hat sein ganzes Bier über mein rechtes Bein laufen lassen», sagte Will. «Ich stinke wie eine Brauerei.»

«Das glaub ich einfach nicht», sagte Nathan, als wir endlich bei der Ausfahrt waren. «Sehen Sie mal. Genau neben der Tribüne ist ein Behindertenparkplatz. Komplett asphaltiert.»

Will sagte an diesem Tag nicht mehr viel. Er verabschiedete sich von Nathan, als wir ihn bei sich zu Hause absetzten, und verfiel dann in Schweigen, während ich die Straße zur Burg hinauffuhr, auf der weniger Verkehr herrschte, weil es wieder kälter geworden war, und dann waren wir endlich vor dem Anbau angekommen.

Ich ließ Will in seinem Rollstuhl mit der Rampe herunter, brachte ihn hinein und machte ihm etwas Warmes zu trinken. Ich wechselte ihm die Schuhe und die Hosen, steckte die Hose mit den Bierflecken in die Waschmaschine und zündete das Feuer an, damit er sich richtig aufwärmen konnte. Dann schaltete ich den Fernseher ein und zog die Vorhänge zu, damit es gemütlicher wurde – vielleicht als Ausgleich für die Stunden, die wir in der Kälte draußen verbracht hatten. Aber erst, als ich mich zu ihm ins Wohnzimmer setzte, fiel mir auf, dass er nichts sagte – und zwar nicht aus Erschöpfung oder weil er fernsehen wollte. Er redete einfach nicht mehr mit mir.

«Ist … irgendwas?», sagte ich, als er auch zu meiner dritten Bemerkung über die Regionalnachrichten geschwiegen hatte.

«Das können Sie mir doch bestimmt viel besser erklären, Clark.»

«Wie bitte?»

«Sie wissen doch alles, was es über mich zu wissen gibt. Also können Sie es besser erklären als ich.»

Ich starrte ihn an. «Es tut mir leid», sagte ich schließlich. «Ich weiß, dass heute alles schiefgelaufen ist. Aber es sollte einfach nur ein netter Ausflug sein. Ich habe wirklich gedacht, es würde Ihnen gefallen.»

Ich sagte nicht, dass er sich extra miesepetrig verhalten hatte, dass er keine Ahnung hatte, was ich alles unternahm, damit er ein bisschen Spaß hatte, während er nicht einmal versuchte, ein bisschen Spaß zu haben. Ich sagte nicht, dass wir noch ein schönes Essen hätten haben können, bei dem wir all die anderen Sachen hätten vergessen können, wenn er mich bloß diese idiotischen Anstecker hätte kaufen lassen.

«Und genau darum geht es.»

«Das verstehe ich nicht.»

«Sie sind genauso wie alle anderen.»

«Was soll das heißen?»

«Wenn Sie es für nötig gehalten hätten, mich nach meiner Meinung zu fragen, Clark, wenn Sie es für nötig gehalten hätten, mich nur einmal zu fragen, was ich von diesem sogenannten netten Ausflug halte, dann hätte ich es Ihnen gesagt. Ich hasse Pferde, und ich hasse Pferderennen. Und zwar schon immer. Aber Sie haben es nicht für nötig gehalten. Sie haben beschlossen, was mir Ihrer Meinung nach gefallen muss, und dann haben Sie es durchgezogen. Sie haben sich genauso verhalten wie alle anderen. Sie haben an meiner Stelle die Entscheidung getroffen.»

Ich schluckte.

«Ich wollte doch nicht …»

«Aber Sie haben es trotzdem getan.»

Er drehte seinen Stuhl von mir weg, und nachdem einige Minuten in Stille verstrichen waren, wurde mir klar, dass ich gehen sollte.

Kapitel 12

Ich weiß noch genau, an welchem Tag ich meine Unerschrockenheit verlor.

Es war vor beinahe sieben Jahren, in den letzten, schwülen Julitagen. Die Touristen drängten sich in den engen Burggassen, und die Luft war erfüllt von den Geräuschen ihrer Schritte und dem Gebimmel der Eisverkäufer, die sich oben auf dem Burghügel aufgestellt hatten.

Meine Großmutter war einen Monat zuvor nach langer Krankheit gestorben, und über diesem Sommer lag ein Schleier aus Traurigkeit, der alles überdeckte, was wir taten, und sogar bei meiner Schwester und mir die Neigung zu theatralischen Ausbrüchen dämpfte. Normalerweise fuhren wir im Sommer immer ein paar Tage weg und unternahmen Ausflüge. Doch in diesem Jahr fiel das alles aus. Meine Mutter stand oft vor dem Abwasch, den Rücken steif durchgedrückt vor Anspannung, weil sie die Tränen unterdrücken wollte, und Dad verschwand jeden Morgen mit grimmig entschlossener Miene zur Arbeit, kam verschwitzt zurück und konnte erst etwas sagen, wenn er ein Bier aufgemacht hatte. Meine Schwester war von ihrem ersten Jahr an der Universität zurück und mit den Gedanken schon weit weg von unserer kleinen Stadt. Ich war zwanzig Jahre alt und sollte Patrick in weniger als drei Monaten kennenlernen. Wir genossen einen dieser seltenen Sommer der Freiheit – keine finanziellen Verpflichtungen, keine Schulden, niemand, der etwas von uns wollte. Ich hatte einen Ferienjob und alle Zeit der Welt, Make-up-Ideen auszuprobieren, Absätze anzuziehen, bei deren Anblick mein Vater zusammenzuckte, und herauszufinden, wer ich eigentlich war.

Damals zog ich mich ganz normal an. Oder, besser gesagt, ich sah aus wie die anderen Mädchen in der Stadt – langes Haar, das ich über die Schulter warf, Jeans und T-Shirts, die eng genug waren, um zur Geltung zu bringen, welch schlanke Taille und straffe Brüste man hatte. Wir verbrachten Stunden damit, den Lipgloss perfekt aufzutragen und genau den richtigen Lidschatten für einen geheimnisvollen Blick auszusuchen. Wir sahen in jeder Hinsicht gut aus, jammerten uns aber trotzdem stundenlang etwas über nicht existierende Cellulitis und unsichtbare Flecken auf der Haut vor.

Und ich hatte Pläne. Es gab Dinge, die ich tun wollte. Ein Junge aus der Schule hatte eine Weltreise gemacht und kam irgendwie verändert und undurchschaubar zurück, als wäre er nicht mehr derselbe Junge, der uns als Elfjähriger mit aufgeschrammten Knien in der Französisch-Doppelstunde mit Spucke-Papier-Kügelchen beschossen hatte. Ich hatte spontan einen Billigflug nach Australien gebucht und suchte jemand, der mitfahren wollte. Mir gefiel der exotische Reiz, den der Junge seit seiner Reise hatte, seine Undurchschaubarkeit. Er hatte sich den Wind der weiten Welt um die Nase wehen lassen, und das war eigenartig verführerisch. In unserer Stadt wusste jeder alles über mich. Und mit einer Schwester wie meiner war es unmöglich, das zu vergessen.

Es war Freitag, und ich hatte zusammen mit ein paar Mädchen aus der Schule tagsüber als Parkplatzwächterin gearbeitet und die Besucher zu einem Kunsthandwerkermarkt im Burgbezirk geschickt. Wir hatten den ganzen Tag gelacht, in der Hitze Limonade getrunken, der Himmel war strahlend blau, und das Licht schimmerte hell auf den Wallmauern. Ich glaube, an diesem Tag haben mich sämtliche Touristen angelächelt. Kaum jemand lächelt nicht, wenn er eine Gruppe fröhlicher, kichernder Mädchen sieht. Wir bekamen dreißig Pfund, und die Organisatoren des Kunstmarktes waren so zufrieden mit den Einnahmen, dass sie uns noch jeweils einen Extra-Fünfer gaben. Das feierten wir, indem wir uns mit ein paar Jungs betranken, die auf dem anderen Parkplatz bei der Touristeninformation gearbeitet hatten. Sie waren höflich, sie trugen Rugby-Shirts, und ihre Haare hingen ihnen lässig ins Gesicht. Einer hieß Ed, zwei waren Studenten – mir fällt nicht mehr ein, an welcher Uni –, und auch sie arbeiteten, um Geld für eine Reise zu verdienen. Nach einer Woche hatten sie reichlich Bares, und als unser Geld aufgebraucht war, bezahlten sie gern die Drinks für aufgekratzte Mädchen aus dem Ort, die ihr Haar zurückwarfen, sich bei ihnen auf den Schoß setzten, kreischten, lachten und sie eingebildet nannten. Sie waren anders als wir. Sie redeten über Sommerferien in Südamerika, Rucksacktouren durch Thailand und darüber, wer von ihnen ein Auslandspraktikum machen wollte. Während wir zuhörten und tranken, kam meine Schwester an dem Biergarten vorbei, in dem wir auf der Wiese lagen. Sie trug einen steinalten Kapuzenpulli, war nicht geschminkt, und ich hatte vergessen, dass ich mich mit ihr treffen wollte. Ich sagte ihr, sie solle Mum und Dad ausrichten, ich käme nach Hause, wenn ich dreißig geworden wäre. Aus irgendeinem Grund fand ich das wahnsinnig komisch. Sie hatte die Augenbrauen hochgezogen und war mit einer Miene verschwunden, als wäre ich der lästigste Mensch, der je geboren worden war.

Als der Red Lion zumachte, setzten wir uns alle in die Mitte des Heckenlabyrinths auf dem Burggelände. Irgendwem war es gelungen, über das Tor zu steigen, und nach vielen Irrgängen, Zusammenstößen und Lachanfällen fanden wir uns schließlich in der Mitte des Labyrinths wieder und tranken Bier, während jemand einen Joint herumgehen ließ.

Ich weiß noch, dass ich zu den Sternen hinaufsah, mich in der unendlichen Ferne verlor und der Boden unter mir schwankte, als wäre ich an Deck eines riesigen Schiffs. Jemand spielte Gitarre, und ich trug ein paar rosafarbene Satinstöckelschuhe, mit denen ich das hohe Gras niedertrat und die ich mir später nie zurückholte. Vermutlich hielt ich mich für die Herrscherin des Universums.

Es dauerte eine halbe Stunde, bis ich mitbekam, dass die anderen Mädchen gegangen waren.

Meine Schwester fand mich einige Zeit später, dort in der Mitte des Labyrinths, als die Sterne schon längst hinter den Nachtwolken verschwunden waren. Wie ich schon sagte, sie ist ziemlich schlau. Schlauer als ich jedenfalls.

Sie war der einzige Mensch, den ich kannte, der aus dem Labyrinth fand, ohne sich zu verirren.

«Sie werden lachen. Ich habe jetzt einen Bibliotheksausweis.»

Will saß vor seiner CD-Sammlung. Er drehte seinen Stuhl herum und wartete, bis ich seinen Becher in die Halterung gestellt hatte. «Wirklich? Und was lesen Sie?»

«Oh, nichts Vernünftiges. Nichts, was Ihnen gefallen würde. Es sind nur Liebesromane. Aber ich mag sie.»

«Sie haben meine Flannery O'Connor gelesen.» Er trank einen Schluck. «Als ich krank war.»

«Die Kurzgeschichten? Unglaublich, dass Sie das mitbekommen haben.»

«Das war nicht zu übersehen. Sie haben das Buch neben dem Regal liegenlassen. Ich kann es nicht aufheben.»

«Aha.»

«Also lesen Sie keinen Mist. Nehmen Sie die O'Connor mit nach Hause. Lesen Sie lieber das.»

Ich wollte gerade nein sagen, als mir auffiel, dass ich eigentlich nicht wusste, warum ich ablehnen wollte. «Na gut. Ich bringe das Buch zurück, sobald ich damit fertig bin.»

«Legen Sie mir eine CD ein, Clark?»

«Was möchten Sie hören?»

Er sagte es mir, nickte in die ungefähre Richtung der CD, und ich suchte, bis ich sie gefunden hatte.

«Ich habe einen Freund, der die erste Geige in der Albert Symphonia spielt. Er hat angerufen, um zu sagen, dass sie nächste Woche hier in der Nähe ein Konzert geben. Es ist dieses Stück hier. Kennen Sie es?»

«Ich habe keine Ahnung von klassischer Musik. Ich meine, manchmal stellt mein Dad im Radio versehentlich den Klassiksender ein, aber ...»

«Sie waren noch nie bei einem Konzert?»

«Nein.»

Er war richtig schockiert.

«Na ja, ich war einmal bei Westlife. Aber ich glaube, das zählt nicht, oder? Das hatte meine Schwester ausgesucht. Oh, und an meinem zweiundzwanzigsten Geburtstag wollte ich zu Robbie Williams, aber dann hatte ich eine Lebensmittelvergiftung.»

Will sah mich mit diesem Blick an – diesem Blick, bei dem man auf die Idee kommen könnte, irgendwer hätte mich ein paar Jahre in einen Keller gesperrt.

«Sie sollten hingehen. Er hat mir Karten angeboten. Es wird bestimmt sehr gut. Nehmen Sie Ihre Mutter mit.»

Ich schüttelte lachend den Kopf. «Das wird nichts. Meine Mutter geht eigentlich nie aus. Und mein Ding ist es auch nicht.»

«So wie Filme mit Untertiteln nicht Ihr Ding waren?»

Ich sah ihn mit gerunzelter Stirn an. «Ich bin nicht Ihr Bildungsprojekt, Will. Wir sind hier nicht bei *My Fair Lady*.»

«*Pygmalion*.»

«Was?»

«Das Stück, auf das Sie anspielen. Es heißt *Pygmalion*. *My Fair Lady* ist nur eine billige Kopie.»

Ich funkelte ihn an. Es funktionierte nicht. Ich legte die CD ein. Als ich mich zu ihm umdrehte, schüttelte er immer noch den Kopf.

«Sie sind ein schrecklicher Snob, Clark.»

«Was? *Ich*?»

«Sie lehnen alles Mögliche ab, weil Sie sich einreden, Sie wären ‹nicht die Richtige dafür›.»

«Aber das bin ich auch nicht.»

«Woher wissen Sie das denn? Sie haben noch nichts getan im Leben, nichts gesehen. Woher wollen Sie denn da auch nur die geringste Ahnung davon haben, was für ein Mensch Sie sind?»

Und woher wollte einer wie er die geringste Ahnung davon haben, wie sich mein Leben anfühlte? Ich wurde beinahe böse auf ihn, weil er es einfach nicht verstehen wollte.

«Gehen Sie hin. Seien Sie mal ein bisschen offen.»

«Nein.»

«Warum?»

«Weil es mir unangenehm wäre. Ich hätte das Gefühl … Ich hätte das Gefühl, dass sie es wissen.»

«Wer? Wer soll was wissen?»

«Alle anderen würden wissen, dass ich nicht dorthin gehöre.»

«Und was glauben Sie, wie es mir geht?»

Wir sahen uns an.

«Clark, überall, wo ich jetzt hingehe, sehen mich die Leute an, als würde ich nicht dorthin gehören.»

Wir saßen schweigend da, als die Musik einsetzte. Wills Vater telefonierte im Flur des Haupthauses, und gedämpftes Lachen drang in den Anbau, als käme es aus einer anderen Welt. *Der Behinderteneingang ist dahinten*, hatte die Frau an der Pferderennbahn gesagt. Als gehörte Will zu einer anderen Spezies.

Ich starrte auf die CD-Hülle. «Ich gehe, wenn Sie mitkommen.»

«Und allein gehen Sie nicht.»

«Auf keinen Fall.»

Das musste er erst einmal verdauen. «Meine Güte, Sie sind wirklich anstrengend», kam es dann von ihm.

«Ja, das sagen Sie andauernd.»

Dieses Mal hatte ich mir nichts ausgemalt. Ich erwartete nichts. Ich hoffte einfach, dass Will nach der Katastrophe auf der Rennbahn überhaupt noch einmal bereit war, den Anbau zu verlassen. Sein Freund, der Geiger, schickte uns die versprochenen Freikarten zusammen mit einem Info-Flyer über den Veranstaltungsort. Er war vierzig Minuten Fahrt entfernt. Ich machte meine Hausaufgaben, stellte fest, wo der Behindertenparkplatz war, und rief vorher an, um herauszufinden, wie wir mit Wills Rollstuhl zu den Plätzen kamen. Sie sagten, wir würden ganz vorne sitzen und ich bekäme einen Klappstuhl neben Will.

«Das ist überhaupt der beste Platz», sagte die Frau am Kartenschalter fröhlich. «Man bekommt viel mehr mit, wenn man im Parkett direkt vor dem Orchester sitzt. Ich würde auch immer am liebsten dort sitzen.»

Sie fragte sogar, ob uns jemand auf dem Parkplatz entgegenkommen sollte, um uns zu unseren Plätzen zu bringen. Weil ich fürchtete, Will könnte das zu auffällig finden, lehnte ich dankend ab.

Als der Abend näher kam, wusste ich nicht, wer nervöser war: Will oder ich. Ich hatte unseren letzten missglückten Ausflug noch zu deutlich im Gedächtnis, und Mrs. Traynor war auch keine große Hilfe, weil sie mindestens vierzehnmal in den Anbau kam, um sich wieder und wieder zu erkundigen, wo und wann das Konzert stattfand und wie alles im Einzelnen organisiert würde.

Wills Abendprogramm, womit sie seine Vorbereitung für das Zubettgehen meinte, nähme einige Zeit in Anspruch, sagte sie. Sie wolle sicher sein, dass sich jemand darum kümmere. Nathan hatte etwas anderes vor, und Mr. Traynor war an diesem Abend anscheinend ebenfalls außer Haus. «Es dauert mindestens anderthalb Stunden», sagte sie.

«Und es ist unheimlich anstrengend», sagte Will.

Mir wurde klar, dass er eine Ausrede suchte, um nicht hinzugehen. «Ich mache das», sagte ich. «Wenn mir Will sagt, was zu tun ist. Es stört mich nicht, länger zu bleiben.» Ich hatte es ausgesprochen, bevor ich verstand, worauf ich mich einließ.

«Tja, da haben wir ja beide etwas, worauf wir uns so richtig freuen können», sagte Will mürrisch, nachdem seine Mutter gegangen war. «Sie können meinen Hintern bewundern, und ich werde von jemandem gewaschen, der beim Anblick von nackter Haut in Ohnmacht fällt.»

«Ich falle nicht beim Anblick von nackter Haut in Ohnmacht.»

«Clark, ich habe noch nie jemanden erlebt, der sich so unbehaglich fühlt, wenn er einen menschlichen Körper anfassen soll. Sie benehmen sich, als wäre ich radioaktiv.»

«Dann soll es doch Ihre Mum machen», giftete ich.

«Ja genau, dann bekommt der Konzertabend noch ein weiteres Highlight.»

Und dann war da noch das Problem mit der Garderobe. Ich wusste nicht, was ich anziehen sollte.

Auf der Pferderennbahn hatte ich schließlich auch das Falsche getragen. Woher sollte ich wissen, dass mir das nicht wieder passieren würde? Ich fragte Will, was ich anziehen sollte, und er sah mich an, als wäre ich verrückt geworden. «In dem Saal werden die Lichter ausgemacht», erklärte er. «Kein Mensch wird Sie beachten. Die Leute konzentrieren sich bei einem Konzert auf die Musik.»

«Sie haben *keine Ahnung* von Frauen», sagte ich.

Schließlich brachte ich mehrere Sachen mit zur Arbeit, die ich in Dads altem Anzug-Kleidersack in den Bus hievte. Ohne diese Anprobe wäre ich nicht zu dem Konzert gegangen.

Nathan kam um halb sechs, und während er sich um Will kümmerte, ging ich ins Badezimmer, um mich umzuziehen. Zuerst zog ich mein ‹künstlerisches› Outfit an, ein grünes Kittelkleid, das mit riesigen bernsteingelben Perlen bestickt war. Ich stellte mir vor, dass Leute, die zu Konzerten gingen, unheimlich affig und extravagant gekleidet waren. Will und Nathan starrten mich nur an, als ich damit ins Wohnzimmer kam.

«Nein», sagte Will rundheraus.

«Das sieht aus wie etwas, das meine Mum anziehen würde», sagte Nathan.

«Sie haben mir noch nie erzählt, dass Nana Mouskouri Ihre Mum ist», sagte Will.

Ich hörte sie in sich hineinglucksen, als ich wieder ins Bad ging.

Das zweite Outfit bestand aus einem strengen schwarzen Kleid mit asymmetrischem Schnitt, an das ich selbst einen weißen Kragen und weiße Ärmelaufschläge genäht hatte. Es war, fand ich, sowohl schick als auch pariserisch.

«Sie sehen aus, als wären Sie die Eismamsell», sagte Will.

«O Mann, aber Sie würden ein tolles Hausmädchen abgeben», sagte Nathan beifällig. «Das sollten Sie tagsüber tragen, echt.»

«Als Nächstes sagen Sie ihr, sie soll die Fußleisten abstauben.»

«Die sind tatsächlich ein bisschen staubig, jetzt, wo Sie es erwähnen.»

«Sie», sagte ich, «haben morgen alle beide einen Schuss Meister Proper im Teebecher.»

Outfit Nummer drei sortierte ich aus – es waren gelbe Schlaghosen –, weil ich mir Wills Rupert-der-Bär-Kommentar auch so vorstellen konnte. Stattdessen schlüpfte ich in meine vierte Montur, ein Secondhandkleid aus dunkelrotem Satin. Es war für eine genügsamere Generation genäht worden, und ich musste immer beten, dass ich den Reißverschluss über der Hüfte zubekam, aber es verlieh mir die Figur eines Fünfziger-Jahre-Starlets, und es war ein «Erfolgskleid», also eines von den Kleidungsstücken, in denen man sich einfach gut fühlt. Ich legte mir ein silberfarbenes Bolerojäckchen über die Schultern, band mir einen grauen Seidenschal um den Hals, um mein Dekolleté zu verdecken, trug passenden Lippenstift auf und ging wieder ins Wohnzimmer.

«*Wahn-sinn*», sagte Nathan bewundernd.

Will musterte mich von oben bis unten. Erst jetzt fiel mir auf, dass er Hemd und Anzug trug. Frisch rasiert und mit der neuen Frisur sah er überraschend gut aus. Ich musste unwillkürlich lächeln, als ich ihn ansah. Das lag nicht so sehr daran, wie er aussah, sondern an der Tatsache, dass er sich so viel Mühe gemacht hatte.

«Das ist es», sagte er. Seine Stimme war ausdruckslos und merkwürdig verhalten. Als ich am Ausschnitt herumzog, sagte er: «Aber lassen Sie das Jäckchen weg.»

Er hatte recht. Ich hatte gewusst, dass es nicht so richtig dazupasste. Ich streifte die Jacke ab, faltete sie und legte sie hinten über seinen Rollstuhl.

«Und den Schal.»

Meine Hand schoss zu meinem Hals. «Der Schal? Warum?»

«Der geht nicht. Und es sieht aus, als wollten Sie etwas dahinter verstecken.»

«Aber, ich … mmh, das Kleid hat einen Riesenausschnitt.»

«Na und?» Er zuckte mit den Schultern. «Also, Clark, wenn Sie schon so ein Kleid anziehen, müssen Sie es mit Selbstbewusstsein tragen. Sie müssen es sowohl emotional als auch körperlich ausfüllen.»

«Das können echt nur Sie bringen, Will Traynor. Einer Frau zu erklären, wie sie ein verdammtes Kleid zu tragen hat.»

Aber ich legte den Schal ab.

Nathan ging, um Wills Tasche zu packen. Ich überlegte, was ich noch über seine bevormundende Art sagen sollte, und als ich mich zu ihm herumdrehte, sah ich, dass er mich immer noch anschaute.

«Sie sehen großartig aus, Clark», sagte er ruhig. «Wirklich.»

Was normale Leute anging – die Camilla Traynor vermutlich die ‹Arbeiterklasse› nennen würde –, hatte ich einige Erfahrungen gemacht, was Will betraf. Die meisten starrten ihn an. Einige lächelten mitleidig, zeigten Mitgefühl oder fragten mich mit einer Art Bühnenflüstern, was passiert war. Oft hätte ich am liebsten gesagt: «Kleine Meinungsverschiedenheit mit dem Secret Service», nur um ihre Reaktion zu sehen, aber ich sagte es nie.

Und beim Mittelstand ist es so: Die Leute tun so, als würden sie nicht hinschauen, aber sie machen es trotzdem. Um richtig hinzustarren, sind sie zu höflich. Stattdessen hatten sie, wenn Will in ihr Blickfeld kam, die merkwürdige Angewohnheit, so zu tun, als würden sie ihn nicht sehen. Aber wenn er dann an ihnen vorbei war, warfen sie ihm Blicke nach, ohne ihre Unterhaltung zu unterbrechen. Aber sie redeten nicht über ihn. Denn das wäre schlechter Stil.

Als wir durch das Foyer des Konzerthauses kamen, in dem elegante Leute mit Handtaschen oder Programmheften in der einen und Gin Tonic in der anderen Hand zusammenstanden, sah ich diese Reaktion wie eine leichte Welle durch die Menge laufen und spürte, wie sie uns bis zu unseren Plätzen nachschwappte. Ich weiß nicht, ob Will etwas davon bemerkte. Manchmal dachte ich, die einzige Art, auf die er damit zurechtkam, war, so zu tun, als würde er es nicht wahrnehmen.

Wir saßen ganz vorn. Rechts von uns war noch ein Rollstuhlfahrer, der sich lebhaft mit seiner Begleiterin unterhielt. Ich beobachtete sie, hoffte, dass sie Will ebenfalls auffielen. Aber er starrte nur geradeaus, den Kopf eingezogen, als versuchte er, sich unsichtbar zu machen.

Das wird nicht funktionieren, sagte eine Stimme in meinem Kopf.

«Brauchen Sie etwas?», flüsterte ich.

«Nein.» Er schüttelte den Kopf. «Beziehungsweise ja. Irgendetwas kratzt mich im Nacken.»

Ich beugte mich zu ihm und fuhr mit dem Finger innen an seinem Hemdkragen entlang. Der Rest eines Preisschildanhängers aus Plastik war darin stecken geblieben. Ich zog daran, um ihn herauszubekommen, aber er erwies sich als äußerst robust.

«Neues Hemd. Stört es Sie sehr?»

«Nein, ich dachte nur, ich sorge für ein bisschen Unterhaltung.»

«Haben wir eine Schere in der Tasche?»

«Ich weiß nicht, Clark. Ob Sie es glauben oder nicht, ich packe sie selten eigenhändig.»

Es war keine Schere in der Tasche. Ich warf einen Blick hinter mich, wo das Publikum noch dabei war, die Plätze einzunehmen, sich leise zu unterhalten oder im Programmheft zu lesen. Wenn sich Will nicht entspannen und auf die Musik konzentrieren konnte, wäre dieser Abend verschwendet. Einen zweiten Misserfolg konnte ich mir nicht leisten.

«Nicht bewegen», sagte ich.

«Was …?»

Bevor er den Satz beenden konnte, beugte ich mich über ihn, zog seinen Hemdkragen zurück, legte meinen Mund daran und nahm das lästige Plastikteilchen zwischen die Schneidezähne. Es dauerte ein paar Sekunden, bis ich das Ding durchgebissen hatte, und ich schloss die Augen, versuchte, den männlichen Geruch zu ignorieren, das Gefühl von seiner Haut auf meiner und mein unangemessenes Benehmen. Und dann hatte ich es endlich geschafft. Ich zog meinen Kopf zurück, öffnete die Augen und sah ihn, das Plastikstück zwischen den Zähnen, triumphierend an.

«Geschafft!», sagte ich, nachdem ich das Plastikteilchen von meinen Zähnen geklaubt und über die Sitzreihe hatte wegschnippen lassen.

Will starrte mich an.

«Was?»

Ich drehte mich auf meinem Platz um, damit ich die Leute im Publikum erwischte, die ihr Programmheft plötzlich unglaublich faszinierend fanden. Dann wandte ich mich wieder Will zu.

«Oh, jetzt kommen Sie schon, es ist ja schließlich nicht so, als hätten diese Leute noch nie eine Frau am Kragen eines Kerls rumknabbern sehen.»

Damit hatte ich ihn anscheinend erst einmal zum Schweigen gebracht. Er blinzelte ein paarmal, als wollte er den Kopf schütteln. Amüsiert stellte ich fest, dass sein Hals dunkelrot angelaufen war.

Ich zog mein Kleid über den Knien zurecht. «Wie dem auch sei», sagte ich, «ich glaube, wir sollten einfach beide dankbar dafür sein, dass dieses Plastikding nicht in Ihrer Hose war.»

Und dann, ehe er etwas sagen konnte, kamen die Musiker in ihren Dinnerjacketts und Cocktailkleidern auf die Bühne, und im Zuhörerraum wurde es leise. Obwohl ich nichts für Klassik übrighatte, überlief mich ein Schauer der Aufregung. Ich legte die Hände in den Schoß und setzte mich gerade hin. Sie begannen die Instrumente zu stimmen, und plötzlich war der ganze Konzertsaal von einem einzigen Ton erfüllt – dem lebendigsten, dreidimensionalsten Ton, den ich je gehört hatte. Ich bekam Gänsehaut und hielt die Luft an.

Will warf mir einen Seitenblick zu, die Belustigung immer noch im Gesicht. *Okay*, sagte seine Miene. *Wir werden diesen Abend genießen.*

Der Dirigent trat vor das Orchester, klopfte zweimal an sein Pult, und es wurde vollkommen still. Ich fühlte diese Stille geradezu, das Publikum hinter mir, die gespannte Erwartung. Dann senkte er seinen Taktstock, und auf einmal war alles reiner Klang. Ich empfand die Musik wie etwas Körperliches, sie war nicht nur in meinen Ohren, sie floss durch mich hindurch, umspülte mich, ließ meine Sinne vibrieren. Meine Haut prickelte, und meine Handflächen wurden feucht. Von alldem hatte mir Will nichts erzählt. Ich hatte gedacht, ich würde mich vielleicht langweilen. Aber es war das Wundervollste, was ich je gehört hatte.

Und es führte meine Phantasie auf ganz unerwartete Pfade. Als ich dort saß, fielen mir auf einmal Sachen ein, an die ich seit

Jahren nicht gedacht hatte, vergessene Gefühle kamen hoch, neue Vorstellungen und Ideen stiegen in mir auf, als hätte sich plötzlich meine Wahrnehmungsfähigkeit erweitert. Es war beinahe zu intensiv, aber ich wollte auch nicht, dass es aufhört. Ich wollte für alle Ewigkeit dort sitzen. Verstohlen sah ich Will an. Er war völlig versunken, ganz unbefangen. Ich wandte den Blick ab, scheute mich mit einem Mal, ihn anzusehen. Ich fürchtete mich davor, seine Gefühle zu spüren, das Ausmaß dessen, was er verloren hatte, das Ausmaß seiner Ängste. Will Traynors Leben war so weit von meinen Erfahrungen entfernt. Wer war ich, ihm zu erklären, wie er sein Leben leben sollte?

Wills Freund hatte uns eine Nachricht hinterlegt, mit der er uns nach dem Konzert hinter die Bühne einlud, aber Will wollte nicht. Ich versuchte kurz, ihn zu überreden, aber ich sah an seinem angespannten Kiefer, dass er sich nicht umstimmen lassen würde. Das konnte ich ihm auch nicht zum Vorwurf machen. Ich wusste noch zu genau, wie ihn sein ehemaliger Kollege angeschaut hatte – mit dieser Mischung aus Mitleid und Widerwillen und irgendwo auch mit Erleichterung, weil nicht er es war, dem das Schicksal so übel mitgespielt hatte. Ich vermutete, dass Will solche Begegnungen kaum verkraftete.

Wir warteten, bis sich der Saal geleert hatte, dann schob ich ihn hinaus und auf den Parkplatz und bekam ihn ohne Zwischenfälle mit der Rampe in den Wagen. Ich sagte nicht viel; in meinem Kopf klang immer noch die Musik nach, und ich wollte nicht, dass sie aufhörte. Ich dachte an Wills Freund auf der Bühne, der vollkommen in dem aufgegangen war, was er spielte. Ich hatte nicht gewusst, dass Musik etwas in einem freisetzen konnte, einen an Orte bringen konnte, die nicht einmal der Komponist vorhergesehen hatte. Sie hinterließ einen Abdruck in der Luft um einen herum, als würde man ihren Nachhall mitnehmen, wohin man auch ging. Eine Zeitlang hatte ich, während wir im Publikum saßen, Wills Anwesenheit neben mir völlig vergessen.

Wir hielten beim Anbau. Vor uns, gerade noch sichtbar über der Wallmauer, war die Burg, vom Mond wie mit Flutlicht angestrahlt, und es sah aus, als würde sie heiter und gelassen von ihrem Hügel herabblicken.

«Sie haben also nichts für klassische Musik übrig.»

Ich sah in den Rückspiegel. Will lächelte.

«Ich habe es kein bisschen genossen.»

«Das habe ich bemerkt.»

«Und ganz besonders nicht die Stelle gegen Ende, an der die Geige allein gespielt hat.»

«Ja, es ist mir aufgefallen, dass Sie diese Stelle nicht gemocht haben. Sie hatten ja sogar Tränen in den Augen, so ekelhaft fanden Sie sie.»

Ich grinste ihn an. «Es war phantastisch», sagte ich. «Möglicherweise mag ich nicht *die ganze* klassische Musik, aber dieses Stück war unglaublich.» Ich rieb mir über die Nase. «Danke. Danke, dass Sie mich mitgenommen haben.»

Schweigend saßen wir da und betrachteten die Burg. Normalerweise lag sie nachts im orangefarbenen Abglanz der Straßenlampen um die Festungsmauer. Aber in dieser Vollmondnacht schien sie in ätherisch zarter Bläue zu schwimmen.

«Was meinen Sie, welche Musik wurde dort gespielt?», sagte ich. «Sie müssen doch damals auch Musik gehabt haben.»

«Auf der Burg? Mittelalterliche Sachen. Lauten, Streichinstrumente. Nicht mein Fall, aber ich habe ein paar CDs, die ich Ihnen leihen kann, wenn Sie möchten. Sie sollten mit Kopfhörern übers Burggelände gehen, um einen richtigen Eindruck zu bekommen.»

«Nein. Ich gehe eigentlich nie zur Burg.»

«So ist es immer, wenn man irgendwo direkt daneben wohnt.»

Ich machte eine unverbindliche Bemerkung. Wir saßen noch ein bisschen da, hörten, wie der Motor mit einem Ticken abkühlte.

«So», sagte ich dann und löste meinen Sicherheitsgurt. «Wir bringen Sie besser rein. Das Abendprogramm wartet auf uns.»

«Warten Sie noch eine Minute, Clark.»

Ich drehte mich zu ihm um. Wills Gesicht lag im Schatten, und ich konnte ihn nicht deutlich sehen.

«Warten Sie noch. Nur eine Minute.»

«Alles in Ordnung?» Ich ließ meinen Blick an seinem Stuhl hinabwandern, fürchtete, dass er irgendwo eingeklemmt war oder festhing und dass ich etwas falsch gemacht hatte.

«Es geht mir gut. Ich will einfach …»

Sein Hemdkragen hob sich hell von dem dunklen Jackett ab.

«Ich will einfach noch nicht hineingehen. Ich will einfach hier sitzen und nicht daran denken …» Er schluckte.

Sogar im Halbdunkel wirkte dieses Schlucken mühsam.

«Ich will einfach … ein Mann sein, der mit einem Mädchen in einem roten Kleid im Konzert war. Dieser Mann will ich einfach noch ein paar Minuten länger sein.»

Ich ließ den Türgriff los.

«Klar.»

Ich schloss die Augen und ließ den Kopf an die Kopfstütze zurücksinken. Und so saßen wir noch eine Weile, zwei Menschen, die der Musik nachträumten, halb verborgen in den Schatten einer Burg auf einem mondbeschienenen Hügel.

Meine Schwester und ich hatten eigentlich nie richtig über das geredet, was in dieser Nacht im Labyrinth passiert war. Ich glaube, uns fehlten die Worte dafür. Sie hatte mich eine Zeitlang in den Armen gehalten, dann mit mir nach meinen Kleidungsstücken gesucht und so lange vergebens im hohen Gras nach meinen Schuhen Ausschau gehalten, bis ich ihr sagte, sie solle es seinlassen. Ich hätte diese Schuhe ohnehin nie wieder getragen. Und dann gingen wir langsam nach Hause – ich barfuß und sie bei mir eingehängt, so waren wir nicht mehr gegangen, seit sie in der ersten Klasse gewesen war und Mum darauf bestanden hatte, dass ich sie nie losließ.

Als wir zu Hause ankamen, standen wir einen Moment auf der Veranda, und sie strich mir die Haare glatt, wischte mir mit einem feuchten Taschentuch über die Augen, und dann schlossen wir die Tür auf und gingen hinein, als wäre nichts gewesen.

Dad war noch auf und sah sich ein Fußballspiel an. «Ihr kommt ziemlich spät», rief er. «Ich weiß, dass Freitag ist, aber trotzdem …»

«Okay, Dad», riefen wir im Chor.

Damals hatte ich das Zimmer, in dem jetzt Großvater wohnt. Ich ging schnell hinein, und bevor meine Schwester noch etwas sagen konnte, zog ich die Tür hinter mir zu.

In der Woche darauf schnitt ich mir die Haare kurz. Ich stornierte meinen Flug. Ich traf mich nicht mehr mit den Mädchen aus meiner Schule. Mum war zu sehr in ihre Trauer versunken, um etwas davon zu bemerken, und Dad schob jede Stimmungsschwankung in unserem Haushalt und meine neue Angewohnheit, mich in meinem Zimmer einzuschließen, auf «Frauenprobleme». Ich hatte herausgefunden, wer ich war, und diese Person unterschied sich sehr von dem albernen Mädchen, das sich mit Fremden betrank. Ich war eine Person, die nichts trug, was als aufreizend betrachtet werden konnte. Jedenfalls keine Kleidung, die Männer attraktiv fanden, die in den Red Lion gingen.

Langsam kehrte wieder der Alltag ein. Ich suchte mir Arbeit

im Friseursalon, dann im Buttered Bun, und ließ die ganze Geschichte hinter mir.

Seit diesem Tag bin ich bestimmt fünftausendmal an der Burg vorbeigekommen.

Aber ich habe nie wieder einen Fuß in das Labyrinth gesetzt.

Kapitel 13

Patrick joggte am Rand der Aschenbahn auf der Stelle. Sein neues Nike-T-Shirt und seine Shorts klebten an seiner schweißfeuchten Haut. Ich war vorbeigekommen, um hallo zu sagen und dass ich an diesem Abend nicht zu dem Treffen der *Triathlon Terrors* im Pub kommen würde. Nathan war nicht da, und ich sprang ein, um das abendliche Pflegeprogramm zu übernehmen.

«Das ist das dritte Treffen, das du verpasst.»

«Wirklich?» Ich zählte die Wochen an den Fingern ab. «Tja, kann tatsächlich sein.»

«Nächste Woche musst du aber kommen. Wir planen die Reise zum Xtreme Viking. Und du hast mir noch nicht gesagt, was du an deinem Geburtstag machen willst.» Er begann mit seinen Dehnungsübungen, hob das Bein und drückte das Knie gegen die Brust. «Ich hab gedacht, wir könnten ins Kino gehen. Ich will kein großes Abendessen, jetzt, wo ich in der Trainingsphase bin.»

«Aha. Mum und Dad planen zu Hause ein Geburtstagsessen für mich.»

Er umfasste die Ferse seines Schuhs und dehnte das Knie Richtung Boden.

Ich konnte nicht übersehen, dass sein Bein reichlich sehnig geworden war.

«Das ist nicht gerade eine rauschende Partynacht, oder?»

«Das Multiplex aber genauso wenig. Na ja, ich glaube, ich sollte das Geburtstagsessen annehmen. Mum ist ein bisschen deprimiert.»

Treena war am Wochenende davor ausgezogen (ohne meine Zitronenkulturtasche – die hatte ich in der Nacht vor ihrer Abfahrt noch gerettet). Mum war am Boden zerstört. Es war noch schlimmer als bei Treenas erstem Auszug, als sie damals an die Uni gegangen war. Thomas fehlte Mum wie eine amputierte Gliedmaße. Seine Spielsachen, die seit seiner Babyzeit den Wohnzimmerboden übersät hatten, waren in Schachteln gepackt und weggeräumt worden. Es gab keine Schokoladenfingerabdrücke mehr auf den kleinen Getränkepackungen im Schrank. Mum hatte keinen Grund mehr, um Viertel nach drei zur Schule zu gehen, niemanden, mit dem sie auf dem kurzen Heimweg plaudern konnte. Das war praktisch die einzige Gelegenheit gewesen, bei der sie aus dem Haus gegangen war. Jetzt ging sie nirgends mehr hin, abgesehen von dem wöchentlichen Einkauf im Supermarkt mit Dad.

Sie wanderte drei Tage mit leicht verlorenem Blick im Haus umher, dann begann sie den Frühjahrsputz mit einer Vehemenz, die sogar Großvater erschreckte. Er murmelte leisen Protest, wenn sie unter seinem Stuhl staubsaugte, während er noch darauf saß, oder mit ihrem Staubwedel über seine Schultern fuhr. Treena hatte gesagt, sie würde die ersten vier Wochenenden nicht nach Hause kommen, damit Thomas die Möglichkeit hatte, sich richtig an die neue Umgebung zu gewöhnen. Bei ihren allabendlichen Anrufen telefonierte Mum

mit ihnen und weinte danach eine halbe Stunde in ihrem Schlafzimmer.

«Du arbeitest immer so lange im Moment. Es kommt mir so
vor, als würde ich dich gar nicht mehr sehen.»

«Tja, und du trainierst immer. Egal, es ist gutes Geld, Patrick.
Ich werde wohl kaum die Überstunden ablehnen.»

Dagegen konnte er nichts sagen.

Ich verdiente mehr als je zuvor. Ich gab meinen Eltern doppelt so viel Geld wie früher, zahlte jeden Monat etwas auf ein
Sparkonto ein und hatte immer noch mehr übrig, als ich ausgeben konnte. Zum Teil lag das an meinen langen Arbeitszeiten
im Granta House, die dazu führten, dass ich selten zu Laden-
öffnungszeiten in der Stadt war. Und der andere Grund war,
dass ich einfach keine Lust zum Geldausgeben hatte. Ich hatte
angefangen, meine spärliche Freizeit in der Bibliothek zu verbringen und Sachen im Internet nachzusehen.

Mit dem Computer eröffnete sich mir Stück für Stück eine
ganz neue Welt, und diese Welt lockte mich mit ihrem Sirenen-
gesang.

Es hatte mit dem Dankesbrief angefangen. Ein paar Tage nach
dem Konzert hatte ich Will erklärt, dass wir seinem Freund,
dem Geiger, schreiben sollten, um uns zu bedanken.

«Ich habe auf dem Weg eine schöne Karte besorgt», sagte
ich. «Sie diktieren mir, was Sie sagen möchten, und ich schreibe
es auf. Ich habe sogar meinen Füller mitgebracht.»

«Darauf habe ich keine Lust», sagte Will.

«Wie bitte?»

«Sie haben mich genau verstanden.»

«Darauf haben Sie keine *Lust*? Dieser Mann hat uns Freikarten für die besten Plätze gegeben. Sie selbst haben gesagt,
es war ein phantastisches Konzert. Das mindeste, was Sie tun
können, ist, sich zu bedanken.»

Will spannte den Kiefer an.

Ich legte den Füller weg. «Oder sind Sie so daran gewöhnt, Geschenke zu bekommen, dass Sie es überflüssig finden, sich zu bedanken?»

«Sie haben keine Ahnung, Clark, wie frustrierend es ist, von jemand anderem abhängig zu sein, der meine Worte aufschreibt. Der Ausdruck ‹im Auftrag von› ist ... erniedrigend.»

«Ach ja? Er ist aber immer noch besser als ein großes fettes Nichts», murrte ich. «*Ich* werde mich aber auf jeden Fall bedanken. Und ich werde Ihren Namen nicht erwähnen, wenn Sie wirklich den Blödmann spielen wollen.»

Ich schrieb die Karte und schickte sie ab. Ich erwähnte sie nicht mehr. Aber an diesem Abend hallte Wills Bemerkung immer noch in mir nach. Ich war in der Bibliothek, hielt nach einem freien Computer Ausschau, und als ich einen gefunden hatte, ging ich ins Internet. Ich suchte nach Verfahren, mit denen Will allein schreiben konnte. Nach einer Stunde hatte ich drei gefunden – ein Computerprogramm, das auf Stimmerkennung basierte, eines, das mit Augenblinzeln gesteuert wurde, und die Tippvorrichtung, die am Kopf getragen wurde und von der Treen schon gesprochen hatte.

Wie zu erwarten rümpfte er die Nase über die Tippvorrichtung, aber er gab zu, dass das Spracherkennungsprogramm sinnvoll sein könnte, und innerhalb einer Woche gelang es uns mit Nathans Hilfe, das Programm auf Wills Computer zu installieren und eine Halterung für den Computer an seinem Rollstuhl anzubringen, sodass Will niemanden mehr brauchte, der für ihn schrieb. Am Anfang war er ein bisschen gehemmt, aber nachdem ich ihm vorgeschlagen hatte, er könne ja jeden Text mit «Bitte zum Diktat, Miss Clark» beginnen, kam er darüber hinweg.

Nicht einmal Mrs. Traynor fand etwas auszusetzen. «Wenn

Sie noch etwas anderes entdecken, das Sie für sinnvoll halten»,
sagte sie und presste kurz die Lippen zusammen, als könnte sie
immer noch nicht glauben, dass das Schreibprogramm einfach
nur eine gute Sache war, «dann lassen Sie es uns wissen.» Dann
äugte sie nervös zu Will hinüber, als könnte er gleich mit einem
Biss den Computer von der Halterung zerren.

Drei Tage später, ich machte mich gerade fertig, um zur Arbeit zu gehen, gab mir der Postbote einen Brief. Ich öffnete ihn
im Bus, dachte, es wäre vielleicht eine verfrühte Geburtstags-
karte von irgendeinem entfernten Verwandten. Dann las ich
den Computerausdruck.

Clark,
hiermit beweise ich Ihnen, dass ich doch kein vollkommen selbst-
süchtiger Mistkerl bin. Ich weiß Ihre Bemühungen zu schätzen.
Danke
Will

Ich lachte so laut, dass mich der Busfahrer fragte, ob ich im
Lotto gewonnen hätte.

Nach Jahren in der Abstellkammer, mit meiner Kleidung auf einer Stange draußen im Flur, erschien mir Treenas Zimmer wie
ein Palast. Am ersten Abend, den ich darin verbrachte, drehte
ich mich mit ausgestreckten Armen um mich selbst und genoss
es, dabei nicht beide Wände gleichzeitig zu berühren. Ich ging
in den Baumarkt und kaufte Wandfarbe und neue Jalousien,
eine neue Nachttischlampe und ein paar Regale, die ich selbst
zusammenbaute. Ich bin nicht gerade eine gute Handwerkerin,
aber ich wollte vermutlich einfach testen, ob ich es konnte.

Ich gestaltete das Zimmer um, strich abends eine Stunde,
nachdem ich von der Arbeit zurück war, und nach einer Woche

musste Dad zugeben, dass ich es ziemlich gut gemacht hatte. Er starrte ein bisschen auf all die Veränderungen, betastete die Jalousien, die ich allein angebracht hatte, und legte mir die Hand auf die Schulter. «Das hast du alles allein geschafft, Louisa.»

Ich kaufte auch einen neuen Bettbezug, einen Teppich und ein paar übergroße Kissen – nur falls mal jemand zu Besuch kommen und faulenzen wollte. Nicht, dass je irgendwer kam. Den Kalender hängte ich wieder innen an die Tür. Außer mir sah ihn dort niemand. Abgesehen davon hätte auch niemand außer mir verstanden, was ich darauf eingetragen hatte.

Ich hatte ein leicht schlechtes Gewissen, als wir Thomas' Beistellbett neben Treenas Bett in der Abstellkammer aufgebaut hatten, weil man nun kaum noch dazwischen entlangkam, aber dann dachte ich wieder vernünftig – sie wohnten schließlich gar nicht mehr richtig hier. Und in die Abstellkammer würden sie ohnehin nur zum Schlafen gehen. Es gab keinen Grund, aus dem das größere Schlafzimmer wochenlang leer stehen musste.

Ich ging jeden Tag arbeiten und überlegte, was ich noch mit Will unternehmen könnte. Ich hatte keinen Masterplan, ich konzentrierte mich einfach darauf, ihm jeden Tag etwas vorzuschlagen und ihn bei Laune zu halten. Manche Tage – wenn er Schmerzen hatte oder mit einem Infekt elend und fiebernd im Bett lag – waren schwieriger als andere. Aber an den guten Tagen war es mir schon mehrfach gelungen, ihn hinaus in die Frühlingssonne zu bringen. Weil ich wusste, dass Will nichts so sehr hasste wie die mitleidigen Blicke Fremder, fuhr ich mit ihm zu schönen Stellen in der Umgebung, wo wir ein oder zwei Stunden verbrachten. Ich bereitete Picknicks vor, und wir saßen an Feldrändern und genossen den warmen Wind und die Tatsache, aus dem Anbau heraus zu sein.

«Mein Freund will Sie kennenlernen», erklärte ich ihm an

einem Nachmittag, während ich für ihn Stückchen von einem Käse und einem Sandwich abbrach.

Wir waren ein paar Meilen aus der Stadt herausgefahren, auf einen Hügel, von dem aus wir über ein Tal mit einer Schafsweide hinweg die Burg sehen konnten.

«Warum?»

«Er will wissen, mit wem ich all meine Abende verbringe.»

Seltsamerweise schien er das höchst erheiternd zu finden.

«Der Marathon-Mann.»

«Ich glaube, meine Eltern wollen Sie auch kennenlernen.»

«Ehrlich gesagt, werde ich immer ein bisschen nervös, wenn mir ein Mädchen sagt, dass mich seine Eltern kennenlernen wollen. Wie geht es übrigens Ihrer Mum?»

«Ach, immer das Gleiche.»

«Und Ihr Dad? Was ist mit seinem Job? Gibt es etwas Neues?»

«Nein. Sie wollen ihm angeblich nächste Woche etwas Definitives sagen. Jedenfalls haben meine Eltern gefragt, ob ich Sie nicht zu meinem Geburtstagsessen am Freitagabend einladen will. Es ist nichts Besonderes. Nur die Familie. Aber wenn Sie nicht wollen … ist das auch okay.»

«Wer sagt denn, dass ich nicht will?»

«Sie hassen doch fremde Leute. Es ist Ihnen unangenehm, vor anderen zu essen. Für mich ist die Sache klar.»

Ich hatte ihn inzwischen durchschaut. Die aussichtsreichste Art, Will zu etwas zu bringen, war, ihm zu sagen, dass er es vermutlich nicht wollte. Das konnte irgendein sturer, widerspenstiger Charakterzug in ihm trotz allem nicht ertragen.

Will kaute ausführlich. «Nein. Ich komme zu Ihrem Geburtstag. Damit gebe ich Ihrer Mutter etwas, mit dem sie sich ablenken kann, falls es sonst zu nichts gut ist.»

«Ehrlich? O Gott, wenn ich ihr das sage, fängt sie noch heute Abend mit Abstauben und Putzen an.»

«Sind Sie sicher, dass sie Ihre biologische Mutter ist? Sollte da nicht eine Art genetischer Verwandtschaft bestehen? Noch ein Stück Sandwich, bitte, Clark. Und diesmal mit mehr Gürkchen.»

Was ich gesagt hatte, war nur halb als Scherz gemeint. Mum kam bei der Vorstellung, einen Tetraplegiker zu empfangen, total ins Schleudern. Ihre Hände flatterten an ihr Gesicht, und dann fing sie an, den Nippes auf der Kommode neu zu arrangieren, als würde Will innerhalb von ein paar Minuten vor der Tür stehen, nachdem ich ihr von seiner Zusage erzählt hatte.

«Aber was ist, wenn er auf die Toilette muss? Wir haben keine Toilette im Erdgeschoss. Ich glaube nicht, dass Dad ihn in den ersten Stock tragen kann. Ich könnte ihm natürlich helfen ... aber ich wäre ein bisschen unsicher, wie ich ihn anfassen soll. Meinst du, Patrick könnte mit anpacken?»

«Über so etwas musst du dir keine Sorgen machen, wirklich nicht.»

«Und was ist mit seinem Essen? Soll ich seine Portion pürieren? Gibt es etwas, das er nicht essen kann?»

«Nein, er braucht nur Hilfe, um die Bissen in den Mund zu bekommen.»

«Und wer macht das?»

«Ich mache das. Reg dich nicht auf, Mum. Er ist nett. Du wirst ihn mögen.»

Und so organisierten wir es. Nathan würde Will abholen und zu uns fahren, und ein paar Stunden später würde er ihn wieder nach Hause bringen und die Abendpflege übernehmen. Ich hatte mich dafür angeboten, aber beide hatten gemeint, ich sollte mich an meinem Geburtstag mal ein bisschen entspannen. Tja, das konnten sie nur sagen, weil sie meine Eltern nicht kannten.

Um Punkt halb acht öffnete ich Will und Nathan die Tür. Will trug sein elegantes Hemd und ein Jackett. Ich wusste nicht, ob ich mich über diesen Aufwand freuen oder mir eher darüber Gedanken machen sollte, dass Mum jetzt die ersten beiden Stunden des Abends damit verbringen würde, sich zu fragen, ob sie sich nicht schick genug angezogen hatte.

«Hallo auch.»

Mein Dad tauchte im Flur hinter mir auf. «Herein, herein. War die Rampe okay, Jungs?» Er hatte den gesamten Nachmittag damit verbracht, aus Spanplatten eine Rampe für die Außentreppe zu bauen.

Nathan manövrierte Wills Rollstuhl vorsichtig in unseren engen Flur. «Die war sehr gut», sagte Nathan, als ich die Tür hinter ihm zumachte. «Hab in manchem Krankenhaus schon Schlechteres gesehen.»

«Bernard Clark.» Mein Vater gab Nathan die Hand und streckte sie dann automatisch Will entgegen, bevor er sie peinlich berührt wieder wegzog, als ihm einfiel, dass ihm Will nicht die Hand schütteln konnte. «Bernard. Entschuldigung, hmm … ich weiß nicht, wie ich einen … Ich kann Ihnen nicht die Hand …», stotterte er.

«Ein Hofknicks wäre auch okay.»

Dad starrte ihn an, und dann, als er begriff, dass Will einen Scherz gemacht hatte, lachte er vor Erleichterung. «Hah!», sagte er und klopfte Will auf die Schulter. «Klar. Ein Hofknicks. Der war gut. Hah!»

Damit war das Eis gebrochen. Nathan verabschiedete sich mit einem Winken, und ich schob Will in die Küche. Mum hatte glücklicherweise eine Auflaufform in den Händen, sodass sie um das Problem mit dem Händeschütteln herumkam.

«Mum, das ist Will. Will, Josephine.»

«Josie, bitte.» Sie strahlte ihn an, die langen Topfhandschuhe reichten ihr beinahe bis zum Ellbogen. «Wie schön, Sie endlich kennenzulernen, Will.»

«Sehr erfreut», sagte er. «Bitte, lassen Sie sich nicht stören.»

Sie stellte die Auflaufform ab und strich sich die Frisur glatt, und das ist bei meiner Mutter immer ein gutes Zeichen. Schade nur, dass sie vergessen hatte, die Topfhandschuhe vorher auszuziehen.

«Entschuldigung», sagte sie. «Es gibt Brathähnchen. Dabei geht es immer um genaues Timing, wissen Sie?»

«Eigentlich nicht», sagte Will. «Ich kann nicht kochen. Aber ich liebe gutes Essen. Deshalb habe ich mich auch schon sehr auf heute Abend gefreut.»

«Also …» Dad öffnete den Kühlschrank. «Wie machen wir das? Haben Sie einen speziellen Bier…becher, Will?»

Dad an seiner Stelle, erklärte ich Will, hätte noch vor dem Rollstuhl einen geeigneten Bierbecher gehabt.

«Man muss eben seine Prioritäten kennen», sagte Dad. Ich kramte in Wills Tasche, bis ich seinen Becher fand.

«Ein Bier wäre sehr gut. Danke.»

Er trank einen Schluck, und während ich neben ihm in der Küche stand, wurde mir auf einmal bewusst, wie klein und schäbig unser Haus war, mit den Achtziger-Jahre-Tapeten und den alten, verschrammten Küchenschränken. Wills Haus war elegant und sparsam mit schönen Möbeln eingerichtet. Bei uns dagegen sah es aus, als stammten 90 Prozent der Sachen aus einem Ramschladen, und Thomas' eselsohrige Zeichnungen hingen überall an den Wänden. Falls Will etwas davon aufgefallen war, sagte er jedenfalls nichts dazu. Dad und er fanden schnell ein gemeinsames Gesprächsthema, nämlich meine Unfähigkeit im Allgemeinen und Besonderen. Es machte mir nichts aus. Hauptsache, die beiden unterhielten sich gut.

«Wussten Sie, dass sie einmal rückwärts an einen Poller gefahren ist und behauptet hat, daran wäre der Poller schuld …?»

«Sie sollten erst mal sehen, wie sie meine Rampe herunterlässt. Aus dem Wagen zu kommen, ist manchmal das reinste Skispringen.»

Dad brach in Gelächter aus.

Ich überließ die beiden sich selbst. Mum folgte mir besorgt aus der Küche. Sie trug ein Tablett mit Gläsern zum Esstisch und warf einen Blick auf die Uhr. «Wo bleibt denn Patrick?»

«Er wollte direkt vom Training kommen», sagte ich. «Vielleicht ist er aufgehalten worden.»

«Konnte er sein Training nicht mal für deinen Geburtstag ausfallen lassen? Das Hähnchen ist ungenießbar, wenn er nicht bald da ist.»

«Mum, alles wird gut.»

Ich wartete, bis sie das Tablett abgestellt hatte, und dann umarmte ich sie ganz fest. Sie war steif vor Anspannung. Auf einmal überflutete mich Mitleid mit ihr. Mutter zu sein war vermutlich gar nicht so einfach.

«Bestimmt. Alles wird gut.»

Sie küsste mich auf den Kopf und strich sich mit den Händen die Schürze glatt. «Wenn doch deine Schwester da wäre. Es kommt mir falsch vor, ohne sie zu feiern.»

Mir kam es nicht falsch vor. Ich genoss es, ausnahmsweise mal im Mittelpunkt zu stehen. Das klingt vielleicht kindisch, aber so war es eben. Ich freute mich, dass Dad und Will über mich lachten. Ich freute mich, dass sämtliche Gänge des Essens, von dem Brathähnchen bis zur Mousse au Chocolat, meine Lieblingsgerichte waren. Und es gefiel mir, dass ich sein konnte, wer ich sein wollte, ohne dass mich meine Schwester ständig daran erinnerte, wie ich früher war.

Es klingelte, und Mum wedelte mit den Händen. «Da ist er endlich. Lou, würdest du schon einmal die Vorspeise holen?»

Patrick war noch ganz erhitzt vom Training. «Herzlichen Glückwunsch zum Geburtstag, Babe», sagte er und beugte sich zu mir herunter, um mich zu küssen. Er roch nach Aftershave und Deo und warmer, frischgeduschter Haut.

«Am besten gehst du sofort durch», sagte ich und nickte in Richtung Wohnzimmer. «Mum kriegt gleich einen Nervenzusammenbruch, weil das Hähnchen so lang im Ofen war.»

«Oh.» Er warf einen Blick auf die Uhr. «Ich habe völlig die Zeit vergessen.»

«Aber nicht *deine* Zeit, oder?»

«Was?»

«Ach nichts.»

Dad hatte den großen Ausziehtisch ins Wohnzimmer geschafft. Außerdem hatte er nach meinen Anweisungen eins der Sofas an die andere Wand geschoben, sodass Will ohne Probleme durch den Raum kam. Er manövrierte seinen Rollstuhl zu dem Platz am Tisch, auf den ich deutete, und fuhr dann den Sitz etwas hoch, sodass er mit uns anderen auf einer Höhe war. Ich saß auf seiner linken Seite und Patrick gegenüber. Er, Will und Großvater nickten sich zur Begrüßung zu. Ich hatte Patrick schon gesagt, dass er nicht versuchen sollte, Will die Hand zu geben. Beim Hinsetzen bekam ich mit, dass Will Patrick musterte, und ich fragte mich kurz, ob er zu meinem Freund genauso charmant sein würde wie zu meinen Eltern.

Will wandte mir den Kopf zu. «Wenn Sie in die Tasche hinten am Rollstuhl schauen, finden Sie ein kleines Mitbringsel zum Essen.»

Ich lehnte mich zurück und griff in die Tasche. Als ich sie wieder herauszog, hatte ich eine Flasche Laurent-Perrier-Champagner in der Hand.

«Zum Geburtstag sollte man immer Champagner trinken», sagte er.

«Oh, seht euch das an», sagte Mum, die mit dem Essen

hereinkam. «Wie aufmerksam! Aber wir haben keine Champagnergläser.»

«Diese Gläser sind wunderbar», sagte Will.

«Ich mache ihn auf.» Patrick griff nach der Flasche, entfernte den Draht und legte seine Daumen unterhalb des Korkens an. Die ganze Zeit warf er Will Blicke zu, als hätte er ihn sich ganz anders vorgestellt.

«Wenn Sie es so machen», bemerkte Will, «spritzt er überall herum.» In einer vagen Geste hob er seinen Arm ein winziges Stückchen. «Ich finde, dass es besser geht, wenn man den Korken festhält und die Flasche dreht.»

«Da kennt sich jemand mit Champagner aus», sagte Dad. «Mach es so, Patrick. Die Flasche drehen, sagen Sie? Tja, wer von euch hat das gewusst?»

«Ich», sagte Patrick. «Genau so wollte ich es auch machen.»

Der Champagner wurde ohne Komplikationen entkorkt und eingeschenkt, und dann stießen wir auf meinen Geburtstag an.

Großvater rief etwas, das eventuell «Bravo» gewesen sein konnte.

Ich stand auf und bedankte mich mit einer Verbeugung. Ich trug ein gelbes Minikleid aus den Sechzigern, das ich im Secondhandladen entdeckt hatte. Die Verkäuferin hatte gemeint, es wäre vielleicht von Biba, aber jemand hatte das Schildchen herausgeschnitten.

«Möge dies das Jahr sein, in dem unsere Lou endlich erwachsen wird», sagte Dad. «Ich wollte zuerst sagen: ‹etwas aus ihrem Leben macht›, aber wie es aussieht, tut sie das schon. Ich muss sagen, Will, seit sie den Job bei Ihnen hat, ist sie … nun, ist sie richtig aus sich herausgekommen.»

«Wir sind sehr stolz auf sie», sagte Mum. «Und Ihnen sind wir dankbar. Weil Sie Lou eingestellt haben, meine ich.»

«Ich bin derjenige, der dankbar dafür ist, dass sie bei mir arbeitet», sagte Will und warf mir einen Seitenblick zu.

«Auf Lou», sagte Dad. «Und ihren weiteren erfolgreichen Lebensweg.»

«Und auf die abwesenden Familienmitglieder», sagte Mum.

«Du meine Güte», sagte ich. «So viele Komplimente kriege ich von euch sonst nie zu hören. Ich sollte wirklich öfter Geburtstag haben.»

Dann unterhielten sie sich. Dad erzählte noch ein paar Geschichten über meine Missgeschicke, und Mum lachte laut auf. Es war gut, sie lachen zu sehen. Dad hatte in den vergangenen Wochen so ausgelaugt gewirkt, und Mum hatte Ringe unter den Augen und war so fahrig, als wäre sie ständig mit den Gedanken woanders. Ich wollte diesen Moment genießen, in dem sie für kurze Zeit ihre Sorgen vergaßen und einfach nur fröhlich waren. Eigentlich wäre es tatsächlich schön, wenn Treena und Thomas dabei wären.

Ich war so in meine Gedanken versunken, dass es eine Weile dauerte, bis ich Patricks Gesichtsausdruck bemerkte. Ich fütterte Will, während ich etwas zu Großvater sagte, rollte ein Stückchen Räucherlachs mit den Fingern zusammen und hob es an Wills Lippen. Will zu füttern gehörte inzwischen so zu meinem Alltag, dass mir die Vertrautheit dieser Handlung erst auffiel, als ich Patricks schockierte Miene sah.

Will sagte etwas zu Dad, und ich starrte Patrick an, damit er ein anderes Gesicht aufsetzte. Auf seiner linken Seite verputzte Großvater genüsslich sein Essen und gab das von sich, was wir seine «Essgeräusche» nannten – leise Grunzer und gemurmelte Worte des Behagens.

«Der Lachs ist wirklich lecker», sagte Will zu meiner Mutter.

«Na ja, so etwas haben wir natürlich nicht jeden Tag auf dem

Tisch», sagte sie lächelnd. «Aber heute sollte es etwas Besonderes sein.»

Hör auf, ihn anzustarren, versuchte ich Patrick per Gedankenübertragung mitzuteilen.

Schließlich fing er meinen Blick auf und schaute woandershin. Anscheinend war er wütend.

Ich gab Will noch ein Stückchen Lachs. Und als ich bemerkte, dass er zum Brotkorb schaute, reichte ich ihm eine Scheibe. Dabei wurde mir klar, wie sehr ich mich inzwischen auf Wills Bedürfnisse eingestellt hatte – ich musste ihn kaum noch ansehen, um zu wissen, was er haben wollte. Patrick aß mit gesenktem Kopf, schnitt den Lachs in kleine Stücke und spießte sie mit der Gabel auf. Sein Brot ließ er liegen.

«Patrick», sagte Will, vielleicht weil er spürte, wie unwohl ich mich fühlte. «Louisa hat mir erzählt, dass Sie Fitnesstrainer sind. Was genau machen Sie da?»

Ich wünschte mir so, dass er diese Frage nicht gestellt hätte. Patrick stürzte sich sofort in einen Verkaufsvortrag über die Bedeutung der individuellen Motivation und wie wichtig ein fitter Körper für einen gesunden Geist wäre. Dann ging er zu seinem Trainingsplan für den Xtreme Viking über – anschließend folgten die Wassertemperaturen der Nordsee, die Körperfettwerte, die er für Marathonläufe brauchte, und welche Bestzeiten er in den unterschiedlichen Disziplinen erreicht hatte. Normalerweise schaltete ich an diesem Punkt ab, aber jetzt, mit Will neben mir, konnte ich immer nur denken, wie total unangebracht das war. Warum hatte Patrick nicht einfach etwas Unbestimmtes von sich geben und es dabei belassen können?

«Ehrlich gesagt habe ich, als Lou erzählte, dass Sie kommen, sogar daran gedacht, in meinen Büchern nachzusehen, ob ich physiotherapeutische Übungen finde, die ich Ihnen empfehlen könnte.»

Ich verschluckte mich an meinem Champagner. «Das ist ein sehr spezieller Fall, Patrick. Ich bin nicht sicher, ob du der Richtige wärst, um Will Ratschläge zu geben.»

«Ich kenne mich auch mit Sonderfällen aus. Ich kümmere mich um Leute mit Sportverletzungen. Ich habe eine medizinische Ausbildung.»

«Hier geht es nicht um einen verstauchten Knöchel, Pat.»

«Ein Mann, mit dem ich vor ein paar Jahren zusammengearbeitet habe, hat einen Querschnittsgelähmten trainiert. Der hat sich inzwischen beinahe vollständig erholt, sagt er. Er macht Triathlons und so weiter.»

«Unglaublich», sagte meine Mutter.

«Er hat mir von dieser neuen Studie aus Kanada erzählt, der zufolge Muskeln darauf trainiert werden können, sich an frühere Bewegungen zu erinnern. Wenn man jeden Tag lang genug mit ihnen arbeitet, passiert so etwas wie eine Synapsenschaltung im Gehirn – die Bewegung kann zurückkommen. Ich wette, wenn wir Sie auf ein richtig gutes Trainingsprogramm einstellen, würden Sie einen Unterschied in Ihrem Muskulaturgedächtnis feststellen. Und Lou hat mir ja auch erzählt, dass Sie früher ein richtiger Sportfreak waren.»

«Patrick», sagte ich laut. «Du hast keine Ahnung von diesen Sachen.»

«Ich wollte doch nur ...»

«Lass es einfach, okay?»

Stille senkte sich über den Tisch. Dad hustete und entschuldigte sich dafür. Großvater ließ seinen Blick wachsam von einem zum anderen wandern.

Mum schien zu überlegen, ob sie noch einmal Brot anbieten sollte, und tat es dann doch nicht.

Schließlich sagte Patrick mit Märtyrerstimme: «Ich dachte einfach, diese Studie könnte Ihnen nützen.»

Will sah auf und lächelte mit höflicher, ausdrucksloser Miene. «Ich werde es im Hinterkopf behalten.»

Ich stand auf, um die Teller abzuräumen, weil ich vom Tisch flüchten wollte. Aber Mum sagte, ich solle sitzen bleiben.

«Du bist das Geburtstagskind», meinte sie – als ob sie jemals jemand anderen etwas machen lassen würde. «Bernard. Würdest du das Brathähnchen holen?»

«Ha. Dann hoffen wir mal, dass es inzwischen nicht mehr herumflattert, was?» Dad lächelte gezwungen. Es sah mehr aus wie eine Grimasse.

Das restliche Abendessen verlief ohne weitere Zwischenfälle. Meine Eltern waren vollkommen bezaubert von Will. Patrick weniger. Er und Will wechselten kaum noch ein Wort miteinander. Ungefähr als Mum die Bratkartoffeln servierte – und Dad wie üblich versuchte, sich ein paar mehr zu stibitzen –, hörte ich auf, mir Sorgen zu machen. Dad fragte Will über sein früheres Leben aus, sogar über seinen Unfall, und Will fühlte sich anscheinend wohl, denn er antwortete ohne Umschweife. Ich erfuhr sogar noch einiges, was er mir bislang nicht erzählt hatte. Seine Arbeit zum Beispiel hörte sich ziemlich komplex an, obwohl er es herunterspielte. Er hatte Firmen gekauft und mit Gewinn weiterverkauft. Dad musste ein paar Anläufe starten, bevor wir erfuhren, dass sich Wills Vorstellung von Gewinn im sechs- bis achtstelligen Bereich abgespielt hatte. Ich stellte fest, dass ich Will anstarrte, weil ich versuchte, in ihm den skrupellosen Anzugträger zu erkennen, als den er sich beschrieb. Dad erzählte ihm von der Firma, die dabei war, die Möbelfabrik zu übernehmen, und als er den Namen nannte, nickte Will beinahe entschuldigend und sagte, ja, er hätte von dieser Firma schon gehört. Und ja, er hätte vermutlich auch einen Übernahmeversuch gestartet. Die Art, wie er das sagte, klang nicht gerade vielversprechend für Dads Job.

Mum gurrte Will die ganze Zeit an. Als ich sie so betrachtete, wie sie ihn anlächelte, wurde mir bewusst, dass sie irgendwann während des Essens angefangen hatte, ihn einfach nur als
einen netten jungen Mann zu betrachten, der an ihrem Tisch
saß. Kein Wunder, dass Patrick beleidigt war.

«Geburtstagskuchen?», sagte Großvater, als Mum begann,
die Teller abzuräumen.

Das kam so klar heraus und so überraschend, dass Dad und
ich uns schockiert anstarrten. Alle hörten auf zu reden.

«Nein.» Ich ging um den Tisch und küsste Großvater auf
die Wange. «Nein, Großvater. Tut mir leid. Es gibt Mousse au
Chocolat. Aber die wirst du auch mögen.»

Er nickte zustimmend. Meine Mutter strahlte. Ich glaube
nicht, dass sich irgendwer von uns ein besseres Geschenk für
sie hätte ausdenken können.

Die Mousse kam auf den Tisch und mit ihr ein quadratisches
Päckchen in Telefonbuchgröße, das in Geschenkpapier verpackt war.

«Jetzt gibt's die Geschenke, oder?», sagte Patrick. «Hier.
Hier ist meins.» Er lächelte mich an, als er es mitten auf den
Tisch legte.

Ich zwang mich dazu, sein Lächeln zu erwidern. Das war
nicht der passende Moment für einen Streit.

«Los», sagte Dad. «Mach sie auf.»

Ich wickelte zuerst ihr Geschenk aus, ganz vorsichtig, damit
das Papier nicht einriss. Es war ein Fotoalbum, und auf jeder
Seite war ein Foto, das ein Jahr meines Lebens repräsentierte.
Ich als Baby. Ich und Treena als ernste, pausbäckige Mädchen.
Ich an meinem ersten Tag in der Schule, mit Haarspängchen
und einem viel zu großen Rock. Es gab auch jüngere Bilder.
Eines zeigte mich mit Patrick, es war das Foto, bei dessen Aufnahme ich ihn einen verdammten Blödmann genannt hatte.

Und wieder ich, in einem grauen Rock, an dem Tag, an dem ich angefangen hatte zu arbeiten. Zwischen den Seiten mit den Fotos waren Bilder, die Thomas von unserer Familie gemalt hatte, Briefe von Klassenfahrten, die Mum aufgehoben hatte und in denen ich ihr mit meiner kindlichen Schrift von Strandtagen, heruntergefallener Eiscreme und räuberischen Möwen berichtete. Ich blätterte durch das Album und zögerte nur kurz, als ich die junge Frau mit den langen, dunklen, zurückgeworfenen Haaren sah. Ich schlug die Seite um.

«Darf ich auch mal sehen?», sagte Will.

«Wir haben gerade … nicht unser bestes Jahr», erklärte ihm Mum, als ich vor ihm die Seiten umwendete. «Ich meine, es geht uns gut und so weiter. Aber, wissen Sie, es ist eben, wie es ist. Und dann hat Großvater im Fernsehen eine Sendung über selbstgemachte Geschenke gesehen, und ich dachte, das hier wäre etwas, das … eine echte Bedeutung hat, verstehen Sie?»

«Das hat es auch, Mum.» Tränen standen in meinen Augen. «Es gefällt mir unheimlich gut. Danke.»

«Großvater hat ein paar von den Bildern ausgesucht», sagte sie.

«Ein wundervolles Geschenk», sagte Will.

«Es gefällt mir unheimlich gut», sagte ich noch einmal.

Der erleichterte Blick, den sie daraufhin mit Dad wechselte, gehörte zum Traurigsten, was ich je gesehen habe.

«Jetzt meins.» Patrick schob die kleine Schachtel über den Tisch. Ich öffnete sie langsam und hatte kurz Panik, dass es ein Verlobungsring sein könnte. Dazu war ich noch nicht bereit. Ich konnte es ja noch kaum fassen, dass ich jetzt ein richtiges Schlafzimmer hatte. In der kleinen Schachtel lag auf dunkelblauem Samt ein feines Goldkettchen mit einem Sternenanhänger. Es war süß, zart und passte nicht im Entferntesten zu mir. Solchen Schmuck trug ich nicht und hatte ich noch nie getragen.

Ich hielt meinen Blick einen Moment lang auf das Geschenk gesenkt, während ich mir überlegte, was ich sagen sollte. «Das ist sehr hübsch», sagte ich dann, als sich Patrick über den Tisch beugte und mir die Kette um den Hals legte.

«Es freut mich, dass sie dir gefällt», sagte Patrick und küsste mich auf den Mund. Ich schwöre, dass er mich vor den Augen meiner Eltern noch nie so geküsst hatte.

Will beobachtete mich mit ungerührter Miene.

«Also, jetzt sollten wir Pudding essen», sagte Dad. «Bevor er noch zu warm wird.» Er lachte laut über seinen eigenen Witz. Der Champagner hatte ihn in blendende Laune versetzt.

«Ich habe auch etwas für Sie in der Tasche», sagte Will leise. «Die Tasche, die hinten am Stuhl hängt. Die Verpackung ist orange.»

Ich zog das Geschenk aus der Tasche.

Meine Mutter hielt mit dem Vorlegelöffel in der Hand inne. «Sie haben Lou ein Geschenk mitgebracht, Will? Das ist sehr aufmerksam von Ihnen. Ist das nicht aufmerksam von ihm, Bernard?»

«Ganz bestimmt.»

Das Einwickelpapier war mit chinesischen Kimonos in leuchtenden Farben bedruckt. Ich wusste sofort, dass ich es aufheben würde. Vielleicht würde ich mich davon sogar inspirieren lassen und mir ein neues Kleidungsstück nähen. Ich zog die Schleife auf und legte das Band zur Seite. Ich schlug das Papier auseinander, dann das Seidenpapier darunter, und auf einmal hatte ich ein merkwürdig vertrautes schwarz-gelbes Streifenmuster vor mir.

Ich hob das Gewebe hoch. Von meinen Händen hingen zwei Paar schwarz-gelb geringelter Strumpfhosen herunter. In Erwachsenengröße, blickdicht und aus so weicher Wolle, dass sie mir beinahe durch die Finger rutschten.

«Ich fasse es nicht», sagte ich. Ich hatte angefangen zu lachen – was für eine großartige Überraschung! «Wahnsinn. Woher haben Sie die?»

«Ich habe sie anfertigen lassen. Sie werden erfreut sein zu hören, dass ich der Frau meine Anweisungen mit Hilfe meiner nagelneuen Spracherkennungssoftware gegeben habe.»

«Strumpfhosen?», sagten Dad und Patrick im Chor.

«Die schönsten Strumpfhosen aller Zeiten.»

Meine Mutter musterte sie ebenfalls. «Weißt du, Louisa, ich bin ziemlich sicher, dass du genau so ein Paar hattest, als du noch ganz klein warst.»

Will und ich wechselten einen Blick.

Ich strahlte übers ganze Gesicht. «Ich ziehe sie gleich an», sagte ich.

«Mein Gott, sie wird aussehen wie die Biene Maja», sagte mein Vater kopfschüttelnd.

«Bernard, heute hat sie Geburtstag. Da kann sie aussehen, wie sie möchte.»

Ich lief hinaus und zog im Flur eine der Strumpfhosen an. Ich streckte die Zehen und bewunderte das herrlich alberne Muster. Ich glaube nicht, dass ich mich schon jemals so über ein Geschenk gefreut hatte.

Ich ging wieder ins Wohnzimmer. Will gab ein beifälliges Geräusch von sich. Großvater schlug die Hände auf den Tisch. Mum und Dad krümmten sich vor Lachen, und Patrick starrte mich einfach nur an.

«Ich kann Ihnen gar nicht beschreiben, wie toll ich diese Strumpfhosen finde», sagte ich. «Danke. Danke.» Ich streckte die Hand aus und berührte Will an der Schulter. «Wirklich. Vielen Dank.»

«Da ist auch noch eine Karte in einem Umschlag», sagte er. «Machen Sie ihn später auf.»

Meine Eltern veranstalteten einen Riesenwirbel, als sich Will verabschiedete.

Dad war leicht betrunken, dankte ihm immer wieder dafür, dass er mich eingestellt hatte, und ließ sich versprechen, dass er wiederkommen würde. «Wenn ich meine Arbeit verliere, komme ich vielleicht auch mal zum Fußballgucken zu Ihnen rüber», sagte er.

«Das wäre sehr schön», sagte Will, obwohl ich ihn noch nie ein Fußballspiel hatte anschauen sehen.

Meine Mum drängte ihm eine Tupperdose mit dem Rest Mousse au Chocolat auf. «Die haben Sie doch so gern gegessen.»

Noch eine Stunde nachdem er weg war, wiederholten sie ständig, was für ein Gentleman er doch sei. Ein echter Gentleman.

Patrick kam zur Verabschiedung mit in den Flur und vergrub die Hände tief in den Hosentaschen, als müsste er den Impuls unterdrücken, Will die Hand entgegenzustrecken. Das war die wohlwollendere Interpretation.

«Schön, Sie kennengelernt zu haben, Patrick», sagte Will. «Und danke für den … Rat.»

«Oh, ich wollte einfach nur meiner Freundin helfen, das Beste aus ihrer Arbeit zu machen», sagte er. «Das war alles.» Die Betonung von *meiner* hatte man nicht überhören können.

«Ja, Sie können sich glücklich schätzen», sagte Will, als Nathan anfing, ihn hinauszurollen. «Sie ist richtig gut darin, einen im Bett zu waschen.» Das kam so schnell, dass die Tür hinter ihm zu war, bevor Patrick begriff, was er da überhaupt gesagt hatte.

«Du hast mir nie erzählt, dass du ihn wäschst.»

Wir waren zu Patrick gegangen. Er wohnte in einem Neubau am Stadtrand. Die Wohnung war als Loft angepriesen worden, obwohl das Haus nur drei Stockwerke hatte und die Aussicht über ein Einkaufszentrum ging.

«Und was heißt das? Wäschst du ihm den Schwanz?»

«Ich wasche seinen Schwanz nicht.» Ich nahm die Reinigungsmilch – eines der wenigen Dinge, die ich in Patricks Wohnung lassen durfte – und begann mich abzuschminken.

«Gerade hat er gesagt, dass du es machst.»

«Er hat dich auf den Arm genommen. Und nachdem du ihm endlos vorgebetet hast, was er *früher* für ein Sportfreak war, kann ich ihm das auch nicht übelnehmen.»

«Und was machst du dann für ihn? Offensichtlich hast du mir ja nicht alles erzählt.»

«Ich wasche ihn ab und zu wirklich, aber nur bis zur Taille.»

Patricks Blick sprach Bände. Schließlich schaute er woandershin, zog seine Socken aus und schleuderte sie in den Wäschekorb. «Das gehört nicht zu deiner Arbeit. Keine pflegerischen Tätigkeiten, haben sie gesagt. Nichts Intimes. Davon steht nichts in der Stellenbeschreibung.» Dann kam ihm eine Idee. «Du könntest ihn verklagen. Es gibt doch so etwas wie ein außerordentliches Kündigungsrecht durch den Arbeitnehmer, wenn sie einfach deine Arbeitsbedingungen ändern.»

«Mach dich nicht lächerlich. Außerdem mache ich es, weil Nathan eben nicht immer dort sein kann und es für Will schrecklich ist, wenn er irgendeine fremde Person vom Vertretungsdienst an sich heranlassen muss. Abgesehen davon habe ich mich inzwischen daran gewöhnt. Es macht mir eigentlich gar nichts aus.»

Wie sollte ich ihm erklären … wie selbstverständlich einem diese körperlichen Dinge werden konnten? Ich wechselte mittlerweile Wills Schläuche mit ein paar geschickten Griffen und seifte seinen nackten Oberkörper ein, ohne auch nur das Gespräch zu unterbrechen. Nicht einmal Wills Narben konnten mich noch schrecken. Eine Zeitlang hatte ich in Will nichts weiter gesehen als einen Selbstmordkandidaten. Inzwischen war er einfach Will – der nervende, launenhafte, schlaue, humorvolle Will, der mich bevormundete und den Professor Higgins spielen wollte, während ich die Eliza Doolittle gab. Sein Körper gehörte einfach zu dem Gesamtpaket, eine Sache, um die man sich in Abständen kümmern musste, bevor wir weiterredeten. Sein Körper, so schien es mir, war zum uninteressantesten Teil von ihm geworden.

«Ich kann es einfach nicht nachvollziehen … nach dem, wie es mit uns gelaufen ist … all der Zeit, die du gebraucht hast, um mich an dich heranzulassen … und plötzlich taucht ein komplett Fremder auf, bei dem du keinerlei Probleme mit Nähe hast …»

«Können wir darüber ein anderes Mal reden, Patrick? Ich habe heute Geburtstag.»

«Ich habe nicht mit diesem Gerede darüber angefangen, wie scharf es ist, wenn du einem den Rücken einseifst und was weiß ich noch alles.»

«Liegt es daran, dass er attraktiv ist?», fragte ich. «Ist es das? Wäre es einfacher für dich, wenn er aussehen würde wie ein … *echter* Pflegefall?»

«*Du* findest ihn also attraktiv.»

Ich streifte das Kleid ab und zog vorsichtig die Strumpfhosen aus. Die Reste meiner guten Laune lösten sich in nichts auf. «Ich fasse es einfach nicht. Ich fasse es nicht, dass du auf ihn eifersüchtig bist.»

«Ich bin überhaupt nicht eifersüchtig auf ihn», sagte er verächtlich. «Wie könnte ich auf einen Krüppel eifersüchtig sein?»

Patrick und ich liebten uns in dieser Nacht. Vielleicht ist der Ausdruck ‹lieben› in diesem Fall ein bisschen überstrapaziert. Wir hatten Sex, einen echten Marathon, bei dem er wild entschlossen schien, mir zu demonstrieren, wie trainiert, kraftvoll und vital er war. Es dauerte Stunden. Wenn er mich an irgendeinem Kronleuchter hätte schaukeln lassen können, hätte er es bestimmt gemacht. Es war nett, sich so begehrt zu fühlen und nach Monaten endlich einmal wieder im Zentrum von Patricks Aufmerksamkeit zu stehen. Aber ein kleiner Teil von mir hielt sich während der gesamten Aktion zurück. Ich hatte nämlich den Verdacht, dass es im Grunde gar nicht um mich ging. Das war mir sehr schnell klargeworden. Diese kleine Show wurde wegen Will abgezogen.

«Und? Wie war ich?» Er hatte danach die Arme um mich geschlungen, unsere leicht verschwitzte Haut klebte aneinander, und er küsste mich auf die Stirn.

«Toll», sagte ich.

«Ich liebe dich, Babe.»

Und befriedigt rollte er sich von mir weg, legte einen Arm hinten übers Kissen und war innerhalb von Minuten eingeschlafen.

Weil ich dagegen einfach nicht einschlafen konnte, stand ich auf und ging zu meiner Tasche. Ich wühlte auf der Suche nach dem Kurzgeschichtenband von Flannery O'Connor darin herum. Als ich das Buch aus der Tasche zog, fiel der Umschlag heraus.

Ich starrte ihn an. Wills Karte. Ich hatte den Umschlag vorher nicht aufgemacht. Als ich es jetzt tat, spürte ich eine merkwürdige Polsterung in der Mitte. Ich zog die Karte heraus und klappte sie auf. Darin lagen zehn knisternde Fünfzigpfundscheine. Ich zählte sie zweimal, weil ich meinen Augen nicht traute. Auf der Karte stand:

Geburtstagsbonus. Machen Sie kein Theater. Das ist gesetzlich vorgeschrieben. W.

Kapitel 14

D er Mai war ein seltsamer Monat. In den Zeitungen und im Fernsehen wurde ständig über das «Recht auf Freitod» gestritten. Eine Frau, die an einer Degenerationskrankheit litt, hatte eine Klärung der Gesetzeslage gefordert. Sie wollte ihren Ehemann schützen für den Fall, dass er sie zu Dignitas begleitete, wenn ihr Leiden unerträglich wurde. Ein junger Fußballer, der seit einem Trainingsunfall gelähmt war, hatte dort Selbstmord begangen, nachdem er seine Eltern dazu überredet hatte, ihn hinzubringen. Die Polizei schaltete sich ein. Das Thema sollte im Parlament diskutiert werden.

Ich verfolgte die Nachrichten, hörte mir die Argumente der Juristen und die der Moralphilosophen an und wusste trotzdem nicht, auf welche Seite ich mich stellen sollte. All das schien merkwürdigerweise nichts mit Will zu tun zu haben.

Wir machten inzwischen regelmäßig Ausflüge. Will war mittlerweile bereit, auch längere Strecken auf sich zu nehmen. Wir waren auf einer Folklore-Veranstaltung gewesen (Will hatte beim Anblick der Schellen und Halstücher der Tänzer keine Miene verzogen, was ihn aber so anstrengte, dass er leicht

266

rosa angelaufen war), hatten ein Open-Air-Konzert auf einem nahe gelegenen Landgut besucht (das war mehr sein Ding als meines), und einmal waren wir im Kino, wo wir uns aufgrund meiner schlechten Vorbereitung des Ausflugs einen Film über ein Mädchen mit einer tödlichen Krankheit ansahen.

Aber ich wusste, dass auch er die Debatte in den Medien verfolgte. Er benutzte den Computer viel häufiger, seit wir die neue Software installiert hatten, und er hatte herausgefunden, wie er den Cursor steuern konnte, wenn er mit dem Daumen über das Touchpad fuhr. Diese mühsamen kleinen Bewegungen ermöglichten es ihm, online Zeitung zu lesen. Einmal, als ich ihm morgens einen Tee brachte, las er einen Artikel über den jungen Fußballspieler – es war ein genau recherchierter Bericht über den komplizierten Prozess, den er hatte durchlaufen müssen, bis er seinen Tod herbeiführen durfte. Will schaltete den Bildschirm ab, als er mich hinter sich bemerkte. Nach diesem kleinen Vorkommnis hatte ich das Gefühl, in meiner Brust läge ein Stein. Erst nach einer halben Stunde beruhigte ich mich langsam wieder.

Ich sah mir den Artikel in der Bibliothek noch einmal genauer an. Ich hatte angefangen, regelmäßig Zeitung zu lesen. Ich hatte entdeckt, an welchen Argumenten etwas dran war und dass Journalisten gerne polemisierten.

Die Eltern des Fußballers waren von der Boulevardpresse heftig angegriffen worden. *Wie konnten sie ihn nur sterben lassen?*, lautete eine der reißerischen Schlagzeilen. Ich konnte nicht anders, als mir dieselbe Frage zu stellen. Leo McInerney war vierundzwanzig. Er hatte beinahe drei Jahre mit seiner Verletzung gelebt, also nicht viel länger als Will bisher. Er war doch viel zu jung, um zu entscheiden, dass sich das Leben für ihn nicht mehr lohnte, oder? Und dann las ich den Artikel, den Will am Morgen gelesen hatte – es war keine reine Meinungsmache, sondern ein sorgfältig recherchierter Bericht über das, was im Leben des jungen Mannes geschehen war. Der Autor hatte auch mit den Eltern gesprochen.

Leo, sagten sie, hatte Fußball gespielt, seit er drei Jahre alt war. Fußball war sein Ein und Alles. Es war bei einem Spiel passiert, er war unglücklich mit einem Gegner zusammengeprallt. Der Unfall war unbeabsichtigt und offensichtlich mehr als unwahrscheinlich gewesen. Seine Eltern hatten alles unternommen, um ihn zu ermutigen, ihm zu vermitteln, dass sein Leben immer noch einen Sinn hatte. Aber er versank in einer tiefen Depression. Er war nicht nur ein Sportler, der keinen Sport mehr betreiben konnte, er konnte sich nicht einmal mehr bewegen und manchmal auch nicht ohne Atemgerät Luft holen. Er fand an nichts mehr Freude. Sein Leben war von Schmerzen und ständigen Infekten geprägt, und er hing in allem von der Unterstützung anderer ab. Er erklärte seiner Freundin, dass er sie nicht mehr sehen wollte. Er erklärte seinen Eltern Tag für Tag, dass er nicht mehr leben wollte. Er erklärte ihnen, dass es für ihn eine unerträgliche Folter war, andere Leute das Leben oder auch nur annähernd das Leben führen zu sehen, das er sich für sich selbst vorgestellt hatte.

Zweimal hatte er versucht, sich umzubringen, indem er so lange gehungert hatte, bis er ins Krankenhaus eingeliefert worden war. Und zu Hause zurück, bettelte er seine Eltern darum an, ihn im Schlaf zu ersticken. Als ich das in der Bibliothek sitzend las, drückte ich mir die Handballen so lange auf die Augen, bis ich wieder atmen konnte, ohne zu schluchzen.

Dad verlor seine Arbeit. Er war ziemlich tapfer. Er kam nachmittags nach Hause, zog ein frisches Hemd und eine Krawatte an und machte sich auf den Weg zur Bushaltestelle, um sich beim Jobcenter als arbeitssuchend zu melden.

Er hatte schon entschieden, erklärte er Mum, dass er alles annehmen würde, auch wenn er ein begabter Handwerker mit jahrelanger Berufserfahrung war. «Ich glaube nicht, dass wir es uns im Moment leisten können, wählerisch zu sein», sagte er, ohne auf Mums Einwände zu achten.

Aber wenn es für mich schon schwer gewesen war, Arbeit zu finden, waren die Aussichten für einen Fünfundfünfzigjährigen noch viel schlechter. Er bekomme nicht einmal einen Job als Lagerarbeiter oder Wachmann, sagte er, als er von einer seiner Bewerbungsrunden zurückkehrte. Sie stellten lieber einen unzuverlässigen Siebzehnjährigen ein als einen reifen Mann mit Berufserfahrung, weil sie dann von der Regierung einen Gehaltszuschuss für den Jungen bekamen. Nach der vierzehnten Ablehnung mussten sich Mum und Dad eingestehen, dass sie zur Überbrückung Sozialhilfe beantragen mussten, und sie verbrachten ihre Abende über unverständlichen fünfzigseitigen Antragsformularen, in denen gefragt wurde, wie viele Personen ihre Waschmaschine nutzten und wann sie das letzte Mal eine Auslandsreise gemacht hatten (Dad glaubte, das könnte so um 1988 herum gewesen sein). Ich nahm Wills Geburtstagsgeld und steckte es in die Haushaltskasse im Küchenschrank. Ich dachte, sie würden sich vielleicht ein bisschen besser fühlen, wenn sie wussten, dass sie ein kleines Polster hatten.

Als ich am nächsten Morgen aufwachte, war das Geld in einem Umschlag unter meiner Zimmertür durchgeschoben worden.

Dann kamen die Touristen, und es wurde voll in unserem Städtchen. Mr. Traynor war immer seltener zu Hause; seine Arbeitszeiten verlängerten sich mit der wachsenden Zahl der Besucher in der Burg. An einem Donnerstagnachmittag sah ich ihn in der Stadt, als ich auf dem Nachhauseweg bei der Reinigung vorbeiging. Diese Begegnung war im Grunde nichts Ungewöhnliches, mit Ausnahme der Tatsache, dass er seinen Arm um eine rothaarige Frau gelegt hatte, die eindeutig nicht Mrs. Traynor war. Als er mich bemerkte, ließ er den Arm fallen, als hätte er sich verbrannt.

Ich drehte mich weg und tat so, als würde ich mir eine Schaufensterauslage anschauen. Ich war unsicher, ob ich ihn wissenlassen wollte, dass ich ihn gesehen hatte, und ich versuchte, das Ganze möglichst schnell zu vergessen.

Am Freitag, in der Woche, in der mein Dad seinen Job verloren hatte, kam bei Will eine Einladung an – eine Einladung zu der Hochzeit von Alicia und Rupert. Na ja, genau genommen kam die Einladung von Colonel und Mrs. Timothy Dewar, die Will baten, an der Feier zur Eheschließung ihrer Tochter mit Rupert Freshwell teilzunehmen. Die Einladung kam in einem Umschlag aus edlem, schwerem Papier zusammen mit einem Ablaufplan und einer dicken, gefalteten Liste mit Sachen, die ihnen die Gäste in Läden kaufen konnten, von denen ich noch nie im Leben gehört hatte.

«Die hat ja Nerven», sagte ich, während ich die Prägeschrift in Gold und den Goldrand der dicken Karte musterte. «Soll ich sie wegwerfen?»

«Machen Sie damit, was Sie wollen.» Wills gesamter Körper war ein Ausdruck von betonter Gleichgültigkeit.

Ich starrte auf die Liste. «Was zur Hölle ist eine Couscoussiere?»

Vielleicht lag es daran, mit welcher Geschwindigkeit er sich umdrehte und sich am Computer zu schaffen machte. Vielleicht lag es an seinem Ton. Jedenfalls warf ich die Einladung aus irgendeinem Grund nicht weg. Stattdessen steckte ich sie sorgsam in einen Ordner in der Küche.

Will gab mir ein weiteres Buch mit Kurzgeschichten, das er

bei Amazon bestellt hatte, und eine Ausgabe von *Eros und Evolution*. Aber ich wusste genau, dass mir dieses Buch nicht gefallen würde. «Da gibt es ja nicht mal eine richtige Geschichte», sagte ich, nachdem ich den Klappentext gelesen hatte.

«Na und?», gab Will zurück. «Fordern Sie sich ruhig mal ein bisschen.»

Ich versuchte es, aber nicht, weil ich mich plötzlich für Genetik interessierte, sondern weil mir Will endlos in den Ohren liegen würde, wenn ich es nicht tat. So war er nämlich inzwischen. Er drangsalierte mich manchmal richtig. Und es nervte, dass er mich über die Bücher ausfragte, die er mir gab, weil er genau wissen wollte, ob ich sie wirklich las.

«Sie sind nicht mein Lehrer», murrte ich dann häufig.

«Gott sei Dank», gab er darauf inbrünstig zurück.

In diesem Buch – das übrigens überraschend lesbar war – ging es beinahe ausschließlich um den Überlebenskampf. Es stellt die These auf, Frauen würden sich Männer überhaupt nicht aus Liebe aussuchen. Stattdessen würden die weiblichen Vertreter der menschlichen Spezies nach dem stärksten männlichen Vertreter suchen, um ihren Nachkommen die besten Überlebenschancen zu verschaffen. Und daran konnten die Frauen nichts ändern. Ihre Natur war einfach so.

Damit war ich überhaupt nicht einverstanden. Und die Argumentation gefiel mir auch nicht. Und es stand eine unangenehme, versteckte Botschaft zwischen den Zeilen. In den Augen des Autors war Will nur ein körperlich schwacher, beschädigter Vertreter unserer Gattung. Das machte ihn aus biologischer Sicht uninteressant. Das machte sein Leben wertlos.

Will war beinahe einen ganzen Nachmittag auf dieser These herumgeritten, als ich dazwischenplatzte. «Aber eins hat dieser Matt Ridley nicht bedacht», sagte ich.

Will sah von seinem Computer auf. «Ach ja?»

«Was ist, wenn der genetisch überlegene männliche Vertreter der Spezies ein Idiot ist?»

Am dritten Samstag im Mai kamen Treena und Thomas nach
Hause. Meine Mutter war schon aus der Tür und über den Gartenweg, als sie noch kaum in unsere Straße eingebogen waren.
Thomas, schwor sie, während sie ihn in die Arme schloss, sei in
der Zwischenzeit mehrere Zentimeter gewachsen. Richtig erwachsen sei er geworden, ihr kleiner Mann. Treena hatte sich
die Haare schneiden lassen und wirkte seltsam elegant. Sie trug
ein Jackett, das ich nicht kannte, und Riemchensandalen. Ich
stellte fest, dass ich mich gemeinerweise fragte, woher sie das
Geld dafür hatte.

«Und? Wie ist es?», fragte ich, während Mum mit Thomas
im Garten herumlief und ihm die Frösche in dem winzigen
Teich zeigte. Dad sah sich mit Großvater ein Fußballspiel an
und stieß einen Ruf der Enttäuschung über eine verpasste Tor-
chance aus.

«Super. Wirklich gut. Ich meine, es ist natürlich schwer, keine Hilfe mit Thomas zu haben, und es hat eine Weile gedauert,
bis er sich an den Kindergarten gewöhnt hat.» Sie beugte sich
vor. «Aber das erzählst du Mum bitte nicht. Ich habe behauptet,
er hätte sich dort gleich wohl gefühlt.»

«Und die Uni gefällt dir.»

Ein Lächeln ging über Treenas Gesicht. «Das ist das Aller-
beste. Ich kann es dir gar nicht beschreiben, Lou, wie toll es ist,
mein Hirn wieder benutzen zu können. Es kommt mir vor, als
hätte ich vor Ewigkeiten ein Riesenstück von mir verloren …
und jetzt habe ich es wiedergefunden. Na ja, das war ein be-
schissener Vergleich.»

Ich schüttelte den Kopf. Ich freute mich für sie. Ich wollte
ihr von der Bibliothek erzählen und von den Computern und

von den Sachen, die ich für Will gemacht hatte. Aber dann fand ich, das sollte jetzt ihr Moment sein. Wir saßen auf Klappstühlen unter dem ramponierten Sonnenschirm und nippten an unserem Tee. Ihre Finger, fiel mir auf, hatten wieder eine ganz normale Farbe.

«Du fehlst ihr», sagte ich.

«Wir werden ab jetzt beinahe jedes Wochenende kommen. Ich musste einfach … Lou, es ging nicht nur darum, dass sich Thomas gut eingewöhnt. Ich musste einfach ein bisschen Abstand von allem haben. Ich habe Zeit gebraucht, um zu einem anderen Menschen zu werden.»

Sie sah wirklich ein bisschen aus wie ein anderer Mensch. Es war seltsam. Nur ein paar Wochen weg von zu Hause konnten jemanden unvertraut werden lassen. Es kam mir vor, als wäre sie dabei, zu einem Menschen zu werden, dessen ich mir nicht mehr sicher war. Es kam mir irgendwie so vor, als würde sie mich hinter sich lassen.

«Mum hat mir erzählt, dass dein behinderter Typ zum Essen da war.»

«Er ist nicht mein behinderter Typ. Er heißt Will.»

«Sorry. Will. Und läuft es gut mit der Anti-Grabschaufel-Liste?»

«Es geht so. Ein paar Ausflüge waren erfolgreicher als andere.» Ich erzählte ihr von der Katastrophe auf der Pferderennbahn und von dem unerwarteten Erfolg des Violinkonzerts. Dann erzählte ich von unseren Picknicks, und als ich bei meinem Geburtstagsessen angekommen war, lachte sie.

«Glaubst du …?» Ich sah, dass sie überlegte, wie sie es am besten ausdrücken konnte. «Glaubst du, dass du am Ende gewinnst?»

Als wäre das Ganze eine Art Wettbewerb.

Ich zog eine Ranke von dem Geißblatt zu mir und begann,

die Blätter abzuzupfen. «Ich weiß nicht. Ich glaube, ich muss den Einsatz erhöhen.» Ich erzählte ihr, was mir Mrs. Traynor zu Auslandsreisen gesagt hatte.

«Ich fasse es trotzdem nicht, dass du bei einem Violinkonzert warst. Ausgerechnet du!»

«Es hat mir gefallen.»

Sie zog eine Augenbraue hoch.

«Nein. Wirklich, hat es. Es war … berührend.»

Sie sah mich genau an. «Mum sagt, er ist wirklich nett.»

«Er ist wirklich nett.»

«Und gutaussehend.»

«Eine Rückenmarksverletzung bedeutet nicht, dass man sich in Quasimodo verwandelt.» *Bitte, sag nichts darüber, was für eine schreckliche Verschwendung das ist*, bat ich sie in Gedanken.

Aber vielleicht war meine Schwester dazu doch zu schlau. «Jedenfalls war Mum eindeutig überrascht», sagte sie. «Ich glaube, Mum hatte eher mit Quasimodo gerechnet.»

«Das ist das Problem, Treen», sagte ich und goss den Rest meines Tees ins Blumenbeet. «Das tun nämlich alle Leute.»

Mum war bei diesem Abendessen sehr fröhlich. Sie hatte Lasagne gemacht, Treenas Lieblingsgericht, und Thomas durfte lange aufbleiben. Wir aßen und unterhielten uns und lachten und redeten über ungefährliche Themen wie Fußball, meine Arbeit und Treens Kommilitonen an der Uni. Mum fragte Treen bestimmt hundertmal, ob sie auch wirklich allein zurechtkam und ob sie etwas für Thomas brauchte – als hätten sie etwas übrig, das sie ihr geben könnten. Ich war froh, dass ich Treen vorher gesagt hatte, wie abgebrannt unsere Eltern waren. Also sagte sie anmutig und überzeugend nein. Ich traute mich erst später, sie zu fragen, ob das auch stimmte.

Um Mitternacht wurde ich von lautem Schluchzen geweckt.

Es war Thomas in der Abstellkammer. Ich hörte, wie Treena ihn zu trösten versuchte, hörte, wie Lichtschalter angeknipst und wieder ausgeschaltet wurden und wie Bettzeug herumgetragen wurde. Ich lag im Dunkeln, betrachtete das Licht, das durch die Lamellen meiner Jalousien auf die frisch gestrichene Decke fiel, und wartete darauf, dass Thomas aufhörte zu weinen. Aber um zwei Uhr fing er wieder an. Dieses Mal hörte ich Mum über den Flur tappen und leise mit Treena sprechen. Dann war Thomas endlich wieder still.

Um vier wachte ich auf, weil meine Zimmertür geöffnet wurde. Ich blinzelte völlig fertig hin. Thomas stand als Umriss im Flurlicht, sein viel zu großer Pyjama schlug Falten um seine Knöchel, seine Schmusedecke hing halb auf dem Boden. Ich konnte sein Gesicht nicht erkennen, aber er stand unsicher da, als wüsste er nicht, was er jetzt machen sollte.

«Komm her, Thomas», flüsterte ich. Als er zu mir tappte, sah ich, dass er noch halb schlief. Dann blieb er an meinem Bett stehen, den Daumen in den Mund geschoben, seine geliebte Schmusedecke an sich gedrückt. Ich hob die Bettdecke, und er kletterte neben mich, schmiegte seinen wuscheligen Lockenkopf an das andere Kissen und rollte sich wie ein Embryo zusammen. Ich zog die Decke über ihn und betrachtete staunend seinen tiefen und unvermittelten Schlaf.

«Schlaf gut, mein Spatz», flüsterte ich, küsste ihn auf die Stirn, und ein fettes Händchen schob sich hoch und krallte sich in mein T-Shirt, als wolle es dafür sorgen, dass ich nicht weggehe.

«Welches war der schönste Ort, den Sie je gesehen haben?»

Wir saßen unter einer Überdachung und warteten einen plötzlichen Regenschauer ab, der uns auf dem Weg zu einem Spaziergang im hinteren Burggarten überrascht hatte. Will wagte sich nicht gern in den vorderen Bereich, weil ihn dort zu viele Leute anstarrten. Die Gemüsegärten dagegen gehörten zu den verborgenen Kostbarkeiten der Burg, in die sich nur wenige Besucher verirrten. Die Obstgärten und Gemüsebeete waren von glatten Kieswegen durchzogen, auf denen sich Will recht gut mit seinem Rollstuhl bewegen konnte.

«In welcher Hinsicht? Und was ist das?»

Ich goss etwas Suppe aus einer Thermosflasche und hob sie an seine Lippen. «Tomate.»

«Okay. Verflucht, ist die heiß. Ich muss mal überlegen.» Er blinzelte in eine unbestimmte Ferne. «Ich bin auf den Kilimandscharo gestiegen, als ich dreißig war. Das war ziemlich unglaublich.»

«Wie hoch?»

«Ungefähr 5900 Meter bis zum Uhuru Peak. Allerdings bin ich die letzten paar hundert Meter eher auf allen vieren gekrochen. Die Höhenluft ist ziemlich schwer zu verkraften.»

«War es kalt?»

«Nein.» Er lächelte mich an. «Es ist nicht wie auf dem Everest. Jedenfalls nicht um die Jahreszeit, zu der ich dort war.» Wieder schaute er gedankenversunken in die Ferne. «Es war wundervoll. Das Dach Afrikas nennen sie es. Wenn man da oben ist, kommt es einem vor, als könnte man das andere Ende der Welt sehen.»

Will schwieg einen Moment. Ich beobachtete ihn, fragte mich, woran er dachte. Wenn wir solche Gespräche führten, erinnerte er mich an den Jungen aus meiner Schulklasse, der Junge, der uns fremd geworden war, weil er sich in die Welt hinausgewagt hatte.

«Und wo hat es Ihnen noch gefallen?»

«In einer Bucht namens Trou d'Eau Douce auf Mauritius. Liebenswerte Menschen, wunderschöne Strände, tolles Tauchgebiet. Hmm ... im Tsavo-Nationalpark in Kenia, nur rote Erde und wilde Tiere. Und im Yosemite-Nationalpark. Der ist in Kalifornien. Da gibt es so hohe Felsen, dass man ihre Dimensionen überhaupt nicht erfassen kann.»

Er erzählte mir von einer Nacht auf einer Klettertour, bei der er sich auf einem Felssims in seinen Schlafsack gezwängt und den Schlafsack an dem Felsen befestigt hatte, weil es tödlich gewesen wäre, wenn er sich im Schlaf umgedreht hätte und von dem Sims gerollt wäre.

«Sie haben gerade meinen schlimmsten Albtraum beschrieben.»

«Aber Städte haben mir auch gefallen. Sydney zum Beispiel. Aber auch die Northern Territories von Australien. Oder Island. Da gibt es ganz in der Nähe des Flughafens eine Stelle, an der man in den Vulkanquellen baden kann. Die Landschaft ist sehr eigenartig, wie nach einem Atomangriff. Oh, und dann die Pferdetour durch Zentralchina. Dabei bin ich zwei Tagesritte von der Provinzhauptstadt Sichuans in einem Dorf angespuckt worden, weil die Leute dort noch nie einen Weißen gesehen hatten.»

«Gibt es eigentlich eine Gegend, in der Sie noch nicht waren?»

Er trank noch ein bisschen Suppe. «Nordkorea?» Dann dachte er nach. «Oh, und in Disneyland war ich auch noch nie. Reicht das? Nicht mal in Eurodisney war ich.»

«Ich habe mal einen Flug nach Australien gebucht. Aber dann bin ich doch nicht geflogen.»

Er sah mich überrascht an.

«Es kam was dazwischen. Aber das macht nichts. Vielleicht fahre ich ja irgendwann noch hin.»

«Nicht ‹vielleicht›. Sie müssen weg von hier, Clark. Sie müssen mir versprechen, nicht den Rest Ihres Lebens in dieser verdammten Vorlage für ein Platzset zu verbringen.»

«Versprechen? Warum?» Ich versuchte unbefangen zu klingen. «Wohin gehen Sie denn?»

«Ich kann … einfach den Gedanken nicht ertragen, dass Sie für alle Ewigkeit nur hier in der Gegend bleiben.» Er schluckte. «Dafür sind Sie zu intelligent. Zu interessant.» Er schaute von mir weg. «Sie haben nur ein einziges Leben. Es ist Ihre Pflicht, so viel wie möglich daraus zu machen.»

«Okay», sagte ich zurückhaltend. «Dann sagen Sie mir, wohin ich gehen soll. Wohin würden Sie denn gehen, wenn Sie könnten?»

«Jetzt im Moment?»

«Ja, jetzt im Moment. Und Kilimandscharo fällt aus. Es muss etwas sein, bei dem ich mir vorstellen kann, selbst hinzufahren.»

Als sich Will entspannte, wirkte er plötzlich wie ein ganz anderer Mensch. Ein Lächeln lag auf seinem Gesicht, um seine Augen vertieften sich die Lachfältchen. «Paris. Ich würde mich im Marais vor ein Café setzen, Kaffee trinken und einen Teller warmer Croissants mit Butter und Erdbeermarmelade essen.»

«Marais?»

«Das ist ein kleiner Bezirk mitten in Paris. Lauter Kopfsteinpflasterstraßen und alte Häuser und schwule Männer und orthodoxe Juden und Frauen in einem gewissen Alter, die früher einmal ausgesehen haben wie Brigitte Bardot. Das ist der einzige Ort, an dem man leben kann.»

Ich wandte mich ihm zu und sagte mit gesenkter Stimme: «Wir könnten hinfahren. Wir könnten den Eurostar nehmen. Es wäre ganz einfach. Ich glaube, wir müssten nicht einmal Nathan bitten mitzukommen. Ich war noch nie in Paris. Ich würde gerne einmal hin. Unheimlich gern. Ganz besonders mit jemandem, der sich dort auskennt. Was sagen Sie dazu, Will?»

Ich sah mich schon in diesem Café sitzen. Ich war dort, an

diesem Tischchen, bewunderte vielleicht mein neues Paar französischer Schuhe, die ich in einer schicken kleinen Boutique gekauft hatte, oder ich pflückte mit Fingernägeln in pariserischem Rot an einem Gebäckstück herum. Ich schmeckte den Kaffee beinahe, roch den Rauch der Gauloises vom Nachbartisch.

«Nein.»

«Wie bitte?» Ich brauchte einen Moment, um mich von dem Tischchen vor dem Straßencafé loszureißen.

«Nein.»

«Aber Sie haben mir doch gerade erzählt …»

«Sie verstehen es nicht, Clark. Ich will dort nicht hin, wenn ich … in diesem Ding sitzen muss.» Er nickte zu dem Rollstuhl, seine Stimme zitterte. «Ich will als *ich* in Paris sein, als mein altes Ich. Ich will auf einem Stuhl sitzen und mich zurücklehnen, ich will meine Lieblingskleidung tragen und hübsche Französinnen vorbeigehen sehen, die mir einen Blick zuwerfen, wie sie es bei jedem Mann tun würden, der dort sitzt. Die nicht eilig den Blick abwenden, wenn sie feststellen, dass ich in einem überdimensionierten Kinderwagen hocke.»

«Aber wir könnten es doch versuchen», drängte ich. «Es muss auch nicht …»

«Nein. Nein, das könnten wir nicht. Weil ich nämlich jetzt meine Augen schließen und genau spüren kann, wie es sich anfühlt, mit einer Zigarette zwischen den Fingern in der Rue des Francs Bourgeois zu sitzen, während vor mir ein hohes, gekühltes Glas mit Mandarinensaft steht und ein Stück weiter ein Moped herumknattert. Ich kann mir all das genau vorstellen.»

Er schluckte. «An dem Tag, an dem wir dorthin fahren und ich in diesem verfluchten Gerät sitze, sind all diese Erinnerungen, all diese Empfindungen ausgelöscht, wegradiert von der Anstrengung, mit dem Stuhl hinter den Tisch zu kommen und über die Bordsteine von Paris, und davon, mit den Taxifahrern zu streiten, die uns nicht mitnehmen wollen, und davon, dass das beschissene Netzteil von dem Rollstuhl nicht in die französischen Steckdosen passt. Okay?»

Seine Stimme war hart geworden. Ich schraubte die Thermosflasche zu. Ich musterte dabei höchst aufmerksam meine Schuhe, weil ich nicht wollte, dass er mein Gesicht sah.

«Okay», sagte ich.

«Okay.» Will atmete tief ein.

Unterhalb von uns hielt vor dem Burgtor ein Bus an und spuckte die nächste Ladung Besucher aus. Wir beobachteten schweigend, wie sie ausstiegen und im Gänsemarsch in die alte Festung gingen, bestens vorbereitet auf die Besichtigung der Ruinen einer untergegangenen Epoche.

Anscheinend bemerkte er, dass ich ein bisschen niedergeschlagen war, denn er neigte sich etwas in meine Richtung, und sein Gesichtsausdruck wurde weicher. «Also, Clark. Es hat aufgehört zu regnen. Wo sollen wir heute Nachmittag hin? Wie wär's mit dem Labyrinth?»

«Nein.» Es kam schneller heraus, als ich es wollte, und ich fing den fragenden Blick auf, den mir Will zuwarf.

«Haben Sie Klaustrophobie?»

«So was in der Art.» Ich begann unsere Sachen zusammenzuräumen. «Gehen wir einfach wieder nach Hause.»

Am darauffolgenden Wochenende ging ich mitten in der Nacht in die Küche hinunter, um mir ein Glas Wasser zu holen. Ich konnte nicht richtig schlafen und hatte gedacht, es wäre möglicherweise besser, ein bisschen aufzustehen, als im Bett zu liegen und zu versuchen, gegen meine sinnlos kreisenden Gedanken zu kämpfen.

Ich war nachts nicht gerne wach. Dann musste ich automatisch darüber nachdenken, ob Will auf der anderen Seite der

Burg auch wach war, und meine Phantasie versuchte, in seine Gedankenwelt einzudringen. Allerdings war das eine sehr dunkle Zone.

Und die Wahrheit lautete: Ich würde nirgendwo mit ihm hinfahren. Die Zeit wurde knapp. Ich schaffte es nicht einmal, ihn zu einer Reise nach Paris zu überreden. Und als er mir erklärt hatte, warum er nicht wollte, konnte ich kaum etwas dagegen einwenden. Er hatte für jede längere Fahrt, die ich ihm vorschlug, einen guten Grund zur Ablehnung. Und wenn ich ihm nicht sagen wollte, warum ich so dringend auf diese Reise aus war, konnte ich praktisch keinerlei zwingende Argumente vorbringen.

Als ich am Wohnzimmer vorbeikam, hörte ich es – ein unterdrücktes Husten oder vielleicht auch ein Ausruf. Ich blieb stehen, ging einen Schritt zurück, stellte mich an die Tür und drückte sie sachte auf. Auf dem Wohnzimmerfußboden lagen meine Eltern, mit den Sofakissen als notdürftigem Bett, die Gästesteppdecke über sich und die Köpfe in Höhe der Gasflamme des Ofens. Wir starrten uns einen Moment lang im Halbdunkel an.

«Was ... macht ihr hier?»

Meine Mutter schob sich auf die Ellbogen hoch. «Sch. Sprich leise. Wir ...» Sie sah meinen Vater an. «Wir wollten tauschen.»

«Was?»

«Wir wollten tauschen.» Meine Mutter schaute hilfesuchend zu meinem Vater.

«Wir haben Treena unser Bett gegeben», sagte Dad. Er trug ein altes blaues T-Shirt mit einem Riss an der Schulter, und sein Haar stand an der einen Seite von seinem Kopf ab. «Thomas und sie haben sich in der Abstellkammer nicht wohl gefühlt. Also haben wir gesagt, sie können unser Zimmer haben.»

«Aber ihr könnt doch nicht hier unten schlafen! Das kann doch nicht bequem sein.»

«Es ist bestens, Liebes», sagte Dad. «Wirklich.»

Und dann, als ich noch ganz verwirrt dastand und überlegte, was ich davon halten sollte, fügte er hinzu: «Es ist ja nur für die Wochenenden. Und du kannst nicht in der Abstellkammer schlafen. Du brauchst deinen Schlaf. Schließlich bist du …» Er schluckte. «Schließlich bist du die Einzige von uns, die arbeiten geht.»

Mein Vater, der große Kerl, wich meinem Blick aus.

«Geh wieder ins Bett, Lou. Geh schon. Wir kommen sehr gut zurecht.» Mum schickte mich praktisch weg.

Ich ging wieder die Treppe hinauf, meine nackten Füße verursachten keinerlei Geräusch auf dem Teppich, nur von unten klang leises Gemurmel nach oben.

Ich zögerte vor Mums und Dads Schlafzimmer. Jetzt hörte ich, was ich vorher nicht wahrgenommen hatte – Thomas' leises Schnarchen. Dann ging ich hinüber zu meinem eigenen Zimmer und zog leise die Tür hinter mir zu. Ich legte mich in mein übergroßes Bett und starrte aus dem Fenster auf die milchige Straßenbeleuchtung, bis ich endlich doch noch ein paar Stunden Schlaf fand.

Auf meinem Kalender waren noch neunundsiebzig Tage übrig. Ich wurde immer unruhiger.

Und ich war nicht die Einzige.

Mrs. Traynor hatte gewartet, bis Nathan mittags gekommen war und sich um Will kümmerte. Dann bat sie mich ins Haupthaus hinüber. Wir setzten uns ins Wohnzimmer, und sie fragte mich, wie es lief.

«Na ja, wir machen viel mehr Ausflüge als am Anfang», sagte ich.

Sie nickte zustimmend.

«Er redet mehr als vorher.»

«Mit Ihnen vielleicht.» Sie lachte kurz auf, aber in Wahrheit war es kein Lachen. «Haben Sie mit ihm darüber gesprochen, eine Reise zu machen?»

«Noch nicht. Ich mache es noch. Es ist einfach … Sie wissen ja, wie er ist.»

«Ich habe wirklich nichts dagegen», sagte sie, «wenn Sie mit ihm wegfahren. Ich weiß, dass wir nicht gerade begeistert waren, als Sie mit diesem Vorschlag kamen, aber mein Mann und ich haben inzwischen viel geredet, und wir finden beide …»

Schweigend saßen wir beieinander. Sie hatte mir einen Kaffee in eine Tasse mit Untertasse eingeschenkt. Ich nippte daran. Ich komme mir immer uralt vor, wenn ich eine Untertasse auf meinem Bein balanciere.

«Also … Will hat mir erzählt, dass er bei Ihnen zu Hause war.»

«Ja, ich hatte Geburtstag. Meine Eltern haben ein Geburtstagsessen für mich gemacht.»

«Wie war er?»

«Nett. Wirklich nett. Und zu meiner Mutter war er richtig süß.» Beim Gedanken daran musste ich unwillkürlich lächeln. «Wissen Sie, Mum ist ein bisschen traurig, weil meine Schwester und ihr Sohn ausgezogen sind. Mum vermisst sie. Ich glaube … er wollte sie einfach ein bisschen ablenken.»

Mrs. Traynor sah mich überrascht an. «Das war … sehr aufmerksam von ihm.»

«Das fand meine Mutter auch.»

Sie rührte in ihrer Kaffeetasse herum. «Ich weiß überhaupt nicht mehr, wann sich Will das letzte Mal bereit erklärt hat, mit uns zu Abend zu essen.»

Sie bohrte noch ein bisschen mehr nach. Natürlich stellte sie keine zu direkten Fragen, das war einfach nicht ihr Stil. Aber ich konnte ihr trotzdem nicht sagen, was sie hören wollte. An manchen Tagen wirkte Will zufriedener – dann ging er mit mir aus dem Haus, ohne Theater zu machen, neckte mich, piesackte mich, wirkte ein bisschen interessierter an der Welt jenseits des Anbaus – aber was wusste ich schon wirklich? Bei Will spürte ich eine riesige, unbekannte Seelenlandschaft, einen Bezirk, zu dem er mir keinen Zutritt gestattete. Und in den vergangenen Wochen hatte ich das unbehagliche Gefühl gehabt, dass diese hermetisch abgeriegelte Seelenlandschaft immer größer wurde.

«Er wirkt etwas glücklicher», sagte sie. Es klang, als wollte sie sich damit selbst beruhigen.

«Das finde ich auch.»

«Es war sehr …», ihr Blick wanderte kurz zu mir, «… wohltuend, manchmal wieder sein altes Selbst aufblitzen zu sehen. Mir ist vollkommen bewusst, dass all diese Fortschritte Ihnen zu verdanken sind.»

«Nicht alle.»

«Ich bin nicht mehr zu ihm durchgedrungen. Ich konnte ihn nicht mehr erreichen.» Sie stellte ihre Tasse mit der Untertasse auf ihr Knie. «Will ist ein außergewöhnlicher Mensch. Seitdem er erwachsen ist, hatte ich immer das Gefühl, in seinen Augen etwas falsch gemacht zu haben. Ich war nie sicher, was es war.» Sie versuchte zu lachen, aber es missglückte ihr. Dann sah sie mich kurz an und wandte gleich darauf den Blick wieder ab.

Ich tat so, als würde ich einen Schluck Kaffee trinken, obwohl meine Tasse leer war.

«Verstehen Sie sich gut mit Ihrer Mutter, Louisa?»

«Ja», sagte ich und fügte hinzu, «es ist meine Schwester, die mich in den Wahnsinn treibt.»

Mrs. Traynor schaute aus dem Fenster auf ihren kostbaren

Garten, in dem in einer zarten, geschmackvollen Mischung aus Rosa, Mauve und Blau die Blütezeit eingesetzt hatte.

«Wir haben nur noch zweieinhalb Monate», sagte sie, ohne den Kopf zu wenden.

Ich stellte meine Kaffeetasse auf den Tisch. Ganz vorsichtig, damit das Porzellan nicht klirrte. «Ich tue mein Bestes, Mrs. Traynor.»

«Ich weiß, Louisa.» Sie nickte.

Als ich ging, stand sie nicht auf.

Leo McInerney starb am 22. Mai in einem anonymen Zimmer einer Schweizer Wohnung. Er trug sein liebstes Fußballtrikot, und seine Eltern saßen bei ihm. Sein jüngerer Bruder hatte sich geweigert zu kommen, sagte aber in einer Stellungnahme, kein Mensch könne mehr geliebt worden sein und mehr Unterstützung gehabt haben als sein Bruder. Leo trank die milchige Lösung mit tödlichen Barbituraten um 15:47 Uhr, und seine Eltern sagten, er sei innerhalb von Minuten in eine Art Tiefschlaf gefallen. Um kurz nach vier Uhr wurde er von einem Zeugen, der den gesamten Prozess überwacht hatte, für tot erklärt. Zudem war alles auf Video aufgezeichnet worden, um jedem Verdacht auf ein Verbrechen vorzubeugen.

«Er sah so friedlich aus», wurde seine Mutter zitiert. «Das ist das Einzige, mit dem ich mich trösten kann.»

Sie und Leos Vater waren dreimal von der Polizei vernommen worden und hatten kurz vor einer Anklage gestanden. Hassbriefe landeten in ihrem Briefkasten. Leos Mutter sah mindestens zwanzig Jahre älter aus, als sie tatsächlich war. Und doch sprach aus ihrer Miene noch etwas anderes; etwas, das außer der Trauer und der Wut und der Angst und der Erschöpfung eine tiefe, tiefe Erleichterung ausdrückte.

«Endlich hat er wieder wie Leo ausgesehen.»

Kapitel 15

Also, Clark, welche aufregenden Pläne haben Sie für heute Abend?»

Wir waren im Garten. Nathan machte mit Will Physiotherapie. Er bewegte seine Knie sanft in Richtung Brust und wieder abwärts, während Will auf einer Decke lag, das Gesicht in der Sonne, die Arme ausgestreckt, als nähme er ein Sonnenbad. Ich saß neben ihnen auf dem Rasen und aß mein Sandwich. Ich ging während der Mittagspause kaum noch weg.

«Warum?»

«Reine Neugier. Es interessiert mich, wie Sie Ihre Zeit verbringen, wenn Sie nicht hier sind.»

«Na ja … heute Abend steht eine kurze Runde Kampfsport auf dem Programm, dann fliege ich zum Abendessen mit dem Hubschrauber nach Monte Carlo. Auf dem Heimweg trinke ich vielleicht in Cannes noch einen Cocktail. Wenn Sie … sagen wir so um zwei Uhr heute Nacht aus dem Fenster schauen, winke ich Ihnen vom Helikopter aus zu.» Ich klappte mein Sandwich auf, um den Belag zu inspizieren. «Wahrscheinlich lese ich das Buch zu Ende.»

Will sah zu Nathan auf. «Zehn Mäuse», sagte er und grinste.

Nathan griff in seine Hosentasche. «Immer das Gleiche», murmelte er.

Ich starrte sie an. «Was ist immer das Gleiche?», fragte ich, während Nathan Will das Geld in die Hand legte.

«Er hat gesagt, Sie würden ein Buch lesen. Ich habe gesagt, Sie würden fernsehen. Er gewinnt immer.»

Meine Hand mit dem Sandwich darin erstarrte in der Luft. «Immer? Sie wetten darum, wie langweilig mein Leben ist?»

«Dieses Wort würden wir nie benutzen», sagte Will. Der leicht schuldbewusste Ausdruck in seinen Augen strafte ihn allerdings Lügen.

Ich setzte mich gerade hin. «Damit ich das ganz genau verstehe. Sie beide setzen also echtes Geld darauf, ob ich am Freitagabend entweder zu Hause sitze und ein Buch lese oder zu Hause sitze und fernsehe?»

«Nein», sagte Will. «Ich hatte zusätzlich noch einen Zehner darauf gewettet, dass Sie dem Marathon-Mann beim Training zusehen.»

Nathan legte Wills Bein ab. Dann nahm er seinen Arm und begann, ihn vom Handgelenk aufwärts zu massieren.

«Und was wäre, wenn ich sage, dass ich in Wahrheit etwas ganz anderes mache?»

«Aber Sie machen nie etwas anderes», sagte Nathan.

«Der gehört mir», sagte ich und nahm Will den Zehner aus der Hand. «Weil Sie nämlich alle beide falschliegen.»

«Sie haben gesagt, dass Sie Ihr Buch lesen!», protestierte Will.

«Jetzt, wo ich das hier habe», sagte ich und schwenkte den Zehnpfundschein, «gehe ich ins Kino. Da haben Sie's. Das ist das Gesetz der unbeabsichtigten Folgen, oder wie auch immer Sie es nennen wollen.»

Ich stand auf, steckte das Geld ein und schob den Rest meines Sandwiches in die braune Papiertüte zurück. Ich lächelte, als ich von den beiden wegging, aber ohne dass ich richtig verstand, warum, brannten Tränen in meinen Augen.

Ich hatte an diesem Morgen eine Stunde vor dem Kalender verbracht, bevor ich zum Granta House gefahren war. An manchen Tagen saß ich einfach nur auf dem Bett, starrte ihn an, den Marker in der Hand, und überlegte, wohin ich mit Will fahren könnte. Ich glaubte eigentlich nicht, dass ich Will von weiter entfernten Ausflugszielen überzeugen konnte, und sogar mit Nathans Unterstützung wirkte die Vorstellung von einer Übernachtung außerhalb beängstigend.

Ich las die Lokalzeitung, überflog Ankündigungen zu Fußballturnieren und Dorffesten, aber nach der Katastrophe auf der Pferderennbahn befürchtete ich immer, Wills Rollstuhl könnte auf einer feuchten Wiese stecken bleiben. Außerdem hatte ich Bedenken, dass er sich in einer Menschenmenge zur Schau gestellt fühlen könnte. Und alles, was mit Pferden zu tun hatte, kam nicht in Frage, und das machte in einer Gegend wie unserer einen beträchtlichen Anteil der Freizeitaktivitäten aus. Ich wusste auch, dass Patricks Marathonläufe uninteressant für ihn waren und ihn Kricket und Rugby kaltließen. An manchen Tagen fühlte ich mich vollkommen gelähmt von meiner eigenen Unfähigkeit, mir etwas Neues einfallen zu lassen.

Vielleicht hatten Will und Nathan ja recht. Vielleicht war ich einfach langweilig. Vielleicht war ich der ungeeignetste Mensch auf der Welt, um auf etwas zu kommen, das Wills Lebensmut aufflammen lassen konnte.

Lesen oder fernsehen.

Wenn man es so sah, konnte man kaum anderer Meinung sein.

Nachdem Nathan gegangen war, entdeckte mich Will in der Küche. Ich saß an dem kleinen Tisch, schälte Kartoffeln für sein Abendessen und sah nicht auf, als er mit seinem Rollstuhl im Türrahmen stehen blieb. Er betrachtete mich so lange, dass meine Ohren unter seinen prüfenden Blicken schließlich rot anliefen.

«Wissen Sie», sagte ich schließlich, «ich hätte vorhin richtig fies zu Ihnen sein können. Ich hätte Sie darauf hinweisen können, dass Sie selbst ja auch nichts unternehmen.»

«Ich glaube nicht, dass Nathan besonders viel darauf gesetzt hätte, dass ich tanzen gehe», sagte Will.

«Ich weiß, dass es nur Spaß ist», fuhr ich fort und ließ ein langes Stück Kartoffelschale auf den Tisch fallen. «Aber Sie haben dafür gesorgt, dass ich mich richtig beschissen fühle. Wenn Sie schon auf mein langweiliges Leben wetten, müssen Sie es mir dann wirklich auch noch sagen? Hätten Sie und Nathan das nicht als eine Art Insiderwitz für sich behalten können?»

Er sagte eine ganze Weile nichts. Als ich endlich aufblickte, beobachtete er mich. «Es tut mir leid», sagte er.

«Danach sehen Sie aber nicht aus.»

«Na ja ... okay ... vielleicht wollte ich, dass Sie es hören. Ich wollte, dass Sie über das nachdenken, was Sie tun.»

«Ach, also darüber, wie ich mein Leben nutzlos verstreichen lasse?»

«Ja, eigentlich schon.»

«Meine Güte, Will. Ich wünschte, Sie würden aufhören, mir zu erzählen, was ich zu tun habe. Was ist, wenn es mir gefällt, vor dem Fernseher zu sitzen? Was ist, wenn ich keine Lust habe, etwas anderes zu machen als ein Buch zu lesen?» Meine Stimme war schrill geworden. «Was ist, wenn ich abends müde bin? Was ist, wenn ich meine Freizeit nicht mit Aktionismus ausfüllen möchte?»

«Aber es könnte ein Tag kommen, an dem Sie sich wünschen, Sie hätten es getan», sagte er leise. «Wissen Sie, was ich an Ihrer Stelle tun würde?»

Ich legte das Schälmesser weg. «Ich vermute, das werden Sie mir gleich erzählen.»

«Ja. Und das ist mir kein bisschen peinlich. Ich würde in die Abendschule gehen. Ich würde mir eine Ausbildung als Schneiderin oder Modedesignerin suchen oder was auch immer Sie wirklich machen möchten.» Er nickte in Richtung meines Minirocks im Sechziger-Jahre-Pucci-Stil, den ich aus einer von Großvaters alten Übergardinen genäht hatte. «Ich würde herausfinden, was ich tun könnte, das nicht zu teuer ist – Fitnesskurse, Schwimmen, ehrenamtliche Arbeit, egal. Ich würde lernen, ein Instrument zu spielen, lange Spaziergänge mit dem Hund anderer Leute unternehmen oder …»

«Schon gut, ich habe verstanden», sagte ich gereizt. «Aber ich bin nicht Sie, Will.»

«Glücklicherweise.»

Dann saßen wir eine Weile bloß da. Will rollte in die Küche und fuhr den Stuhl hoch, sodass wir uns über den Tisch hinweg direkt ansahen.

«Okay», sagte ich. «Was haben Sie damals nach der Arbeit unternommen? Das so unheimlich bedeutend war.»

«Tja, nach der Arbeit war nicht mehr viel vom Abend übrig, aber ich habe versucht, jeden Tag etwas zu machen. Ich bin in einer Indoor-Anlage klettern gewesen, habe Squash gespielt und war auf Konzerten und in neuen Restaurants.»

«Das ist leicht, wenn man Geld hat», widersprach ich.

«Und ich bin laufen gegangen. Ja, tatsächlich», sagte er, als ich eine Augenbraue hochzog.

«Und ich habe versucht, die Sprachen der Länder zu lernen, in die ich eines Tages reisen wollte. Und ich habe mich mit meinen Freunden getroffen ...» Er zögerte einen Moment. «Und ich habe Reisen geplant. Ich habe Orte gesucht, die ich nicht kannte, Dinge, die mich erschrecken und an meine Grenzen bringen würden. Ich bin einmal durch den Ärmelkanal geschwommen. Ich habe Gleitschirmfliegen gemacht. Ich bin auf Berge gestiegen und auf Skiern wieder runtergefahren. Ja», sagte er, als ich ihn unterbrechen wollte, «ich weiß, dass man für vieles davon Geld braucht, aber für vieles auch nicht. Und davon abgesehen, wie, glauben Sie, habe ich mein Geld verdient?»

«Reiche Leute abgezockt?»

«Ich habe herausgefunden, was mich glücklich macht, und ich habe herausgefunden, was ich erreichen möchte, und ich habe die nötige Ausbildung gemacht, damit ich den Job bekomme, der beides verbindet.»

«Bei Ihnen klingt das unheimlich einfach.»

«Es ist ja auch einfach», sagte er. «Es bedeutet nur gleichzeitig eine Menge Anstrengung. Und die Leute wollen sich nicht anstrengen.»

Mittlerweile war ich mit den Kartoffeln fertig. Ich warf die Schalen in den Abfalleimer und stellte die Pfanne für später auf den Herd. Dann drehte ich mich um und setzte mich auf den Tisch, sodass ich mit baumelnden Beinen vor ihm saß.

«Sie hatten ein tolles Leben, oder?»

«Ja, hatte ich.» Er kam etwas näher und fuhr seinen Sitz weiter hoch, sodass wir wieder beinahe auf Augenhöhe waren. «Und deshalb nerven Sie mich auch so, Clark. Weil ich all diese Begabungen sehe, all diese ...», er zuckte leicht mit den Schultern, «... Energie und die Intelligenz und das ...»

«Sagen Sie bloß nicht Potenzial.»

«Potenzial. Ganz genau. Das Potenzial. Und ich kann beim besten Willen nicht verstehen, wie Sie sich mit diesem beschränkten Leben zufriedengeben können. Diesem Leben, das sich komplett innerhalb eines Fünfmeilenumkreises abspielt und in dem niemand vorkommt, der Sie jemals überrascht oder antreibt oder Ihnen Dinge zeigt, bei denen sich Ihnen der Kopf dreht und die Ihnen schlaflose Nächte bereiten.»

«Das ist also Ihre Art, mir zu sagen, dass ich etwas viel Lohnenswerteres tun sollte, als Ihre Kartoffeln zu schälen.»

«Was ich Ihnen sagen will, ist, dass es da draußen eine ganze Welt zu entdecken gibt. Aber ich bin Ihnen auch sehr dankbar, wenn Sie mir vor Ihrem Aufbruch ein paar Kartoffeln schälen.» Er lächelte mich an, und ich konnte nicht anders, als sein Lächeln zu erwidern.

«Glauben Sie …», fing ich an, unterbrach mich aber.

«Sprechen Sie weiter.»

«Glauben Sie, dass es deshalb schwerer für Sie ist, sich an die … Situation zu gewöhnen? Ich meine, weil Sie all diese Sachen erlebt und getan haben?»

«Fragen Sie mich damit, ob ich wünschte, all das nicht getan zu haben?»

«Ich überlege nur, ob es anders einfacher für Sie gewesen wäre. Wenn Sie nicht so aktiv gewesen wären. Jetzt so zu leben, meine ich.»

«Ich werde nie und nimmer die Dinge bedauern, die ich unternommen habe. Denn an den meisten Tagen, an denen man an so einen Stuhl gefesselt ist, hat man nur einen Ort, an den man gehen kann: seine Erinnerung.» Er lächelte. Es war ein angespanntes Lächeln, das ihn Mühe kostete. «Wenn Sie also wissen wollen, ob ich stattdessen lieber in Erinnerungen an den Blick vom Gemischtwarenladen zur Burg oder an die Geschäfte unten beim Kreisverkehr schwelgen würde, dann lautet die Antwort nein. Mein Leben war ganz in Ordnung, danke der Nachfrage.»

Ich glitt vom Tisch. Ich war nicht sicher, wie es passiert war, aber es kam mir schon wieder so vor, als wäre ich durch seine Argumentation in die Defensive gedrängt worden. Ich griff nach dem Schneidebrett auf dem Abtropfgestell.

«Und Lou, es tut mir leid. Das mit den Wetten, meine ich.»

«Dann ist es ja gut.» Ich drehte mich um und spülte das Brett unter fließendem Wasser ab. «Aber glauben Sie bloß nicht, dass Sie deshalb Ihren Zehner zurückkriegen.»

Zwei Tage später landete Will mit einer Infektion im Krankenhaus. Sie nannten es eine Vorsichtsmaßnahme, allerdings war es für jedermann offensichtlich, dass er große Schmerzen hatte. Einige Tetraplegiker empfanden so etwas nicht, aber Will, der zwar keine Körpertemperatur spüren konnte, fühlte Schmerzen und Berührungen. Ich besuchte ihn zweimal, brachte ihm Musik und etwas Gutes zu essen. Ich wollte ihm Gesellschaft leisten, doch es kam mir vor, als wäre ich nur im Weg, und mir wurde klar, dass Will im Krankenhaus nicht noch mehr Aufmerksamkeit auf sich ziehen wollte. Er sagte mir, ich solle nach Hause gehen und meine Freizeit genießen.

Ein Jahr zuvor hätte ich diese freien Tage vertrödelt. Ich wäre durch die Geschäfte geschlendert und hätte mich vielleicht mit Patrick zum Mittagessen getroffen. Vermutlich hätte ich mir auch ein paar Nachmittagsserien im Fernsehen angeschaut und womöglich einen halbherzigen Versuch unternommen, mein Kleiderchaos aufzuräumen. Und geschlafen hätte ich auch ziemlich viel.

Jetzt aber fühlte ich mich merkwürdig unruhig und verloren. Es irritierte mich, nicht früh aufstehen zu müssen und etwas Sinnvolles zu tun zu haben.

Ich brauchte den halben Vormittag, um darauf zu kommen, dass ich diese Zeit sehr gut nutzen konnte. Dann ging ich zum Recherchieren in die Bibliothek. Ich besuchte jede Website über

Tetraplegie, die ich entdeckte, und ich suchte nach Dingen, die wir unternehmen konnten, wenn es Will wieder besser ging. Ich schrieb Listen, fügte zu jedem Eintrag die notwendige Ausrüstung oder andere Punkte hinzu, die wir bedenken mussten.

Ich stieß auf einige Chatrooms für Menschen mit Rückenmarksverletzungen und stellte fest, dass es Tausende Betroffene wie Will gab – Männer und Frauen, die verborgen in London, Sydney, Vancouver oder auch nur die Straße runter lebten. Manche von ihnen wurden von Freunden und ihrer Familie unterstützt, andere waren herzzerreißend einsam.

Ich war nicht die einzige Betreuerin, die sich für diese Webseiten interessierte. Da waren Freundinnen, die fragten, wie sie ihre Partner darin unterstützen konnten, wieder genügend Selbstvertrauen aufzubauen, um sich aus dem Haus zu wagen, Ehemänner, die Fragen zu neuen pflegemedizinischen Apparaten hatten. Es gab Werbeanzeigen für Rollstühle, die auf Sand fahren konnten und geländegängig waren, für flexible Hebevorrichtungen und aufblasbare Badehilfen.

In den Chatrooms benutzten sie einen ganz eigenen Code. Ich stellte fest, dass RMV für Rückenmarksverletzung stand, NB für Nichtbehinderte und UTI für eine Infektion. Ich erfuhr, dass eine C4 / C5-Rückenmarksverletzung viel schlimmer war als eine C11 / C12, bei der in vielen Fällen die Arme oder der Oberkörper noch bewegt werden konnten. Es gab Geschichten von Liebe und Verlust, von Menschen, die versuchten, das Leben mit ihren invaliden Ehepartnern oder Kindern zu meistern. Da waren Frauen mit Schuldgefühlen, weil sie darum gebetet hatten, dass ihre Männer aufhörten, sie zu schlagen – und dann konnten sie es tatsächlich nie mehr. Da waren Männer, die ihre gelähmten Frauen verlassen wollten, aber Angst vor der Reaktion der Leute hatten. Da war Erschöpfung und Verzweiflung und sehr viel schwarzer Humor – Witze über explodierende

Katheterbeutel, anderer Leute gutgemeinte Idiotie und Missgeschicke im alkoholisierten Zustand. Aus dem Rollstuhl zu
kippen, schien weit verbreitet zu sein. Und es gab Diskussions-
foren über Selbstmord – von Betroffenen, die sich umbringen
wollten, und von solchen, die dazu aufriefen, sich mehr Zeit
zu geben, um zu lernen, dieses Leben mit anderen Augen zu
betrachten. Ich las die Beiträge und bekam das Gefühl, einen
heimlichen Blick in Wills Kopf zu werfen.

Zur Mittagszeit ging ich aus der Bibliothek, um bei einem
kurzen Spaziergang einen klaren Kopf zu bekommen. Ich
gönnte mir ein Garnelensandwich und setzte mich auf die
Mauer, um den Schwänen auf dem Teich unterhalb der Burg
zuzuschauen. Es war warm genug, um die Jacke auszuziehen,
und ich hob mein Gesicht der Sonne entgegen. Es hatte etwas
merkwürdig Beruhigendes zu sehen, dass sich die übrige Welt
einfach weiterdrehte wie immer. Nachdem ich den gesamten
Vormittag in den Bezirken derer verbracht hatte, die an den
Rollstuhl gefesselt waren, empfand ich es schon als Freiheit,
hinauszugehen und mein Sandwich in der Sonne essen zu können.

Als ich damit fertig war, ging ich in die Bibliothek zurück
und setzte mich wieder an den Computer. Dann fasste ich mir
ein Herz und begann, eine Nachricht zu schreiben.

Hallo – ich bin die Freundin / Pflegehilfe eines 35-jährigen C5 / C6-
Tetraplegikers. Er war in seinem früheren Leben sehr erfolgreich
und dynamisch und hat Probleme, sich an sein neues Leben zu gewöhnen. Ehrlich gesagt, weiß ich sogar, dass er nicht weiterleben
will, und ich überlege, ob ich ihn dazu bringen kann, seine Meinung
zu ändern. Könnte mir bitte jemand sagen, wie ich das vielleicht
schaffe? Hat jemand Ideen für Unternehmungen, die ihm Spaß
machen könnten, oder einen Vorschlag, wie ich ihn ermutigen
kann, seinen Standpunkt zu ändern? Ich bin für jeden Rat dankbar.

Ich unterschrieb mit Busy Bee. Dann lehnte ich mich auf dem Stuhl zurück, kaute ein bisschen an meinem Daumennagel und drückte schließlich auf ‹absenden›.

Als ich mich am nächsten Vormittag an den Computer setzte, hatte ich vierzehn Antworten bekommen. Ich loggte mich in den Chatroom ein und schaute ungläubig auf die Namensliste und die Antworten, die zu jeder Tages- und Nachtzeit von Leuten auf der ganzen Welt gekommen waren. Die erste Nachricht lautete:

> Liebe Busy Bee,
> willkommen in unserem Forum. Bestimmt ist dein Freund sehr froh darüber, dass sich jemand Gedanken um ihn macht.

Da bin ich nicht so sicher, dachte ich.

> Die meisten von uns haben irgendwann einen echten Tiefpunkt erlebt. Vielleicht ist dein Freund gerade dort angekommen. Lass nicht zu, dass er dich abschiebt. Bleib positiv. Und erinnere ihn daran, dass nicht er es ist, der über unseren Eintritt und unseren Abschied von der Welt zu entscheiden hat, sondern Gott. Der Herr hat in seiner Weisheit beschlossen, das Leben deines Freundes zu ändern, und darin liegt vielleicht eine Lehre, die Gott ...

Ich scrollte zur nächsten Nachricht weiter.

> Liebe Bee,
> man kann es nicht schönreden, gelähmt zu sein ist scheiße. Wenn dein Freund außerdem noch früher sehr aktiv war, ist es besonders schwer. Das hat mir geholfen: viel Gesellschaft, auch wenn mir nicht danach war. Gutes Essen. Gute Ärzte. Gute Medikamen-

te, auch Antidepressiva, wenn nötig. Du hast nicht gesagt, wo du wohnst, aber wenn du ihn dazu bringen könntest, mit anderen aus der RMV-Gemeinde zu reden, hilft ihm das vielleicht. Ich habe das zuerst abgelehnt (ich glaube, irgendein Teil von mir wollte nicht zugeben, dass ich wirklich im Rollstuhl sitze), aber es hilft, wenn man weiß, dass man damit nicht allein ist.

Oh, und lass ihn KEINE Filme wie *Schmetterling und Taucherglocke* sehen. Der zieht ihn garantiert runter!

Lass uns wissen, wie du klarkommst.

Alles Gute

Ritchie

Ich sah nach, worum es in *Schmetterling und Taucherglocke* ging. ‹Der Film erzählt die Geschichte eines Mannes, der nach einem Schlaganfall vollständig gelähmt ist, und von seinen Versuchen, mit der Außenwelt zu kommunizieren›, stand im Internet. Ich schrieb mir den Titel auf, ohne recht zu wissen, ob ich das tat, weil ich sichergehen wollte, dass Will den Film nicht sah oder weil ich ihn mir selbst ansehen wollte.

Die nächsten beiden Antworten kamen von einem Siebenten-Tags-Adventisten und einem Mann, dessen Vorschläge, wie ich Will aufheitern könnte, ganz bestimmt nicht von meiner Arbeitsbeschreibung abgedeckt wurden. Ich wurde rot und scrollte schnell weiter, weil ich befürchtete, irgendwer könnte über meine Schulter mitlesen. Bei der nächsten Antwort stutzte ich.

Hallo, Busy Bee,

warum soll dein Freund/Pflegefall oder was er sonst ist, seine Meinung ändern? Wenn ich eine Art wüsste, auf die ich würdevoll abtreten kann, ohne damit meine Familie zu zerstören, würde ich es machen. Ich sitze jetzt seit acht Jahren in diesem Stuhl, und mein Leben ist eine unendliche Serie von Demütigungen und

Frustrationen. Kannst du dich wirklich in seine Lage versetzen? Weißt du, wie es ist, wenn man nicht mal ohne fremde Hilfe aufs Klo gehen kann? Wie es ist, wenn man weiß, dass man für alle Zeiten jemanden brauchen wird, der einem hilft, ins Bett zu gehen, zu essen, sich anzuziehen und mit der Außenwelt in Kontakt zu kommen? Nie mehr Sex zu haben? Zu wissen, dass man Druckgeschwüre bekommt und dauernd krank ist und irgendwann an ein Beatmungsgerät angeschlossen wird? Du klingst nett, und ich bin sicher, dass du es gut meinst. Aber vielleicht kümmert sich schon nächste Woche jemand anderes um ihn. Und das könnte jemand sein, der ihn deprimiert oder ihn nicht mag. Das liegt, genauso wie alles andere, außerhalb seiner Einflussmöglichkeiten. Wir RMVs wissen genau, wie wenig wir beeinflussen können – wer uns füttert, uns anzieht, uns wäscht, uns die Medikamente verordnet. Mit diesem Bewusstsein zu leben, ist sehr schwer.

Deshalb glaube ich, dass du die falsche Frage stellst. Wer sind die *NBs*, dass sie entscheiden wollen, wie wir leben? Wenn das jetzt das falsche Leben für deinen Freund ist, sollte dann die Frage nicht lauten: Wie kann ich ihm helfen, es zu beenden?

Mit besten Wünschen

Gforce, Missouri, US

Ich starrte die Nachricht an, meine Finger lagen wie erstarrt auf der Tastatur. Dann scrollte ich weiter. Die nächsten Antworten waren von anderen Tetraplegikern, die Gforce für seine harten Worte kritisierten und erklärten, dass sie für sich einen Weg gefunden hatten, dass sie ihr Leben für lebenswert hielten. Daran schloss sich eine kontroverse Diskussion an, die im Grunde überhaupt nichts mit Will zu tun hatte.

Dann wandte sich das Forum wieder meiner Ausgangsfrage zu. Es gab Vorschläge zu Antidepressiva, Massagen, Berichte von Wunderheilungen und davon, wie das Leben der Forumsmitglieder wieder neue Bedeutung erhalten hatte. Es gab auch ein paar konkrete Vorschläge: Weinproben, Konzerte, Ausstellungen, spezielle Keyboards.

«Eine Lebenspartnerin», sagte Grace31 aus Birmingham. «Wenn er Liebe bekommt, wird er die Kraft zum Weitermachen haben. Ohne Liebe wäre ich schon oft zusammengebrochen.»

Dieser Satz echote noch lange durch meinen Kopf, nachdem ich aus der Bibliothek gegangen war.

Will wurde am Donnerstag aus dem Krankenhaus entlassen. Ich holte ihn ab und brachte ihn nach Hause. Er war blass und entkräftet und starrte den ganzen Tag lustlos aus dem Fenster.

«Im Krankenhaus kann man nie schlafen», erklärte er, als ich ihn fragte, ob alles okay war. «Immer stöhnt irgendwer im Nachbarbett.»

Ich erklärte ihm, dass er sich übers Wochenende erholen könne, ich danach aber eine Reihe Ausflüge geplant hatte. Und ich erklärte ihm, dass ich seinen Rat befolgte und neue Sachen ausprobieren wollte und er mitkommen musste. Das bedeutete einen gewissen Wechsel in meiner Argumentation, aber ich wusste, dass ich ihn sonst nicht dazu bringen würde, mich zu begleiten.

Ich hatte für die nächsten Wochen tatsächlich einen detaillierten Plan aufgestellt. Ich hatte jeden Ausflug sorgfältig in Schwarz in meinen Kalender eingetragen, in Rot die Vorbereitungen, die zu treffen waren, und in Gelb, was ich alles mitnehmen musste. Jedes Mal, wenn ich den Kalender an meiner Tür ansah, stieg Aufregung in mir hoch, sowohl, weil es mir gelungen war, alles so gut zu organisieren, als auch, weil eines dieser Ereignisse vielleicht Wills Standpunkt verändern würde.

Wie mein Dad immer sagt: Meine Schwester ist in unserer Familie diejenige mit Köpfchen.

Der Ausflug in die Kunstgalerie dauerte etwas unter zwanzig Minuten, einschließlich der Zeit, die wir brauchten, um auf der Suche nach einem Parkplatz dreimal um den Block zu fahren. Als wir ankamen und ich kaum die Tür hinter uns zugemacht hatte, sagte Will, sämtliche Bilder wären schrecklich. Ich fragte ihn, warum, und er meinte, wenn ich das nicht selbst sehen würde, könnte er es mir nicht erklären. Der Kinobesuch klappte nicht, weil uns die Mitarbeiter mitteilten, dass der Aufzug bedauerlicherweise nicht funktionierte. Andere Sachen, wie der vergebliche Versuch, schwimmen zu gehen, erforderten mehr Zeit und Organisation – die telefonische Anmeldung im Schwimmbad, Nathans Überstunden, und dann, als wir dort waren, die Thermoskanne mit heißer Schokolade, die wir schweigend auf dem Parkplatz tranken, weil sich Will standhaft weigerte, ins Schwimmbad zu gehen.

Am folgenden Mittwochabend gingen wir zum Konzert eines Sängers, den er einmal in New York gesehen hatte. Das war ein guter Ausflug. Als er die Musik hörte, war er voll konzentriert. Ansonsten war es meistens, als wäre Will nicht ganz präsent, als würde ein Teil von ihm gegen Schmerzen kämpfen oder gegen Erinnerungen und düstere Gedanken. Aber bei Musik war es anders.

Am nächsten Tag nahm ich ihn zu einer Weinprobe mit, die als Werbeveranstaltung in einem Weinladen durchgeführt wurde. Ich musste Nathan versprechen, darauf zu achten, dass Will nicht betrunken wurde. Ich hielt Will die Gläser zum Riechen hin, und er wusste, was es war, bevor er den Wein probiert hatte. Ich musste mich beherrschen, um nicht loszuprusten, als Will den Wein in den Becher spuckte (es sah wirklich komisch aus), und er zog die Augenbrauen zusammen und meinte, ich wäre total kindisch. Der Besitzer des Weinladens, der am Anfang etwas befremdet darüber war, einen Rollstuhlfahrer dazuhaben, war schließlich höchst beeindruckt von Will. Im Laufe des Nachmittags setzte er sich zu Will und fing an, weitere Flaschen aufzumachen und mit ihm über Anbaugebiete und Traubensorten zu diskutieren, während ich herumspazierte, Etiketten studierte und mich ehrlich gesagt ziemlich langweilte.

«Kommen Sie her, Clark. Lernen Sie was», sagte Will und nickte in Richtung des Platzes neben sich.

«Das kann ich nicht. Meine Mum hat mir beigebracht, dass es sich nicht gehört, etwas auszuspucken.»

Die beiden Männer sahen sich an, als wäre ich die Verrückte. Aber er spuckte nicht jeden Schluck Wein aus. Ich beobachtete ihn. Und er war den Rest des Nachmittags verdächtig gesprächig, gut gelaunt und streitlustig.

Auf dem Nachhauseweg fuhren wir durch eine Stadt, in der wir normalerweise nie waren, und als wir im Stau standen, sah ich ein Tätowierstudio.

«Ich wollte schon immer ein Tattoo haben», sagte ich.

Ich hätte wissen sollen, dass man so etwas in Wills Gegenwart nicht einfach so sagen konnte. Er hatte nichts für Smalltalk und belangloses Gerede übrig. Augenblicklich wollte er wissen, warum ich dann keins hatte.

«Oh … keine Ahnung. Vermutlich liegt es daran, was die Leute sagen würden, schätze ich.»

«Warum? Was würden sie denn sagen?»

«Mein Dad hasst Tätowierungen.»

«Wie alt sind Sie noch mal?»

«Patrick hasst sie auch.»

«Und er tut *niemals* etwas, das Ihnen möglicherweise nicht gefällt.»

«Vielleicht würde ich plötzlich Panik kriegen. Oder ich könnte meine Meinung ändern, wenn ich das Ding auf der Haut habe.»

«Dann könnten Sie es doch immer noch per Laser entfernen lassen, oder?»

Ich sah ihn im Rückspiegel an. Seine Augen funkelten belustigt.

«Also», sagte er. «Was für ein Tattoo würden Sie wollen?»

Ich lächelte unwillkürlich. «Ich weiß nicht. Keine Schlange. Oder den Namen von irgendwem.»

«Ich habe auch nicht erwartet, dass es ein Herz mit einem Spruchband sein soll, auf dem ‹Mutter› steht.»

«Versprechen Sie mir, nicht zu lachen?»

«Sie wissen, dass ich das nicht versprechen kann. O Gott, Sie wollen doch hoffentlich keinen Sanskrit-Spruch oder so etwas? *Was mich nicht tötet, macht mich stärker?*»

«Nein. Ich würde mir eine Biene aussuchen. Eine kleine schwarz-gelbe Biene. Ich liebe Bienen.»

Er nickte, als wäre das ein vollkommen vernünftiger Wunsch für eine Tätowierung. «Und wo sollte sie sein? Oder darf ich das nicht fragen?»

Ich zuckte mit den Schultern. «Keine Ahnung. Auf der Schulter? Auf der Hüfte?»

«Halten Sie an.»

«Warum? Fühlen Sie sich nicht gut?»

«Halten Sie einfach an. Da drüben ist ein Parkplatz.»

Ich stellte das Auto ab und sah ihn an. «Gehen Sie schon», sagte er. «Wir haben heute weiter nichts vor.»

«Wohin soll ich gehen?»

«In das Tätowierstudio.»

Ich lachte. «Ja klar.»

«Warum nicht?»

«Sie haben zu viel Wein geschluckt, statt ihn auszuspucken.»

«Sie haben meine Frage nicht beantwortet.»

Ich drehte mich zu ihm um. Er meinte es ernst.

«Ich kann mich nicht tätowieren lassen. Einfach so.»

«Warum nicht?»

«Weil …»

«Weil es Ihrem Freund nicht gefallen könnte? Weil Sie immer noch ein artiges Mädchen sein müssen, sogar mit siebenundzwanzig? Weil es zu *unheimlich* ist? Los, Clark. Das ist das Leben. Was hält Sie davon ab?»

Ich starrte zu dem Tätowierstudio. Hinter dem leicht schmierigen Schaufenster prangten ein großes Neonherz und ein paar Fotos von Angelina Jolie und Mickey Rourke.

Wills Stimme unterbrach meine Gedanken. «Also. Ich mache es auch, wenn Sie es machen.»

Ich sah ihn wieder an. «Sie lassen sich tätowieren?»

«Falls es mir gelingt, Sie endlich einmal aus Ihrem engen, kleinen Schneckenhaus herauszulocken.»

Ich stellte den Motor ab. Wir saßen da und hörten dem Ticken zu, mit dem er abkühlte, und den gedämpften Verkehrsgeräuschen von der Straße.

«Das hält so ziemlich für immer.»

«Das ‹so ziemlich› können Sie streichen.»

«Patrick wird es furchtbar finden.»

«Das haben Sie schon gesagt.»

«Und wir kriegen wahrscheinlich Gelbsucht von den schmutzigen Nadeln. Und riskieren einen langsamen, grausamen Tod.» Ich drehte mich wieder zu ihm um. «Vermutlich können sie es gar nicht machen. Nicht jetzt sofort.»

«Kann sein. Aber sollen wir nicht reingehen und mal fragen?»

Zwei Stunden später kamen wir aus dem Tätowierstudio, ich war um achtzig Pfund ärmer und hatte ein Operationspflaster auf der Hüfte, wo die Tinte noch trocknete. Weil ich nur ein so kleines Tattoo wollte, hatte der Tätowierer gesagt, konnte ich in einer Sitzung sowohl die Umrisslinien als auch die Farbfelder machen lassen, und das war's. Es war fertig. Ich war tätowiert. Oder, wie Patrick garantiert sagen würde, fürs Leben entstellt. Unter dem weißen Pflaster hockte eine fette Hummel, die ich aus dem laminierten Ringordner ausgesucht hatte, den uns der Tätowierer gab, als wir hereingekommen waren. Ich war fast hysterisch vor Begeisterung und verdrehte mich so lange, um einen Blick auf die Hummel zu erhaschen, bis Will sagte, ich solle es seinlassen, sonst würde ich mir noch etwas verrenken.

Will war in dem Studio völlig entspannt und gut gelaunt gewesen, was schon an sich merkwürdig genug war. Sie hatten ihn nicht angegafft. Sie hatten schon ein paar Rollstuhlfahrer tätowiert, erzählten sie, und das erklärte die Selbstverständlichkeit, mit der sie Will behandelten. Sie waren überrascht, als Will sagte, er könnte die Nadel spüren. Sechs Wochen zuvor hatten sie die Tätowierung eines Tetraplegikers fertiggestellt, der sich über die ganze Länge eines Beins ein Trompe-l'Œil-Bionic-Tattoo hatte stechen lassen.

Der Tätowierer mit dem Bolzen im Ohrläppchen hatte Will in den zweiten Raum mitgenommen und mit der Hilfe meines Tätowierers auf einen speziellen Tisch gelegt, sodass ich durch die offene Tür nur seine Unterschenkel sehen konnte. Ich hörte die beiden dadrinnen murmeln und über das Summen der Tätowiernadel lachen, während mich der Geruch des Desinfektionsmittels in der Nase kitzelte.

Als die Nadel in meine Haut eindrang, biss ich mir auf die Unterlippe, weil ich nicht wollte, dass mich Will jammern hörte. Ich konzentrierte mich darauf, was er nebenan machte, versuchte, die Unterhaltung zu belauschen, fragte mich, was für ein Tattoo er sich machen ließ. Als er endlich herauskam, war ich schon fertig, und er weigerte sich, mir seine Tätowierung zu zeigen. Ich vermutete, sie hatte etwas mit Alicia zu tun.

«Sie haben einen schlechten Einfluss auf mich, Will Traynor», sagte ich, als ich das Auto aufschloss und die Rampe herunterließ. Ich konnte nicht aufhören zu grinsen.

«Zeigen Sie es mir.»

Ich sah rechts und links die Straße hinunter, dann zog ich das Pflaster an meiner Hüfte ein Stückchen ab.

«Das ist toll. Mir gefällt Ihre kleine Biene. Ehrlich.»

«Jetzt muss ich für den Rest meines Lebens Hosen mit hohem Bund anziehen, wenn meine Eltern in der Nähe sind.» Ich half ihm, den Rollstuhl auf die Rampe zu manövrieren, und fuhr sie hoch. «Andererseits, wenn ich daran denke, was *Ihre* Mum sagt, wenn sie hört, dass Sie sich haben tätowieren lassen ...»

«Dann erzähle ich ihr, das Mädchen aus der Sozialbausiedlung hat mich auf Abwege geführt.»

«Okay, Traynor. Und jetzt zeigen Sie mir Ihres.»

Er schaute mich mit einem halben Lächeln direkt an. «Sie müssen sowieso das Pflaster wechseln, wenn wir nach Hause kommen.»

«Das kenne ich schon. Dann bekomme ich es nie zu sehen. Machen Sie schon. Vorher fahre ich nicht los.»

«Dann ziehen Sie mein Hemd hoch. Auf der rechten Seite. Von Ihnen aus gesehen die rechte Seite.»

Ich beugte mich zwischen den Vordersitzen zu ihm, zog an seinem Hemd und löste das Pflaster darunter ein Stückchen. Und da hob sich von seiner blassen Haut ein schwarz-weiß gestreiftes Rechteck ab, das so klein war, dass ich zweimal hinsehen musste, um zu erkennen, was darin stand.

Zu verbrauchen bis: 19. März 2007

Ich starrte darauf. Ich lachte gezwungen, und dann schwammen meine Augen in Tränen.

«Das Datum meines Unfalls. Ja.» Er hob den Blick zum Dach des Autos. «Oh, wirklich, jetzt werden Sie nicht rührselig, Clark. Das sollte lustig sein.»

«Es ist auch lustig. Auf eine beschissene Art.»

«Nathan wird es gefallen. Kommen Sie, schauen Sie mich nicht so an. Es ist schließlich nicht so, als würde ich meinen perfekten Körper ruinieren, oder?»

Ich zog Wills Hemd wieder herunter, drehte mich um und ließ den Motor an. Ich wusste nicht, was ich sagen sollte. Ich wusste nicht, was das zu bedeuten hatte. Hieß es, dass er sich mit seiner Situation abfand? Oder war es nur eine neue Art, auf die er seine Verachtung für seinen Körper demonstrierte?

«Hey, Clark, tun Sie mir einen Gefallen», sagte er, als ich gerade losfahren wollte. «Greifen Sie doch mal für mich in die Tasche, in die Reißverschlusstasche.»

Ich sah in den Rückspiegel und zog die Handbremse wieder an. Dann beugte ich mich zwischen den Vordersitzen nach hinten und wühlte nach seinen Anweisungen in der Tasche.

«Möchten Sie eine Schmerztablette?» Mein Gesicht war nur Zentimeter von seinem entfernt. Er hatte mehr Farbe als jemals, seit er aus dem Krankenhaus gekommen war. «Ich habe welche in meiner …»

«Nein. Suchen Sie weiter.»

Ich ertastete ein Stück Papier und ließ mich damit auf meinen Sitz zurücksinken. Es war ein gefalteter Zehnpfundschein.

«Den habe ich gemeint. Den Notfall-Zehner.»

«Und?»

«Er gehört Ihnen.»

«Für was?»

«Das Tattoo.» Er grinste mich an. «Bis zu der Sekunde, in der Sie tatsächlich auf diesem Stuhl gesessen haben, war ich überzeugt, dass Sie es am Ende doch nicht machen würden.»

Kapitel 16

E s war nicht zu leugnen. Die Übernachtungsregelung funktionierte einfach nicht. Jedes Wochenende, an dem Treena nach Hause kam, begann die Familie Clark eine langwierige, nächtliche Reise nach Jerusalem. Nach dem Abendessen am Freitag boten Mum und Dad ihr Schlafzimmer an, und Treena akzeptierte das Angebot, nachdem sie ihr versichert hatten, dass sie ihnen ganz bestimmt nicht zur Last fiel und wie viel besser Thomas in ihrem Zimmer schlafen würde. So, sagten sie, würde jeder gut schlafen.

Aber wenn meine Eltern unten schliefen, brauchten sie ihre eigene Bettdecke, ihre eigenen Kissen und sogar ihr eigenes Bettlaken, denn Mums konnte nicht schlafen, wenn ihr Bett nicht so war, wie sie es mochte. Also zogen sie und Treena nach dem Essen Mums und Dads Bett ab und bezogen es mit einem Matratzenschoner neu, falls Thomas ein Malheur passierte. Mums und Dads Bettzeug wurde inzwischen gefaltet in der Wohnzimmerecke gelagert, wo Thomas hineinsprang und das Bettlaken über die Wohnzimmerstühle zog, um ein Zelt zu bauen.

Großvater bot sein Zimmer an, aber niemand nahm es. Es

roch nach vergilbten Ausgaben der *Racing Post* und Old Holborn, und es hätte das gesamte Wochenende gedauert, dort aufzuräumen. Und mich überfielen immer wieder Schuldgefühle – denn schließlich war all das meine Schuld –, und gleichzeitig war mir klar, dass ich nicht anbieten würde, wieder in die Abstellkammer zu ziehen. Sie war für mich zu einer Art Schreckenskammer geworden, dieser kleine, fensterlose Raum. Schon bei dem bloßen Gedanken daran, wieder dort zu schlafen, bekam ich Beklemmungen. Ich war siebenundzwanzig Jahre alt. Ich war der Hauptverdiener der Familie. Ich konnte nicht in einem Zimmer schlafen, das kaum größer war als ein Schrank.

An einem Wochenende bot ich an, bei Patrick zu übernachten, und erntete Blicke voll heimlicher Erleichterung. Aber während ich weg war, betatschte Thomas mit seinen klebrigen Fingern meine neuen Jalousien und bemalte meinen neuen Bettüberwurf mit Filzstift, worauf meine Eltern beschlossen, es wäre besser, wenn *sie* in meinem Zimmer schliefen, während Treena und Thomas ihres nahmen, wo die eine oder andere Krakelei mit wasserfestem Filzstift anscheinend nicht so störte.

Allerdings, so räumte Mum ein, brachten meine Übernachtungen freitags und samstags bei Pat nichts, wenn man all das Bettenumbeziehen und die Extrawäsche in Betracht zog.

Und dann war da noch Patrick. Patrick war inzwischen vollkommen besessen. Er aß, trank, lebte und atmete nur noch für den Xtreme Viking. In seiner Wohnung, die normalerweise spärlich möbliert und makellos aufgeräumt war, hingen nun überall Trainingspläne und Merkblätter zur Ernährung. Er hatte ein neues Leichtmetallrad, das im Flur wohnte und das ich nicht berühren durfte, denn es konnte ja sein, dass ich seine penibel ausbalancierten Leichtgewicht-Rennradqualitäten durcheinanderbrachte.

Und er war selten zu Hause, nicht einmal freitag- oder samstagabends. Durch sein Training und meine Arbeitszeiten verbrachten wir immer weniger Zeit zusammen. Ich konnte mit ins Stadion gehen und zusehen, wie er eine Runde nach der anderen lief, bis er sein Pensum erfüllt hatte, oder ich konnte zu Hause bleiben, mich allein in der Ecke seines riesigen Ledersofas zusammenrollen und fernsehen. Im Kühlschrank war nichts zu essen, abgesehen von ein paar Streifen Putenbrust und ekligen Energiedrinks, die so glibbrig waren wie Froschlaich. Treena und ich hatten das Zeug einmal probiert und es mit theatralischem Gekreische wieder ausgespuckt.

Die Wahrheit aber lautete, dass ich Patricks Wohnung nicht mochte. Er hatte sie ein Jahr zuvor gekauft, als er endlich den Eindruck hatte, seine Mutter käme auch allein zurecht. Seine Firma lief gut, und er hatte mir erklärt, dass einer von uns beiden mal mit der ersten Eigentumswohnung anfangen musste. Ich schätze, das wäre der Moment gewesen, in dem wir übers Zusammenziehen hätten reden sollen, aber dazu war es irgendwie nicht gekommen, keiner von uns beiden bringt sonderlich gern heikle Themen zur Sprache. Das Ergebnis war jedenfalls, dass es in dieser Wohnung nichts gab, was mir gehörte, obwohl wir schon jahrelang zusammen waren. Ich hatte mich nie getraut, es ihm zu sagen, aber mir gefiel es zu Hause besser, mit all dem Lärm und dem Durcheinander, als in dieser seelenlosen, gesichtslosen Junggesellenwohnung mit ihrem dazugehörenden Einzelparkplatz und dem Blick auf die Burg.

Abgesehen davon war es dort ein bisschen einsam.

«Ich muss mich an den Trainingsplan halten, Babe», meinte er, wenn ich ihm das sagte. «Wenn ich in dieser Phase nicht täglich dreißig Meilen laufe, erreiche ich die Planziele nie mehr.» Und dann brachte er mich auf den neuesten Stand seines Schienbeinkantensyndroms oder bat mich, ihm das Spray zur Muskelentspannung zu reichen.

Wenn er nicht trainierte, ging er zu endlosen Treffen mit den Mitgliedern seines Laufteams, bei denen sie ihre Ausrüstung verglichen und die Reise organisierten. Zwischen ihnen fühlte ich mich wie inmitten einer Gruppe Koreaner. Ich hatte keine Ahnung, worüber sie redeten, und auch keine besondere Lust, mich damit zu beschäftigen.

Trotzdem sollte ich in sieben Wochen mit ihnen nach Norwegen fahren. Ich wusste noch nicht, wie ich Patrick beibringen sollte, dass ich die Traynors nicht um Urlaub gebeten hatte. Wie hätte ich das tun können? Wenn der Xtreme Viking stattfand, hatte ich nur noch eine Woche von meiner Vertragszeit übrig. Vermutlich war es kindisch, nicht mit Patrick zu reden, aber ehrlich gesagt nahm ich nur noch das Ticken der Uhr wahr, mit dem Wills Frist ablief. Um etwas anderes kümmerte ich mich kaum.

Das Paradoxe an der Situation war, dass ich bei Patrick nicht einmal gut schlief. Ich weiß nicht, woran es lag, aber wenn ich von dort aus zur Arbeit ging, hatte ich eine Reibeisenstimme und dunkle Ringe unter den Augen. Ich begann, mit der Abdeckcreme genauso hemmungslos umzugehen, als würde ich eine Torte mit dem Spritzbeutel dekorieren.

«Was ist los, Clark?», sagte Will.

Ich öffnete die Augen. Er war direkt neben mir, hatte den Kopf schräg gelegt und beobachtete mich. Ich hatte den Eindruck, dass er schon eine ganze Weile so dasaß. Ich fasste mir unwillkürlich an den Mund, für den Fall, dass ich im Schlaf gesabbert hatte.

Der Film, den ich hätte anschauen sollen, war inzwischen beim Abspann angekommen.

«Nichts. Tut mir leid. Es ist einfach ein bisschen warm hier drin.» Ich richtete mich auf.

«Sie sind jetzt innerhalb von drei Tagen das zweite Mal eingeschlafen.» Er musterte mich. «Und Sie sehen grauenhaft aus.»

Also erzählte ich es ihm. Ich erzählte ihm von meiner Schwester, von unserer Übernachtungsregelung und dass ich keinen Streit vom Zaun brechen wollte. Denn obwohl er versuchte, es zu verbergen, war mir klar, wie verzweifelt Dad darüber war, dass er nicht einmal in der Lage war, seiner Familie ein Haus zu bieten, in dem alle einen Schlafplatz hatten.

«Hat er immer noch keine Arbeit gefunden?»

«Nein. Ich glaube, es liegt an seinem Alter. Aber wir reden nicht darüber. Es ist …» Ich zuckte mit den Schultern. «Es ist für alle zu unangenehm.»

Wir warteten, bis der Abspann vorbei war, dann ging ich zu dem DVD-Player, ließ die DVD herausfahren und steckte sie in ihre Hülle. Es kam mir irgendwie falsch vor, Will von meinen Problemen zu erzählen. Sie wirkten im Vergleich zu seinen schrecklich banal.

«Ich werde mich schon noch daran gewöhnen», sagte ich. «Es wird bestimmt gehen. Wirklich.»

Den Rest des Nachmittags war Will beschäftigt. Ich wusch das Geschirr ab und ging dann zu ihm, um ihm den Computer einzuschalten. Als ich ihm später etwas zu trinken brachte, drehte er seinen Stuhl zu mir um.

«Es ist ganz einfach», sagte er, als hätten wir gerade erst unsere Unterhaltung unterbrochen. «Sie können an den Wochenenden hier schlafen. Ich habe ein freies Gästezimmer – das kann genauso gut mal zu etwas nütze sein.»

Ich blieb mit dem Becher in der Hand stehen. «Das kann ich nicht machen.»

«Warum nicht? Ich werde Sie für die zusätzliche Zeit hier nicht bezahlen.»

Ich stellte den Becher in die Halterung. «Aber was würde Ihre Mutter denken?»

«Keine Ahnung.»

Ich musste sehr beunruhigt gewirkt haben, denn er fügte hinzu: «Es ist kein Problem. Mit mir kann man unbesorgt Taxi fahren.»

«Wie bitte?»

«Falls Sie befürchten, dass ich heimlich plane, Sie zu verführen, können Sie ja einfach den Akku aus dem Rollstuhl nehmen.»

«Sehr komisch.»

«Im Ernst. Lassen Sie es sich durch den Kopf gehen. Sie können es ja als Notlösung betrachten. Manchmal ändert sich alles schneller, als man denkt. Ihre Schwester könnte beschließen, dass sie nicht mehr jedes Wochenende zu Hause verbringen will. Oder sie könnte jemanden kennenlernen. Alles Mögliche könnte sich ändern.»

Und du könntest in zwei Monaten nicht mehr hier sein, sagte ich ihm in Gedanken und hasste mich sofort dafür.

«Eins müssen Sie mir aber noch erklären», sagte er, als ich auf dem Weg aus dem Zimmer war. «Warum bietet Ihnen der Marathon-Mann nicht seine Wohnung an?»

«Oh, das hat er ja», sagte ich.

Er sah mich an, als wollte er das Thema weiterverfolgen.

Dann aber schien er seine Meinung zu ändern. «Wie gesagt», meinte er. «Das Angebot steht.»

Das sind die Dinge, die Will mochte:

1. Filme anschauen, vor allem ausländische mit Untertiteln. Gelegentlich ließ er sich zu einem Action-Thriller überreden oder sogar zu einem Liebesfilm, aber bei romantischen Komödien war Schluss. Wenn ich es wagte, eine auszuleihen,

gab er die gesamten 120 Minuten spöttische Pff-Geräusche
von sich oder verwies so lange auf die Klischeehaftigkeit der
Geschichte, bis ich allen Spaß an dem Film verloren hatte.

2. Klassische Musik hören. Er kannte sich schrecklich gut damit
aus. Er mochte auch modernes Zeug, hielt aber den meisten
Jazz für manierierten Stuss. Als er eines Tages sah, was ich
auf meinem MP3-Player hatte, brach er in solches Gelächter
aus, dass er sich fast einen seiner Schläuche herauszog.

3. Im Garten sitzen, jetzt, wo es wärmer war. Manchmal stand
ich am Fenster und beobachtete ihn, wie er mit zurück-
gelehntem Kopf dasaß und die Sonne genoss. Als ich eine
Bemerkung über seine Fähigkeit machte, einfach in aller
Ruhe den Moment zu genießen – etwas, das mir nie gelungen ist –, verwies er darauf, dass jemandem, der weder
Beine noch Arme bewegen konnte, kaum etwas anderes
übrigblieb.

4. Mich dazu zu bringen, Bücher und Zeitschriften zu lesen
und dann darüber zu reden. *Wissen ist Macht, Clark*, sagte er
immer. Am Anfang hasste ich das richtig, ich kam mir vor
wie in der Schule. Aber nach einer Weile stellte ich fest, dass
es in Wills Augen keine falschen Antworten gab. Es gefiel
ihm sogar, wenn ich mit ihm herumstritt. Er fragte mich
nach meinen Ansichten zu den aktuellen Nachrichten und
beurteilte Romanfiguren anders als ich. Er schien zu allem
eine Meinung zu haben – was die Regierung machte, ob eine
Firma eine andere kaufen sollte, ob jemand zu einer Ge-
fängnisstrafe hätte verurteilt werden sollen. Wenn er mich
denkfaul fand oder glaubte, ich würde die Meinung meiner
Eltern oder von Patrick nachplappern, sagte er unumwun-
den: «Nein. Das ist nicht gut genug.» Und wenn ich über
etwas nichts wusste, sah er so enttäuscht aus, dass ich anfing, morgens auf der Busfahrt Zeitung zu lesen, damit ich

vorbereitet war. «Gutes Argument, Clark», sagte er manchmal, und ich strahlte. Und dann hätte ich mir in den Hintern treten können, weil ich schon wieder zugelassen hatte, dass mich Will so gönnerhaft behandelte.

5. Rasiert werden. Inzwischen seifte ich ihm alle zwei Tage das Kinn ein und sorgte dafür, dass er präsentabel war. Wenn er nicht gerade einen schlechten Tag hatte, lehnte er sich in seinem Stuhl zurück, schloss die Augen, und etwas, das wie körperliches Behagen aussah, glitt über sein Gesicht. Vielleicht habe ich mir das eingebildet. Vielleicht sah ich, was ich sehen wollte. Aber er schwieg die ganze Zeit, wenn ich sanft mit der Klinge über sein Kinn fuhr, die Seife glatt strich und die Stoppeln abschabte, und wenn er die Augen öffnete, war sein Blick weicher geworden, wie bei jemandem, der aus einem besonders schönen Traum erwacht. Sein Gesicht hatte inzwischen von der Zeit, die wir draußen verbrachten, Farbe bekommen; er hatte eine Haut, die schnell bräunte. Ich verstaute die Rasierklingen ganz oben im Badezimmerschrank, hinter einer großen Flasche Haarspülung.

6. Ein Kerl sein. Besonders zusammen mit Nathan. Manchmal setzten sie sich vor dem abendlichen Pflegeprogramm ganz hinten in den Garten, und Nathan machte ein paar Biere auf. Ab und zu hörte ich sie über Rugby diskutieren oder Witze über eine Frau machen, die sie im Fernsehen gesehen hatten, und all das klang überhaupt nicht nach Will. Aber ich verstand, dass er das brauchte. Er brauchte jemanden, mit dem er den Kerl spielen und Männersachen machen konnte. Das war ein kleines bisschen ‹Normalität› in seinem merkwürdigen, abgesonderten Leben.

7. Meine Garderobe kommentieren. Im Grunde genommen beschränkte sich das auf hochgezogene Augenbrauen. Ausgenommen die schwarz-gelben Strumpfhosen. Er hatte

zwar bei den zwei Gelegenheiten, zu denen ich sie getragen hatte, nichts gesagt, aber genickt, als wäre die Welt wenigstens in einer Hinsicht in Ordnung.

«Sie haben letztens meinen Dad in der Stadt gesehen, oder?»

«Oh. Ja.» Ich war gerade beim Wäscheaufhängen. Die Wäscheleine war hinter dem versteckt, was Mrs. Traynor den Küchengarten nannte. Ich glaube, sie wollte sich den Blick auf ihre Blumenrabatten nicht von so etwas Profanem wie Wäsche verderben lassen. Meine eigene Mutter klammerte dagegen ihre Weißwäsche geradezu als Beweis ihres Hausfrauenstolzes an die Leine. Es war, als schleudere sie ihren Nachbarinnen damit einen Fehdehandschuh hin: *Das müsst ihr erst mal nachmachen, Ladys!* Dad konnte sie nur mit Mühe daran hindern, einen zweiten Wäscheständer auf der Veranda aufzustellen.

«Er hat mich gefragt, ob Sie etwas darüber gesagt haben.»

«Oh.» Ich bemühte mich um eine ausdruckslose Miene. Und dann, weil er auf eine weitere Antwort zu warten schien, sagte ich: «Offensichtlich nicht.»

«Hatte er jemanden bei sich?»

Ich warf die letzte Klammer zurück in den Klammerbeutel. Dann rollte ich ihn zusammen und legte ihn in den leeren Wäschekorb. Ich drehte mich zu ihm um.

«Ja.»

«Eine Frau?»

«Ja.»

«Rothaarig?»

«Ja.»

Will dachte einen Moment lang nach.

«Es tut mir leid, wenn Sie meinen, dass ich es Ihnen hätte erzählen müssen», sagte ich. «Aber es ... ich fand, es geht mich nichts an.»

«Und so etwas sagt sich auch nicht leicht.»

«Nein.»

«Falls Ihnen das ein Trost ist, Clark; es ist nicht das erste Mal.» Damit drehte er seinen Rollstuhl um und verschwand Richtung Haus.

Deirdre Bellows sagte meinen Namen zweimal, bevor ich aufschaute. Ich schrieb gerade etwas in mein Notizbuch, Ortsnamen mit Fragezeichen, Pros und Kontras, und ich hatte fast vergessen, dass ich in einem Bus saß. Ich überlegte, wie ich Will in eine Theateraufführung locken konnte. Im Radius einer zweistündigen Autofahrt wurde nur ein Stück gespielt, und zwar Oklahoma! Es war schwer vorstellbar, dass Will im Publikum sitzen und zu ‹Oh What A Beautiful Morning› den Takt mitnicken würde, aber alle ernst zu nehmenden Theater waren in London. Und ein Ausflug nach London schien immer noch ausgeschlossen.

Im Grunde gelang es mir mittlerweile ganz gut, Will aus dem Haus zu bringen, aber wir hatten schon so ziemlich alles abgeklappert, was mit einer einstündigen Autofahrt zu erreichen war, und ich wusste nicht, wie ich ihn dazu bringen sollte, weiter weg zu fahren.

«Mit den Gedanken ganz woanders, was, Louisa?»

«Oh. Hallo, Deirdre.» Ich rutschte an den Fensterplatz, damit sie sich neben mich setzen konnte.

Deirdre war seit Kindertagen mit Mum befreundet. Sie führte einen Gardinenladen und war dreimal geschieden. Ihr Haar war so füllig, dass man es für eine Perücke hielt, und ihr molliges, trauriges Gesicht sah aus, als träumte sie immer noch sehnsüchtig von dem Ritter auf dem weißen Pferd, der kommen und sie entführen würde.

«Ich nehme den Bus normalerweise nicht, aber mein Auto ist

in der Inspektion. Wie geht's dir? Deine Mum hat mir alles über deinen Job erzählt. Klingt *sehr* interessant.»

So ist es, wenn man in einer Kleinstadt aufwächst. Alles, was man im Leben macht, ist Allgemeingut. Nichts kann geheim gehalten werden – weder, dass ich mit vierzehn auf dem Supermarktparkplatz geraucht hatte, noch, dass mein Vater die Toilette im ersten Stock frisch gefliest hatte. Die Details aus anderer Leute Alltagsleben waren für Frauen wie Deirdre eine Art Basiswährung.

«Er ist gut, das stimmt.»

«Und gut bezahlt.»

«Ja.»

«Ich habe mich so für dich gefreut, nach der Sache mit dem Buttered Bun. Eine Schande, dass sie das Café geschlossen haben. Wir haben bald überhaupt keine nützlichen Geschäfte mehr in dieser Stadt. Ich weiß noch, wie es hier einen Lebensmittelladen, einen Bäcker und einen Metzger in der Hauptstraße gab. Wir hatten einfach alles, was man braucht!»

«Mmm.» Ich sah sie einen Blick auf mein Notizbuch werfen und klappte es zu. «Tja. Immerhin können wir noch Gardinen kaufen. Wie läuft der Laden?»

«Oh, gut ... ja ... Was machst du da? Hat das was mit deiner Arbeit zu tun?»

«Ich überlege nur, was Will vielleicht gerne unternehmen würde.»

«Ist das der Behinderte?»

«Ja. Mein Chef.»

«Dein Chef. So kann man es auch sagen.» Sie schubste mich an. «Und wie kommt deine superschlaue Schwester an der Uni klar?»

«Sehr gut. Thomas gefällt es dort auch.»

«Die wird eines Tages noch Regierungschefin. Ich muss sagen, Louisa, es hat mich überrascht, dass du nicht vor ihr weggegangen bist. Wir haben dich immer für so ein intelligentes Ding gehalten. Nicht, dass wir das nicht mehr tun würden.»

Ich setzte ein höfliches Lächeln auf. Ich wusste nicht, was ich sonst tun sollte.

«Aber einer muss es ja machen, oder? Und es ist schön für deine Mum, dass eine von euch gern zu Hause bleibt.»

Ich wollte ihr widersprechen, aber dann ging mir auf, dass nichts von dem, was ich in den vergangenen sieben Jahren getan hatte, darauf hinwies, dass ich irgendwelche Ziele hatte, die weiter entfernt lagen als das Ende unserer Straße. Und wie ich dort in diesem ruckelnden, quietschenden alten Bus saß, hatte ich auf einmal das Gefühl, dass mir die Zeit davonraste, dass ich auf meinen kurzen Fahrten, die immer auf dem gleichen Abschnitt hin und zurück führten, riesige Brocken meiner Zeit verlor. Runde um Runde um die Burg. Runde um Runde, bei der ich Patrick beim Training zusah. Immer die gleichen Belanglosigkeiten. Der gleiche Tagesablauf.

«Also dann. Hier ist meine Haltestelle.» Deirdre stand schwerfällig auf und hängte sich ihre vernünftige, praktische Handtasche über die Schulter. «Sag deiner Mum einen Gruß von mir. Richte ihr aus, dass ich morgen mal vorbeikomme.»

Ich sah blinzelnd zu ihr auf. «Ich habe ein Tattoo», sagte ich plötzlich. «Eine Biene.»

Sie zögerte, hielt sich an der Rückenlehne des Sitzes fest.

«Ich habe es auf der Hüfte. Ein richtiges Tattoo. Es hält für immer.»

Deirdre schaute zur Bustür. Sie wirkte leicht verwirrt, und dann schenkte sie mir das, was sie für ein aufmunterndes Lächeln hielt.

«Nun, das ist ja sehr schön, Louisa. Und, wie gesagt, richte deiner Mum aus, dass ich morgen vorbeikomme.»

Jeden Tag, wenn er fernsah oder anderweitig beschäftigt war, saß ich vor Wills Computer und suchte nach dem magischen Ereignis, das Will glücklich machen würde. Aber im Laufe der Zeit wurde meine Liste mit Dingen, die wir nicht tun konnten, oder Orten, die wir nicht besuchen konnten, beträchtlich länger als die Liste mit den möglichen Unternehmungen. Als die Negativzahlen immer höher wurden, besuchte ich wieder die Chatrooms, um mir Rat zu holen.

Ha!, sagte Ritchie. *Willkommen bei uns, Bee.*

In der folgenden Zeit erfuhr ich in den Chatrooms, dass es seine eigenen Risiken barg, sich als Rollstuhlfahrer zu betrinken, und dazu gehörten Missgeschicke mit dem Katheter, mit dem Stuhl über den Bordstein kippen und von anderen Betrunkenen zum falschen Haus gefahren zu werden. Ich erfuhr, dass es keinen einzigen Ort gab, an dem Nichtgelähmte hilfsbereiter waren als an einem anderen, aber dass Paris als die rollstuhlfeindlichste Stadt der Welt galt. Das war enttäuschend, denn in irgendeinem verborgenen Winkel meines Inneren hatte ich weiter gehofft, dass wir dorthin fahren könnten.

Ich schrieb eine neue Liste von Dingen, die man mit einem Tetraplegiker nicht unternehmen kann.

1. Mit der U-Bahn fahren (auf den meisten Stationen gibt es keine Aufzüge), was uns die Angebote von halb London unmöglich machte, wenn wir nicht für Taxen zahlen wollten.
2. Ohne fremde Hilfe schwimmen gehen, und dann muss auch das Wasser so warm sein, dass es nicht innerhalb von ein paar Minuten zu unbeherrschbarem Zittern kommt. Sogar Umkleideräume für Behinderte nützen ohne Hebezug nichts. Nicht dass Will dazu bereit gewesen wäre, sich mit einem Hebezug ins Wasser absenken zu lassen.
3. Ins Kino gehen, es sei denn, man bekam einen Platz ganz

vorn garantiert und Will hatte an dem entsprechenden Tag nicht zu starke Krämpfe. Die letzten zwanzig Minuten von *Das Fenster zum Hof* hatte ich auf allen vieren damit verbracht, das Popcorn aufzusammeln, das Wills unvorhersehbare Kniezuckung in die Luft geschleudert hatte.

4. An den Strand gehen, es sei denn, man besaß einen Rollstuhl mit ‹Breitreifen›. Wills Stuhl hatte keine.

5. Einen Flug buchen, wenn die Behinderten-Quote schon erreicht war.

6. Einkaufen gehen, es sei denn, die Geschäfte hatten die vorgeschriebenen Rampen. Viele Ladeninhaber rund um die Burg nutzten den denkmalgeschützten Status ihrer Häuser als Ausrede, um zu sagen, sie könnten keine Rampen auslegen. Bei manchen stimmte das sogar.

7. Irgendwohin gehen, wo es zu warm oder zu kalt war (Probleme mit der Körpertemperatur).

8. Spontan irgendwohin gehen (Taschen mussten gepackt, alle Wege doppelt und dreifach auf ihre Benutzbarkeit geprüft werden).

9. Zum Essen ausgehen, wenn man es peinlich fand, gefüttert zu werden, oder – je nach Kathetersituation – wenn die Toiletten des Restaurants im Keller lagen und nur über eine Treppe zu erreichen waren.

10. Lange Zugfahrten (zu anstrengend und zu schwierig, einen schweren, motorisierten Rollstuhl ohne Hilfe in einen Zug zu bekommen).

11. Ein Haarschnitt, wenn es geregnet hatte (dann blieben alle Haare an den Reifen des Rollstuhls kleben, und davon wurde uns merkwürdigerweise beiden schlecht).

12. Freunde besuchen, es sei denn, sie hatten Rollstuhlrampen. In den meisten Häusern gibt es Treppen. Die meisten Leute sorgen nicht für Rampen. Unser Haus war eine einsame

Ausnahme. Aber Will sagte, er wolle sowieso niemanden besuchen.

13. Bei heftigem Regen von der Burg herunterkommen (die Bremsen arbeiteten nicht immer zuverlässig, und der Stuhl war so schwer, dass ich ihn nicht allein hätte halten können).

14. Irgendwohin gehen, wo man wahrscheinlich Betrunkenen begegnete. Will zog Betrunkene magnetisch an. Sie beugten sich zu ihm herunter, hüllten ihn in Alkoholdünste und betrachteten ihn mit großen, mitleidigen Augen. Und manchmal versuchten sie, ihn in seinem Stuhl wegzurollen.

15. Irgendwohin gehen, wo Menschenmengen waren. Das bedeutete, dass jetzt, wo der Sommer kam, Ausflüge zur Burg schwieriger wurden, außerdem schloss es die Hälfte der anderen Ideen aus, die ich gehabt hatte – Märkte, Freilufttheater, Konzerte.

Auf der Suche nach Vorschlägen fragte ich die Online-Tetraplegiker, was sie am liebsten auf der Welt machen würden, und erhielt beinahe immer die gleiche Antwort: «Sex.» Dazu erhielt ich eine Menge unerbetener Detailinformationen.

Sie waren mir keine große Hilfe. Ich hatte noch acht Wochen, und mir waren die Ideen ausgegangen.

Ein paar Tage nach dem Gespräch an der Wäscheleine kam ich nach Hause zurück und sah Dad im Flur stehen. Das wäre schon an sich ungewöhnlich genug gewesen (in den Wochen davor hatte er sich tagsüber beinahe vollständig auf das Sofa zurückgezogen, angeblich, um Großvater Gesellschaft zu leisten), aber jetzt trug er ein frisch gebügeltes Hemd, hatte sich rasiert, und im Flur roch es nach Old Spice. Ich bin ziemlich sicher, dass er diese Flasche Aftershave seit mindestens 1974 besaß.

«Da bist du ja.»

Ich zog die Tür hinter mir zu. «Ja, da bin ich.»

Ich war müde und angespannt. Ich hatte die gesamte Bus-fahrt nach Hause damit verbracht, übers Handy mit einem Mann vom Reisebüro darüber zu reden, wohin ich mit Will fahren konnte, aber inzwischen waren wir beide mit unserem Latein am Ende. Ich musste Will weiter von zu Hause wegbrin-gen. Aber es schien keinen einzigen Ort außerhalb eines Fünf-meilenradius um die Burg zu geben, den Will besuchen wollte.

«Ist es okay, wenn du heute allein isst?»

«Klar. Ich kann mich auch später mit Patrick im Pub treffen. Warum?» Ich hängte meinen Mantel an einen freien Haken.

Die Garderobe war viel leerer, seit Treenas und Thomas' Ja-cken nicht mehr dort hingen.

«Ich lade deine Mutter heute zum Essen ein.»

Ich checkte meinen inneren Kalender. «Habe ich ihren Ge-burtstag vergessen?»

«Nein. Wir haben etwas zu feiern.» Er senkte die Stimme, als wäre es ein Geheimnis. «Ich habe einen Job.»

«Ehrlich?» Und jetzt sah ich es: Sein ganzer Körper schien leichter geworden zu sein. Er stand wieder aufrechter da, ein Lächeln im Gesicht. Er sah um Jahre jünger aus.

«Dad, das ist ja phantastisch.»

«Ja, das ist es. Deine Mutter ist überglücklich. Und du weißt ja, dass sie schwere Zeiten durchgemacht hat, mit Großvaters Schlaganfall und Treenas Auszug und so weiter. Also führe ich sie heute Abend aus und verwöhne sie ein bisschen.»

«Und was für eine Arbeit hast du?»

«Ich werde Verwaltungsleiter. Oben auf der Burg.»

Ich blinzelte. «Aber das ist …»

«Mr. Traynor. Stimmt. Er hat mich angerufen und gesagt, er würde jemanden suchen. Will hat ihm erzählt, dass ich gerade zur Verfügung stehe. Ich war heute Nachmittag dort, um mich vorzustellen, und jetzt habe ich einen Monat Probezeit. Ich fange am Samstag an.»

«Also arbeitest du für Wills Dad?»

«Na ja, er sagte, sie müssten die Probezeit einhalten, damit die Vorschriften erfüllt werden, aber er wüsste keinen Grund, warum ich die Stelle hinterher nicht bekommen sollte.»

«Das ... das ist toll», sagte ich. Die Neuigkeit hatte mich ein bisschen aus dem Gleichgewicht gebracht. «Ich wusste nicht mal, dass sie eine Stelle ausgeschrieben hatten.»

«Ich auch nicht. Aber es ist einfach großartig. Dieser Mann versteht was vom Handwerk, Lou. Ich habe mit ihm über Grüneichen geredet, und er hat mir ein paar Sachen gezeigt, die der Vorgänger gemacht hat. Du würdest es nicht glauben. Einfach furchtbar. Er meinte, er wäre sehr beeindruckt von meinen Arbeiten.»

Er war so lebhaft, wie ich ihn seit Monaten nicht mehr gesehen hatte.

Mum war neben ihm aufgetaucht. Sie hatte Lippenstift aufgelegt und trug ihre guten Pumps. «Und er bekommt einen Transporter. Seinen eigenen Transporter. Und die Bezahlung ist gut, Lou. Es ist sogar ein bisschen mehr, als dein Dad in der Möbelfabrik bekommen hat.»

Sie blickte zu ihm auf, als wäre er eine Art Superheld. Als sie mich ansah, forderte mich ihre Miene auf, das Gleiche zu tun. Ich konnte an dem Gesicht meiner Mutter eine Million Botschaften ablesen, und diese hier lautete, dass ich meinem Dad seinen großen Moment gönnen sollte.

«Das ist toll, Dad. Wirklich.» Ich machte einen Schritt auf ihn zu und umarmte ihn.

«Na ja, im Grunde müssen wir uns bei Will dafür bedanken. Was für ein großartiger Kerl. Ich bin ihm verflucht dankbar, dass er an mich gedacht hat.»

Ich hörte sie gehen, den Wirbel, den Mum vor dem Flurspiegel veranstaltete, Dads wiederholte Versicherung, dass sie blendend aussah und dass sie genau das Richtige angezogen hatte. Ich hörte, wie er seine Taschen nach den Schlüsseln, der Brieftasche und dem losen Kleingeld abklopfte, gefolgt von einem kurzen Lachen. Anschließend wurde die Haustür zugeworfen, das Auto fuhr los, und dann hörte ich nur noch die gedämpften Geräusche des Fernsehers in Großvaters Zimmer. Ich setzte mich auf die Treppe. Und dann zog ich mein Handy aus der Tasche und wählte Wills Nummer.

Er brauchte immer eine Zeitlang, um einen Anruf anzunehmen. Ich stellte mir vor, wie er an die Freisprecheinrichtung fuhr und mit dem Daumen den Knopf drückte.

«Hallo?»

«Haben Sie das eingefädelt?»

Kurze Stille. «Sind Sie das, Clark?»

«Haben Sie meinem Dad einen Job besorgt?»

Er klang ein bisschen kurzatmig. Ich fragte mich abwesend, ob er richtig saß.

«Ich dachte, Sie würden sich darüber freuen.»

«Ich freue mich ja auch. Es ist nur ... ich weiß auch nicht. Es kommt mir irgendwie komisch vor.»

«Das sollte es nicht. Ihr Dad hat eine Arbeit gebraucht. Und meiner brauchte einen fähigen Verwalter.»

«Wirklich?» Ich konnte die Zweifel nicht aus meiner Stimme verbannen.

«Was meinen Sie damit?»

«Das hat also nichts mit dem zu tun, was Sie mich kürzlich gefragt haben. Über ihn und die andere Frau.»

Darauf folgte eine lange Pause. Ich sah ihn vor mir, in seinem Wohnzimmer, wie er durch die französischen Fenster hinaussah.

Als er wieder sprach, klang er sehr überlegt. «Sie glauben also, ich erpresse meinen Vater, damit er Ihrem eine Stelle gibt?»

Wenn er es so sagte, hörte es sich wirklich an den Haaren herbeigezogen an.

«Sorry. Ich weiß auch nicht. Es ist einfach komisch. Dieses zeitliche Zusammentreffen. Es passt alles ein bisschen zu gut.»

«Dann freuen Sie sich einfach, Clark. Das sind gute Neuigkeiten. Ihr Dad wird diese Arbeit sehr gut machen. Und es bedeutet ...» Er zögerte.

«Es bedeutet was?»

«... dass Sie eines Tages Ihre Flügel ausbreiten und wegfliegen können, ohne sich Sorgen machen zu müssen, wie Ihre Eltern alleine klarkommen sollen.»

Es war, als hätte er mir die Faust in den Magen gerammt. Ich fühlte die Luft aus meinen Lungen entweichen.

«Lou?»

«Ja?»

«Sie sind schrecklich still.»

«Ich bin ...» Ich schluckte. «Tut mir leid. Ich war gerade abgelenkt. Großvater ruft mich. Aber ... danke, dass Sie ein Wort für Dad eingelegt haben.» Ich musste das Telefonat beenden. Weil ich urplötzlich einen dicken Kloß im Hals hatte und nicht sicher war, dass ich noch etwas sagen konnte.

Ich ging zu Fuß zum Pub. Die Luft war von Blütenduft erfüllt, und die Leute auf der Straße lächelten mich im Vorbeigehen an. Ich konnte diese Freundlichkeit nicht erwidern. Ich wusste nur, dass ich nicht zu Hause hatte bleiben können, wo ich nur gegrübelt hätte. Ich entdeckte die Triathlon Terrors im Biergarten. Sie hatten in einer Ecke zwei Tische zusammengeschoben, von denen ihre sehnigen Arme und Beine in fleischfarbenen Winkeln abstanden. Ein paar von ihnen nickten mir höflich zu (keine der Frauen), und Patrick stand auf und rückte einen Stuhl für mich neben sich. Mir wurde bewusst, dass ich mir Treena herbeiwünschte.

Der Garten des Pubs war mit dieser typisch englischen Mischung aus lautstarken Studenten und hemdsärmeligen Verkäufern nach Feierabend gefüllt. Auch die Touristen mochten diesen Pub, und unter die englischen Stimmen mischten sich andere – italienische, französische, amerikanische. Von der Gartenmauer auf der Westseite aus konnte man die Burg sehen, und die Touristen posierten – wie sie es jeden Sommer machten – nacheinander vor der Mauer, um sich mit der Burg im Hintergrund fotografieren zu lassen.

«Ich habe gar nicht mit dir gerechnet. Möchtest du etwas trinken?»

«Später.» Ich wollte einfach nur dort sitzen und meinen Kopf an Patricks Schulter lehnen. Ich wollte mich fühlen, wie ich mich früher gefühlt hatte – normal, unbelastet. Ich wollte nicht über den Tod nachdenken.

«Ich habe heute meine Bestzeit gesteigert. Fünfzehn Meilen in 79 Minuten und 20 Sekunden.»

«Toll.»

«Jetzt gibst du so richtig Gas, was, Pat?», sagte jemand.

Patrick ballte die Hände zu Fäusten und ahmte Formel-1-Motorengeräusche nach.

«Das ist super. Wirklich.» Ich versuchte, für ihn ein fröhliches Gesicht zu machen.

Ich trank ein Bier und dann noch eins. Ich hörte ihren Gesprächen über Laufzeiten, abgeschürfte Knie und Unterkühlungen beim Schwimmtraining zu. Dann wurde ich unaufmerksam, beobachtete andere Gäste und fragte mich, was sie für ein Leben führten. Sie alle erlebten Wendepunkte mit ihren Familien – Babys, die geliebt und verloren wurden, dunkle Geheimnisse, großes Glück und Tragödien. Wenn sie es schafften, das ins richtige Verhältnis zu setzen, wenn sie imstande waren, einen sonnigen Abend in einem Pub zu genießen, dann sollte auch ich dazu in der Lage sein.

Und dann erzählte ich Patrick von Dads neuem Job. Er war genauso überrascht, wie ich es gewesen war. Ich musste es zweimal sagen, weil er nicht sicher war, ob er mich richtig verstanden hatte.

«Das ist ja sehr ... kuschelig. Dass ihr alle beide für ihn arbeitet.»

Da wollte ich es ihm erzählen, ich wollte es wirklich. Ich wollte ihm erklären, wie viel alles mit meinem Kampf darum zu tun hatte, dass Will am Leben blieb. Ich wollte ihm erklären, wie sehr ich fürchtete, dass Will womöglich versuchte, damit meine Freiheit zu kaufen. Aber ich wusste, dass ich nichts sagen konnte. Und deshalb konnte ich ebenso gut gleich auch noch den Rest hinter mich bringen.

«Umm ... das ist nicht das Einzige. Er hat gesagt, ich kann dort übernachten, wenn ich will, im Gästezimmer. Um das Übernachtungsproblem zu Hause zu lösen.»

Patrick sah mich an. «Du willst bei ihm wohnen?»

«Vielleicht. Es ist ein nettes Angebot, Pat. Du weißt doch, wie es bei meinen Eltern läuft. Und du bist nie da. Ich komme gern zu dir, aber ... na ja, wenn ich ehrlich sein soll, fühle ich mich dort nicht zu Hause.»

Er starrte mich immer noch an. «Dann mach ein Zuhause daraus.»

«Was?»

«Zieh richtig ein. Mach ein Zuhause für dich daraus. Stell deine Sachen rein. Bring deine Klamotten mit. Es ist sowieso Zeit, dass wir zusammenziehen.»

Erst im Nachhinein wurde mir klar, wie unglücklich er

aussah, während er das sagte. Nicht wie ein Mann, der endlich darauf gekommen war, dass er ohne seine Freundin in der Wohnung nicht mehr leben und zwei Einzelexistenzen in eine glückliche Gemeinsamkeit verwandeln wollte. Stattdessen hatte er ausgesehen, als fühlte er sich ausgetrickst.

«Bist du sicher, dass ich bei dir einziehen soll?»

«Ja. Klar.» Er rieb sich das Ohr. «Ich meine, ich rede nicht vom Heiraten oder so. Aber es ist vernünftig, oder?»

«Du bist ein echter Romantiker.»

«Ich meine es ernst, Lou. Es wird langsam Zeit. Vermutlich hätten wir es schon vor Ewigkeiten machen sollen, aber ich hatte eben das eine oder andere unter Dach und Fach zu bringen. Zieh ein. Es wird bestimmt gut.» Er umarmte mich. «Es wird richtig gut.»

Die Triathlon Terrors hatten sich diskret weiterunterhalten. Kurz stieg Jubel auf, als eine japanische Touristengruppe das Foto bekam, das sie gewollt hatte. Die Vögel zwitscherten, die Sonne neigte sich dem Horizont zu, die Welt drehte sich weiter. Daran wollte ich teilhaben und nicht in einem stillen Zimmer sitzen und mir Sorgen um einen Mann in einem Rollstuhl machen.

«Ja», sagte ich. «Es wird gut.»

Kapitel 17

Das Schlimmste an einer Pflegetätigkeit ist nicht, was Sie vielleicht denken. Es ist nicht das Heben und Waschen, die Medikamente und Feuchttücher und der leichte, aber irgendwie immer wahrnehmbare Geruch nach Desinfektionsmitteln. Es ist nicht einmal die Tatsache, dass die meisten Leute vermuten, man würde diese Arbeit nur machen, weil man für alles andere zu dumm ist. Das Schlimmste ist, dass man, wenn man den ganzen Tag in relativer Nähe mit jemandem verbringt, seinen Launen nicht ausweichen kann. Und den eigenen auch nicht.

Nachdem ich Will von meinen Plänen erzählt hatte, verhielt er sich den ganzen Vormittag lang distanziert. Es war nichts, auf das ein Außenstehender den Finger hätte legen können, aber er machte weniger Witze und war bei der Unterhaltung nicht so locker. Und er diskutierte nicht mit mir über die Artikel in der Tageszeitung.

«Das … wollen Sie also?» Sein Blick hatte geflackert, aber seine Miene verriet nichts.

Ich zuckte mit den Schultern. Dann nickte ich etwas nachdrücklicher. Ich spürte, dass an meiner Reaktion etwas Kindisches war, so als wollte ich mich doch nicht ganz festlegen. «Es wird langsam wirklich Zeit», sagte ich. «Immerhin bin ich jetzt siebenundzwanzig.»

Er musterte mich. An seinem Kinn spannte sich ein Muskel.

Plötzlich fühlte ich mich unerträglich müde. Außerdem hatte ich das merkwürdige Bedürfnis, mich zu entschuldigen, wusste aber nicht recht, wofür eigentlich.

Er nickte kurz und rang sich ein Lächeln ab. «Ich bin froh, dass Sie herausgefunden haben, was Sie wollen», sagte er und rollte in die Küche.

Langsam wurde ich richtig sauer auf ihn. Ich hatte mich noch nie von jemandem so andauernd beurteilt gefühlt wie von Will. Es war, als hätte mich meine Entscheidung, mit meinem Freund zusammenzuziehen, uninteressanter für ihn gemacht. Als wäre ich nicht mehr sein Lieblingsprojekt. Das konnte ich ihm natürlich nicht sagen, aber ich behandelte ihn genauso kühl wie er mich.

Und das war, ehrlich gesagt, ziemlich anstrengend.

Nachmittags klopfte es an der Hintertür. Ich hastete den Flur hinunter, die Hände noch feucht vom Abwasch, und als ich die Tür öffnete, hatte ich einen Mann in dunklem Anzug und mit Aktentasche vor mir.

«O nein. Wir sind Buddhisten», sagte ich entschlossen und machte die Tür zu, während der Mann anfing zu protestieren.

Zwei Wochen zuvor hatten ein paar Zeugen Jehovas Will beinahe eine Viertelstunde an der Hintertür festgehalten, während er versucht hatte, mit dem Rollstuhl über den verrutschten Fußabstreifer wieder rückwärts ins Haus zu kommen. Als ich schließlich dazugekommen und die Tür zu war, hatte einer von ihnen durch den Briefschlitz gerufen, dass «er noch mehr als jeder andere» verstehen müsse, wie es sei, wenn man sich auf das Leben nach dem Tod freue.

«Hallo … bin ich hier richtig bei Mr. Traynor?», sagte der Mann, und ich zog die Tür misstrauisch wieder auf. Während all meiner Zeit im Granta House hatte Will noch nie Besuch durch die Hintertür bekommen.

«Lassen Sie ihn rein», sagte Will, der hinter mir aufgetaucht war. «Ich habe ihn hergebeten.» Als ich immer noch an der Tür stehen blieb, fügte er hinzu: «Es ist okay, Clark … er ist ein Freund.»

Der Mann trat über die Türschwelle und gab mir die Hand. «Michael Lawler», sagte er.

Er wollte noch etwas sagen, aber Will rollte mit seinem Stuhl zwischen uns und schnitt damit sehr wirksam jedes weitere Gespräch ab.

«Wir sind im Wohnzimmer. Könnten Sie uns Kaffee kochen und uns dann für eine Weile allein lassen?»

«Mmm … okay.»

Mr. Lawler lächelte mich etwas unbehaglich an und folgte Will ins Wohnzimmer. Als ich ein paar Minuten später mit dem Kaffee auf einem Tablett hereinkam, unterhielten sie sich über Kricket. Und sie führten ihr Gespräch über Läufe und Punkte fort, bis ich keinen Vorwand mehr hatte, noch länger um sie herumzuschleichen.

Ich richtete mich auf, strich unsichtbaren Staub von meinem Rock und sagte: «Also. Dann gehe ich jetzt.»

«Danke. Louisa.»

«Sind Sie sicher, dass Sie sonst nichts möchten? Ein paar Kekse?»

«Nein danke, Louisa.»

Will nannte mich nie Louisa. Und er hatte mich noch nie von etwas ausgeschlossen.

Mr. Lawler blieb fast eine Stunde. Ich machte meine Arbeit, dann hing ich in der Küche herum und überlegte, ob ich mutig genug war, sie zu belauschen. War ich nicht. Ich saß am Küchentisch, aß zwei Schokoladenkekse, kaute an den Fingernägeln, hörte ihre gedämpften Stimmen und fragte mich zum fünfzehnten Mal, warum Will diesen Mann gebeten hatte, durch die Hintertür zu kommen.

Er hatte nicht nach einem Arzt oder so ausgesehen. Schon eher nach einem Banker, aber irgendwie passte das auch nicht richtig. Aber ganz bestimmt war er weder Physiotherapeut noch Ergotherapeut oder Ernährungsberater – oder einer von den Heerscharen von Angestellten bei den öffentlichen Institutionen, die andauernd vorbeikamen, um Wills Bedarfssituation einzustufen, die sich ständig änderte. Die erkannte man schon eine Meile gegen den Wind. Sie wirkten immer überarbeitet, waren aber gut organisiert und von resoluter Heiterkeit. Sie trugen Wollpullover in gedeckten Farben und fuhren staubige Kombis. Mr. Lawler hatte einen marineblauen BMW. Der glänzende Wagen aus der 5er-Serie war bestimmt kein Auto, das einem als städtischer Angestellter zur Verfügung gestellt wurde.

Schließlich verließen Mr. Lawler und Will das Wohnzimmer. Lawler schloss die Aktentasche und hatte das Jackett über dem Arm hängen. Er wirkte nicht mehr, als fühlte er sich unbehaglich.

Innerhalb von zwei Sekunden war ich im Flur.

«Ah. Würden Sie mir bitte zeigen, wo die Toilette ist?»

Das tat ich wortlos und drückte mich dann unruhig herum, bis er wieder herauskam.

«Also. Das war's für heute.»

«Danke, Michael.» Will sah mich nicht an. «Ich höre dann von Ihnen.»

«Ja, ich melde mich vermutlich Ende der Woche», sagte Mr. Lawler.

«Eine E-Mail wäre vermutlich besser als ein Brief – jedenfalls im Moment.»

«Ja. Natürlich.»

Ich brachte ihn zur Hintertür und ließ ihn hinaus. Dann, während Will ins Wohnzimmer verschwand, folgte ich Lawler in den Hof und sagte leichthin: «Und ... haben Sie es weit?»

Sein Anzug war perfekt geschnitten, er sah nach Londoner Bankenviertel aus, wo man für gute Kleidung richtig Geld hinlegte.

«London, leider. Aber ich hoffe, dass der Verkehr um diese Tageszeit nicht zu schlimm ist.»

Die Sonne stand hoch am Himmel, und ich musste im Gegenlicht blinzeln, als ich ihn ansah. «Und ... mmh ... wo in London arbeiten Sie?»

«Regent Street.»

«*Die* Regent Street? Nicht schlecht.»

«Ja. Es gibt schlimmere Orte zum Arbeiten. Also. Danke für den Kaffee, Miss ...»

«Clark. Louisa Clark.»

Da blieb er stehen und sah mich einen Moment lang an, und ich fragte mich, ob er meine unbeholfenen Versuche, herauszubekommen, wer er war, durchschaut hatte.

«Ah. Miss Clark», sagte er und hatte sofort wieder sein professionelles Lächeln im Gesicht. «Also. Vielen Dank noch mal.»

Er legte seine Aktentasche auf die Rückbank, stieg in sein Auto und war weg.

An diesem Abend ging ich auf meinem Heimweg zu Patrick in der Bibliothek vorbei. Ich hätte zwar auch Patricks Computer benutzen können, aber es kam mir so vor, als hätte ich ihn erst fragen müssen, also war es in der Bibliothek einfacher. Ich setzte mich vor den Bildschirm und tippte ‹Michael Lawler› und ‹Regent Street, London› in die Suchmaschine. *Wissen ist Macht, Will*, erklärte ich ihm in Gedanken.

Es gab 3290 Ergebnisse. Die ersten drei gehörten zu einem

‹Michael Lawler, Rechtsanwalt, spezialisiert auf Erbrecht und Testamentserklärungen, Testamentseröffnungen und Handlungsvollmachten›, in der Londoner Regent Street. Ich starrte eine Ewigkeit auf den Bildschirm, dann tippte ich den Namen erneut ein und machte eine Bildersuche, und da war er, bei irgendeinem Podiumsgespräch, in einem dunklen Anzug – Michael Lawler, Spezialist für Testamentserklärungen und Testamentseröffnungen, derselbe Mann, der eine Stunde mit Will verbracht hatte.

An diesem Abend zog ich bei Patrick ein, in den anderthalb Stunden zwischen meinem Feierabend und seinem Aufbruch zum Training. Außer meinem Bett und den neuen Jalousien nahm ich alles mit. Patrick kam mit dem Auto, und wir steckten meine Sachen in Müllsäcke. Mit zwei Fahrten war alles in Patricks Wohnung geschafft – abgesehen von meinen alten Schulbüchern auf dem Dachboden.

Mum weinte; sie glaubte, sie hätte mich aus dem Haus gedrängt.

«Also wirklich, Liebling. Es wird Zeit, dass sie endlich auszieht. Sie ist siebenundzwanzig Jahre alt», sagte mein Vater zu ihr.

«Aber sie ist trotzdem noch mein Baby», sagte sie und drückte mir zwei Dosen mit Früchtekuchen und eine Plastiktüte mit Putzmitteln in die Hand.

Ich wusste nicht, was ich sagen sollte. Und ich mag Früchtekuchen nicht mal.

Es war überraschend einfach, meine Habseligkeiten in Patricks Wohnung zu verstauen. Er selbst hatte ja kaum etwas, und ich hatte auch kaum etwas, weil ich die letzten Jahre in der Abstellkammer gewohnt hatte. Das Einzige, über das wir uns stritten, war meine CD-Sammlung, die anscheinend erst dann mit seiner zusammenstehen konnte, wenn ich auf die Rücksei-

334

ten der CD-Hüllen ein Schildchen mit meinem Namen geklebt und sie alphabetisch sortiert hatte.

«Fühl dich wie zu Hause», sagte er immer wieder, als wäre ich ein Gast. Wir waren nervös, gingen merkwürdig unbeholfen miteinander um, wie zwei Leute bei ihrer ersten Verabredung. Während ich auspackte, brachte er mir Tee und sagte: «Ich dachte, das könnte dein Becher werden.» Er zeigte mir, wo in der Küche alles stand, erklärte jedoch mehrere Male: «Aber du kannst alles hinstellen, wo du willst. Das macht mir nichts aus.»

Er hatte im Gästezimmer zwei Schubladen und den Schrank leer geräumt. In den anderen beiden Schubladen waren seine Sportklamotten. Ich hatte gar nicht gewusst, wie viele Lycra- und Fleece-Varianten es gab. Meine bunte Kleidersammlung ließ noch viel Platz frei, die Drahtbügel quietschten einsam in dem leeren Abschnitt des Schrankes.

«Ich muss noch was kaufen, damit der Platz ausgefüllt ist», sagte ich bei diesem Anblick.

Er lachte nervös. «Was ist das?»

Er schaute meinen Kalender an, den ich im Gästezimmer an die Wand gehängt hatte, mit den Ideen in Grün und den schon geplanten Ereignissen in Schwarz. Wenn etwas funktioniert hatte (Musik, Weinprobe), klebte ich ein Smiley daneben. Wenn nicht (Pferderennen, Kunstgalerie), blieb die Stelle daneben leer. Für die nächsten beiden Wochen gab es nicht viele Einträge – Will hatte die Orte in der näheren Umgebung satt, und trotzdem konnte ich ihn nicht dazu bringen, weiter weg zu fahren. Ich warf Patrick einen Blick zu. Ich sah, dass er das Datum 12. August betrachtete, das ich unterstrichen und mit schwarzen Ausrufezeichen versehen hatte.

«Also ... bis dahin gilt mein Vertrag.»

«Glaubst du, sie werden ihn nicht verlängern?»

«Ich weiß es nicht, Patrick.»

Patrick nahm einen Stift, blickte auf den nächsten Monat und schrieb dann unter die achtundzwanzigste Kalenderwoche: *Mit der Jobsuche anfangen.*

«So bist du für jeden Fall gerüstet», sagte er. Dann küsste er mich und ging aus dem Zimmer.

Ich brachte meine Cremes ins Badezimmer und räumte meine Rasierer, Feuchtigkeitscremes und Tampons säuberlich in seinen Spiegelschrank. Dann stellte ich ein paar Bücher in einer ordentlichen Reihe unter das Fenster im Gästezimmer auf den Boden, einschließlich der neuen Titel, die mir Will bei Amazon bestellt hatte. Patrick versprach, Regale zu besorgen, sobald er Zeit hatte.

Und dann, als er zum Lauftraining ging, saß ich da, schaute über das Gewerbegebiet zur Burg hinüber und übte vor mich hin murmelnd das Wort *Zuhause.*

Ich bin ein ziemlich hoffnungsloser Fall, wenn es darum geht, Geheimnisse zu bewahren. Treena sagt, ich fasse mir an die Nase, sobald ich auch nur daran denke, jemanden anzulügen. Das ist ein ziemlich verräterisches Benehmen. Meine Eltern machen immer noch Witze über die Entschuldigung, die ich mir einmal nach dem Schuleschwänzen geschrieben habe. «Liebe Miss Trowbridge», hieß es da, «bitte entschuldigen Sie Louisa Clark vom heutigen Unterricht, da ich sehr unpässlich mit Frauenproblemen bin.» Dad hatte um ein ernstes Gesicht kämpfen müssen, als er mir eigentlich die Leviten lesen sollte.

Wills Plan vor meiner Familie geheim zu halten, war das eine – ich konnte meinen Eltern eigentlich ganz gut etwas verheimlichen (das lernen wir schließlich alle, während wir aufwachsen) –, aber mit meinen Ängsten alleine klarzukommen, war etwas ganz anderes.

Die nächsten Abende verbrachte ich damit zu überlegen, was Will vorhatte und was ich tun konnte, um ihn daran zu hindern. Meine Gedanken kreisten ständig darum, selbst während Patrick und ich uns unterhielten oder in der winzigen Kombüsenküche kochten. (Ich entdeckte einiges Neue an ihm – zum Beispiel, dass er tatsächlich hundert unterschiedliche Arten kannte, eine Putenbrust zuzubereiten.) Nachts hatten wir Sex – das schien mehr oder weniger Pflicht, nachdem wir nun die volle Freiheit dazu hatten. Es war, als hätte Patrick das Gefühl, ich würde ihm etwas schulden, wo ich doch so viel mit Will zusammen war. Doch sobald Patrick einschlief, verlor ich mich wieder in meinen Gedanken.

Es waren noch etwas mehr als sieben Wochen übrig.

Und Will schmiedete Pläne, mir aber fiel nichts mehr ein.

Falls Will in der folgenden Woche mitbekam, dass ich abgelenkt war, sagte er jedenfalls nichts. Wir lebten unsere Alltagsroutine – ich unternahm mit ihm kurze Ausflüge aufs Land, kochte sein Essen und kümmerte mich um ihn. Er machte keine Witze mehr über den Marathon-Mann.

Ich erzählte ihm von den letzten Büchern, die er mir empfohlen hatte. Wir hatten *Der englische Patient* gelesen (der hatte mir unheimlich gefallen) und einen schwedischen Thriller (den fand ich nur unheimlich, gefallen hatte er mir nicht). Wir gingen rücksichtsvoll miteinander um, beinahe übertrieben höflich. Ich vermisste seine Frechheiten, seine Kratzbürstigkeit – ihr Fehlen sorgte nur noch mehr dafür, dass ich das Gefühl eines drohenden Verhängnisses nicht loswurde.

Nathan beobachtete uns wie ein Insektenforscher.

«Haben Sie sich gestritten?», fragte er mich eines Tages in der Küche, als ich Lebensmittel auspackte.

«Fragen Sie lieber ihn», sagte ich.

«Genau das hat er auch gesagt.»

Er warf mir einen Seitenblick zu, dann verschwand er im Badezimmer, um Wills Medizinschränkchen aufzuschließen.

Ich hatte nach Michael Lawlers Besuch drei Tage vergehen lassen, bis ich Mrs. Traynor anrief. Ich fragte sie, ob wir uns woanders als in ihrem Haus treffen könnten, und wir einigten uns auf ein kleines Café, das auf dem Burggelände aufgemacht hatte. Es war das Café, das mich meinen Job gekostet hatte.

Es war natürlich viel eleganter als das Buttered Bun – eichengetäfelt und mit weiß gebleichten Tischen und Stühlen aus Holz. Im Angebot waren selbstgemachte Suppe mit richtigem Gemüse und edle Kuchen. Normalen Kaffee gab es nicht, nur Cappuccinos, Milchkaffees und Latte macchiatos. Und es gab auch keine Bauarbeiter und keine Mädchen aus dem Friseursalon. Während ich an meinem Tee nippte, fragte ich mich, was aus der Pusteblumen-Lady geworden war und ob sie sich in diesem Café wohl genug fühlen würde, um den ganzen Vormittag Zeitung zu lesen.

«Louisa, entschuldigen Sie, dass ich zu spät bin.» Camilla Traynor eilte herein, die Handtasche unter den Arm geklemmt. Sie trug eine graue Seidenbluse und marineblaue Hosen.

Ich widerstand dem Impuls aufzustehen. Wenn ich mit ihr sprach, hatte ich immer das Gefühl, in einer Prüfung zu sitzen.

«Ich bin bei Gericht aufgehalten worden.»

«Es tut mir leid. Dass ich Sie von der Arbeit weghole, meine ich. Ich war einfach … also, ich war nicht sicher, ob ich das aufschieben kann.»

Sie hob eine Hand und teilte der Bedienung, die etwas entfernt stand, mit lautlosen Lippenbewegungen ihre Bestellung mit. Dann setzte sie sich mir gegenüber hin. Unter ihrem Blick fühlte ich mich, als wäre ich durchsichtig.

«Will hat einen Rechtsanwalt kommen lassen», sagte ich. «Ich habe herausgefunden, dass er auf Testamente spezialisiert

338

ist.» Mir war keine behutsamere Art eingefallen, auf die ich das Gespräch eröffnen konnte.

Sie sah mich an, als hätte ich ihr eine Ohrfeige gegeben. Zu spät wurde mir klar, dass sie vielleicht gedacht hatte, ich würde mit einer guten Nachricht auf sie warten.

«Ein Rechtsanwalt? Sind Sie sicher?»

«Ich habe im Internet nach ihm gesucht. Er hat seine Kanzlei in der Regent Street. In London», fügte ich überflüssigerweise hinzu. «Er heißt Michael Lawler.»

Sie blinzelte heftig, als hätte sie Schwierigkeiten, meine Worte zu verdauen. «Hat Ihnen Will das erzählt?»

«Nein. Ich glaube, er wollte nicht, dass ich etwas davon mitbekomme. Ich … ich habe den Namen des Rechtsanwalts aufgeschnappt und ihn im Netz gesucht.»

Ihr Cappuccino kam. Die Bedienung stellte ihn vor Mrs. Traynor auf den Tisch, aber sie schien nichts davon mitzubekommen.

«Möchten Sie noch etwas anderes?», fragte das Mädchen.

«Nein danke.»

«Wir haben heute Karottenkuchen im Angebot. Den machen wir selbst. Er hat eine köstliche Buttercremefüllung …»

«*Nein*», sagte Mrs. Traynor scharf. «Danke sehr.»

Die junge Frau blieb noch einen Moment stehen, damit wir mitbekamen, wie beleidigt sie war, dann zog sie ab und wedelte beim Gehen mit ihrem Bestellblock.

«Es tut mir leid», sagte ich. «Aber Sie haben mir gesagt, dass Sie über alles Wichtige informiert werden wollen. Ich war die halbe Nacht wach und habe überlegt, ob ich es Ihnen sagen soll.»

Ihr Gesicht war kreidebleich.

Ich wusste, wie sie sich fühlte.

«Und wie ist seine Stimmung? Haben Sie … hatten Sie noch neue Ideen? Für Ausflüge?»

«Er ist nicht besonders wild darauf.» Ich erzählte ihr von Paris und von meiner Liste mit Vorschlägen.

Und während ich redete, sah ich, wie sie mir mit den Gedanken schon voraus war, wie sie rechnete, Dinge abschätzte.

«Egal wohin», sagte sie schließlich. «Ich bezahle es. Jede Reise, die Sie wollen. Ich bezahle für Sie. Und für Nathan. Nur … versuchen Sie einfach nur, ihn davon zu überzeugen.»

Ich nickte.

«Und falls Ihnen noch etwas einfällt … um uns Zeit zu verschaffen, dann sagen Sie es. Ich bezahle Sie natürlich länger als die sechs Monate.»

«Darum geht es wirklich nicht.»

Dann saßen wir schweigend beisammen, jede in ihre Gedanken versunken. Gelegentlich sah ich sie verstohlen an, und mir fiel auf, dass ihre perfekte Frisur einen grauen Haaransatz hatte und die Schatten unter ihren Augen genauso dunkel waren wie bei mir. Es hatte mir nicht geholfen, ihr von dem Rechtsanwalt zu erzählen, es war keine Erleichterung, dass ich meine Befürchtungen an sie weitergegeben hatte – aber ich hatte keine andere Wahl gehabt. Mit jedem Tag, der verging, lag die Latte höher. Das Geräusch der Kirchturmuhr, die zwei Uhr schlug, riss sie aus ihren Gedanken.

«Ich muss zurück zur Arbeit. Bitte lassen Sie mich jeden Einfall wissen, auf den … Sie kommen, Louisa. Und wenn wir uns treffen, tun wir das vermutlich wirklich besser nicht bei uns im Haus.»

Ich stand auf. «Oh», sagte ich. «Ich muss Ihnen noch meine neue Telefonnummer geben. Ich bin gerade umgezogen.» Als sie in ihrer Tasche nach einem Stift suchte, fügte ich hinzu: «Ich bin bei Patrick eingezogen … meinem Freund.»

Ich weiß nicht, warum sie das so überraschte. Sie wirkte richtig erstaunt, und dann gab sie mir ihren Stift.

«Ich wusste nicht, dass Sie einen Freund haben.»

«Und ich wusste nicht, dass ich Ihnen das hätte erzählen sollen.»

Sie stand auf und stützte sich mit einer Hand auf den Tisch. «Will hat kürzlich erwähnt, dass Sie ... er meinte, Sie würden vielleicht in den Anbau ziehen. Über die Wochenenden.»

Ich kritzelte Patricks Telefonnummer auf ein Stück Papier.

«Na ja, ich dachte, es wäre für alle einfacher, wenn ich bei Patrick einziehe.» Ich gab ihr den Zettel. «Aber ich bin nicht weit weg. Nur beim Gewerbegebiet. Das wird meine Arbeitszeiten nicht beeinflussen. Oder meine Pünktlichkeit.»

Dann standen wir voreinander. Mrs. Traynor wirkte aufgewühlt, sie fuhr sich mit der Hand durchs Haar, tastete nach dem Goldkettchen um ihren Hals. Schließlich – als hätte sie sich nicht zurückhalten können – platzte sie heraus: «Hätte es Ihnen wirklich so viel ausgemacht, noch ein bisschen zu warten? Nur ein paar Wochen?»

«Wie bitte?»

«Will ... Ich glaube, Will hat Sie sehr gern.» Sie biss sich auf die Unterlippe. «Ich verstehe nicht ... ich verstehe nicht, was das bringen soll.»

«Einen Moment. Wollen Sie mir sagen, dass ich nicht mit meinem Freund hätte zusammenziehen sollen?»

«Ich sage nur, dass der Moment nicht ideal ist. Will ist gerade sehr verletzlich. Wir tun alles, damit er positiv denkt ... und Sie ...»

«Was ich?» Ich sah, dass uns die Bedienung beobachtete, den Bestellblock immer noch in der Hand. «Was ich? Habe ich es etwa gewagt, außerhalb der Arbeit noch ein Leben zu führen?»

Sie senkte die Stimme. «Ich tue alles, was ich kann, um diese ... Sache abzuwenden. Sie wissen, worum es geht. Und ich sage nur, dass ich mir wünschte ... weil ich weiß, wie sehr er Sie

mag … dass Sie ein bisschen gewartet hätten, bevor Sie ihm …
Ihr Liebesglück unter die Nase reiben.»

Ich konnte kaum glauben, was ich da hörte. Ich spürte, wie
mir die Röte ins Gesicht stieg, und ich atmete tief ein, bevor ich
wieder etwas sagte.

«Wie können Sie es wagen, mir zu unterstellen, ich würde
irgendetwas tun, um Wills Gefühle zu verletzen. Genau wie Sie
habe ich nämlich auch alles getan», zischte ich, «ich habe alles
getan, was mir nur eingefallen ist. Ich habe Vorschläge gemacht,
bin mit ihm unterwegs gewesen, habe mit ihm geredet, ihm
vorgelesen, mich um ihn gekümmert.» Die Worte sprudelten
nun aus mir heraus. «Ich habe ihn gewaschen. Ich habe seinen
verflixten Katheter gewechselt. Ich habe ihn zum Lachen gebracht. Ich habe mehr getan als Ihre ganze, verdammte Familie
zusammen.»

Mrs. Traynor stand vollkommen bewegungslos vor mir. Sie
hatte sich gerade aufgerichtet, die Handtasche wieder unter
dem Arm. «Ich glaube, dieses Gespräch ist beendet, Miss Clark.»

«Ja. Ja, Mrs. Traynor, das sehe ich ganz genauso.»

Sie drehte sich um und ging eilig aus dem Café.

Als sie mit einem Knall die Tür hinter sich zuschlug, wurde
mir bewusst, dass ich zitterte.

Das Gespräch mit Mrs. Traynor verfolgte mich tagelang. Ihre
Worte hallten durch meinen Kopf, der Vorwurf, dass ich ihm
mein *Liebesglück unter die Nase rieb*. Ich glaubte nicht, dass sich
Will von irgendetwas tangieren ließ, das ich tat. Sein Missfal-
len über meine Entscheidung, bei Patrick einzuziehen, hatte ich
der Tatsache zugeschrieben, dass er Patrick nicht mochte, und
nicht etwa irgendwelchen Gefühlen, die er für mich hatte. Und
davon abgesehen glaubte ich auch nicht, dass ich nach über-
wältigendem *Liebesglück* ausgesehen hatte.

Auch zu Hause wurde ich die Unruhe nicht los. Es war, als würde durch meinen Körper die ganze Zeit eine Schwachstromleitung laufen, die alles beeinflusste, was ich tat. Ich fragte Patrick: «Hätten wir das eigentlich auch gemacht, wenn meine Schwester nicht mein Zimmer gebraucht hätte?»

Er hatte mich angeschaut, als wäre ich unterbelichtet. Dann zog er mich an sich und küsste mich auf den Kopf. Anschließend sah er an mir herunter. «Musst du diesen Schlafanzug tragen? Ich hasse es, wenn du einen Schlafanzug anziehst.»

«Er ist bequem.»

«Er sieht wie etwas aus, das meine Mum tragen würde.»

«Ich werde bestimmt nicht ständig in Korsett und Strumpfhaltern herumlaufen, um dich glücklich zu machen. Und du hast meine Frage nicht beantwortet.»

«Ich weiß nicht. Vermutlich. Ja.»

«Aber wir hatten es nicht vor, oder?»

«Lou, die meisten Leute ziehen zusammen, weil es einfach vernünftig ist. Du kannst jemanden lieben und trotzdem die finanziellen und praktischen Vorteile wahrnehmen.»

«Ich will … bloß nicht, dass du denkst, ich hätte dafür gesorgt, dass es so kommt. Und ich will selber nicht das Gefühl haben, ich hätte dafür gesorgt, dass es so kommt.»

Seufzend rollte er sich wieder auf den Rücken. «Warum müssen Frauen nur immer so lange auf einer Situation herumreiten, bis sie endlich zum Problem wird? Ich liebe dich, du liebst mich, wir sind seit beinahe sieben Jahren zusammen, und bei deinen Eltern war kein Platz mehr. Das ist doch ganz einfach.»

Aber mir kam es nicht so einfach vor.

Es kam mir vor, als würde ich ein Leben führen, über das ich vorher nicht hatte nachdenken können.

An diesem Freitag regnete es den ganzen Tag. Warme, schwere Schauer wie in den Tropen, und das Wasser gurgelte durch die Regenrinnen und drückte die Stiele der Blütenstauden nach unten, als würden sie sich in einem flehenden Gebet krümmen. Will starrte aus dem Fenster wie ein Hund, dem man einen Spaziergang verweigerte. Nathan kam und ging. Draußen hatte er sich eine Plastiktüte über den Kopf gehalten, um sich vor dem Regen zu schützen. Will sah sich eine Dokumentation über Pinguine an, und danach, während er sich in seinen Computer einloggte, suchte ich nach irgendeiner Beschäftigung, sodass wir nicht miteinander reden mussten. Ich spürte die Anspannung zwischen uns ganz deutlich, und mit ihm im gleichen Zimmer zu sein, machte es noch viel schlimmer.

Schließlich hatte ich doch noch verstanden, welcher Trost im Putzen liegt. Ich lief mit dem Mopp herum, putzte Fenster und wechselte Bettlaken. Ich war in ständiger Bewegung. Kein Staubpartikel entkam mir, kein Ring von einem Teebecher entging meinem Röntgenblick. Als ich gerade den Kalkablagerungen an der Badezimmerarmatur mit einem in Essig getränkten Stück Küchenrolle (ein Tipp meiner Mutter) zu Leibe rückte, hörte ich Wills Stuhl hinter mir.

«Was machen Sie da?»

Ich beugte mich noch tiefer über die Badewanne und drehte mich nicht um. «Ich entkalke die Armatur.»

Ich spürte, wie er mich beobachtete.

«Sagen Sie das noch mal», sagte er nach einer Weile.

«Wie bitte?»

«Sagen Sie das noch mal.»

Ich richtete mich auf. «Warum? Haben Sie Probleme mit den Ohren? Ich entkalke die Wasserhähne.»

«Nein, ich habe keine Probleme mit den Ohren, ich will einfach, dass Sie selbst hören, was Sie da sagen. Es gibt keinen Grund, die Wasserhähne zu entkalken, Clark. Meine Mutter wird nichts davon bemerken, mir ist es egal, und außerdem stinkt es dadurch im Bad wie in einem Fish-and-Chips-Imbiss. Abgesehen davon möchte ich gerne ausgehen.»

Ich strich mir eine Haarsträhne aus dem Gesicht. Es stimmte. Im Badezimmer hing eindeutig ein Geruch nach Schellfisch in Essig.

«Kommen Sie. Es hat endlich aufgehört zu regnen. Ich habe gerade mit meinem Vater gesprochen. Er hat gesagt, er gibt uns nach fünf die Schlüssel zur Burg, wenn die ganzen Touristen weg sind.»

Ich war nicht gerade begeistert von der Vorstellung, während eines Spaziergangs höfliche Konversation machen zu müssen. Aber der Gedanke, aus dem Anbau zu kommen, war trotzdem sehr verlockend.

«Ist gut. Geben Sie mir noch fünf Minuten. Ich muss versuchen, den Essiggeruch von den Händen zu bekommen.»

Der Unterschied, wenn man wie ich beziehungsweise wie Will aufgewachsen war, lag darin, dass er alles für selbstverständlich hielt. Ich glaube, wenn man so aufwächst wie er, mit wohlhabenden Eltern in einem schönen Haus, wenn man in gute Schulen geht und Besuche in edlen Restaurants Normalität sind, hat man vermutlich einfach das Gefühl, dass immer alles gut läuft, dass man von Natur aus eine höhere Stellung in der Welt hat als andere.

Will erzählte, dass er während seiner Kindheit oft auf dem Burggelände gespielt hatte. Sein Dad hatte ihn überall umherstreifen lassen und darauf vertraut, dass Will schon nichts kaputt machen würde. Um halb sechs, wenn die letzten Touristen weg waren und die Gärtner begannen, Hecken zu schneiden und Laub zu rechen, während die Reinigungskräfte die Mülleimer leerten und weggeworfene Getränkeverpackungen und Bonbonpapiere zusammenkehrten, war die Burg sein privater

Spielplatz. Als er mir das erzählte, dachte ich, wenn Treena und mir das Burggelände ganz allein zur Verfügung gestellt worden wäre, hätten wir wahrscheinlich die Faust in die Luft gerammt vor Ungläubigkeit und wären vollkommen aus dem Häuschen gewesen.

«Meine erste Freundin habe ich vor der Zugbrücke geküsst», sagte er und verlangsamte den Rollstuhl, um mich anzusehen, während wir auf dem Kiesweg waren.

«Haben Sie ihr gesagt, Sie wären der Burgherr?»

«Nein. Aber das hätte ich vielleicht machen sollen. Sie hat mich nämlich eine Woche später für den Jungen sitzenlassen, der im Lebensmittelladen arbeitete.»

Ich starrte ihn an. «Aber nicht Terry Rowlands, oder? Mit braunen, zurückgegelten Haaren und Tätowierungen bis zu den Ellbogen?»

Er hob eine Augenbraue. «Genau der.»

«Er arbeitet immer noch dort, wissen Sie. In dem Lebensmittelladen. Falls Ihnen das hilft.»

«Ich bin nicht sicher, ob er wahnsinnig neidisch auf mich wäre, wenn er wüsste, was aus mir geworden ist», sagte Will. Darauf verfiel er wieder in Schweigen.

Es war seltsam, die Burg so zu sehen, jetzt, wo alles ruhig war und wir die einzigen Besucher, bis auf den einen oder anderen Gärtner in der Entfernung. Statt die Touristen zu beobachten, abgelenkt von ihren Akzenten und ihrem Leben im Ausland, betrachtete ich vielleicht zum ersten Mal überhaupt die Burg und dachte über ihre Geschichte nach. Die Flintsteinmauern standen seit mehr als 800 Jahren. Dahinter waren Menschen geboren worden und gestorben, Liebe hatte sich erfüllt, und Herzen wurden gebrochen. Und jetzt, in der Stille, konnte man beinahe die Stimmen dieser Menschen hören und ihre Schritte auf dem Weg.

«Okay. Beichtstunde», sagte ich. «Sind Sie jemals hier herumgelaufen und haben heimlich so getan, als wären Sie ein Kriegsfürst?»

Will warf mir einen Seitenblick zu. «Ehrlich?»

«Natürlich.»

«Ja. Ich habe mir sogar eins von den Schwertern ausgeliehen, die in der Großen Halle an der Wand hängen. Es hat eine Tonne gewogen. Ich weiß noch, wie ich vor Angst erstarrt bin, als ich dachte, ich würde es nicht mehr in die Halterung heben können.»

Wir hatten die Hügelkuppe erreicht, und von hier aus, vor dem Burggraben, konnten wir den langgestreckten Rasenabhang hinuntersehen, der sich bis zu der eingestürzten Wallmauer hinzog, von der das Burggelände früher begrenzt wurde. Dahinter lag die Stadt mit ihren Neonschildern und Autoschlangen und der Geschäftigkeit einer Kleinstadt zur Feierabendzeit. Doch hier oben hörte man nur die Vögel zwitschern und das Summen des Rollstuhlmotors.

Will hielt kurz an und drehte den Stuhl so, dass wir nebeneinander den Abhang hinunterschauten. «Es wundert mich, dass wir uns nie begegnet sind», sagte er. «Als ich hier aufgewachsen bin, meine ich. Unsere Wege müssen sich doch gekreuzt haben.»

«Warum denn? Wir haben uns ja nicht gerade in denselben Kreisen bewegt. Und ich wäre nichts weiter als ein Baby im Kinderwagen gewesen, an dem Sie mit dem Schwert in der Hand vorbeigezogen wären.»

«Ah ja. Das hatte ich ganz vergessen. Im Verhältnis zu Ihnen bin ich ja uralt.»

«Acht Jahre hätten Sie eindeutig zum ‹älteren Mann› gemacht», sagte ich. «Noch zu meinen Teenagerzeiten hat mein Dad dafür gesorgt, dass ich nicht mit älteren Männern ausgehe.»

«Nicht einmal, wenn er seine eigene Burg hatte?»

«Na ja, ich vermute, da hätte er eine Ausnahme gemacht.»

Der süße Geruch nach Gras stieg zu uns auf, während wir weitergingen. Die Reifen des Rollstuhls ließen das Wasser in den Pfützen aufspritzen. Ich fühlte mich erleichtert. Unser Gespräch war nicht, wie es früher gewesen war, aber das war auch zu erwarten. Mrs. Traynor hatte recht – es war für Will sicher schwierig, anderen dabei zuzusehen, wie sie mit ihrem Leben weitermachten. Ich nahm mir vor, sorgfältiger darüber nachzudenken, wie mein Verhalten auf ihn wirken könnte. Ich wollte nicht mehr wütend sein.

«Gehen wir ins Labyrinth. Dort war ich schon Ewigkeiten nicht mehr.»

Damit riss er mich aus meinen Gedanken. «O nein. Nein danke.» Ich sah auf und stellte fest, wo wir auf einmal waren.

«Warum? Haben Sie Angst, sich zu verirren? Los, Clark. Das ist eine Herausforderung für Sie. Sie müssen versuchen, sich den Weg zu merken, auf dem Sie hineingehen, und auf demselben Weg zurückkommen. Ich stoppe Ihre Zeit. Das habe ich früher ständig gemacht.»

Ich sah zum Haus zurück. «Wirklich, das mache ich lieber nicht.» Schon bei der Vorstellung hatte sich mein Magen zusammengekrampft.

«Ah. Sie wollen wieder mal kein Risiko eingehen.»

«Nein, das ist es nicht.»

«Kein Problem. Dann beenden wir einfach unseren langweiligen Spaziergang und gehen in den langweiligen kleinen Anbau zurück.»

Ich wusste, dass er mich auf den Arm nahm. Aber manchmal erwischte er mich richtig mit seinem Ton. Ich dachte an Deirdre im Bus, an ihre Bemerkungen darüber, wie gut es war, dass eins von uns Mädchen zurückgesteckt hatte. Ich war diejenige, die das kleinkarierte Leben führte und belanglose Ziele verfolgte.

Ich schaute zu dem Labyrinth hinüber, auf seine dunklen, dichten Buchshecken. Ich benahm mich lächerlich. Vielleicht benahm ich mich schon seit Jahren lächerlich. Es war vorbei. Lange vorbei. Und das Leben ging weiter.

«Merken Sie sich einfach, in welche Richtung Sie abbiegen, und beim Rückweg machen Sie es genau andersherum. Es ist ganz leicht.»

Ich ließ ihn auf dem Weg zurück, bevor ich noch einmal darüber nachdenken konnte. Ich holte tief Luft und ging an einem Warnschild vorbei. ‹Keine Kinder ohne Begleitung Erwachsener›. Dann tauchte ich mit schnellen Schritten zwischen die dunklen, feuchten Hecken ein, in denen noch die Regentropfen glitzerten.

So schlimm ist es nicht, so schlimm ist es nicht, murmelte ich automatisch vor mich hin. *Das sind nur ein paar struppige, alte Hecken.* Ich bog rechts ab, dann links durch einen Heckenspalt. Wieder rechts, dann links, und beim Gehen wiederholte ich im Kopf in umgekehrter Reihenfolge, wie ich abgebogen war. *Rechts. Links. Heckenspalt. Rechts. Links.*

Mein Herzschlag beschleunigte sich etwas, und ich hörte das Blut in meinen Ohren rauschen. Ich zwang mich dazu, an Will auf der anderen Seite der Hecke zu denken, wo er auf seine Uhr sah, um meine Zeit zu stoppen. Es war nur ein alberner Test. Ich war nicht mehr die naive junge Frau von damals. Ich war siebenundzwanzig Jahre alt. Ich wohnte mit meinem Freund zusammen. Ich hatte einen verantwortungsvollen Job. Ich war ein anderer Mensch.

Ich bog wieder ab, ging geradeaus weiter und bog wieder ab.

Und dann, wie aus dem Nichts, stieg Panik in mir auf wie bittere Galle. Ich glaubte, einen Mann zu sehen, der hinter einem Heckenknick hervorspähte. Ich sagte mir sofort, dass mir nur meine Einbildung einen Streich gespielt hatte, aber diese Selbstberuhigung führte dazu, dass ich die Reihenfolge vergaß, in der ich auf dem Rückweg abbiegen musste. *Rechts. Links. Heckenspalt. Rechts. Rechts?* Hatte ich jetzt etwas verwechselt? Mir blieb die Luft weg. Ich zwang mich weiterzugehen, nur um festzustellen, dass ich vollkommen die Orientierung verloren hatte. Ich blieb stehen und sah mich um, versuchte zu sehen, wohin die Schatten fielen, herauszufinden, wo Westen war.

Und als ich so dort stand, wurde mir klar, dass ich es nicht schaffen würde. Ich konnte nicht in dem Labyrinth bleiben. Ich wirbelte herum und begann in die Richtung zu gehen, in der ich Süden vermutete. Ich würde wieder hinausgehen. Ich war siebenundzwanzig Jahre alt. Mir ging es gut. Aber dann hörte ich ihre Stimmen. Hörte, wie sie mir hinterherpfiffen, das spöttische Gelächter. Ich sah sie, wie sie sich für Sekundenbruchteile zwischen Heckendurchgängen herausbeugten, fühlte, wie ich betrunken auf meinen Pumps herumschwankte, und das schmerzhafte Kratzen der Hecke, als ich bei dem Versuch, mich aufrecht zu halten, dagegenfiel.

«Ich will jetzt hier raus», hatte ich ihnen mit lallender, unsicherer Stimme gesagt. «Ich hab genug, Jungs.»

Und da waren sie alle verschwunden. Im Labyrinth herrschte Stille, nur ein fernes Wispern war zu hören, das vielleicht von ihnen kam, während sie sich auf der anderen Seite einer Hecke versteckten – aber vielleicht war es auch nur der Wind, der durchs Blattwerk fuhr.

«Ich will jetzt hier raus», hatte ich noch einmal gesagt und selbst gehört, wie unsicher ich klang. Ich hatte zum Himmel hinaufgeschaut und war angesichts der endlosen sternenfunkelnden Schwärze da oben kurz aus dem Gleichgewicht gekommen. Und dann machte ich einen Satz, als mich jemand um die Taille fasste – es war der Dunkelhaarige. Derjenige, der in Afrika gewesen war.

«Du kannst noch nicht gehen», sagte er. «Du verdirbst uns den Spaß.»

Und da hatte ich es gewusst. Hatte es an der Art gespürt, auf die er seine Hand um meine Hüfte legte. Mir war klargeworden, dass eine Waage sich gesenkt hatte, dass Hemmungen gefallen waren. Und ich hatte gelacht, hatte versucht, ihn wegzuschieben, als wäre das alles tatsächlich nur Spaß. Ich wollte ihn nicht merken lassen, dass ich es wusste. Ich hörte ihn nach seinen Freunden rufen. Und ich riss mich von ihm los, rannte plötzlich, versuchte, den Ausgang zu finden, sank in das feuchte Gras ein. Ich hörte sie, ihre erhobenen Stimmen ganz nah, ihre Körper unsichtbar, und meine Kehle schnürte sich vor Angst zusammen. Ich war zu verwirrt, um mich orientieren zu können. Um mich herum schwankten die hohen Hecken, schlugen nach mir. Ich rannte weiter, schob mich um Ecken, stolperte, duckte mich in Öffnungen, versuchte, von ihren Stimmen wegzukommen. Aber ich fand den Ausgang nicht. Jedes Mal, wenn ich um eine Ecke kam, hatte ich nur wieder einen Heckenabschnitt vor mir und eine höhnische Stimme im Ohr.

Ich taumelte auf eine Öffnung zu und glaubte einen überwältigenden Augenblick lang, ich wäre in Freiheit. Aber dann erkannte ich, dass ich wieder im Zentrum des Labyrinths stand, dort, von wo aus ich losgelaufen war. Dann schwankte ich, weil ich sie alle dort stehen sah, als hätten sie einfach nur auf mich gewartet.

«Seht ihr», sagte einer von ihnen und packte mich am Arm. «Ich habe euch doch gesagt, dass sie reif ist. Komm schon, Lou-Lou, gib mir einen Kuss, und ich zeig dir, wo es rausgeht.» Seine Stimme war leise und affektiert.

«Gib uns allen einen Kuss, und wir zeigen dir alle, wo es rausgeht.» Ihre Gesichter verschwammen ineinander.

«Ich ... will einfach, dass ihr ...»

«Komm schon, Lou. Du magst mich doch, oder nicht? Du hast schließlich den ganzen Abend auf meinem Schoß gesessen. Ein Kuss. Das kann doch nicht so schwer sein, oder?»

Ich hörte jemanden kichern.

«Und dann zeigst du mir, wie ich rauskomme?» Meine Stimme klang jämmerlich, das hörte ich selbst.

«Nur ein Kuss.» Er schob sich dichter zu mir.

Ich fühlte seinen Mund auf meinem, eine Hand an meinem Oberschenkel.

Er trat zurück, und ich nahm wahr, dass sich sein Atemrhythmus geändert hatte. «Und jetzt ist Jake dran.»

Ich weiß nicht mehr, was ich dann sagte. Einer hielt mich am Arm fest. Ich hörte das Lachen, spürte eine Hand in meinem Haar, einen anderen Mund auf meinem, beharrlich, fordernd, und dann ...»

«*Will* ...»

Ich schluchzte inzwischen, saß zusammengesunken in einer Ecke des Labyrinths. «*Will.*» Ich sagte seinen Namen wieder und wieder, meine Stimme war heiser, kam irgendwo aus den Tiefen meiner Brust. Dann hörte ich ihn von weit weg, von jenseits der Hecke.

«Louisa? Louisa, wo sind Sie? Was ist los?»

Ich kauerte in der Ecke, so tief unter die Hecke geduckt wie nur möglich. Mein Blick verschwamm unter Tränen, die Arme hatte ich eng um mich geschlungen. Ich konnte nicht hinaus. Ich würde für immer hier gefangen sein. Niemand würde mich finden.

«Will ...»

«Wo ...»

Und da war er. Direkt vor mir.

«Es tut mir leid», sagte ich und sah mit verzerrtem Gesicht zu ihm auf. «Ich ... ich schaffe es nicht.»

Er hob seinen Arm ein paar Zentimeter. Es war das Maximum an Bewegung, das er schaffte. «O Gott, was ist ...? Komm her, Clark.» Er rollte ein Stück vorwärts, dann sah er frustriert auf seine Arme hinunter. «Verdammte nutzlose Dinger ... Es ist alles gut, okay? Einfach weiteratmen. Komm her. Einfach atmen. Ganz langsam.»

Ich wischte mir über die Augen. Bei seinem Anblick war meine Panik versiegt. Ich stand unsicher auf und versuchte, meinen Gesichtsausdruck unter Kontrolle zu bekommen. «Tut mir leid. Ich ... ich weiß auch nicht, was gerade passiert ist.»

«Leidest du unter Klaustrophobie?» Sein Gesicht, nur Zentimeter von meinem entfernt, stand voller Sorge. «Ich wusste nicht, dass du wirklich nicht hineingehen wolltest. Ich dachte einfach ... ich dachte einfach, du würdest bloß ...»

Ich schloss kurz die Augen. «Ich will jetzt hier raus.»

«Halt dich an meiner Hand fest. Wir gehen raus.»

Innerhalb von Minuten hatte er mich hinausgeführt. Er kannte das Labyrinth auswendig, erzählte er mir auf dem Weg, mit leiser, beruhigender Stimme. Als Junge hatte er es als Herausforderung betrachtet, sich ganz genau darin auszukennen. Ich verflocht meine Finger mit seinen, und die Wärme seiner Hand wirkte tröstlich. Als mir klar wurde, wie nah am Eingang ich die ganze Zeit gewesen war, kam ich mir lächerlich vor.

Wir blieben bei einer Bank in der Nähe des Labyrinths stehen, und ich kramte in der Tasche des Rollstuhls nach einem Papiertaschentuch. Schweigend saßen wir nebeneinander, ich auf dem Ende der Bank, er im Rollstuhl, und warteten, bis mein Schluckauf verschwunden war.

Gelegentlich warf er mir einen Seitenblick zu.

«Also?», sagte er schließlich, als ich wohl so aussah, als könnte ich sprechen, ohne gleich wieder loszuheulen. «Erzählst du mir, was das eben war?»

Ich zerknüllte das Taschentuch in der Hand. «Das kann ich nicht.»

Er schloss den Mund.

Ich schluckte. «Es liegt nicht an … dir», sagte ich hastig. «Ich habe noch nie mit jemandem darüber gesprochen … Es ist … es ist dumm. Und lange her. Ich hatte nicht gedacht … dass es …»

Ich spürte seinen Blick auf mir und wünschte, er würde mich nicht ansehen. Meine Hände hörten nicht auf zu zittern, und mein Magen fühlte sich an, als hätte ich tausend Knoten darin.

Ich schüttelte den Kopf, versuchte ihm zu vermitteln, dass es Dinge gab, die ich nicht aussprechen konnte. Ich wollte wieder nach seiner Hand greifen, aber ich wagte es nicht. Beinahe hörte ich seine unausgesprochenen Fragen.

Unterhalb von uns parkten zwei Autos vor dem Burggelände. Zwei Menschen stiegen aus – von hier aus konnten wir nicht erkennen, wer sie waren – und umarmten sich. So standen sie ein paar Minuten, redeten vielleicht miteinander, und dann gingen sie zu ihren Autos zurück und fuhren in verschiedene Richtungen davon. Mein Verstand war wie eingefroren. Ich wusste nicht, was ich noch sagen sollte.

«Okay. Folgendes», sagte er schließlich. Ich drehte mich zu ihm um, aber er sah mich nicht an. «Ich erzähle dir etwas, das ich nie jemandem sage. In Ordnung?»

«In Ordnung.» Ich drückte das Papiertaschentuch in meiner Handfläche zu einem winzigen Ball zusammen.

Er atmete tief ein.

«Ich habe unheimliche Angst davor, wie es mit mir weitergeht.» Diesen Satz ließ er einen Moment lang zwischen uns schweben, dann sprach er weiter. «Ich weiß, dass die meisten

Leute glauben, so zu leben wie ich wäre das Schlimmste, was einem passieren kann. Aber in Wahrheit kann es noch viel schlimmer werden. Es kann sein, dass ich eines Tages nicht mehr selbständig atmen kann, nicht mehr sprechen kann. Ich könnte Durchblutungsstörungen bekommen, die dazu führen, dass mir Arme und Beine amputiert werden müssen. Es könnte sein, dass ich den Rest meines Lebens im Krankenhaus liegen muss. Was ich jetzt habe, Clark, ist kein großartiges Dasein. Aber wenn ich daran denke, wie viel schlimmer es noch werden kann … in manchen Nächten liege ich im Bett und kriege keine Luft mehr.»

Er schluckte. «Und weißt du was? Davon will niemand etwas hören. Niemand will mit einem über diese Ängste reden oder über die Schmerzen oder den Horror davor, an irgendeiner dummen Infektion zu sterben. Niemand will wissen, wie man sich fühlt, wenn man weiß, dass man nie wieder Sex haben wird, nie wieder etwas essen kann, das man selbst gekocht hat, nie das eigene Kind in den Armen halten wird. Niemand will wissen, dass ich mich manchmal so in diesem Stuhl gefangen fühle, dass ich bei dem Gedanken an den nächsten Tag am liebsten wie ein Verrückter losschreien würde. Meine Mutter steht kurz vor dem Zusammenbruch und kann mir nicht verzeihen, dass ich meinen Vater trotz allem liebe. Meine Schwester nimmt es mir übel, dass sie wieder einmal in meinem Schatten steht, und wegen meiner Behinderung darf sie mich nicht hassen, wie sie es seit unserer Kindheit getan hat. Mein Vater verdrängt am liebsten alles. Im Grunde genommen wollen sie nur die gute Seite sehen. Und sie brauchen es für sich selbst, dass auch ich die gute Seite sehe.»

Er hielt kurz inne. «Sie brauchen die Hoffnung, dass es eine gute Seite gibt.»

Ich blinzelte in die Dämmerung. «Tue ich das auch?», fragte ich leise.

«Du, Clark», er sah auf seine Hände hinab, «bist der einzige Mensch, mit dem ich überhaupt reden konnte, seit dieser verdammte Unfall passiert ist.»

Also erzählte ich es ihm.

Ich griff nach seiner Hand. Der Hand, an der er mich aus dem Labyrinth geführt hatte, starrte auf meine Füße hinunter, holte tief Luft und erzählte ihm von der Nacht damals und wie sie über mich gelacht und sich lustig darüber gemacht hatten, wie betrunken und bekifft ich war und wie ich in Ohnmacht gefallen war und wie meine Schwester später gesagt hatte, das sei vielleicht sogar ganz gut gewesen, weil ich mich auf die Art nicht daran erinnern konnte, was sie alles mit mir gemacht hatten, aber dass mich diese Erinnerungslücke von einer halben Stunde seitdem verfolgte. Weil ich sie ausfüllte. Ich füllte sie mit ihrem Lachen aus, mit ihren Körpern und ihren Worten. Ich füllte sie mit meiner Demütigung aus. Ich erzählte ihm, wie ich ihre Gesichter jedes Mal vor mir sah, wenn ich irgendwo außerhalb der Stadt war, und wie Patrick und Mum und Dad und mein unbedeutendes kleines Leben mit all seinen Problemen und Beschränkungen genau richtig für mich gewesen war. So hatte ich mich sicher gefühlt.

Als ich aufhörte zu erzählen, war es dunkel geworden, und ich hatte vierzehn Nachrichten auf meinem Handy, in denen gefragt wurde, wo wir waren.

«Ich muss dir nicht erklären, dass es nicht deine Schuld war», sagte er leise.

Der Himmel über uns war unendlich weit geworden.

Ich drehte das Taschentuch in meiner Hand. «Ja. Aber trotzdem. Ich denke immer noch, ich wäre dafür … verantwortlich. Ich habe zu viel getrunken, um anzugeben. Ich habe hemmungslos geflirtet. Ich war …»

«Nein. Die waren dafür verantwortlich.»

Niemand hatte das je zu mir gesagt. Sogar Treenas mitleidiger Blick hatte eine stumme Anklage enthalten. *Tja, wenn man sich betrinkt und Männer anmacht, kann man nie wissen …*

Seine Finger drückten meine. Eine hauchzarte Bewegung, aber sie war da.

«Louisa. Es war nicht deine Schuld.»

Dann weinte ich. Ohne zu schluchzen. Die Tränen rollten lautlos über meine Wangen, und ich spürte, dass ich mit ihnen noch etwas anderes loswurde. Das Schuldgefühl. Die Angst. Und ein paar andere Dinge, für die ich noch keine Worte gefunden hatte. Ich lehnte meinen Kopf leicht an seine Schulter, und er ließ seinen zur Seite sinken, bis er an meinem lag.

«Also. Hörst du mir zu?»

Ich murmelte ein Ja.

«Dann erkläre ich dir etwas Gutes», sagte er und wartete kurz ab, als wolle er sicher sein, dass ich auch genau aufpasste. «Manche Ereignisse … haben schlimmere Folgen als andere. Aber du musst diese Nacht nicht zu dem werden lassen, was deine Persönlichkeit bestimmt.»

Ich spürte, wie er seinen Kopf an meinem bewegte.

«Es liegt an dir, Clark, das nicht zuzulassen.»

Das Seufzen, das mir entschlüpfte, war lang und bebend. Schweigend saßen wir nebeneinander und ließen seine Worte wirken. Ich hätte so die ganze Nacht sitzen können, oberhalb der restlichen Welt, die Wärme von Wills Hand in meiner, und mit dem Gefühl, dass das Bösartigste, was ich in mir trug, langsam begann, sich aufzulösen.

«Wir machen uns besser auf den Weg», sagte er schließlich. «Bevor sie noch einen Suchtrupp losschicken.»

Ich ließ seine Hand los, stand zögernd auf und spürte den kühlen Wind auf meiner Haut. Und dann, beinahe wohlig, streckte ich die Arme hoch über den Kopf. Ich reckte die Finger in die Abendluft, ließ zu, dass die Anspannung von Wochen, Monaten oder vielleicht auch Jahren abebbte, und atmete laut aus.

Unterhalb von uns funkelten die Straßenlampen der Stadt, ein Lichtkreis in der dunklen Landschaft. Ich drehte mich zu ihm um. «Will?»

«Ja?»

Ich konnte ihn in der einbrechenden Dunkelheit kaum noch erkennen, aber ich wusste, dass er mich ansah. «Danke. Danke, dass du mich dort herausgeholt hast.»

Er schüttelte den Kopf und drehte seinen Stuhl zum Weg um.

Kapitel 18

D isneyland ist gut.»

«Ich habe doch gesagt, keine Freizeitparks.»

«Ich weiß, dass Sie das gesagt haben, aber dort gibt es viel mehr als Achterbahnen und sich drehende Teetassen. In Florida haben sie auch noch Filmstudios und ein Forschungszentrum. Es wäre also ein richtiger Bildungsausflug.»

«Ich glaube nicht, dass ein 35-jähriger Ex-Firmenvorstand noch auf Bildungsausflüge angewiesen ist.»

«Und es gibt an jeder Ecke Behindertentoiletten. Und die Angestellten kümmern sich um einen. Es gäbe keine Probleme zu lösen.»

«Als Nächstes sagen Sie, dass es dort spezielle Karusselle für Rollstuhlfahrer gibt, oder?»

«Sie haben Angebote für jedermann. Warum versuchen Sie es nicht mit Florida, Miss Clark? Wenn es Ihnen nicht gefällt, können Sie immer noch ins SeaWorld gehen. Und das Wetter ist auch super.»

«Ich habe eine Vermutung, wer bei *Will gegen den Killerwal* als Sieger hervorgeht.»

Er schien mich nicht zu hören. «Und sie haben die besten Bewertungen, wenn es um den Umgang mit Behinderten geht. Wussten Sie, dass sie sich sehr stark bei der Make-A-Wish-Foundation für Sterbende engagieren?»

«Er stirbt *nicht*.» Dieser Typ vom Reisebüro war unfähig. Ich legte in demselben Moment auf, in dem Will hereinkam.

«Alles klar?»

«Bestens.» Ich lächelte fröhlich.

«Sehr gut. Hast du ein schönes Kleid?»

«Wie bitte?»

«Und was hast du am Samstag vor?»

Er wartete gespannt. Mein Gehirn war immer noch auf Killerwal gegen Reisebüromitarbeiter eingestellt.

«Mmm … nichts. Patrick trainiert den ganzen Tag. Warum?»

Er zögerte es ein paar Sekunden hinaus, bevor er es sagte, als würde es ihn freuen, mich zu überraschen.

«Wir gehen zu einer Hochzeit.»

Ich habe nie herausgefunden, wann Will seine Meinung zu Alicias und Ruperts Hochzeitsfeier geändert hatte. Ich vermute, dass er seine Entscheidung mit vielen widerstreitenden Gefühlen traf – niemand erwartete, dass er hinging, zuallerletzt vermutlich Alicia und Rupert selbst. Vielleicht wollte er damit einen endgültigen Schlussstrich unter seine Beziehung zu Alicia ziehen. Aber ich glaube, schon in den Monaten zuvor hatte sie ihn nicht mehr verletzen können.

Wir beschlossen, ohne Nathans Hilfe klarzukommen. Ich rief vorher an, um festzustellen, ob Will mit seinem Rollstuhl in das Festzelt auf dem Rasen fahren konnte. Alicia reagierte völlig kopflos, als ihr klar wurde, dass wir wirklich kommen müssen, und mir dämmerte, dass sie die Einladung nur geschickt hatten, um den Schein zu wahren.

«Mmm ... also ... es gibt eine Stufe, wenn man in das Zelt kommt, aber ich glaube, die Leute, die es aufbauen, haben gesagt, sie könnten eine Rampe anlegen ...», sie verstummte.

«Das wäre sehr nett. Danke», sagte ich. «Wir sehen uns dann.»

Wir suchten online ein Hochzeitsgeschenk aus. Will bezahlte 120 Pfund für einen silbernen Bilderrahmen und für eine Vase, die er ‹absolut grauenvoll› fand, noch einmal 60 Pfund. Es schockierte mich, dass er so viel Geld für etwas ausgab, das ihm nicht gefiel, aber ich hatte schon nach wenigen Wochen bei den Traynors gelernt, dass sie andere Vorstellungen von Geld hatten als ich. Sie schrieben vierstellige Zahlen auf Schecks, ohne weiter darüber nachzudenken. Ich hatte einmal Wills Kontoauszug gesehen, der auf dem Küchentisch gelegen hatte, damit er ihn sich ansehen konnte. Auf dem Konto war genügend Geld, um unser Haus zweimal zu kaufen – und das war nur sein Girokonto.

Ich beschloss, mein rotes Kleid zu tragen – einerseits, weil es Will gefiel (und ich ging davon aus, dass er an diesem Tag jede Aufmunterung brauchen würde, die er nur kriegen konnte), aber auch, weil ich keine anderen Kleider hatte, in denen ich mich zu einem solchen Ereignis gewagt hätte. Will hatte keine Ahnung, wie sehr ich mich davor fürchtete, zu einer Hochzeit bei den oberen Zehntausend zu gehen und noch dazu als ‹Pflegehilfe›. Jedes Mal, wenn ich mir die kreischenden Stimmen und die abschätzenden Blicke vorstellte, wollte ich den Tag stattdessen viel lieber damit verbringen, Patrick beim Rundendrehen im Stadion zuzusehen. Vielleicht war es oberflächlich von mir, dass es mir etwas ausmachte, aber so war es eben. Der Gedanke daran, wie diese Gäste auf uns herabschauen würden, bereitete mir schon vorher Magenschmerzen.

Ich sagte Will nichts, aber ich machte mir auch seinetwegen

Sorgen. Zur Hochzeit einer Ex zu gehen, war schon unter den besten Umständen der reinste Masochismus, aber zu einer Riesenfeier zu erscheinen, einer, bei der lauter alte Freunde und Arbeitskollegen von ihm waren, um zuzuschauen, wie sie seinen ehemaligen besten Freund heiratete, schien mir der todsichere Weg in eine Depression. Das versuchte ich am Tag davor anzudeuten, aber Will tat es ab.

«Wenn ich mir keine Sorgen mache, Clark, solltest du es auch nicht tun», sagte er.

Ich rief Treena an und erzählte ihr von unseren Plänen.

«Durchsuch seinen Rollstuhl nach Anthrax und Schusswaffen», sagte sie bloß.

«Das ist das erste Mal, dass ich ihn weiter von zu Hause wegbekomme, und es wird in einer Katastrophe enden.»

«Vielleicht will er sich ja reinreiben, dass es Schlimmeres gibt als den Tod.»

«Sehr lustig.»

Sie war bei unserem Telefonat nicht richtig bei der Sache. Sie bereitete sich auf einen einwöchigen Kurs für «Potenzielle Führungskräfte» vor und brauchte Mum und mich, damit wir uns um Thomas kümmerten. Es würde phantastisch werden, sagte sie. Ein paar Top-Vertreter aus der Industrie würden auch kommen. Ihr Betreuer von der Uni hatte sie für den Kurs vorgeschlagen, und sie war die einzige Teilnehmerin, die keine Gebühren zahlen musste. Ich wusste, dass sie etwas am Computer machte, während sie mit mir telefonierte. Ich konnte sie tippen hören.

«Schön für dich», sagte ich.

«Es ist in einem College in Oxford. Und zwar nicht in einer von diesen ehemaligen Fachhochschulen, sondern auf einem richtigen Unicampus im echten, alten Oxford.»

«Toll.»

Sie hielt einen Moment inne. «Er ist nicht lebensmüde, oder?»

«Will? Nicht mehr als sonst.»

«Tja, das ist doch schon mal was.» Ich hörte den Ping-Ton, der Treen eine ankommende E-Mail anzeigte.

«Ich mach besser Schluss, Treen.»

«Okay. Amüsier dich gut. Oh, und trag bloß nicht dieses rote Kleid. Das hat einen viel zu großen Ausschnitt.»

Der Hochzeitsmorgen brach strahlend und warm an. Das hatte ich gewusst. Frauen wie Alicia hatten eben einfach immer Glück. Vermutlich hatte irgendwer beim Wettergott ein gutes Wort für sie eingelegt.

«Das ist eine ziemlich bittere Bemerkung, Clark», meinte Will, als ich ihm das sagte.

«Tja, ich habe beim Meister gelernt.»

Nathan war früh gekommen, um Will zu helfen, sodass wir um neun Uhr aus dem Haus kamen. Es war eine zweistündige Fahrt, und ich hatte Erholungspausen eingeplant und genau nachgesehen, wo wir unterwegs die besten, rollstuhlgerechten Raststätten dafür finden würden. Ich machte mich im Badezimmer fertig, zog die Strumpfhosen über meine frisch rasierten Beine, legte Make-up auf und wischte es wieder ab, sonst würden all die vornehmen Gäste womöglich denken, ich sähe aus wie eine Nutte. Ich wagte es nicht, einen Schal umzulegen, aber ich hatte eine Stola mitgebracht, die ich als Schal benutzen konnte, wenn ich mich zu nackt fühlte.

«Nicht schlecht, was?» Nathan trat einen Schritt zurück, und da war Will in einem dunklen Anzug und einem kornblumenblauen Hemd mit Krawatte. Er war glatt rasiert und leicht gebräunt. Das Hemd ließ seine Augen noch strahlender wirken. Sie schienen auf einmal das Blitzen der Sonne in sich zu tragen.

«Nicht schlecht», sagte ich – aus irgendeinem Grund wollte

ich nicht zugeben, wie gut er heute tatsächlich aussah. «Sie wird bereuen, dass sie diesen Fettklotz heiratet.»

Will verdrehte die Augen. «Nathan, ist alles in der Tasche?»

«Jau. Alles fertig zum Abflug.» Er wandte sich an Will: «Aber nicht mit den Brautjungfern rumknutschen.»

«Als ob ich darauf Lust hätte», sagte er. «Die tragen garantiert alle Stehkragen und riechen nach Pferd.»

Wills Eltern kamen heraus, um ihn zum Auto zu begleiten. Ich vermutete, dass sie gerade gestritten hatten, denn Mrs. Traynor hätte sich nur dann weiter von ihrem Mann wegstellen können, wenn sie die Stadtgrenze hinter sich gelassen hätte. Sie hielt ihre Arme fest verschränkt, sogar, als ich das Auto wendete, damit die Rampe auf Wills Seite war. Sie sah mich kein einziges Mal an.

«Sorgen Sie dafür, dass er sich nicht betrinkt, Louisa», sagte sie, während sie ein unsichtbares Stäubchen von Wills Schulter klopfte.

«Warum?», sagte Will. «Ich fahre nicht.»

«Recht so, Will», sagte sein Vater. «Ich habe immer ein oder zwei harte Drinks gebraucht, um eine Hochzeit zu überstehen.»

«Sogar deine eigene», murmelte Mrs. Traynor und fügte etwas lauter hinzu: «Du siehst sehr gut aus, Liebling.» Sie ging in die Hocke und zupfte Wills Hose zurecht. «Wirklich, sehr gut.»

«Und Sie ebenfalls.» Mr. Traynor betrachtete mich anerkennend. «Auffällig gut. Drehen Sie sich doch mal für uns im Kreis, Louisa.»

Will wandte sich mit seinem Stuhl um. «Sie hat keine Zeit, Dad. Fahren wir los, Clark. Ich vermute, es kommt nicht gut an, wenn man mit dem Rollstuhl hinter der Braut in die Kirche einfährt.»

Erleichtert stieg ich wieder ein. Als Wills Stuhl hinter mir gesichert war und sein elegantes Jackett ordentlich über der Rücklehne des Beifahrersitzes hing, damit es keine Falten bekam, fuhren wir los.

Ich hätte das Haus von Alicias Eltern genau beschreiben können, noch bevor ich dort war. Ehrlich gesagt traf meine Vorstellung sogar so genau zu, dass Will fragte, warum ich lachte, als es in Sicht kam. Es war ein großes, georgianisches Pfarrhaus, die hohen Fenster zum Teil beschattet von einer üppigen blühenden, weißen Glyzinie, die Zufahrt mit braunem Kies ausgestreut. Es war das perfekte Haus für einen Colonel. Ich sah direkt vor mir, wie Alicia hier aufgewachsen war, ihr Haar zu zwei ordentlichen blonden Zöpfen geflochten, während sie auf ihrem ersten dicken Pony über den Rasen ritt.

Zwei Männer in Warnwesten dirigierten die Autos auf ein Feld zwischen dem Haus und der Kirche. Ich ließ das Fenster herunter. «Gibt es bei der Kirche einen Parkplatz?»

«Der Gästeparkplatz ist hier entlang, Madam.»

«Wir haben einen Rollstuhl, der auf dem Feld einsinken wird», sagte ich. «Wir müssen direkt neben der Kirche parken. Ich fahre jetzt einfach hin.»

Die beiden Männer sahen sich an und murmelten etwas. Bevor sie noch etwas zu mir sagen konnten, fuhr ich weiter und parkte auf dem kleinen Platz neben der Kirche. *Jetzt geht's los*, sagte ich zu mir selbst und begegnete im Rückspiegel Wills Blick, als ich den Motor abstellte.

«Beruhige dich, Clark. Alles wird gutgehen», sagte er.

«Ich bin doch total entspannt. Warum sollte ich es nicht sein?»

«Du bist wirklich absurd leicht zu durchschauen. Außerdem hast du dir während der Fahrt vier Fingernägel abgekaut.»

Ich stieg aus, zog meine Stola zurecht und drückte auf die

Taste, damit die Rampe herunterfuhr. «Okay», sagte ich, als der Rollstuhl auf dem Asphalt stand. Jenseits der Straße, auf dem Feld, stiegen die Leute aus riesigen Autos, und Frauen in teuren Kleidern murrten ihre Männer an, weil ihre Absätze in den weichen Boden einsanken. Sie waren allesamt lang und dürr und in blasse, gedämpfte Farben gekleidet. Ich strich mir nervös übers Haar und überlegte, ob ich zu viel Lippenstift aufgelegt hatte. Vermutlich sah ich aus wie eine von diesen Plastiktomaten, aus denen man oben den Ketchup herausdrückt.

«Also ... was haben wir heute genau vor?»

Will folgte meinem Blick. «Im Ernst?»

«Ja. Ich muss das wissen. Und bitte sag nicht, du lässt mich einfach ins kalte Wasser springen. Hast du irgendeinen teuflischen Plan?»

Will sah mich an. Mit seinen unergründlichen blauen Augen. In meinem Magen flog eine Wolke Schmetterlinge auf.

«Wir werden uns unglaublich gut benehmen, Clark.»

Die Schmetterlinge begannen wild mit den Flügeln zu schlagen, als wären meine Rippen die Gitterstäbe eines Gefängnisses, aus dem sie ausbrechen wollten. Ich setzte an, um etwas zu sagen, doch er unterbrach mich.

«Also, wir sorgen einfach mit allen Mitteln dafür, möglichst viel Spaß zu haben», sagte er.

Spaß. Als würde man als Gast bei der Hochzeit seiner Ex-Freundin nicht mindestens genauso leiden wie bei einer Wurzelbehandlung. Aber es war Wills Entscheidung gewesen. Wills Tag. Ich atmete tief ein und versuchte, mich zusammenzureißen.

«Eine Ausnahme», sagte ich und zog zum vierzehnten Mal an meiner Stola herum.

«Was?»

«Du sparst dir deine Christy-Brown-Imitation. Wenn du den

Christy Brown gibst, fahre ich nach Hause und lasse dich hier mit all diesen Eierköpfen sitzen.»

Als Will seinen Stuhl zur Kirche umdrehte, glaubte ich ihn murmeln zu hören: «Spielverderberin.»

Wir überstanden die Zeremonie ohne Zwischenfälle. Alicia sah genauso abartig schön aus, wie ich es schon vorher gewusst hatte, ihre glatte Haut schimmerte karamellbraun, das schräg geschnittene Seidenkleid in gebrochenem Weiß umspielte ihre schlanke Gestalt, als befürchtete es, ohne Erlaubnis nicht ihren Körper berühren zu dürfen. Ich starrte sie an, als sie den Mittelgang herunterschwebte, und fragte mich, wie es sich wohl anfühlte, wenn man groß und langbeinig war und aussah wie etwas, das die meisten von uns nur auf Airbrush-Postern zu sehen bekamen. Ich fragte mich, ob sich ein Profiteam um ihr Haar und ihr Make-up gekümmert hatte. Ich fragte mich, ob sie Shapewear-Unterwäsche trug. Natürlich nicht. Sie trug bestimmt irgendeinen Hauch aus Spitze – Unterwäsche für Frauen, an denen weder etwas versteckt noch unterstützt werden musste, und die mehr kostete, als ich in der Woche verdiente.

Während der Pfarrer redete und die kleinen Brautjungfern mit den Ballerinaschühchen in ihrer Bank herumrutschten, ließ ich meinen Blick über die anderen Gäste schweifen. Es war kaum eine Frau darunter, die nicht so aussah, als könnte sie jederzeit in einem Hochglanzmagazin auftauchen. Ihre Schuhe, deren Farben ganz genau auf ihre übrige Kleidung abgestimmt waren, sahen aus, als wären sie noch nie getragen worden. Die jüngeren Frauen hatten elegante Zehn- oder Zwölf-Zentimeter-Absätze und perfekt gepflegte Zehennägel. Die älteren Frauen mit niedrigeren Pfennigabsätzen trugen Kostüme mit Schulterpolstern, seidenen Jackenfuttern in Kontrastfarben und Hüte, die dem Gesetz der Schwerkraft widersprachen.

Die Männer waren weniger interessant anzusehen, aber alle hatten eine Art an sich, die ich manchmal auch bei Will feststellte – die Art der Reichen und Anspruchsvollen, die wissen, dass es das Leben gut mit ihnen meint. Ich fragte mich, welche Firmen sie wohl führten, in welchen Welten sie lebten. Ich fragte mich, ob sie Menschen wie mich überhaupt wahrnahmen, Menschen, die ihre Kinder betreuten oder sie im Restaurant bedienten. *Oder für ihre Geschäftsfreunde Poledance machen*, dachte ich, weil mir wieder mein Gespräch im Jobcenter einfiel.

Bei den Hochzeiten, zu denen ich normalerweise ging, mussten die Familien der Braut und des Bräutigams getrennt sitzen, weil die Gefahr zu groß war, dass sonst jemand gegen Bewährungsauflagen verstieß.

Will und ich saßen hinten in der Kirche, sein Stuhl rechts von mir am Ende der Bank. Er sah Alicia kurz an, als sie den Mittelgang herunterkam, doch abgesehen davon schaute er die ganze Zeit nur mit undurchdringlicher Miene geradeaus. Achtundvierzig Chorsänger (ich habe sie gezählt) sangen etwas auf Latein. Rupert schwitzte in seinem Frack und hob eine Augenbraue, als würde er sich freuen und gleichzeitig wie ein Trottel fühlen. Niemand klatschte oder jubelte, als sie zu Mann und Frau erklärt wurden. Rupert sah aus, als fühlte er sich leicht unbehaglich, dann tauchte er zu seiner Frau hinab wie ein Storch auf Froschsuche und verfehlte knapp ihren Mund. Ich fragte mich, ob reiche Leute es vulgär fanden, sich vor dem Altar richtig zu küssen.

Und dann war es vorbei. Will fuhr schon Richtung Kirchenausgang. Ich sah seinen Hinterkopf, hoch erhoben und seltsam würdevoll, und ich wollte ihn fragen, ob es ein Fehler gewesen war, hierherzukommen. Ich wollte ihn fragen, ob er sie noch liebte. Ich wollte ihm sagen, dass er viel zu gut war für diese dämliche Karamell-Frau, ganz egal, wie toll sie aussah, und dass ... ich wusste nicht, was ich ihm sonst noch sagen wollte.

Ich wollte es einfach besser für ihn machen.

«Alles okay?», sagte ich, als ich ihn eingeholt hatte.

Denn schließlich hätte eigentlich er es sein sollen, der heute vorm Altar stand.

Er blinzelte ein paarmal. «Bestens», sagte er. Dann atmete er aus, als hätte er die Luft angehalten, und schaute zu mir hoch. «Komm, holen wir uns was zu trinken.»

Das Zelt war in einem ummauerten Garten aufgebaut worden, das schmiedeeiserne Tor, das hineinführte, war mit blassrosa Blumengirlanden geschmückt. Die Bar am Ende des Zelts wurde schon umlagert, also schlug ich Will vor, draußen zu warten, während ich ihm etwas zu trinken besorgte. Ich schlängelte mich zwischen Tischen hindurch, die mit Leinendecken und mehr Besteck und Gläsern gedeckt waren, als ich je im Leben gesehen hatte. Die Stühle hatten vergoldete Rückenlehnen, wie die Stühle, die man bei großen Modeschauen sieht, und weiße Lampions hingen über jedem der mit Freesien und Lilien bestückten Tafelaufsätze. Die Luft war so mit ihrem Duft erfüllt, dass ich sie beinahe stickig fand.

«Pimm's?», sagte der Barmann, als ich zu ihm kam.

«Mmm ...» Ich sah mich um und stellte fest, dass es das einzige Getränk war, das sie anboten. «Oh. Okay. Zwei bitte.»

Er lächelte mich an. «Später gibt es natürlich auch andere Getränke. Aber Miss Dewar wollte, dass alle mit Pimm's anfangen.» Er sah mich mit leicht verschwörerischem Blick an und teilte mir durch ein beinahe unmerkliches Heben der Augenbraue mit, was er davon hielt.

Ich starrte auf das rosafarbene Limonadengetränk. Mein Dad hatte gesagt, die reichsten Leute wären auch immer die geizigsten, aber es wunderte mich trotzdem, dass sie nicht einmal eine Hochzeitsfeier mit Alkohol anfingen. «Dann müssen wir eben damit anstoßen», sagte ich und nahm die Gläser von ihm entgegen.

Als ich Will wiederfand, redete ein Mann mit ihm. Er war jung, trug eine Brille und war neben Will in die Hocke gegangen, den einen Arm auf Wills Stuhl gelegt. Die Sonne stand inzwischen hoch am Himmel, und ich musste die Augen zusammenkneifen, um die beiden richtig sehen zu können. Auf einmal wurde mir der Zweck all dieser breitkrempigen Hüte klar.

«Es ist so verdammt gut, dich wiederzusehen, Will», sagte der Mann. «Im Büro ist es nicht mehr dasselbe, ohne dich. Das sollte ich nicht sagen ... aber es ist nicht mehr dasselbe. Überhaupt nicht.»

Er sah aus wie ein junger Rechnungsprüfer oder so etwas. Der Typ Mann, der sich nur in einem Anzug richtig wohl fühlt.

«Es ist nett, dass du das sagst.»

«Es war einfach so seltsam. Als wärst du von einer Klippe gestürzt. Den einen Tag warst du da, hattest alle Fäden in der Hand, und am nächsten mussten wir ...»

Er sah auf, als er mich bemerkte. «Oh», sagte er, und ich registrierte, dass er mir auf die Brust starrte. «Hallo.»

«Louisa Clark, das hier ist Freddie Derwent.»

Ich stellte Wills Glas in die Halterung und gab dem jungen Mann die Hand.

Er richtete seinen Blick etwas höher aus. «Oh», sagte er erneut. «Und ...»

«Ich bin eine Freundin von Will», sagte ich, und dann, ohne recht zu wissen, warum, legte ich Will leicht die Hand auf die Schulter.

«Dann ist das Leben doch nicht nur schlecht», sagte Freddie Derwent mit einem Lachen, das mehr nach einem Husten klang.

Er errötete leicht beim Reden. «Wie dem auch sei … muss mich unter die Leute mischen. Du kennst das ja – anscheinend müssen wir jetzt sogar Hochzeiten zum Networken nutzen. Aber gut, dich zu sehen, Will. Wirklich. Und … und Sie, Miss Clark.»

«Der hat ganz nett gewirkt», sagte ich, als er gegangen war. Ich nahm meine Hand von Wills Schulter und trank einen großen Schluck Pimm's. Es schmeckte besser, als es aussah. Das Stück Gurke darin hatte mich leicht misstrauisch werden lassen.

«Ja. Ja, er ist ein netter Junge.»

«Also fühlst du dich nicht zu unwohl.»

«Nein.» Will warf mir einen Blick zu. «Nein, Clark, ich fühle mich ganz und gar nicht unwohl.»

Als hätte ihnen Freddie Derwents Beispiel die Hemmungen genommen, kamen in der nächsten Stunde noch mehr Leute zu Will, um ihm hallo zu sagen. Einige hielten sich einen Schritt entfernt, als wollten sie dem Problem mit dem Händeschütteln ausweichen, während andere ihre Hosenbeine hochzogen und sich beinahe vor seine Füße kauerten. Ich stand neben Will und redete wenig. Als zwei weitere Leute herankamen, sah ich, dass er sich leicht versteifte. Der eine – ein großer, plumper Mann mit Zigarre – schien nicht mehr zu wissen, was er sagen sollte, als er bei Will angekommen war, und entschied sich für: «Verdammt nette Hochzeit, was? Die Braut sieht großartig aus.» Anscheinend kannte er Alicias früheres Liebesleben nicht.

Der andere, der anscheinend ein Konkurrent von Will gewesen war, schlug einen diplomatischeren Ton an, aber es lag etwas in seinem direkten Blick und seinen unumwundenen Fragen nach Wills Verfassung, bei dem sich Will anspannte. Sie waren wie zwei Hunde, die sich umkreisten und überlegten, ob sie die Zähne blecken sollten.

«Der neue Geschäftsführer meiner alten Firma», sagte Will,

als sich der Mann endlich mit einem Winken verabschiedet hatte. «Ich glaube, er wollte nur sicher sein, dass ich keinen Übernahmeversuch plane.»

Die Sonne schien nun viel wärmer, die Blütendüfte im Garten wurden noch intensiver, und die Leute stellten sich in den Schatten der Bäume. Ich nahm Will mit unter das Vordach des Festzelts, weil ich mir Sorgen um seine Temperatur machte. In dem Zelt waren riesige Ventilatoren in Gang gesetzt worden, die sich träge über unseren Köpfen drehten. Etwas entfernt spielte unter dem Dach einer Gartenlaube ein Streichquartett. Es war wie eine Filmszene.

Alicia schwebte im Garten umher – eine ätherische Erscheinung, die Küsschen hier und Umarmungen da verteilte –, kam aber nicht zu uns.

Will leerte zwei Gläser Pimm's und amüsierte sich im Stillen.

Das Mittagessen wurde um vier Uhr nachmittags serviert. Ich hielt das für eine reichlich merkwürdige Zeit, um zu Mittag zu essen, aber Will sagte, es sei eben eine Hochzeit. Die Zeit schien sich ohnehin zu dehnen und keine Rolle mehr zu spielen, sie verging bei immer neuen Getränken und endlosen Gesprächen. Ich weiß nicht, ob es an der Hitze lag oder an der Atmosphäre, aber als wir schließlich an unseren Tisch kamen, fühlte ich mich beinahe betrunken. Und als ich mich dabei ertappte, wie ich dem älteren Mann neben mir unzusammenhängendes Zeug erzählte, wurde mir klar, dass ich vermutlich wirklich ein bisschen betrunken war.

«Ist in diesem Pimm's eigentlich Alkohol?», fragte ich Will, nachdem ich es fertiggebracht hatte, mir den Inhalt eines Salzstreuers auf den Schoß zu kippen.

«Ungefähr so viel wie in einem Glas Wein. In jedem.»

Ich starrte ihn entsetzt an. Alle beide. «Du machst wohl Witze. Da waren Früchte drin! Ich dachte, das bedeutet, es wäre alkoholfrei. Wie soll ich dich jetzt nach Hause fahren?»

«Du bist mir eine schöne Pflegehilfe», sagte er. Dann hob er eine Augenbraue. «Was ist es dir wert, wenn ich es meiner Mutter nicht erzähle?»

Ich war vollkommen verblüfft von Wills Reaktion auf diesen Tag. Ich hatte mit dem mürrischen Will gerechnet, mit dem sarkastischen Will. Zumindest mit dem schweigsamen Will. Aber er war zu allen sehr charmant. Sogar als die Suppe kam, brachte ihn das nicht aus der Fassung. Er fragte einfach, ob jemand sein Brot gegen seine Suppe tauschen würde, und die beiden Mädchen am Ende des Tisches – die unter ‹Weizenintoleranz› litten – bewarfen ihn beinahe mit ihren Brötchen.

Je mehr Sorgen ich mir darüber machte, wie ich rechtzeitig wieder nüchtern werden konnte, desto fröhlicher und unbekümmerter wurde Will. Die ältere Frau, die auf seiner rechten Seite saß, entpuppte sich als ehemaliges Parlamentsmitglied. Sie hatte für die Rechte von Behinderten gekämpft und gehörte zu den wenigen Menschen, die ohne das geringste Unbehagen mit Will plauderten. Einmal sah ich sogar, wie sie ihm ein Stück Roulade in den Mund steckte. Als sie kurz aufstand, murmelte er mir zu, dass sie einmal auf den Kilimandscharo gestiegen war. «Ich liebe diese alten Schachteln», sagte er. «Ich sehe sie direkt vor mir, wie sie mit einem Maultier und ihrem Proviant unterwegs ist. Zählebig wie alte Stiefel.»

Ich hatte mit meinem Tischnachbarn weniger Glück. Er brauchte ungefähr vier Minuten – in denen er abfragte, wer ich war, wo ich wohnte und wen ich bei der Feier kannte –, um festzustellen, dass ihn nichts von dem interessierte, was ich zu sagen hatte. Anschließend drehte er sich zu der Frau links von ihm um und wandte sich während des restlichen Essens nicht mehr an mich. Irgendwann, als ich anfing, mich richtig unwohl zu fühlen, spürte ich Wills Arm neben mir herabgleiten, und seine Hand landete auf meinem Arm. Ich sah ihn an, und er zwinkerte mir zu. Ich nahm seine Hand und drückte sie, dankbar, dass er gesehen hatte, was mit mir los war. Und dann rollte er seinen Stuhl ein Stückchen zurück und brachte mich mit Mary Rawlinson ins Gespräch.

«Will hat mir erzählt, dass Sie sich um ihn kümmern», sagte sie. Ihre Augen waren strahlend blau, und ihre Falten erzählten von einem Leben, in dem Anti-Aging-Cremes nicht vorkamen.

«Ich versuche es», sagte ich und streifte Will mit einem Blick.

«Und arbeiten Sie schon immer in diesem Bereich?»

«Nein. Ich habe früher in … einem Café gearbeitet.» Ich bin nicht sicher, ob ich das irgendeinem anderem Gast auf dieser Hochzeit erzählt hätte, aber Mary Rawlinson nickte anerkennend.

«Das habe ich immer für sehr interessant gehalten. Wenn man Menschen mag und neugierig ist, so wie ich.» Sie strahlte.

Will bewegte langsam seinen Arm zurück auf seinen Stuhl. «Ich versuche, Louisa zu ermutigen, etwas anderes zu machen, damit sie ihren Horizont erweitern kann.»

«An was dachten Sie?», fragte sie mich.

«Ihr fällt nichts ein», sagte Will. «Louisa ist einer der klügsten Menschen, die ich kenne, aber ich schaffe es nicht, sie von ihren eigenen Möglichkeiten zu überzeugen.»

Mary Rawlinson sah ihn scharf an. «Bevormunden Sie sie nicht, mein Lieber. Sie ist sehr wohl in der Lage, für sich selbst zu antworten.»

Ich blinzelte.

«Ich hätte gedacht, dass ausgerechnet Sie das wissen müssten», fügte sie noch hinzu.

Will sah aus, als wollte er etwas sagen, aber dann machte er den Mund wieder zu und starrte kopfschüttelnd auf den Tisch, doch er lächelte dabei.

«Also, Louisa, ich vermute, Ihre jetzige Arbeit kostet Sie sehr viel emotionale Kraft. Und ich denke, dass dieser junge Mann nicht gerade pflegeleicht ist.»

«Das kann man wohl sagen.»

«Aber Will hat recht, wenn er Möglichkeiten für Sie sieht. Hier ist meine Visitenkarte. Ich bin im Vorstand einer Wohltätigkeitsorganisation zur Förderung der Erwachsenenbildung. Vielleicht wollen Sie ja zukünftig mal etwas anderes machen.»

«Ich bin sehr zufrieden mit meiner Arbeit für Will, vielen Dank.»

Ich nahm die Karte, die sie mir trotzdem hinhielt, und fragte mich im Stillen, wieso diese Frau Interesse daran hatte, was ich mit meinem Leben anfing. Während ich die Karte nahm, fühlte ich mich wie eine Betrügerin. Auf keinen Fall würde ich meine Arbeit aufgeben, selbst wenn ich eine Ausbildung wüsste, die ich machen wollte. Ich glaubte außerdem nicht, dass ich mich für eine Umschulung eignete. Abgesehen davon war mein Hauptziel, Will am Leben zu halten. Ich war so in meine Gedanken versunken, dass ich den beiden nicht mehr zuhörte.

«… es ist sehr gut, dass Sie über den Berg sind, wie man so sagt. Ich weiß, wie schwer es ist, wenn man sein Leben unter anderen Gegebenheiten ganz neu ausrichten muss.»

Ich betrachtete die Reste meines gedünsteten Lachses. Ich hatte noch nie jemanden so mit Will sprechen hören.

Er runzelte die Stirn und sah auf den Tisch, dann wandte er sich ihr wieder zu. «Ich weiß nicht, ob ich über den Berg bin», sagte er leise.

Sie schaute ihn einen Moment schweigend an und ließ ihren Blick dann zu mir wandern.

Ich fragte mich, ob mich mein Gesichtsausdruck verriet.

«Alles dauert seine Zeit, Will», sagte sie und legte ihm kurz die Hand auf den Arm. «Und Ihrer Generation fällt es schwerer, sich mit so etwas abzufinden. Sie sind mit dem Anspruch aufgewachsen, alles, was Sie wollen, praktisch augenblicklich zu bekommen. Sie alle haben den Anspruch, das Leben zu leben, das Sie sich selbst ausgesucht haben. Ganz besonders ein erfolgreicher junger Mann wie Sie. Aber alles braucht seine Zeit.»

«Mrs. Rawlinson – Mary –, ich rechne nicht damit, wieder gesund zu werden.»

«Ich spreche auch nicht von dem körperlichen Aspekt», sagte sie. «Ich spreche davon, dass man lernen kann, ein neues Leben anzunehmen.»

Und dann, als ich darauf wartete, was Will dazu sagen würde, klopfte jemand laut mit einem Löffel an sein Glas, und die Gespräche verebbten für die Hochzeitsreden.

Ich bekam kaum mit, was gesagt wurde. Mir erschienen die Redner wie eine austauschbare Abfolge von eingebildeten Frackträgern, die von Orten und Menschen sprachen, die ich nicht kannte, und höfliches Lachen auslösten. Ich kaute dabei an den Trüffeln aus Zartbitterschokolade, die in Silberkörbchen auf die Tische gestellt worden waren, und trank schnell hintereinander drei Tassen Kaffee, sodass ich nicht mehr nur betrunken, sondern auch noch kribbelig und aufgedreht war. Will dagegen war unfassbar ruhig. Er saß da, schaute zu, wie die Gäste seiner Ex-Freundin applaudierten, und hörte sich Ruperts endlose Ausführungen darüber an, was für eine perfekte, wundervolle Frau sie doch war. Niemand erwähnte ihn. Ich weiß nicht, ob man daran ablesen konnte, dass seine Gefühle geschont werden sollten, oder dass ihnen seine Anwesenheit irgendwie peinlich war. Gelegentlich beugte sich Mary Rawlinson zu ihm, um ihm etwas ins Ohr zu murmeln, und er nickte leicht wie zur Bestätigung.

Als die Reden endlich vorbei waren, begann eine Armee von Hilfskräften, die Mitte des Zelts für den Tanz freizuräumen. Will lehnte sich zu mir. «Mary hat mich wieder daran erinnert, dass es oben an der Straße ein sehr gutes Hotel gibt. Ruf doch dort mal an und frag, ob wir da übernachten können.»

«Was?»

Mary gab mir eine Serviette, auf die sie den Namen des Hotels und eine Telefonnummer geschrieben hatte.

«Es ist okay, Clark», sagte er so leise, dass sie es nicht hören konnte. «Ich zahle. Los, mach schon, und anschließend kannst du aufhören, dir Sorgen darüber zu machen, wie viel du getrunken hast. Nimm meine Kreditkarte aus der Tasche. Sie wollen wahrscheinlich die Nummer haben.»

Ich nahm sie, griff mir mein Handy und ging hinaus in den Garten. In dem Hotel gab es noch zwei Zimmer – ein Einzelzimmer und ein Doppelzimmer im Erdgeschoss. Ja, es hatte einen behindertengerechten Zugang. «Perfekt», sagte ich, und dann musste ich einen kleinen Aufschrei unterdrücken, als sie mir den Preis nannten. Ich gab ihnen Wills Kreditkartennummer, und mir war leicht übel, als ich die Zahlen vorlas.

«Und?», fragte er, als ich wieder auftauchte.

«Ich habe es gemacht, aber …» Ich sagte ihm, was die beiden Zimmer kosteten.

«Das ist sehr gut», sagte er. «Und jetzt ruf deinen Typ an und sag ihm, dass du über Nacht wegbleibst, und anschließend trinkst du noch was. Ich hatte schon sechs Gläser. Es würde mir zu gut gefallen, wenn du dir auf Kosten von Alicias Vater einen antrinkst.»

Also tat ich es.

Am Abend änderte sich die Stimmung. Das Licht wurde gedämpft, sodass unser kleiner Tisch weniger auffiel, die überwältigenden Blumengerüche wurden durch die abendlichen Brisen gemildert, und die Musik und der Wein und der Tanz führten dazu, dass wir uns am unwahrscheinlichsten aller Orte tatsächlich zu amüsieren begannen. Will war so entspannt, wie ich ihn noch nie gesehen hatte. Er saß zwischen Mary und mir, sprach mit ihr und lächelte sie an. Für kurze Momente strahlte er etwas so Zufriedenes aus, dass ihn selbst die Leute in Ruhe ließen, die ihn sonst verstohlen oder mitleidig angeschaut hätten. Er sagte mir, ich solle die Stola ablegen und mich aufrecht hinsetzen. Ich nahm ihm das Jackett ab und lockerte seine Krawatte, und wir versuchten beide, nicht zu kichern, als wir die Tanzenden beobachteten. Ich kann gar nicht ausdrücken, wie viel besser ich mich fühlte, als ich sah, wie diese vornehmen Leute tanzten. Die Männer wirkten so steif, als hätten sie einen Stromschlag abbekommen, und die Frauen spießten ihre kleinen Finger Richtung Himmel und sahen auch noch bei ihren Drehungen schrecklich gehemmt aus.

Mary Rawlinson murmelte mehrmals «Gütiger Gott» vor sich hin. Sie warf mir einen Blick zu. Ihre Bemerkungen wurden mit jedem Glas freimütiger. «Wollen Sie nicht mal zeigen, was Sie draufhaben, Louisa?»

«Auf gar keinen Fall.»

«Sehr vernünftig. Ich habe schon in einer verdammten Dorfdisco bessere Tänzer gesehen.»

Um neun bekam ich eine SMS von Nathan.

Alles okay?

Ja. Super, kaum zu glauben. Will hat richtig Spaß.

Und den hatte er wirklich. Ich sah ihn über eine von Marys Äußerungen lachen, und in mir zog sich etwas auf merkwürdige Art zusammen. Dieser Tag zeigte mir, dass es funktionieren könnte. Er konnte glücklich sein, wenn er die richtigen Leute um sich hatte, wenn man ihm erlaubte, Will zu sein und nicht *Der Mann im Rollstuhl*, die Symptomliste, das Mitleidsobjekt.

Und dann, ungefähr um zehn Uhr, begannen die langsamen Tänze. Wir sahen Rupert zu, der mit Alicia über die Tanzfläche kreiste, von deren Rand aus sie von höflichen Zuschauern beklatscht wurden. Ihre Frisur hatte angefangen sich aufzulösen, und sie schlang ihm die Arme um den Hals, als bräuchte sie eine Stütze. Ruperts Hände lagen tief auf ihrem Rücken. Obwohl sie so schön und so reich war, hatte ich auf einmal Mitleid mit ihr. Ich glaubte, dass sie erst merken würde, was sie verloren hatte, wenn es viel zu spät war.

Nach der Hälfte des Songs gingen auch andere Paare auf die Tanzfläche, sodass wir Rupert und Alicia nicht mehr die ganze Zeit sehen konnten, und ich wurde von Mary abgelenkt, die von Vergütungen für Pflegekräfte sprach. Als ich aufsah, stand sie mit einem Mal direkt vor uns, das Supermodel in seinem weißen Seidenkleid. Mir schlug das Herz plötzlich bis zum Hals.

Alicia beugte sich vor, sodass Will sie über die Musik hinweg hören konnte. Ihre Miene war angespannt, als hätte sie sich zwingen müssen, zu uns herüberzukommen.

«Danke, dass du gekommen bist, Will. Wirklich.» Sie warf mir einen Seitenblick zu, sagte aber nichts.

«Ist mir ein Vergnügen», sagte Will lässig. «Du siehst bezaubernd aus, Alicia. Es war ein sehr schöner Tag.»

Ein überraschter Ausdruck flog über ihr Gesicht. Und dann leichte Wehmut. «Wirklich? Meinst du das ernst? Ich wollte … ich meine, es gibt so vieles, was ich dir sagen will …»

«Wirklich», sagte Will. «Das ist nicht notwendig. Erinnerst du dich noch an Louisa?»

«Ja.»

Kurzes Schweigen.

Im Hintergrund sah ich Rupert herumstehen und uns argwöhnisch betrachten. Alicia warf ihm einen Blick zu und streckte dann in einem halben Winken die Hand aus. «Also, vielen Dank noch mal, Will. Du bist ein Superstar, weil du gekommen bist. Und danke für den …»

«Spiegel.»

«Ja, natürlich. Der Spiegel hat mir wahnsinnig gut gefallen.» Sie richtete sich auf und ging zu ihrem Ehemann zurück, der sich schon halb umgedreht hatte und sie sofort am Arm nahm.

Wir sahen sie über die Tanzfläche weggehen.

«Du hast ihr keinen Spiegel geschenkt.»

«Ich weiß.»

Sie redeten immer noch, Rupert schaute über die Schulter zu uns zurück. Es war, als könnte er nicht glauben, dass Will einfach nur nett zu Alicia gewesen war. Na ja, ich konnte es auch kaum glauben.

«Macht es … macht es dir etwas aus?», sagte ich zu ihm.

Er wandte den Blick von ihnen ab. «Nein», sagte er, und er lächelte mich an. Sein Lächeln war ein bisschen schief nach dem Alkohol, und seine Augen waren traurig und nachdenklich zugleich.

Und dann, als sich die Tanzfläche vor dem nächsten Lied leerte, hörte ich mich sagen: «Was meinst du, Will, sollen wir einen Versuch wagen?»

«Wie bitte?»

«Komm schon. Bieten wir diesen Idioten ein bisschen Gesprächsstoff.»

«Oh, sehr gut», sagte Mary und hob ihr Glas. «Das wäre verdammt großartig.»

Ich ließ ihm keine Wahl. Ich setzte mich vorsichtig auf Wills Schoß und legte meine Arme um seinen Hals, um mich festzuhalten. Er sah mir lange in die Augen, als überlegte er, ob er mir diesen Wunsch abschlagen konnte. Und dann, zu meinem Erstaunen, rollte uns Will auf die Tanzfläche und begann, unter dem Glitzerlicht der Discokugeln mit seinem Stuhl kleine Kreise zu fahren.

Ich war gleichzeitig schrecklich verlegen und leicht hysterisch. Ich saß in einem Winkel, der mein Kleid bis halb über den Oberschenkel hatte heraufrutschen lassen.

«Lass es so», murmelte mir Will ins Ohr.

«Das ist …»

«Komm schon, Clark. Du kannst mich jetzt nicht im Stich lassen.»

Ich schloss die Augen, legte die Arme enger um seinen Hals, ließ meine Wange an seiner ruhen und atmete den frischen Duft seines Aftershaves ein. Ich hörte ihn die Musik mitsummen.

«Sind sie schon alle furchtbar entsetzt?», fragte er. Ich öffnete ein Auge und spähte in das schwache Licht.

Ein paar Leute lächelten ermutigend, aber die meisten schienen nicht zu wissen, was sie davon halten sollten. Mary grüßte mich mit erhobenem Glas. Und dann sah ich, wie uns Alicia anstarrte, während ihr kurz die Gesichtszüge entgleisten. Als sie bemerkte, dass ich sie ansah, drehte sie sich weg und murmelte Rupert etwas zu. Er schüttelte den Kopf, als würden wir etwas entsetzlich Beschämendes tun.

Ich spürte, wie mir ein boshaftes Lächeln übers Gesicht kroch. «O ja», sagte ich.

«Hah. Drück dich enger an mich. Du riechst phantastisch.»

«Du auch. Allerdings, wenn du weiter nur Linksdrehungen machst, könnte es sein, dass ich mich übergebe.»

Will wechselte die Richtung. Ich ließ die Arme um seinen Hals geschlungen, rückte aber ein Stückchen von ihm ab, um ihn ansehen zu können. Ich war nicht mehr verlegen. Er schaute auf meine Brust. Fairerweise muss gesagt werden, dass er bei meiner Sitzposition kaum woandershin schauen konnte. Dann hob er seinen Blick von meinem Ausschnitt und zog eine Augenbraue hoch. «Dir ist ja klar, dass du mir mit deinen Brüsten nie so nah gekommen wärst, wenn ich nicht im Rollstuhl sitzen würde», murmelte er.

Ich sah ihn mit ruhigem Blick an. «Und du hättest dich nie für meine Brüste interessiert, wenn du nicht im Rollstuhl sitzen würdest.»

«Wie bitte? Natürlich hätte ich das.»

«Nein. Du wärst viel zu beschäftigt damit gewesen, die schlanken Blondinen mit den endlosen Beinen und den tollen Frisuren zu begaffen, die ein Spesenkonto schon aus vierzig Metern Entfernung wittern. Und davon abgesehen hätte ich nicht hier gesessen. Ich hätte da drüben die Getränke serviert. Hätte zu den Unsichtbaren gehört.»

Er blinzelte.

«Und? Hab ich recht oder nicht?»

Will schaute zur Bar hinüber, dann sah er wieder mich an. «Ja. Aber zu meiner Verteidigung kann ich vorbringen, dass ich ein Arschloch war.»

Ich brach in so lautes Gelächter aus, dass noch mehr Leute zu uns herüberstarrten.

Ich versuchte, wieder ernst zu werden. «Sorry», murmelte ich. «Ich glaube, ich werde langsam hysterisch.»

«Weißt du was?»

Ich hätte dieses Gesicht die ganze Nacht anschauen können. Seine Lachfältchen. Die Kurve, an der sein Hals in die Schulter überging. «Was?»

«Manchmal, Clark, bist du so ziemlich der einzige Grund, aus dem ich morgens überhaupt aus dem Bett kommen will.»

«Dann lass uns irgendwohin fahren.» Die Worte waren heraus, bevor ich wusste, was ich genau sagen wollte.

«Wie bitte?»

«Lass uns irgendwohin fahren. Eine Woche, in der wir es uns schön machen. Nur du und ich. Keines von diesen ...»

Er wartete. «Arschlöchern?»

«... Arschlöchern. Sag ja, Will. Komm schon.»

Er ließ meinen Blick nicht los.

Ich weiß nicht, was ich ihm noch alles erzählte. Ich weiß nicht, woher die Worte kamen. Aber ich wusste, wenn ich ihn an diesem Abend voller Sterne und Blumen und Gelächter und mit Mary nicht dazu brachte, ja zu sagen, dann würde es mir niemals gelingen.

«Bitte.»

Die Sekunden, die vor seiner Antwort vergingen, schienen sich eine Ewigkeit hinzuziehen.

«Okay», sagte er.

Kapitel 19

Nathan

S ie dachten, wir würden nichts merken. Als sie um die Mittagszeit des nächsten Tages endlich von der Hochzeit zurückkamen, war Mrs. Traynor so wütend, dass sie kaum sprechen konnte.

«Du hättest anrufen können», sagte sie.

Sie hatte so lange zu Hause gewartet, bis die beiden wohlbehalten zurück waren. Ich hatte sie seit meiner Ankunft um acht Uhr morgens hinter der Tür auf und ab gehen hören.

«Ich habe euch beide mindestens achtzehnmal übers Handy zu erreichen versucht. Erst als ich schließlich bei den Dewars angerufen habe und mir jemand erklärt hat, der ‹Mann im Rollstuhl› sei in ein Hotel gegangen, konnte ich sicher sein, dass ihr keinen schrecklichen Unfall auf der Autobahn hattet.»

«‹Der Mann im Rollstuhl›. Wie nett», bemerkte Will.

Aber man sah ihm an, dass er sich nicht darüber ärgerte. Er war locker und entspannt, ertrug seinen Kater mit Humor, auch wenn ich glaubte, dass er richtige Schmerzen hatte. Erst als seine Mum anfing, Louisa runterzuputzen, hörte er auf zu lächeln. Er mischte sich ein und meinte, wenn sie irgendetwas zu sagen hätte, dann sollte sie es ihm sagen, denn es sei seine Entscheidung gewesen, dort zu übernachten, und Louisa wäre dieser Entscheidung nur gefolgt.

«Und soweit ich es beurteilen kann, Mutter, bin ich streng genommen niemandem Rechenschaft schuldig, wenn ich in einem Hotel übernachte. Nicht einmal meinen Eltern.»

Sie hatte die beiden angestarrt, etwas über ‹grundlegende Höflichkeit› gegrummelt und war gegangen.

Louisa wirkte ein bisschen schockiert, aber er war darüber hinweggegangen und hatte ihr etwas zugemurmelt, und da habe ich es gesehen. Sie wurde ein bisschen rot und lachte auf die Art, auf die man lacht, wenn man eigentlich nicht lachen sollte. Es war ein verschwörerisches Lachen. Und dann drehte sich Will zu ihr um und sagte, sie solle sich den restlichen Tag freinehmen. Nach Hause gehen, sich umziehen, ein Nickerchen machen.

«Ich kann nicht mit jemandem um die Burg spazieren, der sich so schamlos verhalten hat», sagte er.

«Schamlos?» Ich konnte nicht verhindern, dass ich sehr überrascht klang.

«Nicht auf *die Art* schamlos», sagte Louisa, schlug mit ihrem Schal nach mir und griff nach ihrem Mantel, um zu gehen.

«Nimm das Auto», rief er. «Damit kommst du einfacher wieder zurück.»

Ich beobachtete Will, der ihr mit dem Blick folgte, bis sie an der Hintertür war.

Allein schon aufgrund dieses Blicks hätte ich sieben zu vier darauf gewettet.

Er fiel in sich zusammen, nachdem sie gegangen war. Es kam mir vor, als hätte er durchgehalten, bis sowohl seine Mutter als auch Louisa den Anbau verlassen hatten. Ich musterte ihn genau, und nun, wo er nicht mehr lächelte, gefiel mir sein Aussehen überhaupt nicht. Seine Haut war fleckig, er war zweimal vor Schmerz zusammengezuckt, als er glaubte, niemand würde ihn anschauen, und ich sah sogar aus der Entfernung seine Gänsehaut. In meinem Kopf begann eine kleine Alarmglocke zu läuten, noch weit weg, aber trotzdem schrill.

«Fühlen Sie sich gut, Will?»

«Mir geht's bestens. Kein Grund zur Sorge.»

«Möchten Sie mir sagen, wo Sie die Schmerzen haben?»

Da sah er mich leicht resigniert an, als wüsste er, dass ich ihn durchschaut hatte. Wir arbeiteten schließlich schon ziemlich lange zusammen.

«Okay. Etwas Kopfschmerzen. Und … mmh … und die Schläuche müssen gewechselt werden. Vermutlich am besten jetzt sofort.»

Ich hatte ihn von seinem Stuhl aufs Bett gehoben und begann nun, die Utensilien zusammenzusuchen. «Um welche Zeit hat sie Lou heute Morgen gewechselt?»

«Hat sie gar nicht.» Er zuckte zusammen und wirkte leicht schuldbewusst. «Und gestern Abend auch nicht.»

«Was?»

Ich fühlte ihm den Puls und maß den Blutdruck. Er war natürlich viel zu hoch. Als ich ihm die Hand auf die Stirn legte, spürte ich einen leichten Schweißfilm. Ich ging zu seinem Medizinschränkchen und zermahlte ein paar Tabletten zur Erweiterung der Blutgefäße. Ich rührte sie in Wasser und achtete darauf, dass er alles trank. Dann richtete ich ihn auf, legte seine Beine über die Seite des Bettes und wechselte schnell die Schläuche, wobei ich ihn die ganze Zeit im Auge behielt.

«AD?»

«Genau. Das war nicht besonders schlau von Ihnen, Will.»

Autonome Dysreflexie war so ungefähr unser schlimmster Albtraum. Es bedeutete eine massive Überreaktion von Wills

Körper auf Schmerzen oder Unwohlsein – oder sagen wir einen nicht geleerten Katheter –, es war der vergebliche und fehlgesteuerte Versuch seines geschädigten Nervensystems, alles unter Kontrolle zu behalten. Es konnte wie aus dem Nichts kommen und einen körperlichen Zusammenbruch herbeiführen. Er war blass und atmete schwer.

«Wie fühlt sich Ihre Haut an?»

«Sie prickelt ein bisschen.»

«Sehvermögen?»

«In Ordnung.»

«O Mann. Glauben Sie, wir brauchen Hilfe?»

«Geben Sie mir zehn Minuten, Nathan. Ich bin sicher, dass Sie alles Notwendige getan haben. Geben Sie mir zehn Minuten.»

Er schloss die Augen. Ich maß erneut den Blutdruck und überlegte dabei, wie lange ich warten sollte, bevor ich den Krankenwagen rief. Vor AD hatte ich teuflischen Respekt, denn man wusste nie, wie sie sich entwickelte. Er hatte schon einmal einen Anfall gehabt, zu Beginn meiner Arbeit bei ihm, und war zwei Tage im Krankenhaus gelandet.

«Wirklich, Nathan, ich sage es Ihnen, wenn ich glaube, dass wir ein Problem haben.»

Er seufzte, und ich half ihm, sich zurückzusetzen, sodass er sich ans Kopfteil seines Bettes lehnen konnte.

Er erzählte mir, Louisa wäre so betrunken gewesen, dass er es nicht riskieren wollte, sie an seine gesundheitliche Versorgung zu lassen. «Wer weiß, wo sie die verflixten Schläuche reingesteckt hätte.» Er musste beinahe lachen, als er das sagte. Louisa hatte fast eine halbe Stunde gebraucht, um ihn aus seinem Stuhl in das Bett zu bekommen, erzählte er. Zweimal waren sie dabei zusammen auf dem Boden gelandet. «Zum Glück waren wir alle beide so betrunken, dass wir nichts gespürt haben.» Dann war sie doch noch so geistesgegenwärtig gewesen, bei der Rezeption anzurufen, und sie hatten ihnen einen Hoteldiener zur Unterstützung geschickt. «Netter Typ. Ich habe so eine schwache Erinnerung, als hätte ich darauf bestanden, dass Louisa ihm fünfzig Pfund Trinkgeld gibt. Und weil sie sich damit einverstanden erklärt hat, weiß ich, dass sie tatsächlich betrunken war.»

Als sie schließlich aus seinem Zimmer gegangen war, hatte Will Angst, dass sie ihres nicht finden würde. In seiner Vorstellung schlief sie zu einem kleinen roten Ball zusammengerollt irgendwo auf einem Treppenabsatz.

Mein eigenes Bild von Louisa Clark fiel in diesem Moment weniger wohlmeinend aus. «Will, Kumpel, ich glaube, das nächste Mal sollten Sie ein bisschen besser auf sich aufpassen, okay?»

«Es geht schon, Nathan. Alles in Ordnung. Ich fühle mich schon besser.»

Ich spürte seinen Blick auf mir, als ich seinen Puls maß.

«Wirklich. Es war nicht ihre Schuld.»

Sein Blutdruck war heruntergegangen. In seine Wangen kehrte die Farbe zurück. Ich stieß die Luft aus. Mir war nicht klar gewesen, dass ich den Atem angehalten hatte.

Wir unterhielten uns ein bisschen, brachten die Zeit herum, bis sich seine Werte ganz normalisiert hatten. Er schien kein bisschen wegen seiner Ex zu leiden. Er sagte nicht viel, aber vor allem war er wohl erschöpft, ansonsten sah er okay aus.

Ich ließ sein Handgelenk los. «Nettes Tattoo übrigens.»

Er sah mich schief an.

«Aber sorgen Sie dafür, dass Sie es nicht noch zu ‹Verfallsdatum am Soundsovielten› bringen, klar?»

Trotz der Schweißausbrüche und der Schmerzen und der Infektion sah er ausnahmsweise mal so aus, als hätte er etwas anderes im Kopf als die Sache, die ihn sonst vollkommen beanspruchte. Ich dachte, wenn Mrs. Traynor das gewusst hätte, wäre sie vorhin vermutlich nicht so wütend gewesen.

Wir erzählten Lou nichts von dem, was mittags los gewesen war – das hatte ich Will versprechen müssen –, aber als sie nachmittags wiederkam, war sie trotzdem ziemlich still. Sie war blass, hatte sich die Haare gewaschen und im Nacken zusammengenommen, als wollte sie einen vernünftigen Eindruck machen. Ich konnte mir vorstellen, wie es ihr ging. Manchmal, wenn man sich bis zum Hellwerden betrinkt, fühlt man sich am Morgen ziemlich gut, aber das liegt in Wahrheit nur daran, dass man immer noch ein bisschen betrunken ist. Der Kater streicht noch ein bisschen um dich herum, spielt mit dir, überlegt sich, wann er dich anspringen soll. Ich gehe davon aus, dass es bei ihr um die Mittagszeit war.

Aber bald wurde mir klar, dass sie nicht nur der Kater quälte.

Will fragte sie immer wieder, warum sie so schweigsam war, und schließlich sagte sie: «Tja, ich habe gerade festgestellt, dass die ganze Nacht wegzubleiben nicht das Klügste ist, was man machen kann, wenn man gerade mit seinem Freund zusammengezogen ist.»

Sie lächelte, als sie das gesagt hatte, aber es war ein gezwungenes Lächeln, und Will und ich wussten, dass es richtig Streit gegeben haben musste.

Das konnte ich dem Typ eigentlich auch nicht vorwerfen. Mir hätte es auch nicht gefallen, wenn meine Frau die ganze Nacht mit einem Kerl wegbleibt, selbst wenn der Kerl im Rollstuhl sitzt. Dabei hatte er nicht einmal den Blick gesehen, mit dem Will sie angeschaut hatte.

Wir machten an diesem Nachmittag nicht mehr viel. Louisa räumte Wills Rucksack aus und zog jedes Miniaturfläschchen mit Shampoo, Spülung, Mini-Nähutensilien und Duschhauben hervor, das sie sich in diesem Hotel hatte schnappen können. «Da gibt es gar keinen Grund zum Lachen», sagte sie. «Bei den Preisen hat Will für eine ganze Haarwaschmittelfabrik bezahlt.» Wir sahen uns einen japanischen Trickfilm an, den Will als perfekten Kater-Film bezeichnete, und ich blieb noch eine Weile da – zum Teil, um seinen Blutdruck noch ein bisschen länger zu kontrollieren, aber ehrlich gesagt auch, weil ich sie ein bisschen aufziehen wollte. Ich wollte seine Reaktion sehen, wenn ich verkündete, dass ich ihnen Gesellschaft leisten würde.

«Wirklich?», sagte er. «Ihnen gefällt Miyazaki?»

Aber dann fing er sich sofort und sagte, natürlich würde er mir gefallen … ein toller Film … blablabla. Also stimmte es. Einerseits freute ich mich für ihn. Dieser Mann hatte zu lange über ein und dieselbe Sache nachgedacht.

Also schauten wir uns den Film an. Zogen die Jalousien herunter, hängten das Telefon aus und sahen uns diesen merkwürdigen Trickfilm über ein Mädchen an, das in ein Paralleluniversum gerät, in dem es von komischen Wesen wimmelt, bei denen man von der Hälfte nicht weiß, ob sie gut oder böse sind. Lou saß dicht neben Will, gab ihm etwas zu trinken und wischte ihm übers Auge, wenn etwas hineingeflogen war. Es war richtig süß, echt, obwohl ich mich fragte, wohin das wohl führen sollte.

Und dann, als Louisa die Jalousien wieder hochzog und uns allen Tee kochte, sahen sich die beiden an wie Leute, die überlegen, ob sie einen in ihr Geheimnis einweihen sollen. Und dann erzählten sie mir von der Reise. Zehn Tage. Sie wussten noch nicht, wohin es gehen sollte, aber es würde weit sein, und es würde toll werden. Und ob ich mitkommen und ihnen helfen würde.

Scheißt der Bär in den Wald?

Ich musste vor diesem Mädchen den Hut ziehen. Wenn mir

jemand vier Monate davor gesagt hätte, dass sich Will zu einer Fernreise überreden lassen würde – verdammt, dass wir ihn auch nur aus diesem Haus herausbekommen würden –, hätte ich ihm gesagt, bei ihm wären wohl ein paar Gehirnzellen zu viel durchgebrannt. Allerdings würde ich Lou ein paar Takte über Wills medizinische Versorgung erzählen, bevor wir fuhren. Wir konnten uns eine Beinahe-Katastrophe wie die heutige nicht erlauben, wenn wir irgendwo am Ende der Welt saßen.

Sie erzählten es sogar Mrs. T., die hereinkam, als Louisa gerade gehen wollte. Will sagte es, als wäre es nicht weiter bemerkenswert, als würde er einfach nur ankündigen, dass er einen Spaziergang um die Burg vorhätte.

Ich muss gestehen, ich war ziemlich begeistert. Diese verflixte Online-Poker-Website hatte mein ganzes Geld geschluckt, und ich konnte mir in diesem Jahr keinen Urlaub mehr leisten. Ich verzieh Louisa sogar, dass sie Will geglaubt hatte, als er sagte, sie müsse die Schläuche nicht wechseln. Und Sie können sich vorstellen, wie sauer ich auf sie war. Also sah alles perfekt aus, und ich pfiff vor mich hin, als ich meinen Mantel anzog und mich schon auf weiße Strände und das blaue Meer freute. Ich überlegte sogar, ob ich einen Kurzbesuch zu Hause in Auckland damit verbinden konnte.

Und dann sah ich die beiden – Mrs. Traynor stand draußen vor der Hintertür, und Lou wollte gehen. Ich weiß nicht, worüber sie geredet hatten, aber beide sahen ziemlich wütend aus.

Ich bekam nur den letzten Satz mit, und der reichte mir ehrlich gesagt auch schon.

«Ich hoffe, Sie wissen, was Sie tun, Louisa.»

Kapitel 20

D u machst *was nicht?*»
        Wir waren in den Hügeln außerhalb der Stadt, als ich
es ihm sagte. Patrick war mitten in einem Sechzehnmeilenlauf
und wollte, dass ich seine Zeit stoppte, während ich ihm mit dem
Rad hinterherfuhr. Da ich beim Radfahren einen Hauch weniger
begabt war als in Teilchenphysik, war das meinerseits mit einer
Menge Fluchen und Ausweichen verbunden und seinerseits mit
Verzweiflungsausbrüchen. Eigentlich hatte er sogar vierundzwanzig Meilen laufen wollen, aber ich hatte ihm erklärt, dass
mein Hintern das nicht verkraften würde, und abgesehen davon einer von uns den Wocheneinkauf erledigen musste, wenn
wir nach Hause kamen. Wir hatten keine Zahnpasta und keinen
Kaffee mehr. Es versteht sich von selbst, dass nur ich den Kaffee
wollte. Patrick war auf Kräutertees umgestiegen.
    Als wir oben auf dem Sheepcote Hill angekommen waren,
ich keuchend und mit bleischweren Beinen, entschied ich mich,
einfach dort die Bombe platzen zu lassen. Ich schätzte, dass wir
bis nach Hause noch ungefähr zehn Meilen vor uns hatten, auf
denen er sich abregen konnte.

«Ich komme nicht zu dem Xtreme Viking mit.»

Er blieb nicht stehen, kam aber dicht neben mich. Er wandte sich zu mir, die Beine unter ihm trabten weiter, und er wirkte so schockiert, dass ich beinahe an einen Baum gefahren wäre.

«Was? Warum?»

«Ich … arbeite.»

Er schwenkte wieder auf die Straße ab und rannte schneller. Wir waren auf dem Hügelkamm, und ich musste bremsen, um ihn nicht zu überholen.

«Und wann hast du das beschlossen?» Feine Schweißperlen standen auf seiner Stirn, und an seinen Waden zeichneten sich die Sehnen ab. Wenn ich sie noch länger betrachtete, würde ich mit dem Fahrrad umkippen.

«Am Wochenende. Ich wollte sicher sein, bevor ich es sage.»

«Aber wir haben die Flüge gebucht und alles.»

«Das ist nur easyJet. Ich zahle dir die 39 Pfund zurück, wenn du so einen Aufstand machst.»

«Es geht nicht ums Geld. Ich dachte, du würdest mich unterstützen. Du hast gesagt, du kommst mit und unterstützt mich.»

Patrick konnte so richtig schmollen. Zu Beginn unserer Beziehung hatte ich ihn damit aufgezogen. Mr. Quengelpeter hatte ich ihn genannt. Ich musste darüber lachen, und ihn ärgerte es so, dass er gewöhnlich mit dem Schmollen aufhörte, nur damit ich den Mund hielt.

«Oh, jetzt stell dich nicht so an. Unterstütze ich dich etwa nicht schon die ganze Zeit? Ich hasse Radfahren, Patrick, und das weißt du. Aber ich unterstütze dich trotzdem.»

Erst nach einer Meile sagte er wieder etwas. Vielleicht bildete ich es mir ein, aber das Geräusch von Patricks Schritten auf der Straße klang auf einmal grimmig und entschlossen. Wir waren jetzt hoch über unserem Städtchen, und ich keuchte bei jedem Anstieg der Straße und versuchte vergeblich, meinen rasenden Herzschlag zu beruhigen, wenn ein Auto vorbeikam. Ich fuhr auf Mums altem Rad – Patrick ließ mich nicht einmal in die Nähe seines rasenden Dämons –, und es hatte keine Gangschaltung, sodass ich ihm häufig hinterherkeuchte.

Er warf einen Blick über die Schulter und wurde ein winziges bisschen langsamer, sodass ich zu ihm aufholen konnte. «Und warum können sie niemanden von der Personalvertretung nehmen?», sagte er.

«Jemanden von der Personalvertretung?»

«Der zu den Traynors geht. Wenn du dort sechs Monate arbeitest, musst du ja wohl einen Urlaubsanspruch haben.»

«So einfach ist das nicht.»

«Und wieso nicht? Schließlich hattest du keine Ahnung, als du dort angefangen hast.»

Ich hielt die Luft an. Das war gar nicht so leicht angesichts des Umstandes, dass ich vom Radfahren komplett außer Puste war. «Weil er eine Reise machen muss.»

«Was?»

«Er muss eine Reise machen. Also brauchen sie mich und Nathan, damit wir ihm helfen.»

«Nathan? Wer ist Nathan?»

«Sein Krankenpfleger. Der Typ, den du gesehen hast, als Will bei meinen Eltern zum Essen war.»

Ich sah, dass Patrick darüber nachdachte. Er wischte sich den Schweiß aus den Augen.

«Und damit du gar nicht erst fragst», fügte ich hinzu, «nein, ich habe keine Affäre mit Nathan.»

Er wurde langsamer, den Blick auf den Asphalt gerichtet, bis er praktisch auf der Stelle joggte. «Was soll das, Lou? Es … es kommt mir so vor, als wäre da die Grenze zwischen dem verschoben, was Arbeit ist und was …», er zuckte mit den Schultern, «… normal ist.»

«Das ist kein normaler Job. Und das weißt du auch.»

«Aber Will Traynor scheint zurzeit wichtiger als alles andere zu sein.»

«Oh, das hier etwa nicht?» Ich nahm eine Hand vom Fahrradlenker und deutete auf seine joggenden Füße.

«Das ist etwas anderes. Aber er braucht nur zu pfeifen, und schon kommst du angelaufen.»

«Du gehst also laufen, und ich komme angelaufen.» Ich versuchte zu lächeln.

«Sehr witzig.» Er drehte sich weg.

«Es sind sechs Monate, Pat. Sechs Monate. Und du warst schließlich derjenige, der gesagt hat, ich soll diese Arbeit annehmen. Du kannst mich nicht dafür kritisieren, dass ich sie ernst nehme.»

«Ich glaube … ich glaube, es geht nicht um die Arbeit. Ich denke einfach … dass es da etwas gibt, das du mir nicht erzählst.»

Ich zögerte einen winzigen Moment zu lang. «Das stimmt nicht.»

«Aber du kommst nicht zu dem Viking mit.»

«Ich hab es dir doch schon erklärt, ich …»

Er schüttelte leicht den Kopf, als könnte er mich nicht richtig hören. Dann rannte er die Straße hinunter, weg von mir. Ich konnte sogar seinem Rücken ansehen, wie wütend er war.

«Patrick, jetzt komm schon. Können wir nicht für eine Minute stehen bleiben und darüber reden?»

Bockig sagte er: «Damit verderbe ich mir meine Laufzeit.»

«Dann halten wir die Stoppuhr an. Nur für fünf Minuten.»

«Nein. Ich muss unter Echtzeitbedingungen trainieren.»

Er begann noch schneller zu rennen, als hätte er auf einmal neuen Schwung.

«Patrick?», sagte ich und kämpfte plötzlich darum, mit ihm

auf einer Höhe zu bleiben. Meine Füße rutschten über die Pedale, und fluchend drehte ich eines der Pedale nach hinten, um wieder anzutreten. «Patrick? Patrick!»

Ich starrte auf seinen Hinterkopf, und die Worte waren heraus, ehe ich wusste, was ich sagte. «Okay. Will möchte sterben. Er will Selbstmord begehen. Und diese Reise ist mein letzter Versuch, ihn umzustimmen.»

Patricks Schrittlänge verkürzte sich, und er wurde langsamer. Schließlich blieb er stehen, mit durchgedrücktem Rücken, das Gesicht immer noch nach vorn gerichtet. Dann drehte er sich langsam um. Endlich hatte er aufgehört zu laufen.

«Sag das noch mal.»

«Er will zu Dignitas. Im August. Ich versuche, ihn umzustimmen. Das ist meine letzte Chance.»

Er starrte mich an, als wüsste er nicht, ob er mir glauben sollte.

«Ich weiß, dass es verrückt klingt. Aber ich muss ihn umstimmen. Also ... also kann ich nicht zu dem Viking mitkommen.»

«Warum hast du mir das nicht schon früher erzählt?»

«Ich musste seiner Familie versprechen, es niemandem zu sagen. Es wäre schrecklich für sie, wenn es öffentlich wird. Schrecklich. Verstehst du, nicht einmal er weiß, dass ich es weiß. Es ist alles so ... kompliziert. Es tut mir leid.» Ich griff nach seiner Hand. «Ich hätte es dir gesagt, wenn ich gekonnt hätte.»

Er sagte nichts. Er wirkte so niedergeschmettert, als hätte ich etwas Furchtbares getan. Dann runzelte er die Stirn und schluckte zweimal angestrengt.

«Pat ...»

«Nein. Lass mich ... ich muss jetzt einfach laufen, Lou. Allein.» Er fuhr sich durchs Haar. «Okay?»

Ich schluckte. «Okay.»

Er starrte einen Moment vor sich hin, als hätte er vergessen, warum wir überhaupt dort in den Hügeln waren. Dann setzte er sich wieder in Bewegung, und ich sah ihm nach, bis er hinter einer Kurve verschwand, entschlossen nach vorn blickend, während sich seine Beine die Straße unter ihm entlangarbeiteten.

Ich hatte die Anfrage an dem Tag nach unserer Rückkehr von der Hochzeit losgeschickt.

> Kennt irgendjemand einen guten Ort, an dem Tetraplegiker Abenteuer erleben können? Ich suche nach Dingen, die auch Nichtbehinderte tun würden, Dinge, die meinen depressiven Freund für eine Weile vergessen lassen, dass sein Leben eingeschränkt ist. Ich weiß nicht genau, worauf ich hoffe, bin aber für alle Vorschläge dankbar. Es ist ziemlich dringend.
> Busy Bee.

Als ich mich wieder eingeloggt hatte, starrte ich ungläubig auf den Bildschirm. Ich hatte neunundachtzig Antworten. Ich scrollte hinauf und hinunter, weil ich zuerst nicht glauben konnte, dass dies alles Antworten auf meine Anfrage waren. Dann ließ ich meinen Blick über die anderen Computernutzer in der Bibliothek schweifen und hoffte verzweifelt, dass jemand meinen Blick erwidern würde, damit ich es ihm erzählen konnte. Neunundachtzig Antworten! Auf eine einzige Frage!

Es waren Berichte über Bungee-Jumping für Tetraplegiker dabei, über Schwimmausflüge, Kanufahrten, sogar Reitkurse mit Hilfe eines speziellen Gestells. (Als ich den dazugehörigen Link mit dem Video öffnete, war ich ein bisschen enttäuscht, weil Will gesagt hatte, er könne Pferde nicht ausstehen. Es sah genial aus.)

Es gab Schwimmen mit Delfinen und Tiefseetauchen mit Helfern. Es gab schwimmende Stühle, mit denen er Angeltouren unternehmen konnte, und umgebaute Quad-Bikes für Geländefahrten. Ein paar Leute hatten Fotos und Videos von sich selbst eingestellt, die sie bei diesen Aktionen zeigten. Einige von ihnen, einschließlich Ritchie, erinnerten sich an meine früheren Beiträge und wollten wissen, wie es ihm ging.

Das klingt nach guten Nachrichten. Fühlt er sich besser?

Ich tippte eine schnelle Antwort.

Vielleicht. Aber ich hoffe, diese Reise wird die entscheidende Veränderung bringen.

Ritchie antwortete:

Braves Mädchen! Wenn du das Geld auftreiben kannst, hast du unbegrenzte Möglichkeiten!

Sootagirl schrieb:

Stell unbedingt ein paar Bilder von ihm in dem Bungee-Geschirr in das Forum. Ich liebe den Blick der Typen, wenn sie kopfüber runterhängen!

Ich hätte sie alle vor Dankbarkeit umarmen können – diese Tetraplegiker und ihre Pflegekräfte – für ihren Mut und ihre Unterstützung und ihre Phantasie. Ich verbrachte an diesem Abend zwei Stunden damit, ihre Vorschläge aufzuschreiben, den Links zu folgen, und ich korrespondierte sogar mit ein paar von ihnen in den Chatrooms. Als ich aus der Bibliothek ging, hatte ich ein Ziel ausgesucht. Wir würden nach Kalifornien fahren, auf die Four Winds Ranch. Dort war man laut der Website darauf spezialisiert, professionelle Hilfe auf eine Weise zu leisten, ‹die Sie vergessen lassen wird, dass Sie überhaupt Hilfe brauchen›. Die Ranch, ein niedriges Backsteingebäude auf einer Waldlichtung in der Nähe des Yosemite-Nationalparks, war von einem ehemaligen Stuntman aufgebaut worden, der sich von seiner Rückenmarksverletzung seinen Aktionsradius nicht einschränken lassen wollte, und das Online-Gästebuch war voller Einträge von glücklichen und dankbaren Besuchern, die schworen, dass sie nach ihrem Aufenthalt bei ihm ihre Behinderung und sich selbst mit ganz anderen Augen sahen. Wenigstens sechs der Chatroom-Teilnehmer waren schon dort gewesen, und alle sagten, diese Ranch hätte ihr Leben umgekrempelt.

Die Ranch war behindertengerecht, bot jedoch auch alles, was man von einem Luxushotel erwartete. Es gab in den Boden eingelassene Open-Air-Badestellen mit diskreten Betreuern und Masseuren mit Spezialausbildung. Es gab erfahrenes medizinisches Personal und ein Kino mit genügend Plätzen für Rollstühle neben den normalen Sitzen. Es gab einen Whirlpool, von dem aus man die Sterne betrachten konnte. Dort würden wir eine Woche verbringen und dann ein paar Tage an der Küste in einem Hotelkomplex, in dem Will schwimmen und den Ausblick auf die schroffe Küstenlinie genießen konnte. Und das Beste: Ich hatte einen Höhepunkt entdeckt, der Will diese Reise unvergesslich machen würde – einen Fallschirmsprung mit der Hilfe von Fallschirmspringerlehrern, die dazu ausgebildet waren, mit Tetraplegikern zu springen. Sie hatten eine spezielle Ausrüstung, mit der sie Will an sich festschnallten (anscheinend war das Wichtigste dabei, dass die Beine gesichert wurden, damit die Knie nicht hochflogen und den Springern ins Gesicht knallten).

Ich würde ihm den Hotelprospekt zeigen, aber von dem Sprung würde ich ihm nichts sagen. Ich würde einfach mit ihm hinfahren und ihm dann dabei zusehen. Für diese wenigen, kostbaren Minuten wäre Will schwerelos und frei. Er würde dem verhassten Stuhl entkommen. Er würde der Schwerkraft entkommen.

Ich druckte sämtliche Informationen aus und legte das Blatt mit dem Fallschirmsprung ganz oben auf den Stapel. Jedes Mal, wenn ich es ansah, spürte ich, wie die Begeisterung in mir aufkeimte – sowohl bei dem Gedanken an meine erste Fernreise, aber auch bei der Vorstellung, dass ich damit mein Ziel erreichen könnte.

Dies konnte die Sache sein, von der sich Will umstimmen ließ.

Am nächsten Morgen erzählte ich Nathan von meinem Plan. Wir steckten über unseren Kaffeetassen in der Küche die Köpfe zusammen, als würden wir einen Bankraub planen. Er blätterte durch die ausgedruckten Seiten.

«Ich habe mit den anderen Tetraplegikern über den Fallschirmsprung geredet. Es gibt keinen medizinischen Grund, aus dem er es nicht machen kann. Und das Bungee-Jumping. Sie haben ein spezielles Geschirr, um sein Rückgrat vor möglichen Zug- oder Druckkräften zu schützen.»

Aufgeregt musterte ich sein Gesicht. Ich wusste, dass Nathan meine Fähigkeiten nicht besonders hoch einschätzte, wenn es um Wills medizinische Erfordernisse ging. Es war wichtig für mich, dass Nathan mit dem einverstanden war, was ich plante.

«Auf dieser Ranch gibt es alles, was wir möglicherweise brauchen könnten. Sie sagen, wenn wir ihnen vorher ein Rezept schicken, können sie jedes Generikum besorgen, das wir vielleicht benötigen, sodass uns auf keinen Fall die Medikamente ausgehen.»

Er runzelte die Stirn. «Sieht gut aus», sagte er schließlich. «Das haben Sie super gemacht.»

«Glauben Sie, der Vorschlag gefällt ihm?»

Er zuckte mit den Schultern. «Keine Ahnung. Aber ...», er gab mir die Ausdrucke zurück, «... Sie haben uns schon ein paarmal überrascht, Lou.» Ein verschmitztes Lächeln kroch über sein Gesicht. «Es spricht nichts dagegen, dass Ihnen das noch mal gelingt.»

Bevor ich an diesem Abend ging, zeigte ich Mrs. Traynor die Unterlagen.

Sie war gerade in die Auffahrt eingebogen, und ich zögerte außer Sicht von Wills Fenster einen Moment, bevor ich zu ihr ging. «Ich weiß, dass es teuer ist», sagte ich. «Aber ... ich finde, es sieht sagenhaft aus. Ich glaube wirklich, dass Will dort den besten Urlaub aller Zeiten verbringen kann. Wenn ... wenn Sie verstehen, was ich meine.»

Sie blätterte alles schweigend durch und sah sich dann die Kostenaufstellung an, die ich gemacht hatte.

«Ich zahle für mich selbst, wenn Sie das wollen. Für Unterkunft und Verpflegung. Ich will nicht, dass irgendjemand denkt ...»

«Ist schon gut!», schnitt sie mir das Wort ab. «Tun Sie alles Notwendige. Wenn Sie glauben, ihn dazu überreden zu können, dann buchen Sie die Reise einfach.»

Ich verstand, was sie mir damit sagen wollte. Wir hatten keine Zeit mehr zu verlieren.

«Glauben Sie denn, dass Sie ihn davon überzeugen können?», fragte sie.

«Na ja ... wenn ich ... wenn ich behaupte, dass es ...», ich schluckte, «... zum Teil um mich geht. Er findet, dass ich nie genug aus meinem Leben gemacht habe. Er sagt mir ständig, dass ich reisen soll. Dass ich was ... unternehmen soll.»

Sie sah mich eindringlich an. Dann nickte sie. «Ja. Das klingt nach Will.» Sie gab mir die Papiere zurück.

«Ich bin …» Ich atmete tief ein und stellte dann zu meiner Überraschung fest, dass ich nicht sprechen konnte. Ich schluckte zweimal schwer. «Was Sie in dem Café zu mir gesagt haben. Ich …»

Sie schien mir nicht mehr zuhören zu wollen. Sie neigte den Kopf, und ihre schlanken Finger tasteten nach der Goldkette. «Ja. Nun, ich gehe jetzt besser hinein. Wir sehen uns morgen. Lassen Sie mich wissen, was er dazu sagt.»

An diesem Abend ging ich nicht zu Patrick. Ich wollte eigentlich hin, aber irgendetwas führte mich von dem Gewerbegebiet weg, und ich überquerte stattdessen die Straße und stieg in den Bus ein, der zu meinen Eltern fuhr. Ich ging die 180 Schritte bis zu unserem Haus und schloss auf. Es war ein warmer Abend, und alle Fenster standen offen, damit eine kühle Brise durchs Haus zog. Mum kochte und sang dabei vor sich hin. Dad saß mit einem Becher Tee auf dem Sofa, Großvater döste in seinem Sessel, den Kopf zur Seite geneigt. Thomas bemalte hochkonzentriert seine Schuhe mit schwarzem Filzstift. Ich sagte hallo, ging an ihnen vorbei und überlegte, wie es so schnell dazu hatte kommen können, dass ich mich hier nicht mehr zugehörig fühlte.

Treena arbeitete in meinem Zimmer. Ich klopfte und ging hinein. Sie hatte eine Brille auf, die ich nicht kannte, und saß am Schreibtisch über einem Stapel Lehrbücher. Es war merkwürdig, sie inmitten der Sachen zu sehen, die ich für mich selbst ausgesucht hatte. Thomas' Bilder hingen schon überall an den Wänden, die ich so sorgfältig angestrichen hatte, und auf der Ecke meiner Jalousie war immer noch seine Kritzelei zu sehen. Ich musste mich zusammenreißen, um mich nicht automatisch zu ärgern.

Sie warf mir einen Blick über die Schulter zu. «Soll ich zu

Mum kommen?», sagte sie. Dann sah sie auf die Uhr. «Ich dachte, sie will Thomas etwas zu essen geben.»

«Das macht sie auch. Er bekommt Fischstäbchen.»

Sie sah mich an und setzte ihre Brille ab. «Alles klar mit dir? Du siehst scheiße aus.»

«Du auch.»

«Ich weiß. Ich habe diese idiotische Entschlackungsdiät gemacht. Hab Nesselausschlag davon bekommen.» Sie fasste sich ans Kinn.

«Du hast keine Diät nötig.»

«Jaja. Also ... da ist so ein Typ bei mir im BWL-Kurs. Dachte, ich könnte ja mal einen Versuch starten. Tja, Nesselausschlag im Gesicht erhöht garantiert die Chancen, was?»

Ich setzte mich aufs Bett. Meine Tagesdecke lag darauf. Ich hatte gewusst, dass Patrick sie abscheulich finden würde, mit ihrem wilden geometrischen Muster. Es wunderte mich, dass sie Katrina zu gefallen schien.

Sie klappte ihr Buch zu und lehnte sich auf dem Stuhl zurück. «Also, was gibt's?»

Ich kaute auf der Unterlippe, bis sie ihre Frage wiederholte.

«Treen, glaubst du, ich könnte noch mal eine Ausbildung machen?»

«Eine Ausbildung? Als was denn?»

«Ich weiß nicht. Irgendwas mit Mode. Design. Oder vielleicht einfach Schneiderin.»

«Also ... Weiterbildungskurse gibt es natürlich. Und ich bin ziemlich sicher, dass an meiner Uni Lehrgänge angeboten werden. Das kann ich für dich nachsehen, wenn du willst.»

«Aber würden die jemanden wie mich nehmen? Jemanden ohne die notwendigen Voraussetzungen?»

Sie warf ihren Stift hoch und fing ihn wieder auf. «Oh, sie lieben die Teilnehmer geradezu, die über den zweiten Bildungsweg kommen. Ganz besonders solche mit Arbeitserfahrung. Vielleicht müsstest du erst einmal einen Grundlagenkurs besuchen, aber das wäre ja wohl kein Problem. Warum? Was ist los?»

«Ich weiß nicht. Es hat mit etwas zu tun, das Will mal zu mir gesagt hat. Über … darüber, dass ich etwas mit meinem Leben anfangen soll.»

«Und?»

«Und ich denke … vielleicht ist es Zeit, dass ich das mache, was du gemacht hast. Jetzt, wo Dad mit seinem eigenen Geld klarkommt, bist du vielleicht nicht mehr die Einzige, die imstande ist, etwas aus sich zu machen, oder?»

«Du müsstest für die Ausbildung bezahlen.»

«Ich weiß. Ich habe gespart.»

«Ich vermute, es ist ein bisschen mehr, als du hast sparen können.»

«Ich könnte mich um ein Stipendium bewerben. Oder vielleicht ein Darlehen aufnehmen. Und was ich habe, reicht, um eine Zeitlang durchzukommen. Ich habe da so eine Frau kennengelernt, die früher im Parlament war, und sie meinte, sie hätte Verbindung zu einem Verein, der mich unterstützen könnte. Sie hat mir ihre Visitenkarte gegeben.»

«Moment mal», sagte Katrina und schwenkte auf ihrem Stuhl herum. «Das verstehe ich nicht ganz. Ich dachte, du möchtest bei Will bleiben. Ich dachte, es geht die ganze Zeit darum, dass du ihn am Leben halten und weiter bei ihm arbeiten willst.»

«Das stimmt auch, aber …» Ich starrte an die Decke.

«Aber was?»

«Es ist kompliziert.»

«Genau wie die *quantitative Lockerung* bei der Zentralbank. Aber dabei verstehe ich wenigstens noch, dass es eine Lizenz zum Gelddrucken ist.»

Sie stand auf und machte die Schlafzimmertür zu. Dann senkte sie die Stimme, damit sie von draußen bestimmt nicht gehört werden konnte.

«Glaubst du, dass du es nicht schaffst? Glaubst du, dass er sich …»

«Nein», sagte ich hastig. «Wenigstens hoffe ich das. Ich habe Pläne. Große Pläne. Ich erzähle dir bald davon.»

«Aber …»

Ich streckte die Arme über den Kopf und verschränkte die Finger. «Aber ich mag Will. Sehr.»

Sie betrachtete mich genau. Sie hatte ihr Denkgesicht. Es gibt nichts Furchterregenderes als das Denkgesicht meiner Schwester, wenn sie einen damit direkt ansieht.

«Mist.»

«Bitte sag nichts …»

«Das ist ja mal interessant», sagte sie.

«Ich weiß.» Ich ließ meine Arme fallen.

«Du willst eine Arbeit. Sodass du …»

«Das habe ich von den anderen Tetraplegikern. Mit denen ich in Internetforen rede. Man kann nicht beides machen. Man kann keine Pflegekraft sein und …» Ich hob die Hände, um mein Gesicht dahinter zu verstecken.

Ich spürte ihren Blick auf mir.

«Weiß er es?»

«Nein. Ich bin mir ja nicht mal selber sicher. Es ist einfach …» Ich warf mich bäuchlings aufs Bett. Es roch nach Thomas. «Ich weiß nicht, was ich machen soll. Ich weiß nur, dass ich die meiste Zeit lieber mit ihm zusammen bin als mit irgendwem sonst.»

«Einschließlich Patrick.»

Und da war sie, stand im Raum – die Wahrheit, die ich mir kaum selbst eingestehen konnte.

Ich spürte, wie ich rot wurde. «Ja», sagte ich in die Tages-decke hinein. «Manchmal schon.»

«Verdammt», sagte sie nach einer Weile. «Und ich habe im-mer gedacht, *ich* wäre diejenige, die sich das Leben kompliziert macht.»

Sie legte sich neben mich, und wir starrten an die Decke. Unten konnten wir Großvater unmelodisch vor sich hin pfei-fen hören, begleitet von dem Kreischen und Rumsen, mit dem Thomas ein ferngesteuertes Auto rückwärts und vorwärts an eine Fußleiste knallen ließ. Aus irgendeinem Grund füllten sich meine Augen mit Tränen. Nach einer Minute spürte ich, wie sich der Arm meiner Schwester um mich schob.

«Du verdammte Irre», sagte sie, und wir mussten beide la-chen.

«Keine Sorge», sagte ich und wischte mir übers Gesicht. «Ich werde keine Dummheiten machen.»

«Sehr gut. Je länger ich nämlich darüber nachdenke, desto mehr kommt es mir so vor, als hätte es vor allem mit dieser in-tensiven Situation zu tun. Es ist nicht real, es geht um die Dra-matik.»

«Was meinst du damit?»

«Na ja, es geht schließlich wirklich um Leben und Tod, und du bist voll in den Alltag dieses Mannes integriert, in sein gru-seliges Geheimnis eingeweiht. Da muss ja geradezu eine Art falsche Vertrautheit entstehen. Entweder ist es das, oder du hast irgend so einen verqueren Florence-Nightingale-Komplex entwickelt.»

«Glaub mir, so ist es garantiert nicht.»

Wir starrten weiter zur Decke hinauf.

«Aber es ist schon ein bisschen verrückt zu denken, man wäre in jemanden verliebt, der nicht … du weißt schon, der dich nicht zurücklieben kann. Vielleicht ist das alles nur eine Panikreaktion darauf, dass du endlich mit Patrick zusammengezogen bist.»

«Ich weiß. Du hast recht.»

«Und ihr seid schon ewig zusammen. Kein Wunder, dass du dich da in jemand anderen verknallst.»

«Ganz besonders, da Patrick davon besessen ist, zum Marathon-König aufzusteigen.»

«Und vielleicht hast du Will ja schon bald wieder satt. Ich weiß noch genau, dass du am Anfang gefunden hast, er wäre ein Scheusal.»

«Das tue ich immer noch ab und zu.»

Meine Schwester angelte sich ein Papiertaschentuch und tupfte mir die Augen ab. Dann tippte sie mir mit dem Finger auf die Wange.

«Davon abgesehen – die Idee mit der Uni ist gut. Weil – ehrlich gesagt –, ob es jetzt mit Will den Bach runtergeht oder nicht, du brauchst auf jeden Fall einen richtigen Beruf. Du willst schließlich nicht für immer Pflegehilfe bleiben.»

«Es geht mit Will nicht ‹den Bach runter›, wie du es ausdrückst. Er … es wird ihm gutgehen.»

«Ja klar.»

Mum rief nach Thomas. Wir hörten sie, wie sie unter uns in der Küche sang: «*Thomas. Tomtomtomtom Thomas …*»

Treena rieb sich seufzend über die Augen. «Gehst du heute Abend zu Patrick?»

«Ja.»

«Sollen wir kurz was im Spotted Dog trinken, und du zeigst mir diese Pläne? Ich frage Mum, ob sie Thomas für mich ins Bett bringt. Los, komm schon, und du kannst mich einladen, nachdem du jetzt reich genug bist, um studieren zu gehen.»

Als ich bei Patrick ankam, war es Viertel vor zehn.

Meine Reisepläne waren bei Katrina erstaunlicherweise auf volle Zustimmung gestoßen. Sie hatte nicht mal ihre üblichen Ergänzungsvorschläge nach dem Motto ‹Ja, aber es wäre noch besser, wenn du ...› gemacht. Irgendwann hatte ich mich sogar gefragt, ob sie einfach bloß nett zu mir sein wollte, weil ich offenkundig ein bisschen durchgeknallt war. Aber sie sagte dauernd Sachen wie: «Wow, ich fasse es nicht, wie du darauf gekommen bist! Du musst ihn unbedingt beim Bungee-Jumping fotografieren.» Und: «Stell dir mal sein Gesicht vor, wenn du ihm von dem Fallschirmsprung erzählst! Das wird super.»

Ein zufälliger Beobachter im Pub hätte uns tatsächlich für zwei Freundinnen halten können, die sich richtig mochten.

Während ich noch darüber nachdachte, schloss ich leise auf. Von draußen hatte ich kein Licht in der Wohnung gesehen, und ich fragte mich, ob Patrick wegen seines Intensivtrainings früh schlafen gegangen war. Ich ließ meine Tasche im Flur fallen, schob die Wohnzimmertür auf und dachte dabei, dass es nett von ihm war, die kleine Lampe für mich angeschaltet zu haben.

Und da sah ich ihn. Er saß an einem Tisch, der für zwei gedeckt war. Zwischen den beiden Tellern flackerte eine Kerze. Als ich die Tür hinter mir zumachte, stand er auf. Die Kerze war halb heruntergebrannt.

«Es tut mir leid», sagte er.

Ich starrte ihn an.

«Ich war ein Idiot. Du hast recht. Dein Job geht nur sechs Monate, und ich habe mich kindisch benommen. Ich sollte stolz auf dich sein, weil du etwas so Verantwortungsvolles machst und es so ernst nimmst. Ich war einfach ein bisschen ... enttäuscht. Es tut mir leid. Ehrlich.»

Er streckte die Hand aus. Ich nahm sie.

«Es ist gut, dass du versuchst, ihm zu helfen. Es ist sogar bewundernswert.»

«Danke.» Ich drückte seine Hand.

Als er weitersprach, hatte er einen kurzen Seufzer ausgestoßen, als hätte er eine einstudierte Rede erfolgreich hinter sich gebracht. «Ich habe etwas zum Abendessen gemacht. Ich fürchte, es ist wieder Salat. Ich verspreche, dass wir uns in irgendeinem Restaurant so richtig den Bauch vollschlagen, wenn der Viking vorbei ist. Oder vielleicht, wenn ich auf Carboloading bin. Ich …» Er blies die Backen auf. «Ich schätze, in letzter Zeit konnte ich kaum an etwas anderes denken. Das war vermutlich Teil des Problems. Und du hast recht. Es gibt keinen Grund, aus dem du mitkommen müsstest. Es ist mein Ding. Du hast jedes Recht, stattdessen zu arbeiten.»

«Patrick …», sagte ich.

«Ich will nicht mit dir streiten, Lou. Verzeihst du mir?»

Sein Blick war beunruhigt, und er roch nach Eau de Cologne. Diese beiden Tatsachen senkten sich wie ein Tonnengewicht auf meine Schultern.

«Setz dich doch», sagte er. «Essen wir, und dann … ich weiß nicht. Machen wir uns einen schönen Abend. Unterhalten uns über irgendwas. Aber nicht übers Laufen.» Er lachte gezwungen.

Ich setzte mich und schaute auf den Tisch.

Dann lächelte ich. «Das sieht ja gut aus», sagte ich.

Patrick kannte wirklich hundertundeine Art, Putenbrust zuzubereiten.

Wir aßen den grünen Salat, den Nudelsalat und den Meeresfrüchtesalat und einen exotischen Fruchtsalat, den er als Nachtisch gemacht hatte. Ich trank Wein, während er bei Wasser blieb. Wir brauchten eine Weile, aber dann begannen wir uns zu entspannen. Dort, vor mir, saß ein Patrick, den ich schon lange nicht mehr erlebt hatte. Er war humorvoll und aufmerksam. Er hielt sich schwer unter Kontrolle, damit er nichts über das Lauftraining oder Marathons sagte, und er lachte jedes Mal, wenn er sich dabei ertappte, dass sich das Gespräch trotzdem in diese Richtung bewegte. Ich spürte, wie sich unter dem Tisch sein Fuß an meinen herantastete, wie wir unsere Beine verschränkten, und langsam löste sich das angespannte, unbehagliche Gefühl in meiner Brust.

Meine Schwester hatte recht. Mein Leben war merkwürdig geworden und hatte die Verbindung zu allen Menschen verloren, die ich kannte. Wills Situation und sein Geheimnis hatten mich eingesaugt wie ein Sumpfloch. Ich musste dafür sorgen, dass der Rest von mir nicht auch noch darin unterging.

Ich bekam Schuldgefühle wegen des Gesprächs mit meiner Schwester. Patrick wollte mich nicht aufstehen lassen, nicht einmal die Teller durfte ich abräumen. Um Viertel nach elf räumte er das Geschirr in die kleine Küche und belud die Geschirrspülmaschine. Ich saß da, und er redete von der Küche aus weiter mit mir. Ich rieb mir die Stelle, wo der Hals in die Schulter übergeht, um die verhärteten Muskeln zu lockern. Ich schloss die Augen, versuchte mich zu entspannen, sodass ein paar Minuten vergingen, bevor mir bewusst wurde, dass das Gespräch versiegt war.

Ich schlug die Augen auf. Patrick stand mit meinem Ferien-Hefter an der Tür. Er hob ein paar Blätter hoch. «Was ist das?»

«Das ist … die Reise. Die, von der ich dir erzählt habe.»

Er blätterte durch die Seiten, die ich meiner Schwester gezeigt hatte, betrachtete den Reiseplan, die Bilder, den kalifornischen Strand.

«Ich dachte …» Als er endlich etwas sagte, klang seine Stimme merkwürdig erstickt. «Ich dachte, du redest von Lourdes.»

«Wie bitte?»

«Oder ... ich weiß auch nicht ... die Paralympics ... was in der Art. Als du gesagt hast, du kannst nicht mitkommen, weil du ihm helfen musst, dachte ich, es geht um richtige Arbeit. Physiotherapie oder Wunderheilung oder so was. Aber das hier sieht aus ...» Er schüttelte ungläubig den Kopf. «Das sieht aus wie der tollste Urlaub aller Zeiten.»

«Na ja ... das stimmt auch in gewisser Hinsicht. Aber nicht für mich. Für ihn.»

Patrick verzog das Gesicht. «Nein ...», sagte er und schüttelte wieder den Kopf, «du würdest das alles *kein bisschen* genießen. Den Whirlpool unterm Sternenhimmel oder mit Delfinen zu schwimmen ... Oh, sieh mal, ‹Fünf-Sterne-Luxus› und ‹Rundum-die-Uhr-Zimmerservice›.» Er sah mich an. «Das ist keine Arbeitsreise. Das sind verdammte Flitterwochen.»

«Das ist nicht fair!»

«Und das, was du vorhast, soll also fair sein? Erwartest du wirklich von mir, dass ich hier in aller Ruhe sitzen bleibe, während du mit einem anderen Mann einen *solchen* Urlaub verbringst?»

«Sein Pfleger kommt auch mit.»

«Oh. O ja, *Nathan*. Das ändert natürlich alles.»

«Patrick, komm schon ... es ist alles nicht so einfach.»

«Dann erklär es mir.» Er hielt mir die Blätter vor die Nase. «Erklär mir das, Lou. Erklär es auf ganz allgemeinverständliche Art.»

«Es ist wichtig, dass Will seinen Lebensmut wiederfindet, dass er etwas Gutes in seiner Zukunft sieht.»

«Und dieses Gute würde dich einschließen?»

«Das ist nicht fair. Sieh mal, habe ich dich je gebeten, mit der Arbeit aufzuhören, die du so gerne machst?»

«Zu meiner Arbeit gehören keine Whirlpoolsitzungen mit fremden Männern.»

«Tja, das wäre mir egal. Von mir aus könntest du mit fremden Männern in den Whirlpool steigen! So oft du willst!» Ich versuchte zu lächeln und hoffte, er würde es auch tun.

Aber er wollte nichts davon wissen. «Wie würdest du dir vorkommen, Lou? Wie würdest du dir vorkommen, wenn ich sage, ich gehe auf eine Fitness-Tagung mit … keine Ahnung … Leanne von den Terrors, weil sie ein bisschen Aufheiterung braucht?»

«Aufheiterung?» Ich dachte an Leanne, mit ihrem blonden Haar und ihren perfekten Beinen, und einen Augenblick fragte ich mich, warum ihm ihr Name als erster eingefallen war.

«Und wie würdest du dich fühlen, wenn ich sage, ich gehe die ganze Zeit zusammen mit ihr essen und setze mich vielleicht mit ihr in den Whirlpool oder übernachte mit ihr woanders. Irgendwo sechstausend Meilen weit weg, bloß weil sie ein bisschen down war. Würde dir das tatsächlich nichts ausmachen?»

«Er ist nicht ‹ein bisschen down›, Pat. Er will sich umbringen. Er will zu Dignitas und mit seinem Leben Schluss machen, verdammt.» Ich hörte das Blut in meinen Ohren rauschen. «Und du kannst nicht einfach so eine Kehrtwende hinlegen. Du warst derjenige, der Will einen Krüppel genannt hat. Du warst derjenige, der die Bemerkung gemacht hat, er könnte keine Bedrohung für dich sein. ‹Der perfekte Chef›, hast du gesagt. Jemand, über den man sich keinerlei Gedanken machen muss.»

Er legte den Hefter auf die Arbeitsfläche.

«Tja, Lou … jetzt mache ich mir aber Gedanken.»

Ich ließ den Kopf in die Hände sinken. Draußen im Treppenhaus hörte ich eine Feuertür aufschwingen und Stimmen, die verschluckt wurden, als sich die Tür hinter ihnen wieder schloss.

Patrick fuhr mit der Hand am Rand der Küchenschränke vor und zurück. Ein kleiner Muskel zuckte in seinem Kiefer.

«Willst du wissen, wie sich das anfühlt, Lou? Es fühlt sich an, als würde ich ständig rennen und trotzdem immer ein bisschen hinter dem Hauptfeld zurückliegen. Es fühlt sich an …» Er atmete tief ein, als wollte er sich beherrschen. «Es fühlt sich an, als läge hinter der nächsten Kurve etwas Schlimmes, und alle wissen, was es ist, nur ich nicht.»

Er sah mir in die Augen. «Ich glaube nicht, dass ich überreagiere. Aber ich will nicht, dass du mit ihm fährst. Es ist mir egal, wenn du nicht zu dem Viking mitkommst, aber ich will nicht, dass du diesen … diesen Urlaub machst. Mit ihm.»

«Aber ich …»

«Wir sind jetzt beinahe sieben Jahre zusammen. Und du kennst diesen Mann, hast diesen Job seit fünf Monaten. Fünf Monate. Wenn du mit ihm fährst, sagst du mir damit etwas über unsere Beziehung. Darüber, was du von uns hältst.»

«Das ist nicht fair. Es sagt gar nichts über uns», widersprach ich.

«Tut es doch, wenn ich all das sagen kann und du trotzdem noch mit ihm fahren willst.»

In der kleinen Wohnung schien es auf einmal unglaublich ruhig zu sein. Er sah mich mit einem Ausdruck an, den ich noch nie an ihm gesehen hatte.

Als ich schließlich etwas sagte, war meine Stimme kaum mehr als ein Flüstern. «Aber er braucht mich.»

Sobald ich diese Worte ausgesprochen hatte, gehört hatte, wie sie aufstiegen und sich in der Luft zusammensetzten, wusste ich, wie ich mich fühlen würde, wenn Patrick dasselbe zu mir gesagt hätte.

Er schluckte und schüttelte den Kopf, als hätte er nicht richtig verstanden, was ich da sagte. Seine Hand erstarrte an der Seite der Arbeitsfläche, und dann sah er mich an.

«Egal, was ich sage, es ändert nichts, oder?»

Das war typisch Patrick. Er war immer schlauer, als ich es ihm zutraute.

«Patrick, ich …»

Er schloss ganz kurz die Augen, und dann drehte er sich um, ging quer durchs Wohnzimmer und ließ den letzten schmutzigen Teller auf dem Sideboard stehen.

Kapitel 21

Steven

Das Mädchen zog am Wochenende ein. Will sagte Camilla und mir nichts davon, aber als ich am Samstagmorgen im Pyjama in den Anbau hinüberging, um festzustellen, ob Will Hilfe brauchte, weil Nathan gesagt hatte, er würde später kommen, war Louisa da, ging mit einer Schale Müsli in der einen und der Zeitung in der anderen Hand durch den Flur. Sie wurde rot, als sie mich sah. Ich weiß nicht, warum – ich trug meinen Morgenmantel über dem Pyjama, alles war vollkommen respektabel. Später ging mir durch den Kopf, dass es eine Zeit gegeben hatte, zu der es völlig normal gewesen war, morgens hübsche junge Dinger aus Wills Schlafzimmer schleichen zu sehen.

«Ich bringe Will nur seine Post», sagte ich und wedelte damit herum.

«Er ist noch nicht auf. Soll ich ihn wecken?» Sie hob die Zeitung vor die Brust wie einen Schutzschild. Sie trug ein Minnie-Mouse-T-Shirt und eine von den bestickten Hosen, die man früher von den Chinesinnen in Hongkong kannte.

«Nein, nein. Wenn er schläft, lassen Sie ihn schlafen.»

Als ich Camilla davon erzählte, rechnete ich damit, dass

sie sich freute. Sie war schließlich unheimlich sauer gewesen, als das Mädchen bei seinem Freund eingezogen war. Aber sie wirkte nur ein bisschen überrascht, und dann bekam sie diesen angespannten Gesichtsausdruck, der bedeutete, dass sie sich schon wieder alle möglichen negativen Folgen ausmalte. Sie sagte es nicht, aber ich war ziemlich sicher, dass sie von Louisa Clark nicht gerade angetan war. Allerdings fand in dieser Zeit überhaupt niemand vor Camillas Augen Gnade. Ihr normaler Betriebsmodus schien auf Missbilligung eingestellt zu sein.

Wir fanden nie heraus, was Louisa dazu gebracht hatte, im Anbau zu wohnen – Will sagte nur ‹Familienangelegenheiten› –, aber sie war ein emsiges kleines Ding. Wenn sie nicht nach Will sah, flitzte sie herum, putzte, machte die Wäsche, raste zum Reisebüro und zur Bibliothek und wieder zurück. Ich hätte sie überall in der Stadt bemerkt, weil sie so auffällig war. Sie trug die leuchtendsten Farben, die ich außerhalb der Tropen je an einem Menschen gesehen habe, Kleidchen in Edelsteintönen und exotisch wirkende Schuhe.

Früher hätte ich zu Camilla gesagt, dass Louisa den Ort zum Strahlen brachte. Aber solche Bemerkungen konnte ich nicht mehr machen.

Will hatte Louisa anscheinend gesagt, sie könne seinen Computer benutzen, aber das wollte sie nicht und ging lieber in die Bibliothek. Ich weiß nicht, ob sie befürchtete, jemand könnte ihr Vorteilsnahme unterstellen oder ob sie ihn nicht sehen lassen wollte, was sie am Computer machte.

So oder so, Will schien ein bisschen glücklicher zu sein, wenn sie da war. Ein paarmal hörte ich durchs offene Fenster, wie sie sich unterhielten, und ich hörte Will lachen. Ich redete mit Bernard Clark, um sicher zu sein, dass er mit diesem Arrangement einverstanden war, und er sagte, es wäre ein wenig schwierig, seit sie sich von ihrem langjährigen Freund getrennt hatte, und zu Hause wären alle möglichen Dinge in der Schwebe. Er erwähnte auch, dass sie sich für einen Platz an der Universität beworben hatte, weil sie ihre Ausbildung fortsetzen wollte. Ich beschloss, Camilla nichts davon zu sagen. Ich wollte nicht, dass sie darüber nachdachte, was das bedeuten könnte. Will sagte, Louisa würde sich für Mode und solche Sachen interessieren. Sie war eine echte Augenweide und hatte eine sehr gute Figur – aber, ehrlich gesagt, ich wusste nicht, ob es auch nur einen Menschen auf Erden gab, der die Art Kleidung kaufen würde, die sie trug.

Am Montagabend fragte sie, ob Camilla und ich mit Nathan in den Anbau kommen würden. Sie hatte Broschüren, Zeitpläne, Versicherungsunterlagen und so weiter aus dem Internet ausgedruckt und auf dem Tisch ausgebreitet. Jeder von uns bekam einen Satz Unterlagen in durchsichtigen Plastikhüllen. Es war alles unglaublich gut organisiert.

Sie wollte uns ihre Pläne für eine Urlaubsreise vorstellen. (Sie hatte Camilla vorgewarnt, dass sie es so klingen lassen würde, als hätte sie am meisten davon, aber ich sah trotzdem, wie Camillas Blick eisig wurde, während Louisa aufzählte, was sie alles gebucht hatte.)

Es war eine ganz besondere Reise, die alle denkbaren außergewöhnlichen Aktivitäten enthielt, Dinge, bei denen ich mir Will nicht einmal vor seinem Unfall vorstellen konnte. Aber jedes Mal, wenn sie etwas ansprach – Wildwasser-Rafting, Bungee-Jumping oder sonst etwas –, hob sie vor Will Ausdrucke von Bildern hoch, die andere behinderte junge Männer bei diesen Aktionen zeigten, und sagte dazu: «Wenn ich all die Sachen ausprobieren soll, wie du immer sagst, dann musst du sie mit mir gemeinsam machen.»

Ich muss zugeben, dass sie mich richtig beeindruckt hat. Sie war ein einfallsreiches kleines Ding.

Will hörte ihr zu, und ich sah, dass er die Dokumente las, die sie vor ihn legte.

«Woher hast du all diese Informationen?», fragte er schließlich.

Sie zog die Augenbrauen hoch. «Wissen ist Macht, Will», sagte sie.

Und mein Sohn lächelte, als hätte sie etwas besonders Schlaues von sich gegeben.

«Also …», sagte Louisa, als keine Fragen mehr offen waren. «Wir fahren in acht Tagen. Sind Sie einverstanden, Mrs. Traynor?» In der Art, wie sie das sagte, lag ein gewisser Trotz, als wollte sie Camilla dazu herausfordern, nein zu sagen.

«Wenn es das ist, was alle wollen, dann ist es für mich in Ordnung», sagte Camilla.

«Nathan? Wollen Sie immer noch mitfahren?»

«Und ob!»

«Und … Will?»

Wir sahen ihn alle an. Es hatte eine Zeit gegeben, und die war noch gar nicht so lange her, in der jede einzelne dieser Unternehmungen undenkbar gewesen wäre. Es hatte eine Zeit gegeben, in der Will abgelehnt hätte, schlicht, weil es ihm Spaß machte, seine Mutter zu ärgern. Er war schon immer so, unser Sohn – er war imstande, einfach das Gegenteil dessen zu tun, was richtig war, weil er aus irgendeinem Grund nicht als jemand betrachtet werden wollte, der die Erwartungen anderer Leute erfüllte. Ich weiß nicht, woher er das hatte, diesen Drang zur Unterwanderung von Vorschlägen. Vielleicht hatte ihn das ja auch zu so einem brillanten Verhandlungsführer gemacht.

Er sah mit unergründlichem Blick zu mir auf, und ich spürte, wie sich mein Kiefer anspannte. Und dann sah er das Mädchen an und lächelte.

«Warum nicht?», sagte er. «Ich freue mich schon richtig

darauf, zu sehen, wie sich Clark in ein paar Stromschnellen stürzt.»

Das Mädchen schien geradezu körperlich zu schrumpfen – wie ein Ballon, der Luft verliert – vor Erleichterung, als hätte sie halb erwartet, dass er ablehnte.

Merkwürdig – ich gebe zu, dass ich am Anfang, als Louisa in unser Leben trat, ein bisschen misstrauisch ihr gegenüber war. Will war in dieser Phase trotz all seines Gepolters sehr verletzlich. Ich befürchtete, dass er manipuliert werden könnte. Er ist immer noch ein wohlhabender junger Mann, und diese scheinheilige Alicia, die mit seinem Freund abgehauen ist, hatte dafür gesorgt, dass er sich noch wertloser fühlte als ohnehin schon.

Aber als ich sah, wie Louisa ihn anschaute, mit einer seltsamen Mischung aus Stolz und Dankbarkeit, war ich auf einmal unglaublich froh, sie dazuhaben. Mein Sohn war, auch wenn wir es nie aussprachen, in einer schrecklichen Lage. Was auch immer sie genau tat, es schien ihm eine kleine Erholungspause von diesem Bewusstsein zu verschaffen.

Ein paar Tage hing richtige Feierstimmung im Haus. Camilla verströmte so etwas wie stille Hoffnung, auch wenn sie mir gegenüber nicht zugab, dass es so war. Ich wusste, was sie sagen würde: Was haben wir schon zu feiern? Gestern Nacht hörte ich, wie sie sich am Telefon vor Georgina dafür rechtfertigte, dieser Reise zugestimmt zu haben. Als echte Tochter ihrer Mutter suchte Georgina nach irgendetwas, mit dem Louisa Wills Situation ausgenutzt haben könnte, um sich selbst einen Vorteil zu ergaunern.

«Sie hat angeboten, für sich selbst zu zahlen, Georgina», sagte Camilla. Und: «Nein, Darling. Ich glaube nicht, dass wir eine Wahl haben. Uns bleibt nur noch sehr wenig Zeit, und Will hat zugestimmt, also hoffe ich einfach das Beste. Und ich glaube, das solltest du auch tun.»

Ich wusste, welche Überwindung es sie kostete, Louisa zu verteidigen oder auch nur freundlich mit ihr umzugehen. Aber sie tolerierte das Mädchen, weil sie genauso gut wie ich wusste, dass Louisa unsere einzige Chance war, unseren Sohn halbwegs glücklich zu sehen.

Louisa Clark war, auch wenn keiner von uns es aussprach, unsere einzige Chance, unseren Sohn am Leben zu halten.

Gestern Abend habe ich mich auf ein Glas mit Della getroffen. Camilla hat ihre Schwester besucht, also machten wir auf dem Rückweg einen Spaziergang am Fluss.

«Will fährt in Urlaub», sagte ich.

«Das ist ja großartig», gab sie zurück.

Die arme Della. Ich sah, wie sie den Impuls niederkämpfte, mich nach unserer gemeinsamen Zukunft zu fragen – danach, wie diese überraschende Entwicklung sie beeinflussen könnte –, aber ich glaube, das wird sie nie fragen. Nicht, bevor Wills Situation geklärt ist.

Wir spazierten weiter, sahen den Schwänen zu, lächelten über die Touristen, die im letzten Sonnenschein mit den Bootspaddeln herumspritzten, und sie redete darüber, dass diese Reise ein wundervolles Erlebnis für Will werden könnte und möglicherweise sogar zeigte, dass er lernte, sich mit seiner Lage abzufinden. Es war nett von ihr, das zu sagen, wo ich doch wusste, dass sie in gewisser Hinsicht eigentlich eher darauf hoffen müsste, dass die ganze Sache ein Ende hatte. Es war schließlich Wills Unfall, der unsere Pläne für ein gemeinsames Leben durchkreuzt hatte. Sie muss heimlich gehofft haben, dass meine Verantwortung für Will eines Tages enden und ich frei sein würde.

Und so ging ich neben ihr, spürte ihre Hand in meiner Armbeuge und hörte ihrer melodiösen Stimme zu. Ich konnte ihr nicht die Wahrheit sagen – die Wahrheit, die nur ganz wenige kannten. Dass das Mädchen, falls es mit seiner Ranch und seinem Bungee-Jumping und seinen Whirlpools und so weiter scheiterte, mich damit paradoxerweise frei werden lassen würde. Denn die einzige Möglichkeit für mich, jemals meine Familie zu verlassen, bestand darin, dass Will am Ende doch noch beschloss, an diesen schrecklichen Ort in der Schweiz zu gehen.

Ich wusste das, und Camilla wusste es auch. Obwohl wir es niemals vor uns zugegeben hätten. Nur der Tod meines Sohnes würde mir die Freiheit geben, mein Leben selbst zu bestimmen.

«So darfst du nicht denken», sagte sie, als sie meinen Gesichtsausdruck sah.

Die gute Della. Sie wusste, was ich dachte, noch bevor ich es selbst wusste.

«Das sind gute Neuigkeiten, Steven. Wirklich. Man weiß nie, das könnte der Beginn eines ganz neuen, unabhängigen Lebens für Will sein.»

Ich legte meine Hand auf ihre. Ein mutigerer Mann hätte ihr gesagt, was ich wirklich dachte. Ein mutigerer Mann hätte sie schon längst freigegeben – sie und vielleicht sogar meine Frau.

«Du hast recht», sagte ich und zwang mich zu einem Lächeln. «Hoffen wir, dass er voller Geschichten von Bungee-Sprüngen oder anderen schrecklichen Dingen zurückkommt, die sich die jungen Leute heutzutage antun.»

Sie stupste mich spielerisch in die Seite. «Vielleicht lässt er dich dann so eine Anlage in der Burg aufbauen.»

«Wildwasser-Rafting im Wallgraben?», sagte ich. «Das merke ich mir als mögliche Touristenattraktion für die nächste Saison.»

Mit dieser unwahrscheinlichen Vorstellung amüsierten wir uns weiter und gingen, gelegentlich vor uns hin kichernd, bis hinunter zum Bootshaus.

Und dann bekam Will eine Lungenentzündung.

Kapitel 22

Ich rannte in die Notaufnahme. Das verzweigte Kranken-
hausgebäude und mein nicht vorhandener Orientierungs-
sinn führten dazu, dass ich eine Ewigkeit brauchte, bis ich die
Intensivstation gefunden hatte. Ich musste dreimal fragen, bevor mir jemand die richtige Richtung zeigte. Schließlich drückte ich atemlos keuchend die Tür zu Station C12 auf, und dort, im
Flur, saß Nathan und las Zeitung. Er sah auf, als ich näher kam.

«Wie geht es ihm?»

«Bekommt Sauerstoff. Ist stabil.»

«Ich verstehe das nicht. Am Freitagabend ging es ihm gut.
Er hatte leichten Husten, aber … aber so etwas? Was ist denn
passiert?»

Mein Herz raste. Ich setzte mich kurz und versuchte, wieder
zu Atem zu kommen. Ich war ziemlich viel gerannt, seit mich
eine Stunde zuvor Nathans SMS erreicht hatte. Er richtete sich
auf und faltete die Zeitung zusammen.

«Das ist nicht das erste Mal, Lou. Er bekommt Bakterien in
die Lunge, der Hustenreflex funktioniert nicht richtig, und die
Entzündung breitet sich ziemlich schnell in der Lunge aus. Ich

habe am Samstagnachmittag versucht, seine Lunge freizube-
kommen, aber er hatte zu starke Schmerzen. Er hat aus heiterem
Himmel Fieber bekommen und dann stechende Schmerzen in
der Brust. Am Samstagabend mussten wir den Krankenwagen
rufen.»

«Mist», sagte ich und beugte mich nach vorn. «Mistmistmist-
mist. Kann ich zu ihm?»

«Er ist ziemlich fertig. Bin nicht sicher, ob Sie was aus ihm
rauskriegen. Und Mrs. T. ist bei ihm.»

Ich ließ meine Tasche bei Nathan, wusch mir die Hände mit
antibakterieller Lösung, schob die Tür auf und ging in das Zimmer.

Will lag unter einem blauen Krankenhauslaken im Bett, war
an einen Tropf angeschlossen und von mehreren unregelmäßig
piependen Geräten umstellt. Sein Gesicht wurde zum Teil von
einer Sauerstoffmaske verdeckt, und seine Augen waren geschlossen. Seine Haut wirkte grau und war mit bläulich weißen
Flecken durchzogen, bei deren Anblick sich etwas in mir zu-
sammenzog. Mrs. Traynor saß neben ihm, eine Hand auf seinen Arm unter dem Laken gelegt. Sie starrte blicklos an die
Wand.

«Mrs. Traynor», sagte ich.

Sie fuhr zusammen. «Oh. Louisa.»

«Wie … geht es ihm?» Ich wollte Wills Hand nehmen, aber
ich hatte das Gefühl, dass sie etwas dagegen hätte, wenn ich
mich setzte. Ich blieb in der Nähe der Tür stehen. Auf ihrem
Gesicht lag eine solche Niedergeschlagenheit, dass man sich
schon als Eindringling fühlte, wenn man nur den Raum betrat.

«Ein bisschen besser. Sie haben ihm ein paar ziemlich starke
Antibiotika verabreicht.»

«Kann ich … kann ich irgendetwas tun?»

«Ich glaube nicht, nein. Wir … wir müssen einfach abwarten.

Der Arzt macht in ungefähr einer Stunde Visite. Er wird uns hoffentlich Genaueres sagen können.»

Es war, als hätte die Welt aufgehört, sich zu drehen. Ich stand einfach dort und ließ das ständige Piepen der Geräte einen Rhythmus in mein Bewusstsein brennen.

«Soll ich Sie für eine Weile ablösen? Damit Sie eine Pause machen können?»

«Nein. Ich bleibe lieber hier.»

Irgendwie hoffte ich, Will würde meine Stimme wahrnehmen. Irgendwie hoffte ich, er würde die Augen über der durchsichtigen Plastikmaske aufschlagen und murmeln: «Clark. Komm und setz dich endlich hin. Es sieht total unordentlich aus, wenn du so sinnlos da rumstehst.»

Aber er lag einfach nur da.

Ich wischte mir übers Gesicht. «Soll ich … soll ich Ihnen etwas zu trinken holen?»

Mrs. Traynor sah auf. «Wie viel Uhr ist es?»

«Viertel vor zehn.»

«Wirklich?» Sie schüttelte den Kopf, als könnte sie es nicht glauben. «Danke, Louisa. Das wäre … das wäre sehr nett. Anscheinend bin ich schon sehr lange hier.»

Ich hatte am Freitag nicht gearbeitet – zum Teil, weil die Traynors darauf bestanden, dass ich einen Tag freihatte, aber vor allem, weil die einzige Möglichkeit, einen Pass zu bekommen, war, mit dem Zug nach London zu fahren und mich bei der Passbehörde in die Schlange zu stellen. Nach meiner Rückkehr am Freitagabend war ich bei ihnen vorbeigegangen, um Will meine Beute zu zeigen und zu kontrollieren, dass sein Pass noch gültig war. Er war ein bisschen schweigsam, aber das war nicht besonders ungewöhnlich. An manchen Tagen fühlte er sich eben nicht so wohl wie an anderen. Ich war davon ausgegangen, dass es einer dieser Tage war. Um ehrlich zu sein, hatte ich den

Kopf so voller Reisepläne, dass ich kaum an etwas anderes denken konnte.

Den Samstagvormittag verbrachte ich damit, mit Dad meine Sachen bei Patrick abzuholen, und dann ging ich mit Mum einkaufen, weil ich einen Badeanzug und ein paar andere Dinge für die Reise brauchte, und am Samstag und Sonntag übernachtete ich bei meinen Eltern. Es war ganz schön eng, weil Treena und Thomas auch da waren. Am Montagmorgen stand ich um 7 Uhr auf, um rechtzeitig um 8 bei den Traynors zu sein. Als ich dort ankam, war das ganze Haus verwaist, die Vordertür und die Hintertür abgeschlossen. Ich fand keinen Zettel mit einer Nachricht. Von der Veranda aus rief ich dreimal Nathans Handynummer an, aber er nahm nicht ab. Mrs. Traynors Handy war auf die Mailbox umgeleitet. Schließlich, als ich schon eine Dreiviertelstunde auf der Treppe gesessen hatte, kam Nathans SMS.

Wir sind im Bezirkskrankenhaus. Will hat eine Lungenentzündung. Station C12.

Nathan ging, und die nächste Stunde lang saß ich vor Wills Zimmer. Ich blätterte durch die Zeitschriften, die jemand offenbar im Jahre 1982 auf dem Tischchen vergessen hatte, und holte dann ein Taschenbuch heraus, aber es war unmöglich, sich aufs Lesen zu konzentrieren.

Der Arzt kam zur Visite, aber ich hatte das Gefühl, ihm nicht in Wills Zimmer folgen zu können, solange Mrs. Traynor dort drinnen war. Als der Arzt fünfzehn Minuten später wieder ging, kam sie hinter ihm heraus. Ich weiß nicht genau, ob sie es mir nur sagte, weil sie einfach mit irgendwem reden musste und ich die einzige Person war, die in dem Moment zur Verfügung stand, aber sie sagte voller Erleichterung, dass der Arzt glaubte, die Infektion unter Kontrolle gebracht zu haben. Sie war von einem besonders aggressiven Bakterienstamm ausgelöst worden. Es war ein Glück, dass Will noch rechtzeitig ins Krankenhaus gekommen war. Ihr ‹oder› hing in dem Schweigen zwischen uns.

«Und was machen wir jetzt?», fragte ich.

Sie zuckte mit den Schultern. «Wir warten ab.»

«Soll ich Ihnen etwas zu essen holen? Oder soll ich mich zu Will setzen, sodass Sie etwas essen gehen können?»

Gelegentlich gab es zwischen Mrs. Traynor und mir so etwas wie ein wortloses Verstehen. Ihr Gesicht wurde weicher – der übliche, harte Ausdruck verschwand –, und ich erkannte plötzlich, wie unfassbar müde sie aussah. Ich glaube, in der Zeit, in der ich bei ihnen war, ist sie um zehn Jahre gealtert.

«Danke, Louisa», sagte sie. «Ich würde sehr gerne zu Hause vorbeigehen und mich umziehen, wenn es Ihnen nichts ausmacht, bei ihm zu bleiben. Ich möchte nicht, dass Will jetzt allein ist.»

Nachdem sie weg war, ging ich in das Zimmer, machte die Tür hinter mir zu und setzte mich neben ihn. Er wirkte merkwürdig weit weg, als wäre der Will, den ich kannte, auf einer Reise und hätte nur seine Hülle zurückgelassen. Ich fragte mich, ob die Leute so aussahen, wenn sie tot waren. Dann befahl ich mir, nicht mehr an den Tod zu denken.

So saß ich da, sah dem Sekundenzeiger der Uhr zu und hörte von draußen gelegentlich murmelnde Stimmen oder quietschende Schritte auf dem Linoleum des Flurs. Zweimal kam eine Krankenschwester herein, überprüfte irgendwelche Werte, drückte auf ein paar Knöpfe und maß seine Temperatur, aber Will rührte sich immer noch nicht.

«Es geht ihm … doch gut, oder?», fragte ich sie.

«Er schläft», sagte sie beruhigend. «Das ist im Moment wahrscheinlich das Beste für ihn. Versuchen Sie, sich keine Sorgen zu machen.»

Das sagt sich so leicht. Aber ich hatte in diesem Krankenhauszimmer viel Zeit zum Nachdenken. Ich dachte über Will und die beängstigende Geschwindigkeit nach, mit der er lebensbedrohlich krank geworden war. Ich dachte über Patrick nach und die Tatsache, dass ich, selbst nachdem ich meine Sachen aus seiner Wohnung geholt hatte, nachdem ich meinen Wandkalender abgenommen und zusammengerollt und meine sorgfältig in seine Kommodenschubladen geräumte Kleidung eingepackt hatte, nicht so niedergeschlagen und am Boden zerstört war, wie man es hätte erwarten können. Ich war weder tief unglücklich noch von Emotionen überwältigt und hatte auch sonst keine Gefühle, die man vermutlich haben sollte, wenn man sich nach Jahren von jemandem trennt. Stattdessen war ich ziemlich ruhig, ein bisschen traurig, und außerdem hatte ich vermutlich gewisse Schuldgefühle – sowohl aufgrund meiner Rolle bei dieser Trennung als auch, weil ich diese Gefühle nicht empfand, die ich haben sollte. Ich hatte ihm zwei SMS geschrieben, um ihm zu sagen, dass es mir wirklich leidtat und dass ich hoffte, er würde bei dem Xtreme Viking ein tolles Ergebnis erzielen. Aber er hatte nicht geantwortet.

Nach einer Stunde beugte ich mich vor, hob das Laken von Wills Arm, und da, blassbraun gegen den weißen Matratzenbezug, lag seine Hand. Eine Kanüle war mit Pflasterstreifen auf dem Handrücken befestigt. Als ich die Hand umdrehte, sah ich die immer noch hellroten Narben auf seinen Handgelenken. Ich fragte mich einen Augenblick, ob sie jemals verblassen würden oder ob sie ihn für immer daran erinnern würden, was er hatte tun wollen.

Sanft nahm ich seine Finger und umschloss sie mit meinen. Sie waren warm, die Finger eines sehr lebendigen Menschen. Ich war so seltsam beruhigt davon, wie sie sich in meiner Hand anfühlten, dass ich sie nicht gleich losließ, dass ich sie betrachtete, die Schwielen, die von einem Leben erzählten, das nicht ausschließlich hinter einem Schreibtisch verbracht worden war, die rosafarbenen Nägel, die nun immer von jemand anderem geschnitten werden mussten.

Will hatte schöne Männerhände – gut geformt und gleichmäßig, mit breiten Fingern. Es war bei ihrem Anblick schwer zu glauben, dass sie vollkommen kraftlos waren, dass sie nie mehr etwas von einem Tisch nehmen, einen Arm streicheln oder sich zur Faust ballen würden.

Ich fuhr mit der Fingerspitze über seine Knöchel. Eine kleine Stimme in mir fragte, ob ich es nicht peinlich finden müsste, wenn Will ausgerechnet in diesem Augenblick die Augen öffnen würde, aber dieses Gefühl hatte ich nicht. Stattdessen hatte ich das sichere Empfinden, dass es gut für ihn war, wenn seine Hand in meiner lag. Ich hoffte, dass er das irgendwie hinter der Mauer aus Medikamentenschlaf auch so empfand. Dann schloss ich die Augen und wartete.

Kurz nach vier Uhr wachte Will schließlich auf. Ich war draußen auf dem Flur, hatte mich über ein paar Stühle gelegt, las in einer alten Zeitung und sprang auf, als Mrs. Traynor herauskam, um es mir zu sagen. Sie wirkte erleichtert, als sie erwähnte, dass er redete und mich sehen wollte. Sie sagte, sie würde hinuntergehen und Mr. Traynor anrufen.

Und dann, als wäre es ein zwanghafter Reflex, fügte sie hinzu: «Bitte ermüden Sie ihn nicht.»

«Natürlich nicht», sagte ich.

Und schenkte ihr ein zauberhaftes Lächeln.

«Hallo», sagte ich und spähte an der Tür vorbei ins Zimmer.

Langsam drehte er mir den Kopf zu. «Selber hallo.»

Seine Stimme war rau, als hätte er die letzten dreißig Stunden nicht geschlafen, sondern herumgebrüllt. Ich setzte mich und sah ihn an. Sein Blick flackerte nach unten.

«Soll ich dir mal kurz die Maske abnehmen?»

Er nickte. Ich zog ihm die Maske behutsam über den Kopf. Wo sie die Haut bedeckt hatte, lag ein leichter Schweißfilm, und ich nahm ein Papiertaschentuch und wischte ihm vorsichtig das Gesicht ab.

«Und wie fühlst du dich?»

«Ging schon mal besser.»

Ein dicker Kloß war mir ungebeten in die Kehle gestiegen, und ich versuchte, ihn herunterzuschlucken. «Ich weiß auch nicht. Du tust einfach alles, um ein bisschen Aufmerksamkeit zu bekommen, Will Traynor. Ich wette, das war bloß ein …»

Er schloss die Augen und schnitt mir damit mitten im Satz das Wort ab. Als er sie wieder aufschlug, sah er mich entschuldigend an. «Sorry, Clark. Ich glaube, ich bin heute nicht zum Scherzen aufgelegt.»

So saß ich bei ihm, und ich redete, füllte das kleine, blassgrüne Zimmer mit meinem Geplapper, erzählte ihm, dass ich meine Sachen von Patrick zurückgeholt hatte und wie viel einfacher es war, meine CDs aus seiner Sammlung herauszusuchen, weil er bei meinem Einzug darauf bestanden hatte, dass ich sie kennzeichnete und alphabetisch einsortierte.

«Alles klar mit dir?», fragte er, als ich endlich verstummte. Sein Blick war mitleidig. Anscheinend glaubte er, die Trennung von Patrick würde mir mehr ausmachen, als sie es tat.

«Ja. Schon.» Ich zuckte mit den Schultern. «Es ist wirklich nicht so schlimm. Außerdem habe ich andere Sachen im Kopf.»

Will schwieg. «Es ist so», sagte er schließlich, «ich bin nicht sicher, dass ich in absehbarer Zukunft einen Bungee-Sprung hinlegen kann.»

Das hatte ich gewusst. Ich hatte damit gerechnet, seit ich die

SMS von Nathan bekommen hatte. Aber es aus seinem Mund zu hören, war trotzdem ein ziemlicher Schlag.

«Kein Problem», sagte ich und kämpfte gegen das Schwanken meiner Stimme. «Es ist okay. Wir machen das ein anderes Mal.»

«Es tut mir leid. Ich weiß, wie sehr du dich darauf gefreut hast.»

Ich legte meine Hand auf seine Stirn und strich ihm das Haar zurück. «Schsch. Wirklich. Es ist nicht wichtig. Sorg du nur dafür, dass es dir wieder besser geht.»

Mit einem leichten Zusammenzucken schloss er die Augen. Ich wusste, was sie sagten – diese Falten um seine Augen, dieser resignierte Gesichtsausdruck. Sie sagten, dass es vielleicht kein anderes Mal geben würde. Sie sagten, dass er nicht daran glaubte, es könnte ihm jemals wieder besser gehen.

Auf dem Rückweg vom Krankenhaus fuhr ich im Granta House vorbei. Wills Vater machte mir auf. Er sah beinahe genauso erschöpft aus wie Mrs. Traynor. Er trug eine abgenutzte Barbour-Jacke, offensichtlich wollte er gerade weggehen. Ich erzählte ihm, dass Mrs. Traynor jetzt wieder bei Will war und dass die Antibiotika anscheinend gut anschlugen, ich ihm aber trotzdem ausrichten sollte, dass sie wieder über Nacht im Krankenhaus bleiben würde. Ich wusste nicht, warum sie ihm das nicht selbst sagen konnte. Vielleicht ging ihr einfach zu viel durch den Kopf.

«Wie sieht er aus?»

«Ein bisschen besser als heute Morgen», sagte ich. «Er hat etwas getrunken, während ich dort war. Oh, und er hat eine von den Krankenschwestern angemotzt.»

«Immer noch so unmöglich wie eh und je.»

«Ja, immer noch so unmöglich wie eh und je.»

Einen Moment lang presste Mr. Traynor die Lippen zusammen, und seine Augen schimmerten feucht. Er wandte den Blick ab, sah aus dem Fenster, und dann schaute er wieder mich an. Ich weiß nicht, ob es ihm lieber gewesen wäre, ich hätte weggesehen.

«Das dritte Mal. In zwei Jahren.»

Ich brauchte einen Augenblick, bis ich verstand. «Die Lungenentzündung?»

Er nickte. «Scheußliche Sache. Er ist ziemlich tapfer, wissen Sie. Hinter all seiner Wut.» Er schluckte und nickte vor sich hin. «Es ist gut, dass Sie das sehen können, Louisa.»

Ich wusste nicht, was ich tun sollte. Ich streckte die Hand aus und berührte seinen Arm. «Ja, ich kann es sehen.»

Er nickte mir noch einmal knapp zu, dann nahm er seinen Hut von der Garderobe im Flur. Während er etwas murmelte, was ein Dank oder ein Abschied gewesen sein konnte, ging Mr. Traynor an mir vorbei und aus dem Haus.

Im Anbau war es ohne Will merkwürdig still. Mir wurde bewusst, wie sehr ich mich an das entfernte Geräusch seines Rollstuhlmotors gewöhnt hatte, wenn er hin und her fuhr, an seine leisen Gespräche mit Nathan im Nebenzimmer, an das Radio im Hintergrund. Jetzt war es im Anbau vollkommen ruhig und die Luft um mich wie ein Vakuum.

Ich packte eine Tasche mit allem, was er am nächsten Tag brauchen könnte, einschließlich frischer Kleidung, seiner Zahnbürste, Kamm und Medikamente, aber auch den Kopfhörer, falls es ihm gut genug ging, um Musik zu hören. Während ich das tat, musste ich eine boshafte Stimme in meinem Inneren niederkämpfen, die sagte: *So würde es sich anfühlen, wenn er tot wäre.* Um die Stimme zu übertönen, drehte ich das Radio auf, versuchte, Leben in den Anbau zu bringen. Ich räumte ein bisschen auf, bezog Wills Bett neu und pflückte im Garten ein paar Blumen, die ich ins Wohnzimmer stellte. Und dann, als ich mit allem fertig war, warf ich einen Blick auf den Tisch, auf dem die Unterlagen für die Reise lagen.

Ich würde mich am nächsten Tag durch den Papierkram arbeiten und alle Flüge, alle Ausflüge stornieren, die ich gebucht hatte. Es war nicht abzusehen, wann es Will gut genug gehen würde, um irgendetwas davon zu machen. Der Arzt hatte betont, wie wichtig es war, dass sich Will ausruhte, die Behandlung mit den Antibiotika ordentlich zu Ende führte und es warm und trocken hatte. Wildwasser-Rafting und Tiefseetauchen gehörten nicht zu seinem Erholungsprogramm.

Ich starrte meine Hefter an, all die Mühe und Arbeit und die vielen Überlegungen, die ich aufgewendet hatte, um sie zusammenzustellen. Ich starrte den Pass an, für den ich Schlange gestanden hatte, dachte an meine wachsende Aufregung, schon als ich nur im Zug nach London gesessen hatte, und zum ersten Mal, seit ich den Reiseplan in Angriff genommen hatte, verlor ich wirklich allen Mut. Wir hatten nur noch drei Wochen, und ich hatte versagt. Mein Vertrag würde enden, und ich hatte nichts getan, um Wills Einstellung spürbar zu verändern. Ich fürchtete mich davor, Mrs. Traynor zu fragen, wie wir jetzt weitermachen sollten. Ich fühlte mich auf einmal schrecklich überfordert. Ich saß in dem stillen Anbau am Küchentisch und vergrub das Gesicht in den Händen.

«'n Abend.»

Ich fuhr hoch. Nathan stand vor mir, füllte die Küche mit seinem kräftigen Körper. Er hatte seinen Rucksack über der Schulter.

«Ich wollte nur ein paar Medikamente bringen, damit sie schon da sind, wenn er zurückkommt. Alles ... okay?»

Ich wischte mir eilig über die Augen. «Klar. Sorry. Ich bin ... einfach ein bisschen down, weil ich das jetzt alles wieder stornieren muss.»

Nathan schwang seinen Rucksack von der Schulter und setzte sich mir gegenüber. «Das ist echt ein Scheiß.» Er nahm den Hefter und begann ihn durchzublättern. «Soll ich Ihnen morgen dabei helfen? Sie brauchen mich im Krankenhaus nicht, also könnte ich vormittags für eine Stunde vorbeikommen. Beim Telefonieren helfen.»

«Das ist nett. Aber danke. Ich komme schon klar. Vermutlich ist es sogar einfacher, wenn ich es alleine mache.»

Nathan kochte Tee, und wir tranken ihn am Tisch. Ich glaube, es war das erste Mal, dass Nathan und ich uns richtig unterhielten – zumindest ohne Will dabei. Er erzählte mir von einem früheren Patienten, einem C3/C4-Tetraplegiker mit einem Beatmungsgerät, der in der gesamten Zeit, in der Nathan für ihn arbeitete, mindestens einmal monatlich krank wurde. Er erzählte mir von Wills früheren Lungenentzündungen. An der ersten wäre er beinahe gestorben und hatte Wochen gebraucht, um sich wieder zu erholen.

«Er bekommt dann diesen Blick …», sagte er. «Wenn er richtig krank ist. Kann einem ziemlich Angst machen. Als ob er sich einfach … zurückzieht. Als ob er gar nicht da wäre.»

«Ich weiß. Ich hasse diesen Blick.»

«Er ist ein …», fing er an. Und dann ließ er auf einmal seinen Blick von mir wegwandern und klappte den Mund wieder zu.

So saßen wir, die Hände um die Teebecher gelegt, am Tisch. Aus dem Augenwinkel musterte ich Nathan. Sein freundliches, offenes Gesicht, das sich mit einem Mal verschlossen hatte. Und mir wurde klar, dass ich die Antwort auf die Frage, die ich ihm gleich stellen würde, schon kannte.

«Sie wissen es, oder?»

«Was?»

«Was … was er tun will.»

Das Schweigen im Raum war wie elektrisch aufgeladen.

Nathan betrachtete mich genau, als müsste er seine Antwort genau abwägen.

«Ich weiß es auch», sagte ich. «Ich soll es offiziell nicht wissen, aber ich weiß es. Darum ist es … darum ist es bei dieser Reise gegangen. Darum ist es bei all den Ausflügen gegangen. Damit habe ich versucht, ihn umzustimmen.»

Nathan stellte seinen Becher ab. «Ich habe mich schon gefragt», sagte er. «Sie haben gewirkt, als hätten Sie eine Mission zu erfüllen.»

«Hatte ich auch. Habe ich auch.»

Er schüttelte den Kopf. Ich wusste nicht, ob er mir damit sagen wollte, dass ich nicht aufgeben sollte oder dass ohnehin nichts zu ändern war.

«Was sollen wir jetzt machen, Nathan?»

Er dachte eine Weile nach, bevor er wieder etwas sagte. «Wissen Sie was, Lou? Ich mag Will wirklich. Es macht mir nichts aus, es Ihnen zu sagen: Ich liebe den Kerl. Ich bin jetzt zwei Jahre bei ihm. Ich habe ihn in seinen schlimmsten Momenten erlebt und an seinen guten Tagen, und alles, was ich sagen kann, ist, dass ich für kein Geld der Welt mit ihm tauschen würde.»

Er trank einen Schluck Tee. «Es hat Zeiten gegeben, in denen ich hier übernachtet habe, und er ist schreiend aufgewacht, weil er in seinen Träumen immer noch laufen und Ski fahren und alles mögliche andere konnte, und in diesen paar Minuten, wenn seine Abwehr unten ist und er die Träume noch frisch im Gedächtnis hat, dann kann er den Gedanken buchstäblich nicht ertragen, all das nie mehr tun zu können. Er kann es nicht ertragen. Ich habe dort bei ihm gesessen, und es gab nichts, was ich ihm hätte sagen können, nichts, was es irgendwie besser gemacht hätte. Er hat das beschissenste Blatt ausgeteilt bekommen, das man sich vorstellen kann. Und wissen Sie was? Als ich ihn gestern Abend gesehen und über sein Leben nachgedacht habe und darüber, wie es weitergehen wird … und obwohl es nichts gibt, was ich mir auf der Welt mehr wünschen würde, als dass dieser Typ glücklich wird, kann ich … ich kann ihn nicht für das verurteilen, was er vorhat. Es ist seine Entscheidung. Es sollte seine Entscheidung sein.»

Mir blieb fast die Luft weg. «Aber … aber das war früher. Alle haben gesagt, so war es, bevor ich da war. Er hat sich verändert. Er hat sich mit mir verändert, das stimmt doch, oder?»

«Ja, aber …»

«Aber wenn nicht einmal wir daran glauben, dass er sich besser fühlen kann, dass es ihm sogar wirklich besser gehen kann, wie soll er dann selbst daran glauben?»

Nathan stellte seinen Becher wieder ab. Er sah mir direkt in die Augen.

«Lou. Es wird ihm nie wieder besser gehen.»

«Das wissen Sie nicht.»

«Doch, das weiß ich. Falls es keinen enormen Durchbruch in der Stammzellenforschung gibt, hat Will noch ein Jahrzehnt im Rollstuhl vor sich. Mindestens. Er weiß das, auch wenn es seine Familie nicht zugibt. Und das ist nur die eine Hälfte des Problems. Mrs. T. will ihn um jeden Preis am Leben halten. Mr. T. findet, es gibt einen Punkt, an dem wir ihn selbst entscheiden lassen müssen.»

«Natürlich ist es seine Entscheidung, Nathan. Aber er muss wissen, was er für Möglichkeiten hat.»

«Will ist ein intelligenter Typ. Er weiß ganz genau, was er für Möglichkeiten hat.»

Meine Stimme erhob sich in dem kleinen Raum. «Nein. Das stimmt nicht. Wollen Sie mir wirklich sagen, er wäre noch in derselben Verfassung wie früher, bevor ich gekommen bin? Wollen Sie mir wirklich sagen, er hätte seine Einstellung kein bisschen verändert, seitdem ich hier bin?»

435

«Ich kann seine Gedanken nicht lesen, Lou.»

«Aber Sie wissen, dass ich seinen Standpunkt verändert habe.»

«Nein, Lou, ich weiß nur, dass er so ziemlich alles tun würde, um Sie glücklich zu machen.»

Ich starrte ihn an. «Sie glauben, er tut nur so als ob, um mich glücklich zu machen?» Ich war unheimlich wütend auf Nathan, wütend auf sie alle. «Und wenn Sie nicht glauben, dass das alles irgendetwas Gutes bewirken könnte, warum wollten Sie dann überhaupt mitkommen? Warum wollten Sie die Reise mitmachen? Für Sie war das einfach nur ein netter Urlaub, was?»

«Nein. Ich möchte, dass er weiterlebt.»

«Aber …»

«Aber ich möchte, dass er weiterlebt, wenn er es *selbst* will. Und wenn er das nicht will, wir ihn aber zum Weitermachen zwingen – dann sind Sie und ich, ganz egal, wie sehr wir ihn lieben, nur ein paar beschissene Leute mehr, die ihm seine Entscheidungsfreiheit verweigern.»

Nathans Worte hallten in der Stille nach. Ich wischte eine einzelne Träne von der Wange und versuchte, meinen Herzschlag zu beruhigen. Nathan, dem es offenbar peinlich war, dass ich weinte, kratzte sich abwesend am Hals, und dann, nach einer Minute, gab er mir ein Stück Küchenrolle.

«Das kann ich einfach nicht zulassen, Nathan.»

Er schwieg.

«Ich kann es nicht.»

Ich starrte meinen Pass auf dem Küchentisch an. Das Bild war furchtbar. Es sah aus, als wäre eine ganz andere Person darauf. Eine Person, deren Leben, deren ganze Art mit meiner überhaupt nichts zu tun hatte. Das brachte mich ins Grübeln.

«Nathan?»

«Ja?»

«Wenn ich eine andere Reise organisieren könnte, eine, mit der die Ärzte einverstanden sind, würden Sie dann immer noch mitkommen? Würden Sie mir immer noch helfen?»

«Klar würde ich.» Er stand auf, spülte seinen Becher und schwang sich den Rucksack über die Schulter. «Aber ehrlich gesagt, Lou, ich glaube, das schaffen nicht mal Sie.»

Kapitel 23

G enau zehn Tage später setzte uns Wills Vater am Flughafen Gatwick ab. Nathan hievte unsere Sachen auf eine Gepäckkarre, und ich fragte Will so oft, ob er es bequem hatte, bis
es ihm schließlich zu viel wurde.

«Passt auf euch auf. Und gute Reise», sagte Mr. Traynor und
legte Will die Hand auf die Schulter. «Mach nicht zu viel Unfug»,
fügte er hinzu und zwinkerte mir dabei doch tatsächlich zu.

Mrs. Traynor hatte sich nicht freinehmen können, um uns
zum Flughafen zu begleiten. Ich vermutete jedoch eher, dass sie
nicht zwei Stunden mit ihrem Mann im Auto sitzen wollte.

Will nickte, sagte aber nichts. Er war auf der Fahrt sehr
schweigsam gewesen, hatte mit seinem undurchdringlichen
Blick aus dem Fenster gesehen und Nathan und mich nicht beachtet, als wir über den Verkehr redeten und die Dinge, von
denen wir jetzt schon wussten, dass wir sie vergessen hatten.

Noch als wir durch das Flughafengebäude gingen, wusste ich
nicht, ob wir das Richtige taten. Mrs. Traynor war vollkommen
dagegen, dass Will wegfuhr. Aber ab dem Tag, an dem er meinem neuen Plan zugestimmt hatte, schien ihr der Mut zu fehlen,

ihm davon abzuraten. Sie schien in der ganzen letzten Woche vor der Reise zu ängstlich, um überhaupt mit uns zu sprechen. Sie saß schweigend bei Will und redete nur mit den Ärzten. Oder sie stürzte sich in ihren Garten und beschnitt die Pflanzen mit erschreckender Effizienz.

«Jemand von der Fluggesellschaft sollte sich mit uns treffen. Sie sollten hierherkommen und sich mit uns treffen», sagte ich auf dem Weg zum Check-in-Schalter, während ich durch meine Papiere blätterte.

«Immer mit der Ruhe. Sie werden wohl kaum jemanden vorn an der Tür postieren», sagte Nathan.

«Aber der Stuhl muss als ‹empfindliches medizintechnisches Gerät› transportiert werden. Das habe ich mit einer Frau am Telefon dreimal besprochen. Und wir müssen dafür sorgen, dass sie uns keine Probleme wegen all der Medikamente machen, die Will mit an Bord nimmt.»

Die Online-Rollstuhlfahrer-Gemeinde hatte mich mit Unmengen von Informationen versorgt, mit Warnungen, Rechtsbestimmungen und Checklisten. Daraufhin hatte ich mich bei der Fluggesellschaft mehrfach abgesichert, dass wir auch wirklich die Sitze ganz vorn bekommen würden, dass Will als Erster an Bord gehen durfte und dass er seinen eigenen Stuhl bis zum Gate behalten konnte. Dann würde Nathan den Joystick ausbauen und den Stuhl auf Handsteuerung umstellen, ihn sorgfältig verpacken und die Fußpedale feststellen. Anschließend würde er persönlich die Verladung überwachen, um Beschädigungen zu vermeiden. Der Stuhl würde einen rosa Anhänger bekommen, damit ihn die Leute von der Gepäckbeförderung mit besonderer Vorsicht behandelten. Wir hatten drei Sitze nebeneinander reserviert, sodass sich Nathan unauffällig um sämtliche eventuellen Probleme würde kümmern können. Die Frau von der Fluggesellschaft hatte mir versichert, dass die

Armstützen hochgeklappt werden konnten, sodass sie Wills Hüften nicht im Weg waren, wenn er von dem Transportrollstuhl auf den Sitz gehoben wurde. Wir würden ihn die ganze Zeit zwischen uns haben. Und wir wären die Ersten, die aus dem Flugzeug aussteigen durften.

All das stand auf meiner ‹Flughafen-Checkliste›. Das war das Blatt vor meiner ‹Hotel-Checkliste›, aber hinter dem Blatt mit meiner ‹Tag-bevor-wir-fahren-Checkliste› und dem Reiseplan. Trotz all dieser Absicherungen war mir richtig schlecht.

Jedes Mal, wenn ich Will ansah, fragte ich mich, ob ich das Richtige tat. Erst am Abend zuvor hatte Wills Arzt grünes Licht für die Reise gegeben. Er aß wenig und verbrachte die Tage meistens schlafend. Er schien nicht nur ermattet von seiner Erkrankung, sondern ausgelaugt vom Leben und ermüdet von unseren Einmischungen, unseren Versuchen, ihn in ein Gespräch zu verwickeln, unseren niemals endenden Bemühungen, ihm alles möglichst angenehm zu machen. Er tolerierte mich, aber ich hatte das Gefühl, dass er oft einfach allein gelassen werden wollte. Und das war das Einzige, was ich nicht für ihn tun konnte, aber das wusste er nicht.

«Da ist die Frau von der Fluggesellschaft», sagte ich, als eine uniformierte junge Frau mit einem Klemmbrett und einem strahlenden Lächeln entschlossen auf uns zukam.

«Die wird uns ja eine Riesenhilfe sein, wenn wir Will ins Flugzeug bringen», brummte Nathan. «Die sieht aus, als könnte sie nicht mal eine gefrorene Garnele hochheben.»

«Wir schaffen das», sagte ich. «Zusammen schaffen wir das schon.»

Das war mein Leitspruch geworden, seit ich auf den neuen Reiseplan gekommen war. Nach meinem Gespräch mit Nathan in der Küche hatte ich mir ein neues Ziel gesteckt, um ihnen allen zu beweisen, dass sie sich irrten. Nur weil wir die Reise nicht unternehmen konnten, die ich ursprünglich geplant hatte, bedeutete das noch nicht, dass Will überhaupt nichts machen konnte.

Ich loggte mich in die Foren ein und überschüttete die Online-Rollstuhlfahrer mit Fragen. Was wäre ein guter Ort, an dem sich ein ziemlich geschwächter Will erholen konnte? Wusste irgendwer, wohin wir fahren könnten? Die Temperatur bereitete mir das größte Kopfzerbrechen – das Wetter in England war zu wechselhaft (und es gab nichts Deprimierenderes als ein englisches Seebad bei Regen). In weiten Teilen Europas war es Ende Juli zu heiß, sodass Italien, Griechenland, Südfrankreich und andere Küstengebiete nicht in Frage kamen. Ich hatte eine genaue Vorstellung im Kopf. Ich sah Will vor mir, der sich am Meer entspannte. Das Problem war, dass ich nur ein paar Tage hatte, um zu planen und loszufahren, womit meine Chancen, die Reise zu verwirklichen, immer geringer wurden.

Die anderen drückten mir ihr Mitgefühl aus, und ich bekam viele, viele Berichte über Lungenentzündungen. Sie schien das Schreckgespenst zu sein, vor dem sich alle fürchteten. Ich bekam ein paar Reisevorschläge, aber keiner davon gefiel mir. Oder besser gesagt, es war keiner dabei, von dem ich glaubte, dass er Will gefallen würde. Ich wollte keine Kurkliniken oder andere Orte, an denen er Leuten begegnen würde, die in derselben Situation waren wie er. Ich wusste eigentlich nicht, was ich wollte, aber ich scrollte mich vorwärts und rückwärts durch die Vorschläge und wusste, dass keiner davon passte.

Es war schließlich Ritchie, der treue Chatroom-Besucher, der mir half. An dem Nachmittag, an dem Will aus dem Krankenhaus entlassen wurde, schrieb er:

Gib mir deine E-Mail-Adresse. Mein Cousin arbeitet im Reisebüro. Ich habe ihm gesagt, er soll sich was einfallen lassen.

Ich rief die Nummer an, die Ritchie mir schickte, und sprach mit einem Mann mittleren Alters und breitem Yorkshire-Dialekt. Als er mir sagte, was er sich vorstellte, klingelte es irgendwo in den Tiefen meiner Erinnerung. Und innerhalb von zwei Stunden hatten wir die Reise fertig geplant. Ich war ihm so dankbar, dass ich hätte heulen können.

«Gern geschehen, meine Liebe», sagte er. «Sorgen Sie einfach dafür, dass Ihr Freund eine gute Zeit hat.»

Bis wir losfuhren, war ich beinahe genauso erschöpft wie Will. Ich hatte Tage mit den Kleinigkeiten gekämpft, die es bei einer Reise mit einem Tetraplegiker zu bedenken galt, und bis zum Morgen unseres Fluges war ich nicht ganz überzeugt, dass es Will gut genug ging, um zu reisen. Und jetzt betrachtete ich ihn, wie er bleich und zurückgezogen zwischen unserem Gepäck in der trubeligen Flughafenhalle saß, und fragte mich erneut, ob ich einen Fehler machte. Ich bekam Panik. Was war, wenn er wieder krank wurde? Was, wenn er jede Sekunde auf dieser Reise hasste, so wie er die Pferderennbahn gehasst hatte? Was, wenn ich die ganze Situation falsch eingeschätzt hatte, und was, wenn Will überhaupt keine aufwendige Reise brauchte, sondern zehn Tage zu Hause in seinem Bett?

Aber wir hatten keine zehn Tage mehr übrig. Das war es jetzt. Das war meine letzte Chance.

«Sie rufen unseren Flug auf», sagte Nathan, als er vom Dutyfree zurückkam. Er sah mich an, hob eine Augenbraue, und ich atmete tief ein.

«Okay», antwortete ich. «Es geht los.»

Der Flug war trotz zwölf langer Stunden in der Luft nicht die Tortur, die ich gefürchtet hatte. Nathan erwies sich als sehr geschickt darin, Wills üblichen Katheterwechsel unter einer Decke vorzunehmen. Beim Einstieg waren die Flugbegleiter aufmerksam und diskret gewesen und vorsichtig mit dem Stuhl umgegangen. Will wurde wie versprochen als Erster ins Flugzeug und ohne Probleme zu seinem Sitz zwischen Nathan und mir gebracht.

Nach einer Stunde Flug fiel mir auf, dass Will über den Wolken, auf seinem zurückgelehnten Sitz und mit genügend Halt für den Körper, beinahe genauso aussah wie alle anderen Passagiere. Vor einem Bildschirm in 30 000 Fuß Höhe, wo man nicht viel tun oder irgendwohin gehen konnte, unterschied ihn kaum etwas von ihnen. Er aß und schaute sich einen Film an, und meistens schlief er.

Nathan und ich lächelten uns zögernd an und versuchten, uns zu benehmen, als wäre alles in Ordnung, alles gut. Ich sah aus dem Fenster, meine Gedanken so ungeordnet wie die ziehenden Wolken unter uns, und war noch nicht fähig zu realisieren, dass dies nicht einfach nur eine logistische Herausforderung für mich war, sondern auch ein Abenteuer – dass ich, Lou Clark, tatsächlich gerade auf die andere Seite der Welt flog. Ich konnte es mir nicht vorstellen. Ich konnte mir in diesem Moment überhaupt nichts vorstellen, was über Will hinausging. Ich fühlte mich wie meine Schwester nach Thomas' Geburt. «Es ist, als würde man durch einen Trichter schauen», hatte sie gesagt und ihren Neugeborenen angeschaut. «Die Welt ist auf ihn und mich zusammengeschrumpft.»

Sie hatte mir eine SMS geschrieben, als wir am Flughafen waren.

Du schaffst das. Ich bin verdammt stolz auf dich. xxx

Jetzt rief ich die SMS noch einmal auf, nur um sie anzuschauen. Und auf einmal war ich ganz gerührt. Vielleicht lag es an ihrer Wortwahl oder daran, dass ich müde und ängstlich war und es immer noch kaum glauben konnte, dass ich uns überhaupt so

443

weit gebracht hatte. Schließlich, um endlich meinen kreisenden Gedanken zu entkommen, schaltete ich den kleinen Bildschirm an und schaute, ohne recht hinzuschauen, ein paar amerikanische Comedy-Folgen, bis der Himmel um uns dunkel wurde.

Als ich wieder aufwachte, stand die Stewardess mit dem Frühstück vor uns, Will redete mit Nathan über einen Film, den sie gerade zusammen gesehen hatten, und wir waren – erstaunlicherweise und allen Widrigkeiten zum Trotz – nur noch eine Stunde von Mauritius entfernt.

Erst als wir schließlich auf dem Sir Seewoosagur Ramgoolam International Airport landeten, begann ich langsam zu begreifen, dass das hier tatsächlich passierte. Ziemlich erledigt und steif von dem langen Flug kamen wir durch die Ankunftshalle, und ich hätte schluchzen können vor Erleichterung, als ich das Spezialtaxi des Reiseveranstalters entdeckte. An diesem ersten Morgen, als der Fahrer mit uns zu dem Resort raste, bekam ich wenig von der Insel mit. Es stimmte, die Farben schienen strahlender als in England, der Himmel leuchtete in einem Azurblau, das immer tiefer und tiefer wurde bis zur Unendlichkeit. Ich sah, dass die Insel mit üppigem Grün bewachsen war, mit Zuckerrohrplantagen durchsetzt, und das Meer wie ein Streifen Quecksilber zwischen den Vulkanhügeln aufblitzte. In der Luft hing ein rauchiger, würziger Geruch, und die Sonne stand so hoch am Himmel, dass ich in ihrem gleißenden Licht blinzeln musste. In meinem erschöpften Zustand kam ich mir vor, als hätte mich jemand auf den Seiten einer Hochglanzzeitschrift aufgeweckt.

Doch als sich meine Sinne an die neuen Eindrücke gewöhnt hatten, schaute ich immer wieder zu Will hinüber. Sein Gesicht war blass und müde, sein Kopf merkwürdig tief zwischen die Schultern gesunken. Und dann fuhren wir in eine palmengesäumte Auffahrt, hielten vor einem niedrigen Gebäude aus

444

Holz, und schon war der Fahrer ausgestiegen, um unser Gepäck auszuladen.

Wir lehnten den Eistee und eine Führung über das Hotelgelände ab und gingen stattdessen sofort in Wills Zimmer, stellten seine Taschen ab, legten ihn ins Bett, und beinahe bevor wir die Vorhänge zugezogen hatten, schlief er schon wieder. Wir waren angekommen. Ich hatte es geschafft. Ich stand vor Wills Zimmer auf der Veranda, erlaubte es mir endlich, tief auszuatmen, während Nathan durchs Fenster die weiße Brandung über einem Korallenriff betrachtete. Ich weiß nicht, ob es an der Reise lag oder daran, dass es der schönste Ort war, den ich je gesehen hatte, aber auf einmal war ich den Tränen nah.

«Es ist alles okay», sagte Nathan, der meinen Gesichtsausdruck gesehen hatte. Und dann, vollkommen unerwartet, kam er zu mir heraus und zog mich in eine feste Umarmung. «Lou. Entspannen Sie sich, Lou. Alles wird gut. Wirklich. Das haben Sie sehr gut gemacht.»

Es dauerte fast drei Tage, bis ich anfing, ihm zu glauben. Will verschlief die ersten achtundvierzig Stunden – und dann begann er erstaunlicherweise immer besser auszusehen. Seine Haut bekam wieder Farbe, und die bläulichen Schatten unter seinen Augen verschwanden. Seine Krämpfe ließen nach, und er begann wieder zu essen, rollte langsam an dem endlosen, extravaganten Buffet entlang und sagte mir, was er haben wollte. Ich wusste, dass er sich mehr wie sein eigenes Selbst fühlte, wenn er mich dazu drängte, Sachen zu probieren, die ich sonst niemals gegessen hätte – scharfe, kreolische Currys und Meeresfrüchte, deren Namen ich nicht kannte. Schnell schien er sich an diesem Ort viel mehr zu Hause zu fühlen als ich. Und das war auch kein Wunder. Ich dachte daran, dass dies für die meiste Zeit seines Lebens Wills Domäne gewesen war – dieser Globus, diese langen Strände –, nicht der kleine Anbau im Schatten der Burg.

Das Hotel hatte wie versprochen einen Rollstuhl mit extrabreiten Reifen zur Verfügung gestellt, und an den meisten Vormittagen hob Nathan Will hinein, und wir gingen zu dritt an den Strand. Für den Fall, dass die Sonne zu stark herunterbrannte, hatte ich einen Sonnenschirm dabei, um ihn über Will aufzuspannen. Aber so war es nie. Dieser südliche Teil der Insel war für seine Seebrisen bekannt, und außerhalb der Saison stiegen die Temperaturen selten über fünfundzwanzig Grad. Wir hielten an einem kleinen Strand in der Nähe einer Felsnase, gerade eben außer Sicht des Hotelgebäudes. Ich stellte meinen Klappstuhl auf, und von unserem Platz am Strand aus sahen wir Nathan zu, der sich im Windsurfen oder Wasserski versuchte – begleitet von unseren ermutigenden oder spöttischen Rufen.

Zuerst wollten die Hotelangestellten beinahe zu viel für Will tun, sie boten an, seinen Stuhl zu schieben, und drängten ihm ständig kühle Getränke auf. Wir erklärten ihnen, dass wir so viel Aufmerksamkeit nicht brauchten, und sie zogen sich freundlich zurück. Es war trotzdem ein gutes Gefühl, wenn ich gerade nicht bei ihm war, Hotelpagen oder Leute von der Rezeption bei ihm stehen bleiben zu sehen, die ein bisschen mit ihm plauderten oder ihm Ausflugstipps gaben. Ein schlaksiger junger Mann, Nadil, schien sich als Wills inoffizieller Pfleger zu betrachten, wenn Nathan nicht in der Nähe war. Eines Tages entdeckte ich ihn und einen Freund, wie sie Will aus seinem Stuhl auf eine gepolsterte Sonnenliege hoben, die sie unter «unserer» Palme aufgestellt hatten.

«Das ist besser», sagte er und hob den Daumen, als ich über den Strand auf ihn zukam. «Rufen Sie einfach, wenn Mr. Will wieder in seinen Stuhl möchte.»

Ich wollte anfangen zu schimpfen und ihnen sagen, sie hätten ihn nicht bewegen dürfen, aber Will hatte die Augen geschlossen und lag so zufrieden da, dass ich den Mund wieder zuklappte und nickte.

Als meine Sorgen um Wills Gesundheit langsam verebbt waren, begann ich zu ahnen, dass ich im Paradies gelandet war. Ich hatte mir nie im Leben vorgestellt, an einen Ort wie diesen zu kommen. Jeden Morgen wachte ich zu dem Geräusch der Wellen auf, die sanft auf den Strand liefen, unbekannte Vögel sangen in den Bäumen. Ich ließ meinen Blick über die Zimmerdecke wandern, auf der Schatten und Licht spielten, weil vor dem Fenster die Sonnenstrahlen durchs Blattwerk fielen, und aus dem Nebenzimmer drang gedämpfte Unterhaltung zu mir, die mir verriet, dass Will und Nathan schon lange vor mir aufgewacht waren. Ich zog Sarongs und Schwimmsachen an und genoss das Gefühl der wärmenden Sonne auf Schultern und Rücken. Ich bekam Sommersprossen, meine Nägel bleichten aus, und ich empfand ein großes Glücksgefühl bei den kleinsten Dingen – dabei, am Strand spazieren zu gehen, unbekanntes Essen zu probieren, von scheuen schwarzen Fischen unter Vulkanfelsen heraus beobachtet in dem warmen, klaren Wasser zu schwimmen oder die Sonne feuerrot hinter dem Horizont versinken zu sehen. Langsam fiel die Anspannung der letzten Monate von mir ab. Zu meiner Schande muss ich gestehen, dass ich kaum je an Patrick dachte.

Unser Tagesablauf spielte sich ein. Wir frühstückten zu dritt an einem der Tische, die um den Pool im Schatten standen. Will nahm gewöhnlich Obstsalat, den ich ihm mit der Hand fütterte, manchmal gefolgt von einem Bananenpfannkuchen, wenn er mehr Appetit hatte. Anschließend gingen wir an den Strand, wo ich las und Will Musik hörte, während Nathan Wassersport machte. Will sagte ständig, ich solle auch etwas versuchen, aber ich lehnte ab. Ich wollte einfach nur in seiner Nähe sein. Als

Will beharrlich blieb, machte ich einen Vormittag Windsurfing und paddelte in einem Kajak, aber am liebsten hing ich einfach nur neben ihm herum.

Manchmal, wenn Nadil in der Nähe und im Resort nichts los war, trugen Nathan und er Will in das warme Wasser des kleineren Pools. Nathan hielt Will unter dem Kopf fest, sodass er auf dem Wasser treiben konnte. Will sagte dabei nicht viel, aber es schien ihn eine stille Zufriedenheit zu erfüllen, als würde sich sein Körper an lange vergessene Empfindungen erinnern. Sein langer, bleicher Oberkörper wurde goldbraun. Seine Narben bekamen einen silbernen Schimmer und verblassten. Er fühlte sich wohl dabei, ohne Hemd in der Sonne zu sitzen.

Zur Mittagszeit gingen wir in eines der drei Restaurants, die das Resort zu bieten hatte. Überall auf dem Gelände gab es geflieste Wege mit nur wenigen Stufen und Schrägen, sodass sich Will mit seinem Rollstuhl allein fortbewegen konnte. Es war vielleicht nur eine Kleinigkeit, aber dass er sich etwas zu trinken besorgen konnte, ohne dass einer von uns ihn begleiten musste, bedeutete weniger eine Erholung für Nathan und mich als für Will eine kurze Auszeit von der dauernden Frustration, vollständig von anderen Menschen abhängig zu sein. Nicht dass einer von uns viel zu tun gehabt hätte. Es war, als tauchte überall, ganz gleich, wo man sich aufhielt, am Pool oder im Wellnessbereich, ein lächelnder Hotelangestellter auf, um einem ein üblicherweise mit einer duftenden rosa Blüte geschmücktes Getränk zu reichen, das man jetzt möglicherweise gerne hätte. Selbst wenn man am Strand lag, kam ein kleiner Wagen vorbei, und ein lächelnder Kellner bot Wasser, Obstsaft oder etwas Stärkeres an.

Nachmittags, wenn es am wärmsten war, kehrte Will in sein Zimmer zurück und schlief ein paar Stunden. Ich schwamm im

Pool oder las, und abends trafen wir uns wieder zum Essen in dem Restaurant an der Strandseite. Ich hatte meine Vorliebe für Cocktails schnell entdeckt. Nadil fand heraus, dass er zur Erfüllung von Wills Getränkewünschen weder mich noch Nathan brauchte, wenn er einen geeigneten Strohhalm heraussuchte und das Getränk in einem hohen Glas in die Halterung stellte. Wenn es dunkel wurde, unterhielten wir uns zu dritt über unsere Kindheit, unsere ersten Freunde und Freundinnen, unsere ersten Jobs, unsere Familien und andere Urlaube, die wir schon gemacht hatten. Und langsam sah ich Will wieder auftauchen.

Nur dass dieser Will anders war. Dieser Ort schien ihm einen Frieden zu schenken, der ihm die gesamte Zeit gefehlt hatte, in der ich ihn kannte.

«Es geht ihm richtig gut, was?», sagte Nathan, als wir uns am Buffet trafen.

«Ja, kommt mir auch so vor.»

«Wissen Sie was …», Nathan beugte sich zögernd zu mir herunter, weil er fürchtete, Will könnte sehen, dass wir über ihn redeten, «… ich glaube, diese Ranch und all die Actionsachen wären toll gewesen. Aber wenn ich ihn jetzt so anschaue, glaube ich, dass ihm das hier viel mehr bringt.»

Ich sagte ihm nicht, was ich am ersten Tag entschieden hatte, als wir uns an der Rezeption anmeldeten – als sich vor lauter Sorgen mein Magen verkrampfte und ich schon ausrechnete, wie viele Tage genau übrig waren, bis wir wieder wegfuhren. Ich hatte mir fest vorgenommen, an keinem dieser zehn Tage daran zu denken, warum wir eigentlich hier waren – den Sechsmonatsvertrag, meinen sorgfältig beschrifteten Kalender, alles, was davor gewesen war. Ich musste einfach den Augenblick leben und versuchen, auch Will dazu zu bringen. Ich musste glücklich sein, in der Hoffnung, dass Will es auch war.

Ich nahm mir noch einen Melonenschnitz und lächelte. «Und,

was machen wir nachher? Gehen wir zum Karaoke? Oder haben sich Ihre Ohren noch nicht von gestern Abend erholt?»

Am vierten Abend verkündete Nathan ohne große Verlegenheit, dass er eine Verabredung hatte. Karen war ebenfalls Neuseeländerin, wohnte im Nachbarhotel, und er hatte sich mit ihr zu einem Stadtbummel verabredet.

«Nur zur Sicherheit, verstehen Sie?», sagte er zu Will. «Ich weiß nicht, ob sie dort allein herumlaufen kann. Vielleicht ist das zu gefährlich.»

«Ja, verstehe», sagte Will und nickte weise mit dem Kopf. «Das ist sehr ritterlich von Ihnen, Nathan.»

«Ich finde das auch sehr verantwortungsbewusst. Sehr umsichtig», stimmte ich zu.

«Ich habe Nathan schon immer für seine Selbstlosigkeit bewundert. Besonders, wenn es um das schönere Geschlecht geht.»

«Sie können mir alle beide gestohlen bleiben», sagte Nathan grinsend und verschwand.

Karen wurde schnell zur festen Größe. Nathan ging an den meisten Abenden mit ihr aus, und obwohl er für Wills abendliches Pflegeprogramm zurückkam, ließen wir ihm stillschweigend so viel Zeit wie möglich, um sich zu vergnügen.

Und heimlich freute ich mich richtig darüber. Ich mochte Nathan, und ich war ihm dankbar, dass er mitgekommen war, aber ich war trotzdem lieber mit Will allein. Mir gefiel die Direktheit, die sich einstellte, wenn niemand anderes da war, die ungezwungene Vertrautheit, die zwischen uns entstanden war. Ich mochte die Art, auf die er seinen Kopf drehte und mich amüsiert anschaute, als hätte ich seine Erwartungen übertroffen.

Am vorletzten Abend fragte ich Nathan, ob er Karen nicht

mit in unser Resort bringen wollte. Er hatte mehrere Nächte in ihrem Hotel verbracht, und ich wusste, dass es umständlich für ihn war, wenn er zwanzig Minuten hin- und zwanzig Minuten zurücklaufen musste, um Will ins Bett zu bringen.

«Mir macht es jedenfalls nichts aus. Wenn Sie dadurch … na ja … ein bisschen mehr Privatsphäre haben.»

Er freute sich, träumte schon von dem schönen Abend, den er genießen würde, und hatte für mich nur noch ein «Danke, das ist echt super» übrig.

«Nett von dir», sagte Will, als ich es ihm erzählte.

«Nett von dir, meinst du», sagte ich. «Es ist dein Zimmer, das ich der Sache geopfert habe.»

An diesem Abend gingen wir in mein Zimmer, und Nathan half Will ins Bett und gab ihm seine Medikamente, während Karen in der Bar wartete. Ich zog mich im Badezimmer um, kam dann im T-Shirt wieder heraus und ging mit meinem Kissen unterm Arm zum Sofa. Ich spürte Wills Blick auf mir und war auf einmal merkwürdig unsicher für jemanden, der beinahe die gesamte vergangene Woche in einem Bikini vor ihm herumgelaufen war. Ich schüttelte das Kissen auf und legte es auf die Sofalehne.

«Clark?»

«Was ist?»

«Du musst wirklich nicht da drüben schlafen. Dieses Bett ist groß genug für eine ganze Fußballmannschaft.»

Die Sache ist die – ich dachte eigentlich gar nicht weiter darüber nach. So war es eben inzwischen. Vielleicht hatten uns die Tage, die wir halb nackt am Strand verbracht hatten, alle ein bisschen lockerer werden lassen. Vielleicht war es das Bewusstsein, dass Nathan und Karen nebenan waren, sich umschlangen, einen Kokon bildeten, der die ganze übrige Welt ausschloss. Vielleicht wollte ich aber auch einfach nur ganz nahe bei ihm sein. Also ging ich zum Bett und zuckte auf einmal zusammen, weil es gedonnert hatte. Nebenan hörten wir Nathan und Karen lachen.

Ich ging zum Fenster und zog die Vorhänge zurück, spürte den kühlen Wind, den schlagartigen Rückgang der Temperatur. Über dem Meer war Sturm aufgezogen. Dramatisch gezackte Blitze erhellten für Bruchteile von Sekunden den Himmel, und dann, wie ein nachträglicher Einfall, trommelte ein schwerer Wolkenbruch auf das Dach herab, so laut, dass er zunächst jedes andere Geräusch übertönte.

«Ich schließe besser die Läden», sagte ich.

«Nein, tu das nicht.»

Ich drehte mich zu ihm um.

«Mach die Türen auf.» Will nickte zu den Türen. «Ich will es sehen.»

Ich zögerte, dann öffnete ich die Glastüren, die zur Veranda führten. Der Regen peitschte auf den Hotelkomplex herunter, triefte von unserem Dach, ließ Bäche von unserer Veranda Richtung Meer fließen. Ich spürte die Feuchtigkeit auf meinem Gesicht, die elektrische Spannung in der Luft. Die Härchen auf meinen Armen standen kerzengerade hoch.

«Spürst du es?», fragte er hinter mir.

«Es ist der reinste Weltuntergang.»

Ich stand an der Tür, ließ die Spannung durch mich fließen, die weißen Blitze Abdrücke in meinem Sichtfeld hinterlassen. Es war atemberaubend.

Ich drehte mich wieder um, ging zu Will hinüber und setzte mich auf die Bettkante. Er sah mich an, und ich beugte mich vor und zog seinen sonnengebräunten Hals sanft in meine Richtung. Ich wusste jetzt, wie ich ihn bewegen musste, wie ich sein Gewicht, seinen Körper dabei einsetzen konnte. Während ich ihn an mich drückte, beugte ich mich über ihn, legte ein dickes, weißes Kissen unter seine Schultern und ließ ihn dann zurücksinken. Er roch nach der Sonne, als wäre sie in seine Haut eingesickert, und ich atmete seinen Geruch tief ein, als wäre er ein köstliches Gericht.

Dann, immer noch ein bisschen feucht, legte ich mich neben ihn, so dicht, dass ich mit den Beinen seine berührte, und gemeinsam schauten wir hinaus auf die blauweißen Strahlen der Blitze, die ins Meer einschlugen, auf die silbrigen Regenkaskaden, auf die sanft bewegte türkise Masse, die nur hundert Meter vor uns lag.

Die Welt um uns schrumpfte zusammen, bis nur noch die Geräusche des Sturms, das violette, blauschwarze Meer und die zarten Vorhänge übrig waren, die der Wind aufblähte. Ich roch den Lotusblütenduft im Abendwind, hörte in der Entfernung Gläser klirren und hastig zurückgeschobene Stühle, Musik von einem weit entfernten Fest, fühlte die Spannung der entfesselten Natur. Ich tastete nach Wills Hand und nahm sie in meine. Kurz dachte ich, dass ich mich nie mehr so intensiv mit der Welt und einem anderen menschlichen Wesen verbunden fühlen würde wie in diesem Moment.

«Nicht schlecht, was, Clark?», sagte Will in das Schweigen. Im Angesicht des Sturms war sein Gesicht ruhig und entspannt. Er drehte mir kurz den Kopf zu und lächelte mich an, und da stand etwas in seinen Augen, etwas Triumphierendes.

«Nein», sagte ich. «Gar nicht mal so schlecht.»

Dann lag ich ruhig neben ihm, hörte zu, wie sein Atem langsamer und tiefer wurde, untermalt von den Geräuschen des Regens, und spürte seine warmen Finger zwischen meinen. Ich wollte nicht nach Hause fahren. Am liebsten wäre ich nie mehr nach Hause gefahren. Hier waren Will und ich in Sicherheit, eingeschlossen in unser kleines Paradies. Jedes Mal, wenn ich an die Rückreise nach England dachte, griff mir die Angst mit ihrer Klauenhand in den Magen und wollte nicht mehr loslassen.

Alles wird gut. Ich versuchte, mich mit Nathans Worten zu beruhigen. *Alles wird gut.*

Schließlich drehte ich mich auf die Seite, weg vom Meer, und schaute Will an. Er drehte den Kopf, um in dem dämmrigen Licht meinen Blick zu erwidern, und ich spürte, dass er mir dasselbe sagte: *Alles wird gut.* Zum ersten Mal in meinem Leben versuchte ich, nicht über die Zukunft nachzudenken. Ich versuchte einfach nur zu sein, die Empfindungen dieses Abends durch meinen Körper wandern zu lassen. Ich kann nicht sagen, wie lange wir so nebeneinanderlagen und uns ansahen, aber irgendwann wurden Wills Augenlider schwer, bis er entschuldigend murmelte, es könnte sein, dass er gleich … Seine Atemzüge wurden länger, er glitt in den Schlaf hinüber, und dann sah nur noch ich ihn an, betrachtete seine Wimpern, die sich an den Augenwinkeln zu kleinen Spitzen formten, und die Sommersprossen auf seiner Nase.

Ich sagte mir, dass ich recht haben musste. Ich musste recht haben.

Der Sturm hatte sich irgendwann nach ein Uhr morgens endlich ausgetobt, war hinaus aufs Meer gezogen, seine wütenden Blitze wurden schwächer und verschwanden schließlich ganz auf ihrem Weg zum nächsten unbekannten Ort, über dem sie ihre Wettertyrannei niedergehen lassen würden. Langsam beruhigte sich die Atmosphäre um uns, die Vorhänge hingen wieder still herunter, gurgelnd versickerte das letzte Wasser. Irgendwann gegen Morgen stand ich auf, nachdem ich meine und Wills Finger behutsam voneinander gelöst hatte, und schloss die Fenstertüren, sodass es im Zimmer ganz ruhig wurde. Will schlief – einen tiefen, friedlichen Schlaf, den er zu Hause kaum je hatte.

Ich schlief nicht. Ich lag neben ihm, sah ihn an und versuchte, an nichts zu denken.

Am letzten Tag passierten zwei Dinge. Erstens erklärte ich mich unter Wills Druck bereit, einen Tauchversuch zu machen. Er hatte mich schon seit Tagen bearbeitet, gesagt, ich könne unmöglich diese weite Reise machen, ohne die Unterwasserwelt kennenzulernen. Beim Windsurfen hatte ich mich als hoffnungsloser Fall erwiesen. Ich hatte es kaum geschafft, mein Segel aus dem Wasser zu ziehen, und beim Wasserski war ich die meiste Zeit mit dem Kopf durch die Bucht gepflügt. Aber er blieb hartnäckig, und am Vortag war er beim Mittagessen mit der Nachricht aufgetaucht, dass er für mich einen halbtägigen Anfänger-Tauchkurs gebucht hatte.

Es fing überhaupt nicht gut an. Will und Nathan saßen am Pool, während mein Tauchlehrer mich davon zu überzeugen versuchte, dass ich unter Wasser weiteratmen konnte, aber mit den beiden als Zuschauern klappte bei mir überhaupt nichts. Ich bin nicht dumm – ich hatte verstanden, dass die Sauerstoffflaschen auf meinem Rücken meine Atmung weiterarbeiten ließen und ich nicht ertrinken würde –, aber jedes Mal, wenn ich untertauchte, bekam ich Panik und schoss wieder nach oben. Es war, als würde sich mein Körper weigern zu glauben, dass er unter mehreren tausend Kubiklitern von Mauritius' edelstem Chlorwasser weiteratmen konnte.

«Ich glaube, das hat keinen Zweck», sagte ich, als ich das siebte Mal prustend auftauchte.

James, mein Tauchlehrer, ließ seinen Blick zwischen mir, Will und Nathan herumwandern.

«Ich kann es nicht», sagte ich schlecht gelaunt. «Das bin ich einfach nicht.»

James drehte den beiden Männern den Rücken zu, tippte mir

auf die Schulter und zeigte zum offenen Wasser. «Manche Leute finden es da draußen einfacher», sagte er leise.

«Im Meer?»

«Manche Leute kommen besser klar, wenn sie einfach ins kalte Wasser geworfen werden. Kommen Sie. Wir fahren ein Stück mit dem Boot raus.»

Fünfundvierzig Minuten später bewunderte ich unter Wasser die bunte Landschaft, die ich noch nie gesehen hatte. Ich vergaß, Angst zu haben, dass meine Sauerstoffmaske kaputtgehen und ich gegen jede Wahrscheinlichkeit auf den Grund sinken könnte, wo ich einen nassen Tod sterben würde, ich vergaß sogar, überhaupt Angst zu haben. Die Geheimnisse einer neuen Welt nahmen mich völlig gefangen. In der Stille, die nur von dem übertriebenen *Oosch Schschoo* meines eigenen Atems unterbrochen wurde, beobachtete ich Schwärme winziger, schillernder Fische und größere schwarze und weiße Fische, die mich mit ausdruckslosen Gesichtern anstarrten, umwogt von sanft schwankenden Anemonen, die in der leichten Strömung das Wasser nach ihrer unsichtbar kleinen Beute durchfilterten. Ich sah Landschaften, die doppelt so bunt und abwechslungsreich waren wie an Land. Ich sah Höhlen und Mulden, in denen unbekannte Wesen lauerten, Umrisse in der Entfernung, die in den Sonnenstrahlen unter der Wasseroberfläche schimmerten. Ich wollte nicht mehr auftauchen. Ich hätte für immer dort unten bleiben können, in dieser schweigenden Welt. Erst als James anfing, auf die Anzeige seiner Sauerstoffflasche zu zeigen, sah ich ein, dass ich keine Wahl hatte.

Ich konnte kaum sprechen, als ich schließlich strahlend über den Strand auf Will und Nathan zuging. In meinem Kopf vibrierten noch all die Bilder, die ich gesehen hatte, und meine Gliedmaßen schienen mich immer noch durchs Wasser zu schieben.

«War gut, was?», sagte Nathan.

«Warum hast du mir nie etwas davon erzählt?», schrie ich Will an und schleuderte meine Flipflops vor ihm in den Sand. «Warum hast du nicht dafür gesorgt, dass ich das früher mache? All das! Es war alles da, die ganze Zeit! Direkt vor meiner Nase!»

Will sah mich ruhig an. Zuerst sagte er nichts, aber auf seinem Gesicht breitete sich ein Lächeln aus. «Ich weiß auch nicht, Clark. Manche Leute wollen sich einfach nichts sagen lassen.»

Am letzten Abend betrank ich mich. Es lag nicht nur daran, dass wir am nächsten Tag abreisen würden. Sondern es war das erste Mal, dass ich wirklich das Gefühl hatte, es ginge Will gut und ich könnte mich gehenlassen. Ich trug ein weißes Baumwollkleid (ich war inzwischen braun geworden, sodass ich in einem weißen Kleidungsstück nicht mehr automatisch wie eine Tote im Leichentuch aussah) und ein Paar silberne Riemchensandalen, und als mir Nadil eine scharlachrote Blüte gab und mir zeigte, wie ich sie in meinem Haar befestigen sollte, machte ich mich nicht über ihn lustig, wie ich es eine Woche zuvor vermutlich noch getan hätte.

«Oho. Hallo, Carmen Miranda», sagte Will, als ich ihn und Nathan in der Bar traf. «Da sieht aber mal jemand glamourös aus.»

Ich wollte schon eine sarkastische Antwort geben, als ich realisierte, dass er mich mit echter Freude ansah.

«Danke», sagte ich. «Du siehst auch nicht übel aus.»

Im Hauptgebäude der Hotelanlage gab es an der Bar einen Discoabend, und wir gingen kurz vor zehn Uhr – als Nathan aufgebrochen war, um sich mit Karen zu treffen – zum Strand hinunter, die Musik in den Ohren und meine Bewegungen durch einen angenehmen Schwips nach drei Cocktails leicht verlangsamt.

Oh, wie war das schön dort unten. Es war eine warme Nacht, der Wind trug die Gerüche von fernen Barbecues zu uns, von warmem Öl auf Haut, von salzigem Tang. Will und ich blieben in der Nähe unserer Lieblingspalme stehen. Jemand hatte am Strand ein Lagerfeuer gemacht, vielleicht um zu kochen, und davon war nichts mehr übrig als ein Häuflein glühender Holzscheite.

«Ich will nicht nach Hause», sagte ich in die Dunkelheit.

«Hier geht man nicht leicht weg.»

«Ich dachte, solche Orte gibt es nur im Film», sagte ich und drehte mich zu ihm um. «Ehrlich gesagt, frage ich mich langsam, ob du mir auch über all die anderen Sachen die Wahrheit gesagt hast.»

Er lächelte. Sein ganzes Gesicht wirkte entspannt und glücklich, und um seine Augen vertieften sich die Lachfältchen, als er mich ansah. Ich erwiderte seinen Blick zum ersten Mal, ohne dass eine gewisse Furcht an mir nagte.

«Du bist froh, dass du hierhergekommen bist, oder?», sagte ich zögernd.

Er nickte. «Allerdings.»

«Hah!» Ich reckte meine Faust in die Luft.

Und dann, als jemand die Musik an der Bar lauter drehte, schleuderte ich meine Schuhe weg und begann zu tanzen. Es klingt dumm – bei jeder anderen Gelegenheit wäre es mir peinlich gewesen. Aber dort, in der tintenblauen Dunkelheit, halb betrunken vor Schlafmangel, mit dem Lagerfeuer und dem endlosen Meer und dem unendlichen Firmament, mit der Musik in den Ohren und dem lächelnden Will, platzte mein Herz beinahe vor etwas, das ich nicht genau beschreiben konnte, und ich musste einfach tanzen. Ich tanzte, lachte unbeschwert, und es war mir egal, ob uns jemand sah. Ich spürte Wills Blick auf mir, und ich wusste, dass er es auch wusste: Dies war die einzig mögliche Reaktion auf die letzten zehn Tage. Verdammt, auf die letzten sechs Monate.

Das Lied endete, und ich ließ mich atemlos neben ihn in den Sand fallen.

«Du ...», sagte er.

«Was?» Ich lächelte ihn an. Ich fühlte mich schwerelos, wie elektrisiert. Ich wusste kaum noch, was ich tat.

Er schüttelte den Kopf.

Ich stand langsam auf, ging dicht an seinen Stuhl, und dann glitt ich auf seinen Schoß, sodass mein Gesicht nur noch ein paar Zentimeter von seinem entfernt war. Nach dem Abend zuvor erschien mir das als gar keine so große Besonderheit mehr.

«Du ...» Der Blick seiner blauen Augen, die im Schein des Lagerfeuers glitzerten, versenkte sich in meinen. Er roch nach Sonne und Feuerrauch und nach etwas Scharfem, Zitronigem.

Ich spürte etwas tief in mir schmelzen.

«Du ... bist etwas ganz Besonderes, Clark.»

Ich tat das Einzige, was mir in den Sinn kam. Ich beugte mich vor und legte meine Lippen auf seine. Er zögerte, nur einen Augenblick lang, und dann küsste er mich. Und für einen Moment vergaß ich alles – die tausend Gründe, aus denen ich das nicht tun sollte, meine Ängste, der Grund, aus dem wir hier waren. Ich küsste ihn, atmete den Geruch seiner Haut ein, spürte sein weiches Haar unter meinen Fingerspitzen, und als er meinen Kuss erwiderte, verschwand alles andere, und es gab nur noch Will und mich, auf einer Insel mitten im Nirgendwo, unter Myriaden funkelnder Sterne.

Und dann zog er sich zurück. «Ich ... es tut mir leid. Nein, ich ...»

Ich öffnete die Augen. Ich hob eine Hand zu seinem Gesicht und folgte der Form seiner wunderschönen Wangenknochen.

Ich spürte ganz schwach die Rauheit winziger Salzkristalle auf seiner Haut. «Will …», begann ich. «Du kannst das tun. Du …»

«Nein.» Ein Hauch Schärfe lag in diesem Wort. «Ich kann nicht.»

«Das verstehe ich nicht.»

«Ich will damit nicht anfangen.»

«Mmm … ich glaube, du hast schon damit angefangen.»

«Ich kann das nicht tun, weil ich nicht …» Er schluckte. «Ich kann nicht der Mann sein, der ich mit dir sein will. Und das heißt, dass das hier …», er sah mir ins Gesicht, «… das hier nur zu einer weiteren Erinnerung an das wird, was ich nicht mehr bin.»

Ich löste die Hand nicht von seinem Gesicht. Ich lehnte meine Stirn an seine, sodass sich unser Atem vermischte, und ich sagte ganz leise: «Es ist mir egal, was du … was du denkst, dass du nicht kannst. Es gibt nicht nur Schwarz und Weiß. Wirklich … ich habe mit anderen Leuten in der gleichen Situation gesprochen, und … und es gibt Möglichkeiten. Es gibt Wege, wie wir beide glücklich sein können …» Ich hatte angefangen zu stottern. Ich war verlegen bei diesem Gespräch. Dann sah ich ihm in die Augen. «Will Traynor», sagte ich sanft, «ich sage dir, was wir tun können …»

«Nein, Clark …», setzte er an.

«Ich glaube, wir können alles Mögliche tun. Ich weiß, dass das keine von den üblichen Liebesgeschichten ist. Ich weiß, dass es unheimlich viele Gründe gibt, aus denen ich nicht einmal sagen sollte, was ich sage. Aber ich liebe dich. Wirklich. Ich wusste es, als ich Patrick verlassen habe. Und ich glaube, dass du mich auch ein bisschen liebst.»

Er schwieg. Sein Blick suchte meinen, und in seinen Augen stand diese unglaubliche Traurigkeit. Ich strich ihm das Haar von den Schläfen zurück, als könnte ich damit sein Leid wegwischen, er neigte den Kopf und bettete seine Wange in meine Hand.

Er schluckte. «Ich muss dir etwas sagen.»

«Ich weiß», sagte ich. «Ich weiß alles.»

Wills Mund schloss sich wieder. Um uns schien die Luft zu erstarren.

«Ich weiß von der Schweiz. Ich weiß ... warum ich für sechs Monate angestellt wurde.»

Er hob den Kopf von meiner Hand. Er sah mich an, dann blickte er zum Himmel auf. Seine Schultern sackten herunter.

«Ich weiß das alles, Will. Schon seit Monaten. Und, Will, bitte hör mir zu ...» Ich nahm seine rechte Hand in meine, und ich drückte sie an meine Brust. «Ich weiß, dass wir es schaffen können. Ich weiß, dass du dir das nicht ausgesucht hättest, aber ich weiß, dass ich dich glücklich machen kann. Und alles, was ich sagen kann, ist ... dass du mich in einen ganz anderen Menschen verwandelst. Du machst mich glücklich, sogar, wenn du unausstehlich bist. Ich bin lieber mit dir zusammen – sogar mit deinem Ich, das du für wertlos hältst – als mit irgendjemand anderem auf der Welt.»

Ich spürte einen ganz leichten Druck seiner Hand um meine, und das ermutigte mich.

«Wenn du es für zu komisch hältst, dass ich bei dir angestellt bin, dann kündige ich und arbeite woanders. Das wollte ich dir sowieso sagen – ich habe mich für die Uni beworben. Ich habe unheimlich viel im Internet recherchiert und mit anderen Tetraplegikern und Pflegern geredet, und ich weiß, wie wir es schaffen können. Ich fange an der Uni an und bin einfach mit dir zusammen. Siehst du? Ich habe an alles gedacht, mich über alles informiert. So bin ich jetzt. Das ist deine Schuld. Du hast mich verändert.» Ich musste beinahe lachen. «Du hast mich in meine Schwester verwandelt. Aber mit besserem Kleidergeschmack.»

Er schloss für einen kurzen Moment die Augen. Ich legte meine beiden Hände um seine, hob sie an meinen Mund und küsste seine Fingerknöchel. Ich spürte seine Haut an meiner und wusste so sicher, wie ich noch nie etwas gewusst hatte, dass ich ihn nicht gehenlassen konnte.

«Was sagst du?», flüsterte ich.

Ich hätte ihm für alle Ewigkeit in die Augen schauen können.

Er sagte es so leise, dass ich zuerst nicht sicher war, ob ich ihn richtig verstanden hatte.

«Was?»

«Nein, Clark.»

«Nein?»

«Es tut mir leid. Es reicht nicht.»

Ich ließ seine Hand sinken. «Das verstehe ich nicht.»

Er wartete einen Moment, bevor er anfing zu sprechen, als müsste er um die richtigen Worte kämpfen. «Es reicht mir nicht. Diese ... meine Welt ... selbst, wenn du zu ihr gehörst. Und glaub mir, Clark, mein ganzes Leben ist so viel besser geworden, seitdem du da bist. Aber es reicht mir nicht. Es ist nicht das Leben, das ich will.»

Jetzt war ich diejenige, die sich ein Stückchen zurückzog.

«Weißt du, ich kann sehen, dass es ein gutes Leben werden könnte. Ich kann sehen, dass es zusammen mit dir sogar ein sehr gutes Leben sein könnte. Aber es ist nicht *mein Leben*. Ich bin nicht wie diese Leute, mit denen du da sprichst. Mein Dasein hat nichts mit dem Leben zu tun, das ich führen will. Nicht das Geringste.» Seine Stimme klang brüchig, und er unterbrach sich. Sein Gesichtsausdruck erschreckte mich.

Ich schluckte kopfschüttelnd. «Du ... du hast mir einmal gesagt, dass die Nacht im Labyrinth nicht zu dem werden muss, was mein Leben bestimmt. Du hast gesagt, ich selbst hätte die Wahl, was ich über mein Leben bestimmen lassen will. Und du … also, du musst nicht diesen Stuhl über dich bestimmen lassen.»

«Aber das tut er, Clark. Du kennst mich nicht, nicht richtig. Du hast mich nie gesehen, als ich noch nicht in diesem Ding gesessen habe. Ich habe mein Leben geliebt, Clark. Wirklich geliebt. Ich habe meine Arbeit geliebt, meine Reisen, alles, was mich ausmachte. Ich fand es toll, ein aktiver Typ zu sein. Ich fand es toll, Motorrad zu fahren oder von einem Hochhaus zu springen. Ich fand es toll, bei Geschäftsverhandlungen zu gewinnen. Ich fand Sex toll. Viel Sex. Ich hatte ein *Riesenleben*.» Seine Stimme war lauter geworden. «Ich bin nicht dafür gemacht, in diesem Ding vor mich hin zu vegetieren – und faktisch ist es einfach so, dass nur noch dieses Ding über mein Leben bestimmt.»

«Aber du gibst deinem Leben doch nicht mal eine Chance», flüsterte ich. Meine Stimme war so leise, als wollte sie diese Worte nicht aussprechen. «Du gibst *mir* keine Chance.»

«Es geht nicht darum, dir eine Chance zu geben. Ich habe in diesen sechs Monaten zugesehen, wie du dich in einen ganz anderen Menschen verwandelt hast, einen Menschen, der gerade erst anfängt zu begreifen, was er für Möglichkeiten hat. Du hast keine Ahnung, wie glücklich mich das gemacht hat. Ich will nicht, dass du an mich gefesselt bist, an meine Krankenhaustermine, an die Einschränkungen meines Lebens. Ich will nicht, dass du alles auslässt, was dir jemand anderes bieten könnte. Abgesehen davon bin ich auch egoistisch. Ich will nicht, dass du mich eines Tages ansiehst und ich in deinem Blick auch nur einen Hauch von Mitleid oder Bedauern darüber lese, dass du …»

«Das würde *nie* passieren!»

«Das weißt du nicht, Clark. Du hast keine Ahnung, wie es laufen würde. Du hast keine Ahnung, wie deine Gefühle in einem halben Jahr sind. Und ich will dich nicht jeden Tag vor Augen haben, dich nackt sehen, dich in deinen verrückten Klamotten im Anbau herumlaufen sehen, und nicht … nicht in der Lage sein, das zu tun, was ich mit dir tun möchte. Oh, Clark, wenn du nur die geringste Vorstellung davon hättest, was ich genau jetzt am liebsten mit dir tun würde. Und ich … ich kann mit diesem Bewusstsein nicht leben. Ich kann es nicht. Das bin nicht ich. Ich bin kein Mann, der einfach … sein Schicksal hinnehmen kann.»

Er sah kurz auf seinen Stuhl hinunter und sagte mit brechender Stimme: «Ich werde das niemals hinnehmen.»

Ich hatte angefangen zu weinen. «Bitte, Will. Bitte, sag das nicht. Gib mir eine Chance. Gib uns eine Chance.»

«Hör mir zu. Vor allem du sollst mir zuhören. Das … heute Nacht … war das Wundervollste, was du für mich hast tun können. Was du mir gesagt hast, was du für mich getan hast, indem du mich hierhergebracht hast … und dass du es geschafft hast, in diesem kompletten Arschloch, das ich am Anfang war, etwas zu entdecken, das man lieben kann, fasse ich immer noch nicht. Aber …», ich spürte den schwachen Druck seiner Finger um meine, «… ich kann nicht mehr. Kein Rollstuhl mehr. Keine Lungenentzündung. Kein Brennen mehr in allen Gliedern. Keine Schmerzen und keine Müdigkeit mehr und kein Aufwachen jeden Morgen mit dem Wunsch, der Tag wäre schon vorbei. Wenn wir zurückkommen, werde ich trotzdem in die Schweiz fahren. Und wenn du mich so liebst, Clark, wie du sagst, dann würdest du mich mit einem glücklicher machen als mit allem anderen – wenn du mit mir dorthin gehst.»

Mein Kopf fuhr zurück.

«Was?»

«Es wird mir nie mehr besser gehen. Stattdessen wird es aller Wahrscheinlichkeit nach immer schlechter werden, und mein Leben, das schon beschränkt genug ist, wird noch weiter schrumpfen. Mir stehen massenweise Erkrankungen bevor. Ich spüre schon, dass sie kommen. Ich will keine Schmerzen und Ängste mehr haben oder in diesem Ding gefangen sein oder ständig von jemandem abhängig. Also bitte ich dich – wenn du wirklich diese Gefühle für mich hast –, mach es. Bleib bei mir. Begleite mich bis zu dem Ende, das ich mir wünsche.»

Entsetzt starrte ich ihn an, das Blut rauschte in meinen Ohren. Ich konnte es kaum fassen.

«Wie kannst du mich um so etwas bitten?»

«Ich weiß, dass es ...»

«Ich sage dir, dass ich dich liebe und eine Zukunft mit dir aufbauen will, und du bittest mich mitzukommen, um mir anzusehen, wie du dich umbringst?»

«Es tut mir leid. Ich wollte nicht, dass es so brutal klingt. Aber ich habe nicht den Luxus von viel Zeit.»

«Was? ... Hast du dich womöglich schon eingebucht? Hast du einen Termin, den du nicht verpassen willst?»

Ich sah, dass auf dem Weg zum Hotel Leute stehen blieben. Vielleicht hatten sie unsere erhobenen Stimmen gehört, aber das war mir egal.

«Ja», sagte Will nach einer kurzen Pause. «Ja, ich habe einen Termin. Ich habe alle Beratungsgespräche geführt. Die Klinik hat erklärt, dass ich ein passender Fall für sie bin. Und meine Eltern haben sich mit dem 13. August einverstanden erklärt. Der Flug ist am Vortag.»

In meinem Kopf begann sich alles zu drehen. Es war nicht einmal mehr eine Woche bis dahin.

«Das glaube ich einfach nicht.»

«Louisa ...»

«Ich dachte, ... ich dachte, ich hätte dich umgestimmt.»

Er legte den Kopf schräg und sah mich an. Seine Stimme war

sanft, sein Blick zärtlich. «Louisa, *nichts* hätte mich jemals umstimmen können. Ich habe meinen Eltern sechs Monate versprochen, und die haben sie von mir bekommen. Du hast diese Zeit für mich wertvoller gemacht, als du dir vorstellen kannst. Du hast verhindert, dass sie ein bloßer Ausdauertest ...»

«Hör auf!»

«Wie bitte?»

«Sag kein Wort mehr.» Ich schluchzte. «Du bist so egoistisch, Will. So dumm. Selbst wenn es auch nur die geringste Wahrscheinlichkeit gegeben hätte, dass ich mit dir in die Schweiz komme ... selbst wenn du geglaubt hast, dass ich, nach allem, was ich für dich getan habe, imstande wäre, das zu tun ... ist das wirklich alles, was du mir zu sagen hast? Ich reiße mir vor dir das Herz aus dem Leib, und alles, was du zu sagen hast, ist: ‹Nein, du genügst mir nicht. Und jetzt will ich, dass du mitkommst und dir das Allerschlimmste ansiehst, was du dir nur vorstellen kannst.› Das, was ich seit der Minute gefürchtet habe, in der ich es erfuhr. Hast du eigentlich überhaupt eine Ahnung davon, was du da von mir verlangst?»

Ich schrie inzwischen. Ich stand vor ihm und schrie wie eine Verrückte. «Fuck you, Will Traynor. Fuck you. Ich wünschte, ich hätte diesen verdammten Job nie angenommen. Ich wünschte, ich wäre dir nie begegnet.» Dann brach ich in Tränen aus und rannte von ihm weg über den Strand und in mein Hotelzimmer.

Seine Stimme, die meinen Namen rief, klang mir noch lange in den Ohren, nachdem ich meine Zimmertür hinter mir zugeschlagen hatte.

Kapitel 24

Es gibt nichts Unangenehmeres für Vorübergehende, als einen Mann im Rollstuhl eine Frau anflehen zu sehen, die sich eigentlich um ihn kümmern sollte. Es gehört sich anscheinend einfach nicht, auf einen Behinderten wütend zu sein, dessen Pflegekraft man ist.

Ganz besonders, wenn er sich eindeutig nicht selbst bewegen kann und leise sagt: «Clark. Bitte. Komm her. *Bitte.*»

Aber ich konnte nicht. Ich konnte ihn nicht ansehen. Nathan hatte Wills Sachen gepackt, und ich hatte die beiden am nächsten Morgen in der Hotellobby getroffen – Nathan litt noch unter seinem Kater – und mich vom ersten Moment an geweigert, etwas mit Will zu tun zu haben. Ich war wütend und unglücklich. In meinem Kopf schrie unaufhörlich eine Stimme herum und befahl mir, größtmöglichen Abstand zu Will zu halten. Nach Hause zu gehen. Ihn nie wiederzusehen.

«Alles klar?», sagte Nathan, der neben mir aufgetaucht war.

«Nein», sagte ich. «Und ich will nicht darüber reden.»

«Kater?»

«Nein.»

«Ist es das, was ich denke?» Mit einem Mal hatte sich seine Miene verdüstert.

Ich konnte nicht sprechen. Ich nickte und sah, wie Nathan den Kiefer anspannte. Aber er war stärker als ich. Er war schließlich Profi. Innerhalb von Minuten war er wieder bei Will, zeigte ihm etwas, das er in einer Zeitschrift entdeckt hatte, und spekulierte über die Chancen einer Fußballmannschaft, die sie beide kannten. Wenn man sie so ansah, wäre man nie darauf gekommen, welche Tragweite die Information besaß, die Nathan gerade von mir bekommen hatte.

Ich schaffte es, mir während der gesamten Wartezeit am Flughafen irgendeine Beschäftigung zu suchen. Ich fand tausend Kleinigkeiten, die erledigt werden mussten, beschriftete Gepäckanhänger, kaufte einen Kaffee, studierte die Zeitungen, ging auf die Toilette – nur, um ihn nicht ansehen zu müssen. Nur, um nicht mit ihm reden zu müssen. Aber immer wieder einmal ging Nathan kurz weg, und wir saßen allein nebeneinander, der kurze Abstand zwischen uns vibrierte vor unausgesprochenen Vorwürfen.

«Clark …», fing er mehrfach an.

«Nein», schnitt ich ihm das Wort ab. «Ich will nicht mit dir reden.»

Es überraschte mich, wie eiskalt ich sein konnte. Die Stewardessen überraschte es ganz bestimmt auch. Ich sah sie auf dem Flug miteinander darüber tuscheln, dass ich mich strikt von Will wegdrehte, mir die Kopfhörer in die Ohren steckte oder unbewegt aus dem Fenster starrte.

Ausnahmsweise wurde er nicht einmal sauer. Das war beinahe das Schlimmste daran. Er wurde nicht sauer, und er machte keine sarkastischen Bemerkungen, und er wurde einfach nur immer schweigsamer, bis er schließlich fast gar nichts mehr sagte. Der arme Nathan musste das Gespräch allein aufrechterhalten, musste fragen, ob Will Tee oder Kaffee wollte oder ein Tütchen mit gerösteten Erdnüssen oder ob er sich mal an uns vorbeizwängen dürfe, weil er zur Toilette musste.

Es klingt jetzt vielleicht kindisch, aber es war nicht nur eine Frage des Stolzes. Ich konnte es einfach nicht ertragen. Ich konnte den Gedanken nicht ertragen, dass ich ihn verlieren würde, dass er so dickköpfig und entschlossen das Gute nicht sehen wollte oder das, was gut sein könnte, und dass er seine Entscheidung nicht zurücknehmen würde. Ich konnte nicht glauben, dass er an diesem Datum festhielt, als wäre es in Stein gemeißelt. Eine Million Fragen wirbelten durch meinen Kopf. *Warum genügt dir das nicht? Warum genüge ich dir nicht? Warum kannst du mir nicht vertrauen? Wenn wir mehr Zeit gehabt hätten, wäre es dann anders ausgegangen?* Immer wieder ertappte ich mich dabei, wie ich seine sonnengebräunten Hände anschaute, diese kräftigen Finger, nur Zentimeter von meinen entfernt, und ich dachte daran, wie sich unsere Finger verschränkt hatten – seine Wärme, die Illusion, sogar in der Unbeweglichkeit, von einer Art Kraft –, und mir schnürte sich die Kehle zu, bis ich dachte, ich bekäme keine Luft mehr und ich mich auf die Toilette zurückziehen musste, um mich übers Waschbecken zu beugen und unter der Neonröhre leise zu schluchzen. Manchmal musste ich bei dem Gedanken daran, was Will trotz allem tun wollte, den Drang niederkämpfen, einfach loszuschreien. Es war, als würde ich verrückt werden, und ich hätte mich genauso gut einfach in den Mittelgang setzen und heulen und heulen können, bis jemand eingriff. Bis jemand anderes dafür sorgte, dass er es nicht tun konnte.

Und deshalb, obwohl es kindisch aussah – und obwohl mich die Flugbegleiter durch meine Weigerung, mit Will zu reden, ihn anzusehen, ihn zu füttern, für die herzloseste Frau hielten, der sie je begegnet waren –, wusste ich, dass darin, so zu tun, als wäre er nicht da, meine einzige Chance lag, diese Stunden der erzwungenen Nähe zu verkraften. Wenn ich gedacht hätte, Nathan könnte alles allein erledigen, hätte ich meinen Flug umgebucht, wäre vielleicht sogar verschwunden, bis ich sicher gewesen wäre, dass zwischen uns ein ganzer Kontinent lag, nicht bloß ein paar lächerliche Zentimeter.

Die beiden Männer schliefen, und das war für mich eine Erleichterung – eine Erholungspause von der Anspannung. Ich starrte auf den kleinen Bildschirm, und mit jeder Meile, die wir Richtung Zuhause flogen, wurde mir das Herz schwerer und meine Unruhe größer. Langsam wurde mir klar, dass mein Scheitern nicht nur mich betraf. Wills Eltern würden am Boden zerstört sein und vermutlich mir die Schuld geben. Wills Schwester würde mich wahrscheinlich verklagen. Und mein Scheitern betraf auch Will. Ich war damit gescheitert, ihn zu überzeugen. Ich hatte ihm alles angeboten, was ich konnte, einschließlich mir selbst, und in nichts von dem, was ich ihm ausmalte, hatte er einen Grund zum Weiterleben entdeckt.

Vielleicht, dachte ich, hätte er jemand Besseren als mich gebraucht. Jemand Klügeren. Jemand wie Treena hätte womöglich überzeugendere Einfälle gehabt. So jemand wäre auf eine vergessene medizinische Studie gestoßen oder etwas anderes, das ihm geholfen hätte. So jemand hätte ihn vielleicht von seinem Entschluss abgebracht. Die Tatsache, dass ich den Rest meines Lebens mit diesem Wissen verbringen musste, ließ es mir beinahe schwindelig werden.

«Willst du was trinken, Clark?» Wills Stimme brach in meine Gedanken ein.

«Nein. Danke.»

«Liegt mein Ellbogen zu weit über deiner Armlehne?»

«Nein. Es geht schon.»

Erst in diesen letzten paar Stunden, als es dunkel geworden

war, erlaubte ich mir, ihn anzusehen. Mein Blick glitt langsam von dem Bildschirm weg, bis er verstohlen in dem gedämpften Licht der Flugzeugkabine auf ihm ruhte. Und als ich sein Gesicht betrachtete, so braun und gutaussehend, so friedlich in seinem Schlaf, rollte mir eine Träne über die Wange. Vielleicht wurde sich Will irgendwie meines prüfenden Blicks bewusst, denn er regte sich kurz, doch er wachte nicht auf. Und ohne dass es die Stewardessen oder Nathan mitbekamen, zog ich Will die Decke bis zum Hals hoch und steckte sie behutsam fest, damit er im kühlen Luftstrom der Klimaanlage nicht fror.

Sie warteten in der Ankunftshalle. Ich hatte geahnt, dass sie kommen würden. Bei dem Gedanken daran wurde mir schlecht, während wir Will durch die Passkontrolle rollten. Die wohlmeinenden Beamten behandelten uns bevorzugt, obwohl ich darum betete, dass wir warten müssten, stundenlang oder noch besser tagelang in der Schlange stehen müssten. Aber nein, wir überquerten die riesige Linoleumfläche, ich schob die Gepäckkarre, Nathan Wills Rollstuhl, und als die Glastüren aufglitten, waren sie da, standen hinter der Abtrennung, Seite an Seite, in einem seltenen Anschein von Eintracht. Ich sah, wie sich Mrs. Traynors Miene bei Wills Anblick kurz aufhellte, und ich dachte automatisch: *Klar, er sieht ja auch so gut aus.* Und zu meiner Schande muss ich gestehen, dass ich meine Sonnenbrille aufsetzte – nicht, um meine Erschöpfung zu verbergen, sondern damit sie mir nicht sofort am Gesicht ablesen konnte, was ich ihr sagen musste.

«Sieh ihn dir an!», rief sie aus. «Will, du siehst großartig aus. Wirklich großartig.»

Wills Vater hatte sich heruntergebeugt, klopfte seinem Sohn auf die Schulter und aufs Knie, ein breites Lächeln im Gesicht. «Wir konnten es kaum glauben, als Nathan uns erzählt hat, dass du jeden Tag am Strand bist. Und schwimmst! Wie war das Wetter? Schön und warm? Hier hat es bloß geschüttet. Typisch August!»

Natürlich. Nathan hatte sie auf dem Laufenden gehalten. Nie hätten sie uns die ganze Zeit verreisen lassen, ohne zu wissen, was los war.

«Es … es war ein richtig tolles Hotel», sagte Nathan. Er war ebenfalls schweigsam, versuchte aber zu lächeln und sich normal zu verhalten.

Ich war vollkommen erstarrt und umklammerte meinen Pass, als wollte ich gleich woandershin fliegen. Ich musste mich ermahnen, ruhig weiterzuatmen.

«Also, wir haben gedacht, wir könnten schön essen gehen», sagte Wills Vater. «Es gibt ein sehr gutes Restaurant im Intercontinental. Trinken wir ein Gläschen Champagner. Was meinst du? Deine Mutter und ich dachten, das könnte dir gefallen.»

«Klar», sagte Will. Er lächelte seine Mutter an, und sie sah aus, als hätte sie dieses Lächeln am liebsten für schlechte Zeiten eingeweckt. *Wie kannst du nur?*, wollte ich ihn anbrüllen. *Wie kannst du sie nur so anschauen, wenn du genau weißt, was du ihr antun wirst?*

«Dann los. Ich habe den Wagen auf einem Behindertenparkplatz abgestellt. Ganz in der Nähe. Ich war sicher, dass ihr alle ein bisschen Jetlag habt. Nathan, soll ich eine von den Taschen nehmen?»

Meine Stimme unterbrach das Gespräch. «Ehrlich gesagt», und damit zog ich schon mein Gepäck von der Karre, «möchte ich mich lieber gleich auf den Weg machen. Aber trotzdem vielen Dank.»

Ich konzentrierte mich auf meine Tasche, sah sie absichtlich nicht an, aber selbst in all dem Lärm der Flughafenhalle hörte ich das kurze Schweigen, das meine Worte hervorriefen.

Mr. Traynor sagte als Erster etwas. «Kommen Sie, Louisa. Feiern wir ein bisschen zusammen. Wir wollen hören, was Sie erlebt haben. Ich möchte alles über die Insel wissen. Aber ich verspreche, dass Sie uns nicht *jedes Detail* erzählen müssen.» Er kicherte beinahe.

«Ja.» In Mrs. Traynors Stimme lag eine gewisse Schärfe. «Kommen Sie doch mit, Louisa.»

«Nein.» Ich schluckte und versuchte, ein unverbindliches Lächeln aufzusetzen. Meine Sonnenbrille war wie ein Schutzschild für mich. «Danke. Ich fahre lieber gleich zurück.»

«Wohin?», fragte Will.

Mir ging auf, was er damit sagte. Ich hatte im Grunde kein Zuhause, zu dem ich fahren konnte.

«Ich gehe zu meinen Eltern. Das ist okay.»

«Komm mit uns», sagte er mit sanfter Stimme. «Geh nicht, Clark. Bitte.»

Ich hätte am liebsten angefangen zu weinen. Aber ich wusste ganz genau, dass ich es nicht aushalten konnte, in seiner Nähe zu sein. «Nein. Danke. Ich hoffe, es wird schön im Restaurant.» Ich hievte mir die Tasche über die Schulter, und bevor noch jemand etwas sagen konnte, ging ich von ihnen weg, ließ mich von der Menschenmenge in der Flughafenhalle verschlucken.

Ich war schon beinahe an der Bushaltestelle, als ich sie hörte. Camilla Traynor, die mit klappernden Absätzen hinter mir herrannte.

«Halt. Louisa. Bitte, bleiben Sie stehen.»

Ich drehte mich um, und sie drängte sich durch eine Reisegruppe, schob Teenager mit Rucksäcken weg, als wäre sie Moses, der die Wellen des Roten Meers teilt. Die Flughafenbeleuchtung spielte auf ihrem Haar, ließ es kupferfarben aufschimmern. Sie trug einen zarten Pashmina-Schal, den sie kunstvoll über eine Schulter drapiert hatte. Ich weiß noch, dass ich geistesabwesend dachte, wie schön sie bis vor wenigen Jahren gewesen sein musste.

«Bitte. Bitte, bleiben Sie stehen.»

Ich blieb stehen, sah über die Schulter die Straße entlang, hoffte, dass der Bus kommen würde, dass er mich aufnehmen und wegbringen würde. Dass irgendetwas passieren würde. Meinetwegen ein Erdbeben.

«Louisa?»

«Er hat die Reise genossen.» Meine Stimme klang abgehackt. Beinahe wie ihre, ging es mir durch den Kopf.

«Er sieht gut aus. Sehr gut.» Sie starrte mich an, stand direkt vor mir auf dem Gehweg. Sie rührte sich nicht mehr, war wie ein Fels in dem Gewoge der Menschen um sie herum.

Wir schwiegen.

Und dann sagte ich: «Mrs. Traynor, ich möchte kündigen. Ich kann … ich kann diese letzten paar Tage nicht arbeiten. Ich verzichte auf das Geld, das mir noch zusteht. Ehrlich gesagt, möchte ich für diesen ganzen Monat kein Geld. Ich will überhaupt nichts. Ich will einfach …»

Da wurde sie ganz blass. Ich sah, wie die Farbe aus ihren Wangen wich, wie sie in der Sonne ein wenig schwankte. Dann sah ich Mr. Traynor eilig hinter ihr herankommen, mit einer Hand hielt er sich den Hut auf dem Kopf fest. Entschuldigungen murmelnd schob er sich durch die Menge, die Augen auf mich und seine Frau gerichtet, die wir starr und steif voreinander standen.

«Sie … Sie haben gesagt, er hätte die Reise genossen. Sie haben gesagt, diese Reise könnte ihn umstimmen.» Sie klang verzweifelt, als flehte sie mich darum an, etwas anderes zu sagen, ihr ein anderes Ergebnis mitzuteilen.

Ich konnte nicht sprechen. Ich starrte sie an, und das Einzige, was ich fertigbrachte, war, leicht den Kopf zu schütteln.

«Es tut mir leid», flüsterte ich so leise, dass sie es nicht gehört haben konnte.

Er war fast da, als sie umkippte. Es war, als würden einfach ihre Beine unter ihr nachgeben, und Mr. Traynors linker Arm schoss vor und fing sie auf, ihr Mund bildete ein großes O, und sie sank an seinen Körper.

Sein Hut landete auf dem Boden. Er schaute zu mir auf, war verwirrt, noch hatte er nicht begriffen, was gerade passiert war.

Und ich konnte ihn nicht ansehen. Wie betäubt drehte ich mich um und ging weg, setzte einen Fuß vor den anderen, meine Beine bewegten sich beinahe automatisch, und sie brachten mich weg von diesem Flughafen, obwohl ich nicht einmal wusste, wohin ich gehen würde.

Kapitel 25

Katrina

Louisa verließ nach ihrer Rückkehr anderthalb Tage lang nicht ihr Zimmer. Sie kam am späten Sonntagabend vom Flughafen, bleich wie ein Gespenst unter ihrer Bräune – und schon das war merkwürdig, weil sie uns eindeutig gesagt hatte, sie würde erst am Montagvormittag bei uns vorbeikommen. *Ich muss einfach nur schlafen*, sagte sie, schloss sich in ihrem Zimmer ein und legte sich ins Bett. Das fanden wir ein bisschen komisch, aber wir wussten ja nicht, was los war. Lou war schließlich schon immer ziemlich eigen gewesen.

Am nächsten Morgen hatte ihr Mum einen Becher Tee bringen wollen, aber Lou rührte sich nicht. Um die Abendessenszeit wurde Mum unruhig und hatte Lou an der Schulter gerüttelt, um sicher zu sein, dass sie noch lebte. (Mum kann manchmal ein bisschen melodramatisch werden, aber fairerweise muss gesagt werden, dass sie Fisch-Pie gemacht hatte und vermutlich einfach dafür sorgen wollte, dass Lou etwas davon abbekam.) Aber Lou wollte nichts essen, und sie wollte nicht reden, und sie wollte nicht herunterkommen. *Ich will einfach ein bisschen in meinem Zimmer bleiben, Mum*, murmelte sie in ihr Kissen.

«Sie ist so anders», sagte Mum. «Glaubst du, das ist eine verzögerte Reaktion auf die Sache mit Patrick?»

«Patrick ist ihr völlig egal», sagte Dad. «Ich habe ihr erzählt, dass er angerufen hat, um uns zu sagen, dass er bei diesem Viking den 157sten Platz gemacht hat, aber das hat sie kein bisschen interessiert.» Er nippte an seinem Tee. «Allerdings fand selbst ich es ziemlich schwer, über einen 157sten Platz in Begeisterung auszubrechen.»

«Meinst du, sie ist krank? Sie ist schrecklich blass unter ihrer Bräune. Und sie schläft die ganze Zeit. Das passt überhaupt nicht zu ihr. Vielleicht hat sie sich eine von diesen grässlichen Tropenkrankheiten eingefangen.»

«Sie hat einfach Jetlag», sagte ich. Und zwar mit ziemlicher Entschiedenheit, weil ich wusste, dass Mum und Dad dazu neigten, mich für eine Expertin in allen möglichen Dingen zu halten, von denen in Wahrheit keiner von uns eine Ahnung hatte.

«Jetlag! Also, wenn Fernreisen solche Folgen haben, bleibe ich lieber bei Trenby. Was meinst du, Josie, meine Liebe?»

«Ich weiß nicht recht ... wer hätte gedacht, dass man von einem Urlaub so krank werden kann?» Mum schüttelte den Kopf.

Nach dem Abendessen ging ich hinauf. Ich klopfte nicht an. (Es war, genau genommen, schließlich mein Zimmer.) Die Luft war abgestanden und verbraucht, und ich zog die Jalousie hoch und öffnete ein Fenster, sodass Lou völlig fertig unter ihrer Decke auftauchte und ihre Augen gegen das Licht abschirmte, in dem Staubpartikel tanzten.

«Erzählst du mir, was passiert ist?» Ich stellte ihr einen Teebecher auf den Nachttisch.

Sie blinzelte mich an.

«Mum glaubt, du hast den Ebola-Virus. Sie warnt gerade alle Nachbarn, die beim Bingoclub die Reise nach Port Aventura gebucht haben.»

Sie sagte nichts.

«Lou?»

«Ich habe gekündigt», sagte sie leise.

«Warum?»

«Warum wohl?» Sie schob sich hoch, griff ungeschickt nach dem Teebecher und trank einen großen Schluck.

Für jemanden, der gerade fast zwei Wochen auf Mauritius gewesen war, sah sie verdammt schlecht aus. Ihre Augen waren winzig und rot gerändert, und ihre Haut wäre ohne die Bräune noch fleckiger gewesen. Ihr Haar stand an einer Seite vom Kopf ab. Sie sah aus, als hätte sie seit Urzeiten keinen Schlaf bekommen. Aber vor allem sah sie traurig aus. Ich hatte meine Schwester noch nie dermaßen traurig gesehen.

«Glaubst du, er zieht es wirklich durch?»

Sie nickte. Dann schluckte sie mühsam.

«Shit. Oh, Lou. Das tut mir leid.»

Mit einer Geste bedeutete ich ihr, dass sie rutschen sollte, und legte mich neben sie aufs Bett. Sie trank noch einen Schluck Tee, dann lehnte sie ihren Kopf an meine Schulter. Sie trug mein T-Shirt. Ich sagte nichts dazu. So leid tat sie mir.

«Was soll ich jetzt bloß machen, Treen?»

Ihre Stimme war piepsig, wie bei Thomas, wenn er sich weh getan hat und tapfer sein will. Draußen hörten wir den Nachbarshund am Gartenzaun die Katzen auf der anderen Seite jagen.

«Ich weiß nicht, ob du irgendetwas tun kannst. O Gott. Was du alles für ihn organisiert hast. All die Mühe ...»

«Ich habe ihm gesagt, dass ich ihn liebe», sagte sie flüsternd. «Und er hat einfach gesagt, das genügt ihm nicht.» Sie sah mich mit hoffnungslosem Blick an. «Wie soll ich bloß damit leben?»

Ich bin in unserer Familie diejenige, die alles weiß. Ich habe mehr gelesen als alle anderen. Ich gehe zur Universität. Ich bin diejenige, die auf alles eine Antwort haben soll.

Aber jetzt sah ich meine große Schwester an und schüttelte den Kopf. «Ich habe keine Ahnung.»

Am nächsten Tag kam sie endlich heraus, duschte und zog frische Sachen an, und ich erklärte Mum und Dad, sie sollten kein Wort darüber verlieren. Ich tat so, als hätte sie Liebeskummer, und Dad zog die Augenbrauen hoch und machte ein Gesicht, als würde das alles erklären, und nur Gott allein wüsste, was wir uns für schreckliche Sorgen gemacht hatten. Mum hastete ans Telefon, um den Leuten vom Bingoclub zu sagen, dass sie die Gefahren von Flugreisen wohl doch überschätzt hatte.

Lou aß einen Toast (ein Mittagessen wollte sie nicht), dann setzte sie einen großen Schlabbersonnenhut auf, und wir gingen mit Thomas zur Burg, um die Enten zu füttern. Ich glaube, sie wollte eigentlich nicht aus dem Haus, aber Mum bestand darauf, dass wir alle ein bisschen frische Luft bräuchten. Das bedeutete in der Sprache meiner Mutter, dass es sie in den Fingern juckte, ins Schlafzimmer zu gehen, es auszulüften und die Bettwäsche zu wechseln. Thomas sprang vor uns her, eine Tüte mit Brotresten in der Hand, und wir wichen den herumwandernden Touristen mit dem Geschick unserer jahrelangen Erfahrung aus, duckten uns unter Rucksäcken weg, liefen rechts und links um Paare herum, um dann wieder nebeneinander weiterzugehen. Die Burg schmorte in der Sommerhitze, der Boden war ausgedörrt und das Gras brüchig, wie das letzte Haar eines kahl werdenden Mannes. Die Blumen in den Kübeln wirkten müde, als würden sie sich schon auf den Herbst vorbereiten.

Lou und ich redeten nicht viel. Was gab es schon zu sagen?

Als wir an dem Touristenparkplatz vorbeikamen, sah ich,

wie sie unter der Krempe ihres Hutes zum Haus der Traynors hinüberschaute. Da stand es, ein vornehmer roter Backsteinbau, dessen hohe, spiegelnde Fenster verbargen, welches existenzielle Drama sich dort drinnen abspielte, vielleicht sogar in diesem Augenblick.

«Wenn du willst, kannst du hingehen und mit ihm reden, weißt du», sagte ich. «Ich warte hier auf dich.»

Sie schaute auf den Boden, verschränkte die Arme vor der Brust, und wir gingen weiter. «Das hat keinen Zweck», sagte sie. Ich wusste, wie die andere Hälfte des Satzes lautete, die sie nicht ausgesprochen hatte. *Er ist wahrscheinlich nicht mal da.*

Wir gingen langsam einmal um die Burg, sahen Thomas zu, der sich den Hügel hinunterkugelte und die Enten fütterte, die nach der ganzen Touristensaison so fettgefressen waren, dass sie sich kaum mit noch mehr Brot anlocken ließen. Beim Gehen betrachtete ich meine Schwester, ihren braunen Rücken unter dem Neckholder-Top, ihre gebeugten Schultern, und mir wurde klar, dass sich, selbst wenn sie es noch nicht wusste, alles für sie verändert hatte. Sie würde nicht hierbleiben, ganz gleich, was mit Will Traynor geschah. Sie hatte so einen Ausdruck an sich, einen Ausdruck des Wissens, von Erfahrung, von Orten, die sie kennengelernt hatte. Meine Schwester hatte sich endlich neue Horizonte erschlossen.

«Oh», sagte ich, als wir zum Burgtor zurückgingen. «Du hast einen Brief bekommen. Von der Uni. Sorry – ich habe ihn aufgemacht. Ich dachte, er muss für mich sein.»

«Du hast ihn aufgemacht?»

Ich hatte gehofft, man hätte mein Stipendium erhöht.

«Du hast ein Bewerbungsgespräch.»

Sie blinzelte, als bekäme sie eine Botschaft aus einer fernen Vergangenheit.

«Ja. Und das Wichtigste: Es ist morgen», sagte ich. «Also

habe ich gedacht, wir könnten heute Abend über ein paar Fragen reden, die sie dir vielleicht stellen werden.»

Sie schüttelte den Kopf. «Ich kann morgen nicht zu einem Bewerbungsgespräch gehen.»

«Was hast du denn sonst vor?»

«Ich kann nicht, Treen», sagte sie bekümmert. «Wie soll ich denn in so einem Moment über irgendwas richtig nachdenken können?»

«Hör mal, Lou. Diese Termine werden nicht verteilt wie altes Brot an die Enten, du Hirni. Das ist eine große Sache. Sie wissen, dass du Spätstudierende bist und dass du dich zur falschen Jahreszeit bewirbst, und trotzdem haben sie dich eingeladen. Du kannst mit denen keine Spielchen machen.»

«Ist mir egal. Ich kann nicht darüber nachdenken.»

«Aber du …»

«Lass mich einfach, okay, Treen? *Ich kann es nicht.*»

«Hey», sagte ich und stellte mich vor sie, sodass sie nicht weitergehen konnte. Thomas redete ein paar Schritte vor uns mit einer Taube. «Das hier ist genau der Zeitpunkt, zu dem du darüber nachdenken musst. Das ist der Zeitpunkt, zu dem du, ob es dir gefällt oder nicht, entscheiden musst, was du mit dem Rest deines Lebens anfängst.»

Wir blockierten den Weg. Jetzt mussten die Touristen um uns herumlaufen, was sie mit gesenkten Köpfen oder verstohlenen Blicken auf die streitenden Schwestern taten.

«Ich kann nicht.»

«Also, dann sag ich's dir auf die harte Art. Du hast nämlich, falls du das vergessen haben solltest, keine Arbeit mehr. Und keinen Patrick, der dich unterstützen könnte. Und wenn du das Bewerbungsgespräch sausenlässt, kannst du in zwei Tagen wieder zum Jobcenter gehen und entscheiden, ob du lieber in der Hühnerfabrik arbeiten oder Pole-Tänzerin werden oder irgendwelchen Leuten den Hintern abwischen willst, um dein Geld zu verdienen. Und du kannst es glauben oder nicht, aber damit sind deine Lebensperspektiven als beinahe Dreißigjährige ziemlich ausführlich beschrieben. Und alles andere – alles, was du in den letzten sechs Monaten gelernt hast – war reine Zeitverschwendung. Für den Arsch. Alles.»

Sie starrte mich mit diesem ohnmächtigen Zorn an, wie immer, wenn sie weiß, dass ich recht habe und sie nichts dagegen sagen kann. Thomas tauchte neben uns auf und zog mich an der Hand.

«Mum ... du hast *Arsch* gesagt.»

Meine Schwester funkelte mich immer noch an. Aber ich sah, dass sie nachdachte.

Ich wandte mich an meinen Sohn. «Nein, Schatz, ich habe *Abmarsch* gesagt. Wir müssen nämlich jetzt zum Tee nach Hause – oder, Lou? Und danach, während Großmutter dich badet, helfe ich Tante Lou bei ihren Hausaufgaben.»

Am nächsten Tag ging ich in die Bibliothek, und Mum kümmerte sich um Thomas. Ich begleitete Lou bis zum Bus und wusste, dass sie erst nachmittags zurückkommen würde. Ich machte mir nicht viele Hoffnungen, was dieses Bewerbungsgespräch anging, aber von dem Moment an, in dem wir uns verabschiedeten, dachte ich erst mal nicht mehr an sie.

Das klingt jetzt vielleicht selbstsüchtig, aber ich kann es nicht leiden, wenn ich mit meinen Seminararbeiten in Verzug komme, und es war eine Erleichterung, eine Pause von Lous Elend zu haben. Mit jemandem zu tun zu haben, der so deprimiert ist, kann ziemlich anstrengend sein. Man hat Mitleid, will den Leuten aber auch sagen, dass sie sich zusammenreißen sollen. Ich steckte meine Familie, meine Schwester und die ganze Tragödie, in die sie sich verstrickt hatte, in eine geistige Schublade, machte sie zu und konzentrierte mich auf das Thema Mehrwertsteuerbefreiung. Ich hatte in Rechnungswesen I die zweitbesten Ergebnisse in meiner Semesterstufe und würde diesen Platz auf keinen Fall wegen der Tücken der Finanzamtsrichtlinien verlieren.

Ich kam ungefähr um Viertel vor sechs wieder nach Hause und legte meine Unterlagen auf den Stuhl im Flur, während die anderen schon um den Küchentisch herumschlichen und Mum das Essen verteilte. Thomas sprang mir in die Arme, schlang seine Beine um meine Hüfte, und ich küsste ihn und atmete seinen süßen, hefigen Kleinejungengeruch ein.

«Setz dich, setz dich», sagte Mum. «Dad ist auch gerade erst zurück.»

«Wie kommst du mit deinen Büchern klar?», sagte Dad und hängte sein Jackett über die Stuhllehne. Er redete immer von ‹meinen Büchern›. Als wären sie lebendig und müssten irgendwie erzogen und zur Ordnung gerufen werden.

«Gut, danke. Ich bin mit der Rechnungswesen-II-Einheit schon zu drei Vierteln fertig. Morgen fange ich mit Körperschaftsrecht an.» Ich befreite mich von Thomas' Umklammerung, setzte ihn auf den Stuhl neben mir und strich ihm übers Haar.

«Hast du das gehört, Josie? Körperschaftsrecht.» Dad mopste sich eine Kartoffel aus der Schale und steckte sie in den Mund, bevor Mum etwas davon mitbekam. Er sprach das Wort aus, als würde er seinen Klang richtig genießen. Vermutlich war es auch so. Wir unterhielten uns ein bisschen über die Themen meiner Lerneinheit. Dann redeten wir über Dads Job – es ging hauptsächlich darum, dass die Touristen alles kaputt machten. Anscheinend gab es unglaublich viele Wartungsarbeiten zu erledigen. Sogar die Holzpfosten am Parkplatztor mussten alle paar Wochen ersetzt werden, weil die Idioten ihr Auto nicht durch ein vier Meter breites Tor fahren konnten. Ich hätte solche Reparaturkosten auf den Eintrittspreis draufgeschlagen, aber das ist nur meine persönliche Meinung.

Mum stellte die übrigen Schüsseln auf den Tisch und setzte sich endlich selbst. Thomas aß mit den Fingern, wenn er dachte, keiner würde hinschauen, und flüsterte mit einem verstohlenen Lächeln *Arsch* vor sich hin, während Großvater mit zur Decke gewandtem Blick aß, als wäre er mit den Gedanken ganz woanders. Ich schaute zu Lou hinüber. Sie starrte auf ihren Teller und schob ihr Stück Grillhühnchen darauf herum. *Oh-oh*, dachte ich.

«Keinen Hunger, Liebes?», sagte Mum, die meinem Blick gefolgt war.

«Nicht so richtig», sagte sie.

«Es ist auch ziemlich warm für Hühnchen», räumte Mum ein. «Ich dachte einfach, du brauchst was, um dich ein bisschen zu stärken.»

«Und? Erzählst du uns, wie dieses Bewerbungsgespräch gelaufen ist?» Dads Gabel blieb auf halbem Weg zu seinem Mund stehen.

«Oh, das.» Sie wirkte unaufmerksam, als hätte er etwas angesprochen, das sie vor fünf Jahren gemacht hatte.

«Ja, das.»

Sie spießte ein winziges Stückchen Huhn auf. «Es war okay.»

Dad warf mir einen Blick zu.

Ich zuckte mit den Schultern. «Was heißt okay? Sie müssen dir doch gesagt haben, was du für einen Eindruck gemacht hast.»

«Ich habe es bekommen.»

«Was?»

Sie starrte immer noch auf ihren Teller. Ich hörte auf zu kauen.

«Sie haben gesagt, ich wäre genau die Bewerberin, die sie

gesucht hätten. Ich muss einen Grundlagenkursus machen, der dauert ein Jahr und wird dann angerechnet.»

Dad lehnte sich zurück. «Das sind ja großartige Neuigkeiten.»

Mum beugte sich über den Tisch und klopfte ihr auf die Schulter. «Oh, gut gemacht, Liebes. Das ist wundervoll.»

«Na ja, eigentlich nicht so richtig. Ich glaube nicht, dass ich mir vier Jahre Studium leisten kann.»

«Jetzt mach dir darüber erst mal keine Gedanken. Wirklich. Treena kommt doch auch gut klar», sagte Dad. «Hey. Wir finden schon einen Weg. Wir finden doch immer einen Weg, oder?» Er strahlte uns beide an. «Ich glaube, so langsam wendet sich alles zum Guten, ihr zwei. Ich glaube, unsere Familie hat gute Zeiten vor sich.»

Und dann, einfach so, brach sie in Tränen aus. Richtige Tränen. Sie weinte, wie Thomas weinte, heulte Rotz und Wasser, und es war ihr egal, wer sie hörte, und ihr Schluchzen schnitt wie ein Messer in die Stille des kleinen Raumes.

Thomas starrte sie mit aufgerissenem Mund an, sodass ich ihn auf meinen Schoß ziehen und ablenken musste, damit er nicht auch anfing zu weinen. Und während ich mit Kartoffelstückchen herumspielte und mit verstellter Stimme Erbsen sprechen ließ, erzählte sie es ihnen.

Sie erzählte ihnen alles – über Will und den Sechsmonatsvertrag und was auf Mauritius passiert war. Während sie sprach, legte Mum entsetzt die Hand auf den Mund. Großvater schaute ernst vor sich hin. Das Hühnchen wurde kalt, und das Fett erstarrte auf der Servierplatte.

Dad schüttelte ungläubig den Kopf. Und dann, als meine Schwester von ihrem Rückflug über den Indischen Ozean erzählte und schließlich flüsternd ihre letzten Worte an Mrs. Traynor wiederholte, schob er seinen Stuhl zurück und stand auf. Er ging langsam um den Tisch herum und nahm sie in die Arme, wie er es getan hatte, als wir noch klein waren. Da stand er und hielt sie ganz, ganz fest.

«Oh, mein Gott, der arme Kerl. Und du Arme. O Gott.»

Ich weiß nicht, ob ich Dad schon einmal so geschockt erlebt hatte.

«Was für ein verdammter Schlamassel.»

«All das hast du durchgemacht? Ohne uns etwas davon zu erzählen? Stattdessen schickst du uns nur eine Postkarte, auf der du von einem Traumstrand schreibst?» Meine Mutter konnte es kaum fassen. «Wir dachten, du verbringst dort den schönsten Urlaub deines Lebens.»

«Ich war nicht ganz allein damit», sagte sie und sah mich an. «Treena wusste es. Treena war super.»

«Ich habe eigentlich gar nichts getan», sagte ich und schlang die Arme um Thomas. Er hatte das Interesse an unserem Gespräch verloren, seit Mum eine Dose mit Mini-Schokoriegeln vor ihn gestellt hatte. «Ich habe einfach nur zugehört. Du hast alles gemacht. Du hattest all die Ideen.»

«Es hat sich ja rausgestellt, was diese Ideen gebracht haben.» Ihre Stimme klang dumpf und hoffnungslos, als sie diese Worte an Dads Brust gedrückt sagte.

Er hob ihr Kinn an, sodass sie ihn anschauen musste. «Du hast alles getan, was du konntest.»

«Und ich habe versagt.»

«Wer behauptet, dass du versagt hast?» Dad strich ihr das Haar aus dem Gesicht. Zärtlich sah er sie an. «Wenn ich daran denke, was ich über Will Traynor weiß, was ich über Männer wie ihn weiß, dann sage ich dir eins: Ich glaube, kein Mensch auf der Welt hätte diesen Mann umstimmen können, wenn er sich einmal etwas vorgenommen hat. Er ist, wie er ist. Man kann die Menschen nicht ändern.»

«Aber seine Eltern! Sie können doch nicht zulassen, dass er sich umbringt», sagte Mum. «Was sind das bloß für Menschen?»

«Das sind ganz normale Menschen, Mum. Mrs. Traynor weiß einfach nicht, was sie noch machen soll.»

«Tja, ihn nicht in diese Klinik zu bringen, wäre schon mal ein Anfang.» Mum war wütend. Auf ihren Wangen hatten sich rote Flecken gebildet. «Ich würde für euch zwei und für Thomas bis zu meinem letzten Atemzug kämpfen.»

«Selbst wenn er schon versucht hat, sich umzubringen?», sagte ich. «Und zwar auf ziemlich schreckliche Art?»

«Er ist krank, Katrina. Er ist depressiv. Man sollte Leuten, die so geschwächt sind, keine Gelegenheit geben, etwas zu tun, das sie …» Sie verstummte vor Empörung und tupfte sich mit der Serviette die Augen ab. «Diese Frau muss vollkommen herzlos sein. *Herzlos*. Und dann auch noch Louisa in das alles zu verwickeln. Das muss man sich mal vorstellen. Diese Frau ist Richterin, Himmel noch mal. Man würde doch erwarten, dass eine Richterin beurteilen kann, was richtig und falsch ist. Ausgerechnet sie. Ich hätte große Lust, gleich jetzt dorthin zu fahren und ihn hierherzuholen.»

«Das ist alles ziemlich kompliziert, Mum.»

«Nein. Ist es nicht. Er ist verletzlich, und sie dürfte nicht einmal den Gedanken daran zulassen. Ich bin richtig geschockt. Der arme Mann. Der *arme* Mann.» Sie stand auf, nahm die Servierplatte mit den Hühnchenresten und stapfte in die Küche.

Louisa sah ihr erstaunt nach. Mum wurde nie wütend. Ich glaube, das letzte Mal davor hatten wir sie im Jahre 1993 die Stimme erheben hören.

Dad schüttelte den Kopf, mit den Gedanken offensichtlich woanders. «Mir fällt gerade ein – kein Wunder, dass ich Mr. Traynor in letzter Zeit nicht gesehen habe. Ich hatte mich gefragt, wo er ist. Ich dachte, sie sind alle zusammen in die Ferien gefahren oder so.»

«Sie sind … sie sind weggefahren?»

«Gestern und vorgestern war er jedenfalls nicht da.»

Lou ließ sich schwer auf ihren Stuhl sinken.

«Oh, Scheiße», sagte ich, und dann legte ich Thomas die Hände über die Ohren.

«Es ist morgen.»

Lou sah mich an, und ich schaute zu dem Kalender, der an der Wand hing.

«Der dreizehnte August. Das ist morgen.»

Lou tat nichts an diesem letzten Tag. Sie war vor mir aufgestanden und starrte aus dem Küchenfenster. Es regnete, und dann klarte es auf, und dann regnete es wieder. Sie lag mit Großvater auf dem Sofa, und sie trank den Tee, den Mum für sie gemacht hatte, und ungefähr alle halbe Stunde sah ich ihren Blick zu der Uhr auf dem Kaminsims wandern. Es war schrecklich mit anzusehen. Ich ging mit Thomas schwimmen und versuchte, sie zum Mitkommen zu überreden. Ich sagte, Mum würde Thomas hüten, wenn sie später mit mir einkaufen gehen wollte. Ich sagte, ich würde mit ihr in den Pub gehen, nur wir beide, aber sie lehnte jedes Angebot ab.

«Was ist, wenn ich einen Fehler gemacht habe, Treen?», sagte sie so leise, dass nur ich sie hören konnte.

Ich warf einen Blick auf Großvater, aber er hatte nur Augen für das Pferderennen im Fernsehen. Ich glaube, Dad setzte immer noch einmal in der Woche heimlich ein paar Pfund für Großvater, auch wenn er es Mum gegenüber leugnete.

«Was meinst du damit?»

«Was ist, wenn ich mit ihm hätte fahren sollen?»

«Aber … du hast gesagt, du kannst es nicht.»

Der Himmel war grau. Lou starrte durch unsere perfekt ge-putzten Fenster auf den schrecklichen Tag da draußen.

«Ich weiß, was ich gesagt habe. Aber jetzt kann ich es nicht ertragen, nicht zu wissen, was passiert.» Ihr Gesicht verzog sich ein bisschen, als würde sie gleich wieder anfangen zu weinen. «Ich halte es nicht aus, nicht zu wissen, wie es ihm geht. Ich hal-te es nicht aus, dass ich mich nicht einmal von ihm verabschie-det habe.»

«Kannst du nicht jetzt noch hin? Vielleicht gibt es ja noch ei-nen Flug.»

«Zu spät», sagte sie. Und dann schloss sie die Augen. «Ich würde es nie rechtzeitig schaffen. Es sind nur noch zwei Stun-den, bis … bis sie für heute damit aufhören. Das habe ich nach-gesehen. Im Internet.»

Ich wartete ab.

«Sie … sie machen es nicht … nach halb sechs.» Sie schüttel-te abwesend den Kopf. «Hat was mit den Schweizer Beamten zu tun, die dabei sein müssen. Sie wollen … außerhalb der Büro-zeiten … keine Urkunden ausstellen.»

Ich musste beinahe lachen. Aber ich wusste nicht, was ich ihr sagen sollte. Ich konnte mir nicht vorstellen, warten zu müssen, wie sie wartete, während sie wusste, was irgendwo weit weg passierte. Ich hatte noch nie einen Mann so geliebt, wie sie Will zu lieben schien. Klar, ich hatte ein paar Männer gemocht, und ich wollte mit ihnen schlafen, aber manchmal fragte ich mich, ob mir irgendein Sensibilitätsgen fehlte. Ich konnte mir nicht vorstellen, wegen jemandem zu heulen, mit dem ich einmal zu-sammen gewesen war. Der einzige adäquate Vergleich für mich war, wenn ich mir vorstellte, Thomas würde in einem anderen Land auf seinen Tod warten, und sobald mir dieser Gedanke gekommen war, wollte irgendetwas in mir austicken, so grau-enhaft war die Vorstellung. Also steckte ich sie in die allertiefste Schublade in meinem Kopf, die mit *Unvorstellbar* beschriftet war.

Ich setzte mich neben meine Schwester aufs Sofa, und wir starrten schweigend die Maiden-Rennen um halb vier an, dann die Handicap-Rennen um vier Uhr und auch noch die nächsten vier Rennen, und wir waren so fixiert auf den Bildschirm, als hätten wir unser sämtliches Geld auf Sieg gesetzt.

Und dann klingelte es an der Tür.

Innerhalb von Sekunden war Louisa aufgesprungen und im Hausflur. Sie machte auf, und die Art, mit der sie die Tür aufriss, ließ sogar mir das Herz stehenbleiben.

Aber es war nicht Will. Es war eine junge Frau. Sie war stark und perfekt geschminkt und trug das kinnlange Haar in einem säuberlich geschnittenen Bob. Sie klappte ihren Schirm zusammen, lächelte und umfasste die große Tasche, die sie über der Schulter trug. Ich fragte mich kurz, ob das vielleicht Will Traynors Schwester war.

«Louisa Clark?»

«Ja?»

«Ich komme vom *Globe*. Könnten wir uns vielleicht kurz unterhalten?»

«Vom *Globe*?»

Ich hörte die Verwirrung in Louisas Stimme.

«Die Zeitung?» Ich trat hinter meine Schwester. Da sah ich den Notizblock, den die Frau in der Hand hielt.

«Darf ich hereinkommen? Ich würde mich gerne kurz mit Ihnen über Will Traynor unterhalten. Sie haben doch für Will Traynor gearbeitet, oder?»

«Kein Kommentar», sagte ich. Und bevor die Frau noch etwas sagen konnte, knallte ich ihr die Tür vor der Nase zu.

Meine Schwester stand wie betäubt im Flur. Sie zuckte zusammen, als es erneut klingelte.

«Mach nicht auf», zischte ich.

«Aber woher ...?»

Ich begann, sie die Treppe hinaufzuschieben. Meine Güte, sie war wirklich unglaublich langsam. Es war, als wäre sie im Halbschlaf. «Großvater, geh nicht an die Tür!», rief ich. «Mit wem hast du geredet?», sagte ich, als wir auf dem Treppenabsatz waren. «Irgendwer muss es ihnen erzählt haben. Wer weiß davon?»

«Miss Clark», tönte die Stimme der Frau durch den Briefschlitz in der Tür. «Wenn Sie nur zehn Minuten für mich hätten ... wir verstehen, dass es ein sehr sensibles Thema ist. Wir würden gerne auch Ihre Sichtweise ...»

«Heißt das, er ist tot?» Ihre Augen schwammen in Tränen.

«Nein, es heißt, dass irgendein Arsch damit Geld machen will.» Ich dachte kurz nach.

«Wer war das, Mädchen?», rief Mum die Treppe hinauf.

«Niemand, Mum. Geh einfach nicht an die Tür.»

Ich spähte übers Treppengeländer. Mum hatte ein Geschirrtuch in der Hand und betrachtete den Schatten, der durch die Glasscheiben der Haustür zu sehen war.

«Ich soll nicht an die Tür gehen?»

Ich nahm meine Schwester am Ellbogen. «Lou ... du hast doch Patrick nichts davon erzählt, oder doch?»

Sie musste nicht antworten. Ihr betroffenes Gesicht sagte alles.

«Okay. Keine Aufregung. Bleib einfach von der Tür weg. Geh nicht ans Telefon. Red kein Wort mit denen, okay?»

Mum fand das alles überhaupt nicht lustig. Und noch weniger lustig fand sie es, als das Telefon zu klingeln anfing. Nach dem fünften Anruf stellten wir den Anrufbeantworter an, aber wir mussten es uns ja trotzdem anhören, und die Stimmen drangen in unseren engen Flur ein wie eine Besatzungsarmee. Es kamen vier oder fünf solcher Anrufe direkt hintereinander, und alle lauteten gleich. Alle boten Lou an, ihre Seite der ‹Story› zu erzählen, wie sie es nannten. Als ob Will Traynor jetzt ein Sonderangebot wäre, auf das sie sich alle stürzten. Das Telefon klingelte, und an der Tür klingelte es auch. Wir saßen bei zugezogenen Vorhängen im Wohnzimmer, hörten, wie sich die Reporter vor unserer Gartentür auf dem Gehweg unterhielten oder telefonierten.

Es war der reinste Belagerungszustand. Mum rang die Hände und schrie den Reportern, die sich auf unser Grundstück wagten, durch den Briefschlitz zu, sie sollten sich sofort aus unserem Garten scheren. Thomas beobachtete sie durch das Badezimmerfenster im ersten Stock und fragte, warum da Leute in unserem Garten waren. Vier von unseren Nachbarn riefen an und wollten wissen, was los war. Dad parkte in der Ivy Street und kam durch die Hintertür ins Haus, und wir überlegten kurz, ob wir kochendes Öl aus dem Fenster auf sie schütten sollten, wie bei der Verteidigung einer Burg.

Dann, als ich ein bisschen nachgedacht hatte, rief ich Patrick an und fragte, wie viel er für seinen schäbigen kleinen Tipp kassiert hatte. Das kurze Zögern, bevor er leugnete, sagte mir alles, was ich wissen wollte.

«Du Scheißkerl!», brüllte ich. «Ich trete dir so fest an deine hässlichen Marathon-Schienbeine, dass du wirklich denkst, der 157ste Platz wäre ein gutes Ergebnis.»

Lou saß in der Küche und weinte. Sie schluchzte nicht, ihr rollten einfach nur die Tränen übers Gesicht, und sie wischte sie manchmal mit der Handfläche weg. Mir fiel nichts ein, womit ich sie trösten konnte.

Aber das war in Ordnung. Es gab genügend andere, denen ich eine Menge zu sagen hatte.

Bis auf einen waren um halb acht sämtliche Journalisten verschwunden. Ich weiß nicht, ob sie aufgegeben hatten, oder ob ihnen Thomas' Spiel langweilig geworden war, jedes Mal, wenn sie einen Zettel durch den Briefschlitz steckten, einen Legostein als Antwort hinauszuschicken. Ich bat Louisa, Thomas für mich zu baden. Vor allem, weil ich sie aus der Küche haben wollte, aber auch, weil ich so die ganzen Nachrichten auf dem Anrufbeantworter abhören und die von der Presse löschen konnte, während sie nicht zuhörte. Sechsundzwanzig. Sechsundzwanzig Ärsche. Und alle klangen so nett, so verständnisvoll. Ein paar boten Louisa sogar Geld an.

Ich löschte sie alle. Auch die mit den Geldangeboten, obwohl ich zugeben muss, dass ich ein winziges bisschen daran interessiert war, wie viel es wohl wäre. Die ganze Zeit hörte ich Lou mit Thomas im Badezimmer reden und das Heulen und Spritzen, mit dem er sein Batmobil Sturzflüge in das knöchelhohe Seifenwasser machen ließ. Das ist so etwas, das man erst über Kinder weiß, wenn man sie hat – Badezeit, Lego und Fischstäbchen machen es einem unmöglich, sich lange mit Tragödien aufzuhalten. Und dann kam ich zur letzten Nachricht.

«Louisa? Hier ist Camilla Traynor. Würden Sie mich bitte zurückrufen? So bald wie möglich?»

Ich starrte den Anrufbeantworter an. Ich spulte zurück und spielte die Nachricht noch einmal ab. Dann rannte ich nach oben und riss Thomas so unvermittelt aus der Badewanne, dass mein kleiner Junge gar nicht wusste, wie ihm geschah. Da stand er, so fest in ein Badetuch gewickelt wie in einen Druckverband, und die stotternde, verwirrte Lou war schon halb die Treppe hinunter, zu der ich sie an den Schultern geschoben hatte.

«Und wenn sie mich hasst?»

«Sie klang überhaupt nicht, als würde sie dich hassen.»

«Aber was ist, wenn die Presse sie dorthin verfolgt hat? Was ist, wenn sie denken, das wäre meine Schuld?» Sie hatte die Augen weit aufgerissen und schaute mich entsetzt an. «Was ist, wenn sie angerufen hat, um zu sagen, dass er es getan hat?»

«Oh, jetzt komm schon, Lou. Reiß dich einmal im Leben zusammen. Du erfährst überhaupt nichts, wenn du nicht anrufst. Ruf sie an. Ruf einfach an. Du hast sowieso keine Wahl.»

Ich rannte ins Badezimmer zurück, um Thomas zu befreien. Ich steckte ihn in seinen Schlafanzug und erklärte ihm, dass Großmutter einen Keks für ihn hätte, wenn er superschnell in die Küche rannte. Und dann spähte ich aus dem Badezimmer, um meine Schwester unten im Flur am Telefon zu beobachten.

Sie stand mit dem Rücken zu mir und strich sich mit einer Hand die Haare im Nacken glatt. Dann streckte sie die Hand aus, um sich im Gleichgewicht zu halten.

«Ja», sagte sie. «Ich verstehe.» Und dann: «Okay.»

Und nach einer Pause: «Ja.»

Noch eine Ewigkeit, nachdem sie aufgelegt hatte, starrte sie vor sich auf den Fußboden.

«Und?», sagte ich.

Sie sah auf, als hätte sie mich jetzt erst bemerkt, und schüttelte den Kopf.

«Es hatte nichts mit der Presse zu tun», sagte sie, die Stimme immer noch gedämpft vom Schock. «Sie hat mich gebeten … mich angefleht … in die Schweiz zu kommen. Und sie hat mir auf dem letzten Flug heute Abend einen Platz gebucht.»

Kapitel 26

Unter anderen Umständen hätte es seltsam erscheinen können, dass ich, Lou Clark, die sich zwanzig Jahre lang selten weiter als eine kurze Busfahrt von ihrer Heimatstadt entfernt hatte, nun innerhalb von einer Woche in drei Ländern war. Aber ich packte eine Übernachtungstasche mit der zügigen Effektivität einer Stewardess und nahm nur das Notwendigste mit. Treena lief schweigend herum und suchte Sachen heraus, die ich eventuell auch noch brauchen könnte, und dann gingen wir nach unten. Auf halbem Wege blieben wir stehen. Mum und Dad standen schon im Hausflur, Seite an Seite, genauso unheilverkündend wie früher, wenn wir uns nach dem Ausgehen viel zu spät durch die Hintertür ins Haus geschlichen hatten.

«Was geht hier vor?» Mum starrte meine Reisetasche an.

Treena hatte sich vor mich gestellt.

«Lou fährt in die Schweiz», sagte sie. «Und sie muss jetzt sofort los. Es gibt heute nur noch einen Flug.»

Wir wollten gerade weiter, als Mum einen Schritt vortrat.

«Nein.» Ihr Mund war zu einer untypischen Linie zusammengepresst, die Arme hatte sie unbehaglich vor der Brust verschränkt. «Das meine ich ernst. Ich will nicht, dass du damit etwas zu tun hast. Wenn es das ist, was ich denke, dann sage ich nein.»

«Aber …», fing Treena an und warf mir über die Schulter einen Blick zu.

«Nein», sagte Mum mit einem ungewohnten, eisernen Tonfall. «Kein Aber. Ich habe darüber nachgedacht, über alles, was du uns erzählt hast. Es ist falsch. Moralisch falsch. Und wenn du dich in eine Sache verwickeln lässt, in der es darum geht, einem Mann beim Selbstmord zu helfen, kannst du alle möglichen Probleme bekommen.»

«Deine Mum hat recht», sagte Dad.

«Wir haben einen Beitrag darüber in den Nachrichten gesehen. Das könnte dein ganzes Leben beeinflussen, Lou. Die Bewerbung an der Uni, alles. Und wenn du eine Vorstrafe hast, kannst du keinen Uniabschluss machen oder dich um eine gute Stelle bewerben, und …»

«Er hat sie darum gebeten, zu kommen. Das kann sie doch nicht einfach ignorieren», unterbrach sie Treena.

«Doch. Doch, das kann sie. Sie hat seiner Familie schon sechs Monate ihres Lebens geopfert. Man sieht ja, was es ihr gebracht hat. Was es unserer Familie gebracht hat, irgendwelche Leute, die bei uns an die Tür hämmern, sodass sämtliche Nachbarn denken, wir werden fertiggemacht, weil wir uns Sozialleistungen erschlichen haben, oder so. Nein, jetzt hat sie endlich die Gelegenheit, etwas aus sich zu machen, und ausgerechnet in diesem Moment wollen sie, dass sie an diesen grässlichen Ort in der Schweiz fährt und sich in Gott weiß was verwickeln lässt. Also, ich sage nein. Nein, Louisa.»

«Aber sie muss gehen», sagte Treena.

«Nein, muss sie nicht. Sie hat genug getan. Das hat sie gestern Abend selbst gesagt, sie hat alles getan, was sie konnte.»

Mum schüttelte den Kopf. «Wenn sich die Traynors ihr Leben verpfuschen wollen, indem sie … sie … was auch immer sie ihrem Sohn antun, ich will nicht, dass Louisa etwas damit zu tun hat. Ich will nicht, dass sie sich ihr ganzes Leben ruiniert.»

«Ich glaube, ich kann meine eigene Entscheidung treffen», sagte ich.

«Da bin ich nicht so sicher. Es geht um deinen Freund, Louisa. Um einen jungen Mann, der sein ganzes Leben vor sich hat. Du kannst nicht … du kannst dich an dieser Sache nicht beteiligen. Ich bin … entsetzt, dass du überhaupt darüber nachdenkst.» Mums Stimme klang hart. «Ich habe dich nicht aufgezogen, damit du einem anderen hilfst, sein Leben zu beenden! Würdest du auch Großvaters Leben beenden? Findest du, wir sollten ihn auch zu Dignitas abschieben?»

«Bei Großvater ist es etwas anderes.»

«Nein, ist es nicht. Er kann nicht mehr, was er früher konnte. Aber sein Leben ist trotzdem wertvoll. Genauso wie das Leben von Will wertvoll ist.»

«Es ist nicht meine Entscheidung, Mum. Es ist Wills Entscheidung. Es geht nur darum, Will zu unterstützen.»

«Will unterstützen? So einen Unsinn habe ich noch nie gehört. Du bist ein Kind, Louisa. Du hast nichts im Leben gesehen, nichts gehört. Und du hast keine Ahnung, was das für Folgen für dich haben wird. Wie in Gottes Namen willst du noch eine einzige Nacht ruhig schlafen, wenn du ihm hilfst, das durchzuziehen? Du willst einem Mann helfen zu *sterben*. Verstehst du wirklich, worum es geht? Du willst Will, diesem reizenden, klugen jungen Mann helfen zu *sterben*.»

«Ich werde nachts schlafen können, weil ich Will zutraue zu wissen, was richtig für ihn ist, und weil das Schlimmste für ihn war, dass er die Möglichkeit verloren hatte, auch nur eine einzige eigene Entscheidung zu treffen, auch nur eine einzige

Sache für sich selbst zu tun …» Ich sah meine Eltern an, wollte, dass sie verstanden, worum es ging. «Ich bin kein Kind mehr. Ich liebe ihn. Ich liebe ihn, und ich hätte ihn nicht allein lassen dürfen, und ich kann es nicht ertragen, nicht dort zu sein und nicht zu wissen, was … was er …» Ich schluckte. «Und deshalb: Ja, ich gehe. Ihr müsst nicht auf mich aufpassen und mich auch nicht verstehen. Ich komme damit klar. Aber ich fahre in die Schweiz – egal, was ihr sagt.»

Schweigen senkte sich über die kleine Diele. Mum starrte mich an, als würde sie mich nicht mehr erkennen. Ich ging einen Schritt auf sie zu, wollte ihr meinen Standpunkt begreiflich machen. Doch während ich den Schritt nach vorn machte, ging sie einen zurück.

«Mum? Ich *schulde* es Will. Ich schulde es ihm, hinzufahren. Wer, glaubst du, hat mich dazu gebracht, mich an der Uni zu bewerben? Wer, glaubst du, hat mich dazu ermutigt, etwas aus mir zu machen, zu reisen, mir Ziele zu stecken? Wer hat mein ganzes Denken verändert? Sogar mein Denken über mich selbst! Das war Will. Ich habe in den letzten sechs Monaten mehr getan, mehr erlebt als in den letzten siebenundzwanzig Jahren meines Lebens. Wenn er also möchte, dass ich in die Schweiz komme, ja, dann werde ich hinfahren. Ganz egal, was dabei herauskommt.»

Darauf folgte eine kurze Stille.

«Sie ist wie Tante Lily», sagte Dad schließlich leise.

Wir starrten uns an. Dad und Treena warfen sich Blicke zu, als warteten sie beide darauf, dass der andere etwas sagte.

Doch dann sprach Mum als Erste. «Wenn du fährst, Louisa, dann brauchst du nicht zurückzukommen.»

Die Worte schienen schwer wie Steine aus ihrem Mund zu fallen. Schockiert sah ich meine Mutter an. Ihr Blick war unnachgiebig und wurde noch angespannter, als sie auf meine Reaktion wartete. Es war, als wäre zwischen uns auf einmal eine Mauer hochgewachsen, die es noch nie gegeben hatte.

«Mum?»

«Ich meine es ernst. Das ist nicht besser als Mord.»

«Josie …»

«Das ist die Wahrheit, Bernard. Damit kann und will ich nichts zu tun haben.»

Ich weiß noch, wie mir durch den Kopf ging, dass ich Katrina noch nie so unsicher gesehen hatte wie in diesem Augenblick. Ich sah Dads Hand nach Mums Arm greifen, ob er ihr Vorwürfe machen oder sie trösten wollte, konnte ich nicht sagen. Mein Kopf war einen Moment lang vollkommen leer. Und dann, beinahe ohne zu wissen, was ich tat, ging ich langsam an meinen Eltern vorbei zur Haustür. Und nach einer Sekunde folgte mir meine Schwester.

Dad zog die Mundwinkel herunter, als müsste er sich beherrschen, um nicht alles Mögliche auszusprechen, was ihm gerade durch den Kopf schoss. Dann drehte er sich zu Mum um und legte ihr die Hand auf die Schulter. Ihr Blick suchte seinen, und es war, als wüsste sie schon, was er tun würde.

Und dann warf er Treena die Autoschlüssel zu. Sie fing sie mit einer Hand.

«Hier», sagte er. «Und geht durch die Hintertür und durch Mrs. Dohertys Garten, und dann nehmt ihr den Transporter. Dadrin sehen sie euch nicht. Wenn ihr gleich losfahrt und der Verkehr nicht zu schlimm ist, schafft ihr es vielleicht gerade noch.»

«Hast du eine Ahnung, wo das alles hinführt?», fragte Katrina.

Sie warf mir einen Seitenblick zu, während wir über die Autobahn rasten.

«Nein.»

Ich konnte sie nicht lange anschauen – ich kramte in meiner Handtasche und überlegte, was ich vergessen haben könnte. Ich hörte wieder Mrs. Traynors Stimme am Telefon. *Louisa? Bitte, würden Sie kommen? Ich weiß, dass wir unsere Schwierigkeiten miteinander hatten, aber bitte ... es ist lebenswichtig, dass Sie jetzt kommen.*

«Shit. Ich habe Mum noch nie so erlebt», fuhr Treena fort.

Pass, Geldbeutel, Haustürschlüssel. Haustürschlüssel? Wozu? Ich hatte kein Zuhause mehr.

Katrina sah wieder zu mir herüber. «Weißt du, jetzt ist sie zwar völlig irre, aber sie steht unter Schock. Du wirst sehen, hinterher ist alles wieder gut. Weißt du noch, als ich nach Hause kam und sagte, dass ich schwanger bin, dachte ich, sie redet nie mehr ein Wort mit mir. Aber es hat nur ... wie lange war das noch ... zwei Tage gedauert, bis sie wieder normal war.»

Ich hörte ihr gar nicht richtig zu. Ich konnte mich auf nichts konzentrieren. Ich glaubte, jedes einzelne meiner Nervenenden zu spüren, bebend vor Erwartung. Ich würde Will sehen. Ganz gleich, was sonst noch war, darauf konnte ich mich verlassen. Ich spürte beinahe, wie die Entfernung zwischen uns schrumpfte, als wären wir zwei Enden desselben Gummibandes.

«Treen?»

«Ja?»

Ich schluckte. «Sorg dafür, dass ich diesen Flug nicht verpasse.»

Meine Schwester ist alles andere als unentschlossen. Wir drängelten uns vor, jagten über die Standspur, überschritten das Tempolimit, suchten im Radio nach Verkehrsnachrichten, und endlich kam der Flughafen in Sicht. Sie hielt mit kreischenden Bremsen vor dem Terminal, und ich war aus dem Auto, bevor ich sie hörte.

«Hey! Lou!»

«Sorry.» Ich drehte mich um und rannte die paar Schritte um das Auto zu ihr.

Sie umarmte mich ganz fest. «Du machst genau das Richtige», sagte sie und sah aus, als würde sie gleich anfangen zu weinen. «Und jetzt mach, dass du wegkommst. Wenn du den verdammten Flug verpasst, nachdem ich mir sechs Punkte eingehandelt habe, rede ich nie wieder ein Wort mit dir.»

Ich drehte mich nicht mehr um. Ich rannte die ganze Strecke bis zum Swiss-Air-Schalter und brauchte drei Versuche, um meinen Namen deutlich genug auszusprechen, damit sie mir mein Ticket gaben.

Kurz vor Mitternacht kam ich in Zürich an. Angesichts der Uhrzeit hatte mir Mrs. Traynor wie versprochen ein Hotelzimmer am Flughafen gebucht. Am nächsten Morgen um neun würde sie mir einen Wagen schicken, um mich abzuholen. Ich hatte geglaubt, nicht schlafen zu können, aber ich schlief – einen merkwürdigen, schweren und zerrissenen Schlaf –, wachte am nächsten Morgen auf und hatte keine Ahnung, wo ich war.

Ich starrte erschöpft durch das unbekannte Zimmer, auf die schweren, burgunderroten Vorhänge, die das Licht draußen halten sollten, auf den großen Flatscreen-Fernseher und auf meine kleine Reisetasche, die ich nicht ausgepackt hatte. Mit einem Blick auf die Uhr stellte ich fest, dass es kurz nach sieben war. Und als mir wieder klar wurde, wo ich war, krampfte sich mein Magen vor Angst zusammen.

Ich stieg aus dem Bett und war gerade noch rechtzeitig in dem kleinen Badezimmer, bevor ich mich übergeben musste. Ich sank auf dem Boden zusammen, das Haar klebte mir an der Stirn, meine Wange lag am kühlen Porzellan der Toilettenschüssel. Ich hörte die Stimme meiner Mutter, ihren Einspruch, und spürte, wie dunkle Furcht in mir aufstieg. Ich war dieser Situation nicht gewachsen. Ich wollte nicht wieder versagen. Ich wollte Will nicht beim Sterben zusehen. Ich stöhnte laut auf, und als ich mich hochrappelte, wurde mir wieder schlecht.

Ich konnte nichts essen. Ich bekam eine Tasse schwarzen Kaffee hinunter, duschte und zog mich an, und dafür brauchte ich bis acht Uhr. Ich starrte das blassgrüne Kleid an, das ich am Tag zuvor in meine Reisetasche geworfen hatte, und fragte mich, ob es für den Ort angemessen war, an den ich fahren würde. Trugen die anderen vielleicht alle Schwarz? Hätte ich etwas Fröhlicheres, Lebendigeres tragen sollen als das rote Kleid, das Will gefiel? Warum hatte mich Mrs. Traynor hierhergerufen? Ich überlegte, ob ich Katrina anrufen sollte. Aber bei ihr wäre es jetzt eine Stunde früher, und sie zog vermutlich gerade Thomas an, und der Gedanke, Mum könnte abheben, war zu viel für mich. Ich legte ein bisschen Make-up auf, und dann setzte ich mich ans Fenster, und langsam verrannen die Minuten.

Ich glaube nicht, dass ich mich je im Leben einsamer gefühlt habe.

Als ich es in dem Zimmer nicht länger aushielt, steckte ich den Kleinkram zurück in die Reisetasche und ging hinaus. Ich würde mir eine Zeitung kaufen und in der Lobby warten. Das konnte auch nicht schlimmer sein, als mit der Stille oder dem Satelliten-Nachrichtensender und der erstickenden Düsterkeit der Vorhänge in meinem Zimmer zu sitzen. Als ich an der Rezeption vorbeikam, sah ich in einer Ecke der Lobby einen Computer. Daneben stand ein Schild. *Für Gäste. Bitte erkundigen Sie sich an der Rezeption.*

«Kann ich den Computer benutzen?», fragte ich die Frau vom Empfang.

Sie nickte. Ich wusste auf einmal, mit wem ich reden wollte. Ich spürte genau, dass er einer der wenigen Menschen war, auf die ich mich jetzt verlassen konnte. Ich loggte mich in den Chatroom ein und tippte eine Nachricht.

Ritchie. Bist du da?

Guten Morgen, Bee. Du bist früh dran heute.

Ich zögerte einen Moment, dann schrieb ich:

Mir steht der seltsamste Tag meines Lebens bevor.
Ich bin in der Schweiz.

Er wusste, was das bedeutete. Sie wussten alle, was es bedeutete. Die Klinik war Gegenstand vieler hitziger Diskussionen gewesen. Ich tippte:

Ich habe Angst.

Warum bist du dann dort?

Weil ich nicht wegbleiben konnte. Er hat mich darum gebeten.
Bin im Hotel und warte darauf, zu ihm zu fahren.

Nach erneutem Zögern schrieb ich weiter.

Ich habe keine Ahnung, wie dieser Tag ausgehen wird.

Oh, Bee.

Was soll ich ihm sagen? Wie kann ich ihn umstimmen?

Es erfolgte eine Pause, bevor er wieder schrieb. Seine Worte tauchten langsamer auf dem Bildschirm auf als sonst, so als würde er sie mit großem Bedacht wählen.

Wenn er in der Schweiz ist, Bee, glaube ich nicht, dass er seine Meinung ändern wird.

In meiner Kehle bildete sich ein dicker Kloß, und ich schluckte ihn herunter. Ritchie tippte immer noch.

Ich würde diese Wahl nicht treffen. Das würden die meisten hier im Board nicht tun. Ich liebe mein Leben, auch wenn ich wünschte, es wäre anders. Aber ich verstehe, warum dein Freund genug davon hat. Es macht einen sehr müde, diese Form des Lebens, müde auf eine Art, die ein NB nie richtig verstehen kann. Wenn er dazu entschlossen ist, wenn er wirklich keine Möglichkeit sieht, dass seine Situation besser werden könnte, dann glaube ich, das Beste, was du tun kannst, ist, einfach bei ihm zu sein. Du musst nicht finden, dass er mit seiner Entscheidung recht hat. Aber du musst bei ihm bleiben.

Ich hielt den Atem an.

Viel Glück, Bee. Und melde dich danach. Dann wird es vermutlich ein bisschen hart für dich. So oder so, eine Freundin wie dich könnte jeder brauchen.

Meine Finger lagen noch auf der Tastatur. Ich schrieb:

Mach ich.

Und dann sagte mir die Rezeptionistin, mein Taxi sei draußen.

Ich weiß nicht, was ich erwartet hatte – vielleicht ein weißes Gebäude an einem See oder unterhalb von verschneiten Berggipfeln. Vielleicht eine krankenhausartige Marmorfassade mit einer Messingtafel neben dem Eingang. Was ich nicht erwartet hatte, war, durch ein Gewerbegebiet gefahren zu werden, bis wir vor einem vollkommen durchschnittlich aussehenden Haus ankamen, das zwischen Fabriken und merkwürdigerweise einem Fußballfeld lag. Ich ging über eine Terrasse, vorbei an einem Goldfischteich, und dann war ich in dem Haus.

Die Frau, die mir die Tür aufmachte, wusste sofort, wen ich suchte. «Er ist hier. Soll ich Sie in das Zimmer bringen?»

Ich zögerte. Ich starrte die geschlossene Tür an, die merkwürdigerweise der Tür ähnelte, vor der ich sechs Monate zuvor gestanden hatte, als ich das erste Mal Wills Anbau betreten hatte. Dann nickte ich.

Ich sah das Bett, bevor ich ihn sah. Es dominierte das Zimmer mit seinem Mahagoniholz, seiner heimeligen, geblümten Steppdecke und den Kissen, die in dieser Umgebung seltsam fehl am Platz wirkten. Mr. Traynor saß auf einer Seite des Bettes, Mrs. Traynor auf der anderen.

Sie war blass wie ein Gespenst und stand auf, als sie mich sah. «Louisa.»

Georgina saß vorgebeugt auf einem Holzstuhl in der Ecke und hatte die Hände zusammengepresst, als würde sie beten. Sie hob den Blick, als ich hereinkam, sodass ich ihre tief umschatteten, rotgeweinten Augen sah, und auf einmal schoss Mitleid für sie in mir hoch.

Was hätte ich getan, wenn Katrina auf ihrem Recht bestanden hätte, das Gleiche zu tun?

Das Zimmer war hell und luftig, wie in einem exklusiven Ferienhaus. Auf dem gefliesten Boden lagen teure Teppiche, und am Fenster stand ein Sofa, von dem aus man in einen kleinen Garten hinaussah. Ich wusste nicht, was ich sagen sollte. All das war ein so unglaublich normaler Anblick. Wie die drei dort saßen, als wären sie eine Familie, die sich überlegte, welche Sehenswürdigkeit heute besichtigt werden sollte.

Ich sah zum Bett. «Also», sagte ich, die Tasche noch über der Schulter. «Ich schätze, der Zimmerservice bringt's nicht so.»

Will suchte meinen Blick und hielt ihn fest, und trotz allem, trotz all meiner Ängste, obwohl ich mich zweimal übergeben hatte, obwohl ich mich fühlte, als hätte ich seit einem Jahr nicht geschlafen, war ich auf einmal froh, dass ich gekommen war. Nein, nicht froh, sondern erleichtert. Als hätte ich einen schmerzenden, nagenden Teil meines Selbst herausgeschnitten und hinter mir gelassen.

Und dann lächelte er. Es war hinreißend, sein Lächeln – langsam und voller Anerkennung.

Eigenartigerweise stellte ich fest, dass ich zurücklächelte. «Schönes Zimmer», sagte ich, und augenblicklich wurde mir bewusst, wie schwachsinnig diese Bemerkung war. Ich sah Georgina Traynor die Augen schließen und wurde rot.

Will drehte seiner Mutter den Kopf zu. «Ich will mit Lou reden. Ist das in Ordnung für euch?»

Sie versuchte zu lächeln. Und in der Art, auf die sie mich dann anschaute, sah ich eine Million Gefühle – Erleichterung, Dankbarkeit, leichte Verstimmung, weil sie von diesen paar Minuten ausgeschlossen wurde, vielleicht sogar einen Funken Hoffnung, dass mein Erscheinen etwas bewirken würde, dass sich das Schicksal noch aus seiner Bahn werfen lassen würde.

«Natürlich.»

Sie ging an mir vorbei in den Flur, und als ich von der Tür zurücktrat, um sie durchzulassen, streckte sie den Arm aus und berührte mich ganz leicht am Oberarm. Unsere Blicke trafen sich, und ihrer wurde weicher, sodass sie einen Moment lang wie ein ganz anderer Mensch aussah, und dann drehte sie sich von mir weg.

«Komm, Georgina», sagte sie, als ihre Tochter keine Anstalten machte, sich zu bewegen.

Georgina stand langsam auf und ging schweigend hinaus, sogar ihr Rücken strahlte ihren Widerwillen aus.

Und dann gab es nur noch uns beide.

Will lag halb aufgerichtet im Bett, sodass er aus dem Fenster auf seiner linken Seite in den kleinen Garten schauen konnte, wo ein Wasserspiel ein munteres, klares Flüsschen unter die Terrasse perlen ließ. An der Wand gegenüber dem Bett hing ein schlecht gerahmter Druck mit Dahlien. Es war ein ziemlich schäbiger Druck dafür, dass er für manche Leute das Letzte war, was sie im Leben sahen, dachte ich.

«Also …»

«Du versuchst nicht …»

«Ich versuche nicht, dich umzustimmen.»

«Dann bist du also gekommen, weil du akzeptiert hast, dass es meine Entscheidung ist. Es ist das Erste, über das ich seit meinem Unfall wirklich selbst bestimmen konnte.»

«Ich weiß.»

Und das war es. Er wusste es, und ich wusste es auch. Es gab nichts mehr für mich zu tun.

Können Sie sich vorstellen, wie schwer es ist, nichts zu sagen? Wenn jedes einzelne Atom in einem genau das Gegenteil will? Ich hatte den ganzen Weg vom Flughafen aus versucht, mich in diese Situation zu versetzen, mir vorgestellt, wie es werden würde, nichts gegen seine Entscheidung zu sagen, und trotzdem brachte es mich jetzt beinahe um. Ich nickte. Als ich schließlich sprach, klang meine Stimme leise und gebrochen. Es war das Einzige, was ich sagen konnte.

«Du hast mir gefehlt.»

Da schien er sich zu entspannen. «Komm zu mir.» Und dann, als ich zögerte: «Bitte. Komm her. Hierher, aufs Bett. Ganz dicht neben mich.»

Ich nahm wahr, dass in seinem Gesicht echte Erleichterung stand. Dass er sich so sehr darüber freute, mich zu sehen, wie er es gar nicht ausdrücken konnte. Und ich sagte mir, dass mir das genügen musste. Ich würde tun, um was er mich gebeten hatte. Das musste mir genügen.

Ich legte mich neben ihn auf das Bett und schob den Arm über ihn. Ich bettete meinen Kopf an seine Brust, ließ meinen Körper ihr sanftes Heben und Senken in sich aufnehmen. Ich fühlte den schwachen Druck von Wills Fingerspitzen an meinem Rücken, seinen warmen Atem in meinem Haar. Ich schloss die Augen, atmete seinen Geruch ein, es war immer noch der gleiche luxuriöse Zedernholz-Duft, den ich trotz der kühlen Frische des Zimmers und des schwachen Geruchs nach Desinfektionsmittel wahrnahm. Ich versuchte, an überhaupt nichts zu denken. Ich versuchte, einfach nur zu sein, versuchte, den Mann, den ich liebte, durch Osmose in mich aufzunehmen, versuchte, was mir noch von ihm blieb, für alle Zeit in mein Gedächtnis zu bannen. Er schwieg. Und dann hörte ich seine Stimme. Ich lag so dicht bei ihm, dass seine Stimme durch meinen Körper zu vibrieren schien.

«Hey, Clark», sagte er. «Erzähl mir was Schönes.»

Ich starrte aus dem Fenster auf den hellblauen Schweizer Himmel, und ich erzählte ihm die Geschichte von zwei Menschen. Zwei Menschen, die sich nicht hätten begegnen sollen und, als es doch passierte, sich nicht besonders mochten. Aber dann stellten sie fest, dass sie das vielleicht einzige Gegenüber in der Welt gefunden hatten, das sie verstand. Und ich erzählte ihm von den Abenteuern, die sie zusammen erlebten, den Orten, an die sie fuhren, und von all den Dingen, die ich ohne ihn niemals gesehen hätte. Ich beschwor für ihn sternenfunkelnde Himmel und schimmernde Meere und Abende voller Lachen und alberner Witze. Ich zeichnete eine Welt für ihn, eine Welt weit weg von einem Schweizer Gewerbegebiet, eine Welt, in der er irgendwie immer noch der Mensch war, der er hatte sein wollen. Ich zeichnete die Welt, die er für mich geschaffen hatte, eine Welt voller Staunen und Möglichkeiten. Ich erklärte ihm, dass er eine Verletzung hatte verheilen lassen, so gut, wie er es nicht einmal ansatzweise ahnen konnte, und dass ich ihm deshalb für immer dankbar sein würde. Und während ich sprach, wusste ich, dass es die bedeutendsten Worte waren, die ich jemals sagen würde, und ich wusste, wie wichtig es war, die richtigen Worte zu wählen, damit er sie nicht als Beeinflussung aufnahm, als Versuch, ihn umzustimmen, sondern damit sie zeigten, dass ich Wills Entscheidung respektierte.

Ich erzählte ihm etwas Schönes.

Die Zeit verlangsamte sich und blieb stehen. Es gab nur noch uns zwei, und ich redete leise in dem leeren, sonnendurchfluteten Zimmer. Will sagte nicht viel. Er antwortete nicht, warf keine trockenen Bemerkungen ein, spottete nicht. Manchmal nickte er, seinen Kopf gegen meinen gedrückt, oder er gab ein kleines Geräusch von sich, vielleicht aus Zufriedenheit oder weil er an eine weitere schöne Erinnerung dachte.

«Es waren», erklärte ich ihm, «die besten sechs Monate meines Lebens.»

Darauf folgte ein langes Schweigen.

«Komisch, Clark, bei mir ist es genauso.»

Und dann, einfach so, brach mir das Herz. Mein Gesicht verzog sich, meine Selbstbeherrschung löste sich auf, und ich hielt ihn fest, und es war mir egal, ob er meinen bebenden Körper spürte, während ich schluchzte, denn der Kummer überschwemmte mich mit unaufhaltsamer Wucht. Er überwältigte mich, zerriss mir das Herz, fraß sich in meinen Bauch und meinen Kopf, zog mich in einen klebrigen Sumpf, und ich hielt es nicht aus. Ich dachte ehrlich, ich könnte es nicht aushalten.

«Nicht, Clark», murmelte er. Ich spürte seine Lippen auf meinem Haar. «Oh, bitte. Nicht. Sieh mich an.»

Ich presste die Augen zu und schüttelte den Kopf.

«Sieh mich an. Bitte.»

Ich konnte nicht.

«Du bist wütend. Bitte. Ich will dich nicht verletzen oder ...»

«Nein ...» Wieder schüttelte ich den Kopf. «Das ist es nicht. Ich will nicht ...» Meine Wange lag fest an seiner Brust. «Ich will nicht, dass du als Letztes mein verheultes, fleckiges Gesicht siehst.»

«Du verstehst es immer noch nicht, Clark, oder?» Ich hörte das Lächeln in seiner Stimme. «Es ist nicht deine Entscheidung.»

Ich brauchte eine Weile, um meine Fassung wiederzugewinnen. Ich putzte mir die Nase und atmete tief ein. Schließlich stützte ich mich auf den Ellbogen hoch und erwiderte seinen Blick. Seine Augen, die so lange angestrengt und unglücklich ausgesehen hatten, wirkten seltsam klar und entspannt.

«Du siehst unheimlich schön aus.»

«Sehr komisch.»

«Komm her», sagte er. «Ganz nah zu mir.»

Ich legte mich wieder hin und wandte ihm das Gesicht zu. Ich sah die Uhr über der Tür, und auf einmal hatte ich das Gefühl, die Zeit würde knapp. Ich nahm seinen Arm, legte ihn eng um mich und schob meine eigenen Arme und Beine um ihn, sodass wir eng umschlungen waren. Ich nahm seine Hand, in der er noch etwas Gefühl hatte, verschränkte meine Finger mit seinen und küsste seine Fingerknöchel, als ich den leichten Druck seiner Finger spürte. Sein Körper war mir inzwischen so vertraut. Ich kannte ihn auf eine Art, auf die ich Patricks Körper nie gekannt hatte, seine Stärken und Schwächen, seine Narben und Gerüche. Ich legte mein Gesicht so dicht an seines, dass ich ihn nur noch verschwommen sehen konnte, und ich begann, mich in ihm zu verlieren. Ich strich ihm mit den Fingerspitzen übers Haar, über die Haut, die Augenbrauen, und Tränen rollten mir über die Wangen, meine Nase berührte seine, und die ganze Zeit betrachtete er mich schweigend, musterte mich, als wollte er jedes Molekül von mir einlagern. Er zog sich schon zurück, entfernte sich irgendwohin, wo ich ihn nicht mehr erreichen konnte.

Ich küsste ihn, versuchte, ihn zurückzuholen. Ich küsste ihn und ließ meine Lippen auf seinen liegen, sodass sich unser Atem vermischte und die Tränen aus meinen Augen zu Salz auf seiner Haut wurden, und ich sagte mir, dass irgendwie auch winzige Partikel von ihm zu winzigen Partikeln von mir würden, in meinen Körper aufgenommen, lebendig verschluckt, immerwährend. Ich wollte mich mit jeder Faser an ihn pressen. Ich wollte ihm meinen Willen einflößen. Ich wollte ihm jedes bisschen Leben geben, das ich spürte, und ihn zum Leben zwingen.

Mir wurde klar, wie sehr ich mich vor einem Leben ohne ihn fürchtete. *Wieso hast du das Recht, mein Leben zu zerstören*, wollte ich ihn fragen, *und ich darf bei deinem nicht mitreden?*

Aber ich hatte es versprochen.

Also hielt ich ihn fest, Will Traynor, den Ex-City-Senkrechtstarter, Ex-Stunttaucher, Sportler, Traveller, Liebhaber. Ich hielt ihn eng an mich gedrückt, und ich schwieg, während ich ihm in Gedanken sagte, dass er geliebt wurde. Oh, er wurde so sehr geliebt.

Ich weiß nicht, wie lange wir so umschlungen blieben. Am Rande nahm ich leise Unterhaltung vor der Tür wahr oder gedämpfte Schritte, eine Kirchenglocke, die irgendwo weit weg läutete. Schließlich spürte ich, wie er einen tiefen Atemzug ausstieß, dabei fast zitterte, und dann zog er seinen Kopf ein Stückchen zurück, sodass wir uns deutlich sehen konnten.

Ich blinzelte.

Er lächelte ein bisschen, beinahe entschuldigend.

«Clark», sagte er ruhig. «Kannst du meine Eltern hereinrufen?»

Kapitel 27

STAATSANWALTSCHAFT
z. Hd.: Generalstaatsanwalt
Vertrauliches Gutachten
Betr.: William John Traynor
4. 9. 2009

D ie polizeilichen Vernehmungen sämtlicher Beteiligter an
dem oben genannten Fall sind abgeschlossen, und alle
entsprechenden Dokumente sind diesem Schreiben beigefügt.

Die Person im Mittelpunkt der Untersuchung ist Mr. Will
Traynor, 35 Jahre, ehemaliger Teilhaber der Firma Madingley
Lewis in der City of London. Mr. Traynor erlitt im Jahr 2007
bei einem Verkehrsunfall eine Rückenmarksverletzung und
wurde als C5 / C6-Querschnittspatient mit nur noch sehr eingeschränkten Bewegungsfähigkeiten eines Armes diagnostiziert
und benötigte eine 24-Stunden-Betreuung. Seine Krankengeschichte liegt bei.

Die Unterlagen zeigen, dass Mr. Traynor großen Aufwand
betrieben hat, um vor seiner Reise in die Schweiz seine recht-
lichen Angelegenheiten korrekt zu regeln. Uns wurde durch
seinen Anwalt, Mr. Michael Lawler, eine vor Zeugen unter-
schriebene Absichtserklärung übergeben, ebenso wie Kopien
sämtlicher relevanter Unterlagen, die seine Beratungen mit der
Klinik im Vorfeld dokumentieren.

Die Familienangehörigen Mr. Traynors sowie seine Freunde

haben sämtlich ihre Ablehnung seines erklärten Wunsches, sein Leben vorzeitig zu beenden, zum Ausdruck gebracht, doch waren sie angesichts seiner Krankengeschichte und früherer Selbstmordversuche (Einzelheiten im beigefügten Krankenhausbericht), seiner Intelligenz und Charakterstärke nicht in der Lage, ihn davon abzubringen, auch nicht während eines sechsmonatigen Zeitraums, der mit ihm speziell zu diesem Zweck ausgehandelt worden war.

Es wird Beachtung finden, dass eine der Begünstigten in Mr. Traynors Testament seine angestellte weibliche Pflegekraft Miss Louisa Clark ist. Angesichts der eingeschränkten Dauer ihrer Verbindung mit Mr. Traynor könnten Fragen zu dem Ausmaß seiner Großzügigkeit ihr gegenüber aufkommen, doch alle Parteien haben bekundet, die erklärten Wünsche Mr. Traynors, die rechtlich gültig festgehalten sind, nicht anfechten zu wollen. Miss Clark wurde mehrere Male ausführlich befragt, und die Polizei ist davon überzeugt, dass sie jede Anstrengung unternommen hat, um Mr. Traynor von seinem Vorhaben abzubringen (siehe ihren ‹Kalender der Abenteuer› unter den Beweismitteln).

Es sollte auch festgehalten werden, dass Mrs. Camilla Traynor, seine Mutter, die seit Jahren als Richterin im Staatsdienst ist, angesichts des breiten öffentlichen Interesses, das diesen Fall begleitet, einen Amtsverzicht angeboten hat. Wie man hört, haben sie und Mr. Traynor sich kurz nach dem Tod ihres Sohnes getrennt.

Obwohl Sterbehilfe an ausländischen Kliniken von der Staatsanwaltschaft keineswegs begrüßt wird, hat sich erwiesen, dass die Handlungen von Mr. Traynors Familienmitgliedern und seiner Pflegekräfte nach dem vorliegenden Beweismaterial keinen Verstoß gegen die derzeitig gültigen Richtlinien zur Sterbehilfe darstellen beziehungsweise keinen Tatbestand erfüllen, der zur Strafverfolgung von Personen aus dem Umfeld des Verstorbenen führt.

1. Mr. Traynor wurde als geschäftsfähig erachtet und hatte den «freiwilligen, eindeutigen, entschiedenen und sachkundig fundierten» Wunsch, diese Entscheidung zu treffen.
2. Es gibt keinerlei Hinweise auf eine geistige Erkrankung oder Nötigung von anderer Seite.
3. Mr. Traynor hatte zweifelsfrei geäußert, dass er Selbstmord begehen will.
4. Mr. Traynors Behinderung war schwer und unheilbar.
5. Das Handeln derjenigen, die Mr. Traynor begleitet haben, kann als widerwillige Unterstützung angesichts des entschiedenen Wunsches auf der Seite des Opfers angesehen werden.
6. Alle Beteiligten haben der Polizei jede Unterstützung bei der Untersuchung dieses Falles angeboten.

Angesichts der oben beschriebenen Tatsachen, des guten Willens aller Beteiligten und der beigefügten Beweismittel komme ich zu dem Schluss, dass es dem öffentlichen Interesse nicht dient, in diesem Fall eine Anklage zu erheben.

Ich empfehle, sofern eine öffentliche Verlautbarung geplant ist, eine Klarstellung durch den Generalstaatsanwalt dahingehend, dass der Fall Traynor keinen irgendwie gearteten Präzedenzfall darstellt, sondern die Staatsanwaltschaft weiterhin jeden einzelnen Fall nach seinen spezifischen Umständen beurteilen wird.

Mit besten Empfehlungen
Sheilagh Mackinnon
Staatsanwaltschaft

Epilog

I ch folgte einfach nur den Anweisungen.

Ich saß vor dem Café im Schatten der dunkelgrünen Markise und schaute die Rue des Francs Bourgeois hinunter, während die sanfte Pariser Herbstsonne mir eine Wange wärmte. Vor mir standen, von dem Kellner mit gallischer Betriebsamkeit serviert, ein Teller mit Croissants und eine große Tasse Kaffee. Hundert Meter die Straße hinunter blieben zwei Radfahrer an einer Ampel stehen und fingen ein Gespräch an. Einer trug einen blauen Rucksack, aus dem in merkwürdigen Winkeln zwei lange Baguettestangen herausragten. In der schwülen, stehenden Luft hing der Duft nach Kaffee und Gebäck, und von irgendwo wehte scharfer Zigarettenrauch heran.

Ich las Treenas Brief zu Ende (sie hätte angerufen, sagte sie, aber Auslandsgespräche waren ihr zu teuer). Sie hatte in Rechnungswesen II das Semester als Beste abgeschlossen, und sie hatte einen neuen Freund, Sundeep, der gerade dabei war zu entscheiden, ob er in das Import-Export-Geschäft seines Vaters in der Nähe von Heathrow einsteigen sollte, und einen noch schlechteren Musikgeschmack hatte als Treena. Thomas war restlos begeistert, weil er in die nächste Klasse kam. Bei Dads Arbeit lief es immer noch wie geschmiert, und er schickte mir Grüße. Treena war überzeugt, dass mir Mum bald verzeihen würde. *Sie hat deinen Brief bekommen*, schrieb sie. *Und ich weiß, dass sie ihn gelesen hat. Lass ihr Zeit.*

Ich nippte an meinem Kaffee, fühlte mich kurz in die Renfrew Road zurückversetzt, in ein Zuhause, das mir jetzt endlos weit weg erschien.

Dann blinzelte ich ein bisschen gegen die niedrig stehende Sonne und sah eine Frau, die in der Spiegelung einer Schaufensterscheibe ihre Sonnenbrille zurechtrückte. Sie spitzte die Lippen vor ihrem Spiegelbild, richtete sich ein bisschen gerader auf und setzte dann ihren Weg die Straße hinunter fort.

Ich stellte die Tasse ab, atmete tief ein, und dann nahm ich den anderen Brief in die Hand, den Brief, den ich inzwischen seit beinahe sechs Wochen mit mir herumtrug.

Auf dem Umschlag stand unter meinem Namen in getippten Großbuchstaben:

AUSSCHLIESSLICH IM CAFÉ MARQUIS, RUE DES FRANCS BOURGEOIS, BEGLEITET VON CROISSANTS UND EINEM GROSSEN CAFÉ CRÈME, ZU LESEN.

Ich hatte gelacht, sogar während ich schluchzte, als ich diesen Umschlag zum ersten Mal gesehen hatte – typisch Will, befehlshaberisch bis zum Schluss.

Der Kellner – ein schlanker, lebhafter Mann, dem ein Dutzend Papierchen aus der Schürzentasche ragten – drehte sich um und fing meinen Blick auf. *Alles okay?*, sagten seine hochgezogenen Augenbrauen.

«Ja», sagte ich. Und dann, ein bisschen unsicher: «*Oui.*»

Der Brief war getippt. Ich kannte die Schriftart von einer

Karte, die er mir einmal geschickt hatte. Ich lehnte mich auf meinem Stuhl zurück und begann zu lesen.

Clark,

es werden ein paar Wochen vergangen sein, bis du das liest (selbst bei deinem neuentdeckten Organisationstalent ist es ja unwahrscheinlich, dass du es vor Anfang September nach Paris schaffst). Ich hoffe, der Kaffee ist gut und stark und die Croissants frisch und das Wetter immer noch schön genug, um draußen auf einem dieser Metallstühle zu sitzen, die immer ein bisschen wackeln. Es ist nicht schlecht, das Marquis. Das Steak ist auch gut, falls du zum Mittagessen wiederkommen willst. Und wenn du links die Straße runterschaust, wirst du hoffentlich L'Artisan Parfumeur sehen, wohin du, wenn du zu Ende gelesen hast, gehen und ein Parfüm namens Papillons Extrême (ich weiß den Namen nicht mehr ganz genau) ausprobieren solltest. Ich habe immer gedacht, dieser Duft würde großartig zu dir passen.

Okay, Ende der Anordnungen. Es gibt ein paar Dinge, die ich dir sagen wollte und dir persönlich gesagt hätte, aber du wärst a) total emotional geworden und hättest es mich b) sowieso nicht sagen lassen. Du redest nämlich selbst immer zu viel.

Also: Auf dem Scheck, den du in dem ersten Umschlag von Michael Lawler bekommen hast, steht nicht die ganze Summe, sondern er ist nur ein kleines Geschenk, um dir über die ersten Wochen der Arbeitslosigkeit zu helfen und bei deiner Reise nach Paris.

Wenn du zurück nach England kommst, nimm diesen Brief mit zu Michael in sein Londoner Büro, und er gibt dir alle nötigen Dokumente, sodass du Zugang zu einem Konto hast, das er in meinem Auftrag für dich eingerichtet hat. Der Betrag auf diesem Konto genügt, dass du dir eine schöne Wohnung kaufen und deine Studiengebühren und die Lebenshaltungskosten decken kannst, solange du Vollzeit-Studentin bist.

Meine Eltern wissen das inzwischen alles. Ich hoffe, dass dadurch und durch die notariell beglaubigten Unterlagen, die Michael Lawler bereitstellt, so wenig Theater wie möglich darum gemacht wird.

Clark, ich höre praktisch von hier aus, wie du anfängst, total überzureagieren. Gerate nicht in Panik, und versuche nicht, das Geld wegzugeben – es genügt ohnehin nicht, damit du den Rest deines Lebens auf der faulen Haut liegen kannst. Aber es soll dir ein bisschen Freiheit erkaufen, sowohl von diesem klaustrophobischen Städtchen, das wir unsere Heimat nennen, als auch von der Art Entscheidungen, an die du dich bisher gebunden gefühlt hast.

Ich gebe dir das Geld nicht, weil ich möchte, dass du wehmütig wirst oder glaubst, mir etwas zu schulden, oder womöglich meinst, ich wollte mir damit so etwas wie ein verdammtes Denkmal setzen.

Ich gebe es dir, weil es nicht mehr viel gibt, was mich außer dir noch glücklich macht.

Mir ist klar, dass du gelitten hast, weil du mich kanntest, dass du getrauert hast, und ich hoffe, dass du eines Tages, wenn du nicht mehr so wütend auf mich bist, nicht nur erkennen wirst, dass ich das Einzige getan habe, was ich tun konnte, sondern auch, dass es dir helfen wird, ein richtig gutes Leben zu führen, ein besseres Leben, als du es hättest, wenn wir uns nie begegnet wären.

Eine Zeitlang wirst du dich in deiner neuen Welt unbehaglich fühlen. Es ist nie ein schönes Gefühl, wenn man aus seiner Kuschelecke vertrieben wird. Aber ich hoffe, du bist auch ein bisschen begeistert. Dein Gesicht, als du vom Tauchen zurückgekommen bist, hat mir alles gesagt. Du hast einen Hunger in dir, Clark. Eine Furchtlosigkeit. Die hast du einfach nur in dir begraben, wie es die meisten Leute tun.

Ich sage dir nicht, dass du von Hochhäusern springen oder mit Walen schwimmen oder so was machen sollst (obwohl ich heimlich doch hoffe, dass du es tust), aber du sollst ein unerschrockenes Leben führen. Fordere dich heraus. Niste dich nicht irgendwo ein. Trag deine Ringelstrumpfhosen mit Stolz. Und wenn du dich unbedingt mit irgendeinem lachhaften Kerl niederlassen musst, dann sorg dafür, dass ein Teil von dem Geld sicher weggepackt ist. In dem Bewusstsein zu leben, dass man noch andere Möglichkeiten hat, ist ein Luxus. Und zu wissen, dass ich dir einen Teil dieser Möglichkeiten schaffen kann, hat mir manches leichter gemacht.

Also. Du hast mich mitten ins Herz getroffen, Clark. Vom ersten Tag an, an dem du mit deinen lächerlichen Klamotten hereingestapft bist und mit deinen schlechten Witzen und deiner absoluten Unfähigkeit, irgendein Gefühl zu verbergen. Du hast mein Leben viel stärker verändert, als dieses Geld dein Leben jemals ändern kann.

Denk nicht zu oft an mich. Ich will mir nicht vorstellen, dass du die ganze Zeit rumheulst. Genieße einfach das Leben.

Lebe einfach.

In Liebe,

Will

Eine Träne war vor mir auf den klapprigen Tisch getropft. Ich wischte mir mit der Handfläche über die Wange und legte den Brief auf den Tisch. Es dauerte ein paar Minuten, bis mein Blick nicht mehr verschwamm.

«Noch einen Kaffee?», fragte der Kellner, der vor mir aufgetaucht war.

Ich blinzelte ihn an. Er war jünger, als ich gedacht hatte, und er hatte diese leicht überhebliche Art aufgegeben. Vielleicht waren Kellner in Paris darauf trainiert, mit weinenden Frauen in ihren Cafés nett umzugehen.

«Vielleicht … einen Cognac?» Er warf einen flüchtigen Blick auf den Brief und lächelte verständnisvoll.

«Nein», sagte ich und lächelte zurück. «Danke. Ich … ich habe noch etwas zu tun.»

Ich bezahlte und steckte den Brief sorgfältig ein.

Dann trat ich von dem Tisch weg, rückte meine Schultertasche zurecht und machte mich auf den Weg die Straße hinunter in Richtung der Parfümerie und ganz Paris dahinter.

Dank

Ich danke meiner Agentin Sheila Crowley bei Curtis Brown und meiner Lektorin Mari Evans bei Penguin, die beide in diesem Buch sofort das gesehen haben, was es ist – eine Liebesgeschichte.

Besonderer Dank geht an Maddy Wickham, die mich zu einem Zeitpunkt angespornt hat, zu dem ich nicht wusste, ob ich dieses Buch überhaupt schreiben konnte oder sollte. Danke an das wunderbare Team bei Curtis Brown, vor allem an Jonny Geller, Tally Garner, Katie McGowan, Alice Lutyens und Sarah Lewis, für den Enthusiasmus und die gute Vertretung.

Bei Penguin möchte ich mich besonders bei Louise Moore, Clare Ledingham und Shân Morley Jones bedanken.

Ein Riesendankeschön auch an alle vom Writersblock-Forum – meinem persönlichen Fight Club. Aber ohne die Prügeleien. Ein Dank auch an India Knight, Sam Baker, Emma Beddington, Trish Deseine, Ales Heminsley, Jess Ruston, Sali Hughes, Tara Manning und Fanny Blake. Danke an Lizzie und Brian Sanders und an Jim, Bea und Clemmie Moyes. Aber vor allem danke ich, wie immer, Charles, Saskia, Harry und Lockie.

Materialien für Lesekreise

Auf den folgenden Seiten finden Sie weiterführende Informationen zu Jojo Moyes und ihrem Roman *Ein ganzes halbes Jahr*. Außerdem haben wir für Sie Grundlagen für eine Diskussion im Lesekreis zusammengestellt.

Über die Autorin

Jojo Moyes ist in London aufgewachsen. Sie schreibt regelmäßig u. a. für den *Daily Telegraph* und die *Daily Mail* und hat bereits eine Reihe von Romanen veröffentlicht. Sie lebt mit ihrem Mann und ihren drei Kindern auf einer Farm in Essex.

Im Gespräch mit Jojo Moyes

1. **Erzählen Sie uns doch ein bisschen davon, wie Sie auf die Ideen für Ihre Romanfiguren und die Handlungen kommen.**

Die kommen aus allen möglichen Richtungen. Oft ist es ein Gesprächsfetzen oder eine Nachrichtenmeldung, die sich einfach in meinem Kopf einnistet. Manchmal habe ich auch eine Idee für eine Figur, und dann verbinden sich solche Elemente in meinem Unterbewusstsein. «Ein ganzes halbes Jahr» ist das eingängigste Buch, das ich je geschrieben haben – in der Hinsicht, dass ich es in zwei Sätzen zusammenfassen könnte. Aber die meisten sind einfach so gewachsen und enthalten eine Menge Einfälle und Themen, die ich miteinander kombiniert habe. Ich glaube, bei diesem Buch stand deshalb die Frage, was ein gutes Leben ausmacht, so im Vordergrund, weil ich zwei Verwandte hatte, denen ein Leben im Pflegeheim drohte, und ich weiß, dass die eine vermutlich jede andere Alternative vorgezogen hätte.

2. **Mit welcher Figur in «Ein ganzes halbes Jahr» identifizieren Sie sich am stärksten?**

Tja, bestimmt zum Teil mit Lou. Ich hatte als Kind ein Paar Ringelstrumpfhosen, die ich geliebt habe! Ich glaube, man muss sich bis zu einem gewissen Grad mit allen Romanfiguren identifizieren, sonst kommen sie nicht glaubwürdig rüber. Ich identifiziere mich auch ein bisschen mit Camilla. Als Mutter kann ich mir die Entscheidung, vor der sie stand, überhaupt nicht vorstellen, und ich finde es sehr nachvollziehbar, dass eine Frau in dieser Situation emotional dichtmacht.

3. Warum haben Sie «Ein ganzes halbes Jahr» in einer kleinen, geschichtsträchtigen Stadt mit einer Burg im Zentrum spielen lassen?

Ich habe für dieses Buch alle möglichen Umgebungen ausprobiert. Ich bin durch ganz Schottland gefahren, um eine Burg und ein Städtchen zu finden, das ‹passt›. Es war mir wichtig, dass Lou aus einer Kleinstadt und nicht aus einer Großstadt kommt, denn ich lebe selbst in einer Kleinstadt und bin fasziniert davon, dass so aufzuwachsen zugleich sehr behaglich und unglaublich erdrückend sein kann. Eine Burg wollte ich, weil sie das deutlichste Symbol für altes Geld ist. Großbritannien ist immer noch unglaublich engstirnig, was das Klassendenken angeht, und das fällt uns erst auf, wenn wir woanders sind, wo es das so nicht gibt, zum Beispiel in den USA oder Australien. Ich habe den Klassenunterschied zwischen Will und Lou gebraucht, um das Verhältnis klar beschreiben zu können.

4. In «Ein ganzes halbes Jahr» behandeln Sie ein sehr sensibles Thema – das Recht auf einen selbstbestimmten Tod. Fanden Sie es schwierig, darüber zu schreiben? Warum haben Sie sich für dieses Thema entschieden?

Vor ein paar Jahren habe ich von Daniel James' Schicksal gehört, einem jungen Rugby-Spieler, der gelähmt war und seine Eltern überredete, ihn zu Dignitas zu bringen. Am Anfang war ich einfach nur entsetzt – welche Mutter konnte so etwas nur tun? –, aber je mehr ich darüber las, desto klarer wurde mir, dass man bei solchen Themen nicht einfach von Richtig oder Falsch sprechen kann. Wer hat das Recht, für einen anderen zu definieren, was Lebensqualität ist? Wie verhält man sich, wenn man ein Leben leben muss, das nichts mehr mit dem zu tun hat, was man sich ausgesucht hätte? Wie reagiert man als Eltern, wenn das eigene Kind wirklich zum Sterben entschlossen ist? Und das Leben als Tetraplegiker heißt eben nicht nur im Rollstuhl sitzen – es ist ein niemals endender Kampf gegen Schmerzen und Infektionen und psychische Tiefs. Das Thema hat mich nicht mehr losgelassen. Und ich glaube, dass man das Buch schreiben muss, das in einem brennt, auch wenn es keines ist, das auf den ersten Blick sonderlich gut verkäuflich wirkt.

Ich habe «Ein ganzes halbes Jahr» deshalb tatsächlich ohne Verlagsvertrag geschrieben – und war angesichts des kontroversen Themas auch nicht überzeugt, dafür einen Verlag finden zu können. Es war einfach ein Buch, das ich schreiben musste. Und es nur für mich zu tun, war merkwürdig befreiend. Als es fertig war, haben mir aber glücklicherweise mehrere Verlage Angebote gemacht, und ich bin sehr froh, dass ich bei Penguin gelandet bin.

5. Gab es Reaktionen von Betroffenen, die das Buch gelesen haben?

Ich habe überwältigend viele E-Mails und Briefe von Tetraplegikern, ihren Verwandten und Betreuern erhalten. Fast ausnahmslos hat ihnen das Buch sehr gefallen. Viele von ihnen schreiben, dass es zeigt, womit sie täglich umgehen müssen – den Schwierigkeiten, von einem Ort zum anderen zu gelangen, der Art, wie sich die Leute ihnen gegenüber verhalten. Aber am meisten hat sie gefreut, dass jemand mit einer schweren Behinderung als vielschichtig gezeigt wird, als Mensch, der nicht weniger sexy ist als andere und an dem die Behinderung im Grunde das Uninteressanteste ist.

Die anderen zwei E-Mails, über die ich mich besonders gefreut habe, kamen von Geistlichen, die schrieben, sie hätten sehr entschiedene Ansichten zum Recht auf Sterben gehabt, aber der Roman habe sie dazu gebracht, diese noch einmal zu überdenken. Ich finde den Gedanken wundervoll, dass mein Buch das ausgelöst hat.

6. Ihre Bücher kreisen immer um eine unglaublich berührende Liebesgeschichte. Was hat dieses sehr emotionale Thema an sich, dass Sie darüber schreiben wollten?

Keine Ahnung! Im echten Leben bin ich nicht einmal besonders romantisch. Ich glaube, Liebe ist die Sache, die uns zu den außergewöhnlichsten Dingen treibt – das Gefühl, das uns nach ganz oben und nach ganz unten bringt oder uns am stärksten verändert –, und über extreme Emotionen zu schreiben, ist immer interessant. Außerdem bin ich ein zu großer Angsthase, um Horror-Romane zu schreiben …

7. Haben Sie schon einmal geweint, während Sie eine Szene in einem Ihrer Bücher geschrieben haben?

Das mache ich dauernd. Wenn ich nicht weine, während ich eine emotionale Szene schreibe, sagt mir mein Bauchgefühl, dass sie nicht gelungen ist. Ich möchte die Leser etwas spüren lassen – und mich selbst zum Weinen zu bringen ist mein Lackmustest dafür geworden, ob das funktioniert. Schon eine komische Art, sein Geld zu verdienen, oder?

Diskussionsfragen

1. Als Lou und Will sich zum ersten Mal treffen, reagiert er sehr ablehnend auf sie. Er spielt ihr sogar einen gemeinen Streich. Was war jeweils Ihr erster Eindruck von Will und Lou? Hat sich Ihre Meinung über die beiden im Laufe des Buches verändert?

2. Will und Lou üben einen großen Einfluss aufeinander aus. Wie verändern sich ihre Leben, nachdem sie sich getroffen haben? Auf welche Weise beeinflussen sie sich gegenseitig?

3. Als Lou von Wills Entscheidung erfährt, sein Leben mit Hilfe von Dignitas zu beenden, ist sie entsetzt darüber, dass seine Mutter Camilla bereit ist, ihren Sohn dabei zu unterstützen. Lou hält das anfangs für herzlos, eine Ansicht, die von anderen Figuren wie Georgina und Lous Mutter geteilt wird. Was denken Sie über Camilla? Halten Sie dieses Urteil für berechtigt?

4. Sowohl Will als auch Lou ist etwas Schreckliches zugestoßen, das ihr jeweiliges Leben verändert hat – Wills Unfall und Lous traumatisches Erlebnis im Schlosslabyrinth. In welcher Hinsicht ähneln bzw. unterscheiden sich ihre Reaktionen auf diese Erfahrung?

5. Als sein Pfleger und Freund ist auch Nathan sehr wichtig in Wills Leben. Wie bedeutend ist seine Rolle im Roman? Wie beeinflusst er das Verhältnis zwischen Will, Lou und Wills Eltern?

6. Lou hat, trotz ihrer häufigen Streitereien mit ihrer Schwester Treena, ein sehr enges Verhältnis zu ihrer Familie. Welchen Einfluss hat die Familie auf Lous Entscheidungen? Beispielsweise darauf, die Stelle bei den Traynors auch dann noch zu behalten, als sie erfährt, warum sie nur für sechs Monate angestellt ist? Oder darauf, in die Schweiz zu fahren, um Will beizustehen?

7. Will und Lou kommen aus ganz verschiedenen Welten. Vor seinem Unfall war Wills Leben sehr privilegiert, geprägt von Ehrgeiz und Erfolg, während Lou aus einfachen Verhältnissen stammt und ihr ganzes Leben in ihrer kleinen, wenig aufregenden Heimatstadt verbracht hat. Denken Sie, dass sich die beiden ineinander verliebt hätten, wenn sie sich unter anderen Umständen begegnet wären?

8. Wills Wunsch, selbst über seinen Tod zu bestimmen, und Lous Entschlossenheit, ihn davon abzubringen, sind Themen, die sich durch den ganzen Roman ziehen. Was haben Sie von Wills Entscheidung am Ende gehalten? Hatten Sie damit gerechnet? Finden Sie, dass der Roman anders hätte ausgehen sollen?

JOJO MOYES

Eine Handvoll Worte

Leseprobe

Die Journalistin Ellie durchforstet das Archiv ihrer Zeitung nach einer guten Geschichte – und findet einen Brief aus den 60er Jahren: Ein Mann bittet die Liebe seines Lebens, ihren Ehemann zu verlassen und mit ihm nach New York zu gehen. Der Brief berührt Ellie zutiefst, denn sie ist selbst unglücklich in einen verheirateten Mann verliebt. Wer hat diesen Brief geschrieben? Was ist aus den Liebenden geworden? Bei ihren Nachforschungen stößt Ellie auf Jennifer, eine Frau, die alles verloren hat – außer einer Handvoll kostbarer Worte …

Der Roman «Eine Handvoll Worte» von Jojo Moyes erscheint im Oktober 2013 bei Polaris.

Eine Handvoll Worte

London, 1960

Die Straßen waren gedrängt voll mit Fußgängern, in der einbrechenden Dämmerung gingen die Straßenlaternen an. Jennifer rannte, der Koffer schlug ihr gegen die Beine, ihr Herz pochte. Es war fast Viertel vor sieben. Sie stellte sich vor, wie ihr Mann Laurence nach Hause kommen und gereizt nach ihr rufen würde. Eine weitere halbe Stunde würde es dauern, bis er sich richtig Sorgen machte, doch dann würde sie bereits am Bahnsteig stehen.

Ich komme, Anthony, ging es ihr durch den Kopf, und das Gefühl in ihrer Brust mochte Aufregung sein oder Angst oder eine berauschende Mischung aus beidem.

Das endlose Hin und Her der Menschen am Bahnsteig machte einen Überblick unmöglich. Sie verschwammen vor seinen Augen, verwoben sich ineinander und lösten sich wieder, er wusste schon nicht mehr, wonach er Ausschau hielt. Anthony stand neben einer schmiedeeisernen Bank, die Koffer zu seinen Füßen, und schaute zum tausendsten Mal auf seine Uhr. Kurz

531

vor sieben. Wenn sie hätte kommen wollen, dann wäre sie doch bestimmt schon hier, oder?

Er warf einen Blick auf die Anzeigetafel, dann auf den Zug, der ihn zum Flughafen Heathrow bringen würde. Beruhig dich. Sie wird kommen.

«Nehmen Sie den um sieben Uhr fünfzehn, Sir?» Der Schaffner stand neben ihm. «Der Zug fährt in ein paar Augenblicken ab, Sir. Wenn das Ihrer ist, dann würde ich Ihnen raten einzusteigen.»

«Ich warte noch auf jemanden.»

Er spähte den Bahnsteig entlang zur Absperrung. Eine alte Frau stand dort und wühlte nach einer längst verlorenen Fahrkarte. Sie schüttelte den Kopf, was vermuten ließ, dass ihre Handtasche nicht zum ersten Mal ein wichtiges Dokument verschluckt hatte. Zwei Kofferträger standen plaudernd beisammen. Sonst war da niemand.

«Der Zug wartet nicht, Sir. Der nächste geht um Viertel vor zehn, falls Ihnen das hilft.»

Er begann zwischen den beiden schmiedeeisernen Bänken hin und her zu gehen und versuchte, nicht noch einmal auf seine Uhr zu schauen. Er dachte an ihr Gesicht an dem Abend bei Alberto's, als sie gesagt hatte, dass sie ihn liebte. Sie hatte es ohne jede Falschheit gesagt. Lügen lag ihr nicht. Er wagte sich nicht vorzustellen, wie es sich wohl anfühlen mochte, jeden Morgen neben ihr aufzuwachen, das Hochgefühl, von ihr geliebt zu werden, und die Freiheit, ihre Liebe zu erwidern.

Der Brief, den er ihr geschickt hatte, war wie ein Glücksspiel gewesen, mit dem darin enthaltenen Ultimatum, doch in jener Nacht war ihm klargeworden, dass sie recht hatte: Sie konnten so nicht weitermachen. Die schiere Macht ihrer Gefühle würde sich sonst in etwas Giftiges verwandeln. Sie würden es sich am Ende nicht verzeihen können, dass sie unfähig waren, zu tun, was sie sich so sehnlich wünschten. Sollte nun das Schlimmste eintreten, dann hatte er wenigstens ehrenvoll gehandelt. Doch irgendwie glaubte er nicht, dass das Schlimmste eintreten würde. Sie würde kommen. Alles an ihr sagte ihm das.

Wieder schaute er auf seine Armbanduhr und fuhr sich mit den Fingern durch die Haare. Sein Blick wanderte zu den wenigen Fahrgästen, die noch durch die Absperrung kamen.

Es war kaum zu glauben. Kurz nachdem sie auf die Straße getreten war, hatte es angefangen zu regnen, der Himmel färbte sich in ein schmutziges Orange, dann wurde er schwarz. Wie auf eine stumme Anweisung waren alle Taxis besetzt. Jeder schwarze Umriss, den sie erblickte, hatte sein gelbes Licht ausgeschaltet; irgendein schemenhafter Fahrgast war bereits unterwegs zu seinem Ziel. Sie winkte, bis ihr beinahe der Arm abfiel. Seht ihr denn nicht, wie dringend es ist?, hätte sie am liebsten geschrien. Von dieser Fahrt hängt mein Leben ab.

Inzwischen stürzte der Regen sintflutartig vom Himmel, wie bei einem tropischen Gewitter. Immer wieder stieß sie gegen aufgespannte Regenschirme, während sie an der Bordsteinkante von einem Fuß auf den anderen trat. Binnen kurzem war sie komplett durchnässt.

Als der Minutenzeiger ihrer Armbanduhr sich der Sieben näherte, hatte sich ihre anfänglich freudige Erregung in Furcht verwandelt. Sie würde es nicht rechtzeitig schaffen. Laurence konnte jeden Augenblick nach ihr suchen. Zu Fuß würde sie es nicht schaffen, auch wenn sie ihren Koffer stehenließ.

Angst stieg wie eine Flutwelle in ihr hoch, der Verkehr rauschte vorbei und warf hohe Wasserfontänen gegen die Beine der Passanten.

Plötzlich kam ihr eine Idee. Sie begann zu laufen, schob sich an den Menschen vorbei, die ihr im Weg standen, ausnahmsweise war es ihr gleichgültig, welchen Eindruck sie hinterließ. Sie lief durch die vertrauten Straßen, bis sie die fand, nach der sie gesucht hatte. Sie ließ ihren Koffer oben an der Treppe stehen und lief hinunter in den dunklen Club.

Felipe, der Besitzer, stand gerade an der Bar und polierte Gläser. Sonst war niemand da außer der Garderobenfrau. Der Club kam ihr überwältigend still, geradezu versteinert vor, obwohl leise Musik im Hintergrund spielte.

«Er ist nicht hier, Lady.» Felipe schaute nicht einmal auf.

«Ich weiß.» Sie war derart außer Atem, dass sie kaum sprechen konnte. «Aber es ist schrecklich wichtig. Haben Sie einen Wagen?»

Sein Blick war nicht freundlich. «Schon möglich.»

«Könnten Sie mich zum Bahnhof bringen? Nach Paddington?»

«Sie wollen von mir gefahren werden?» Sein Blick glitt über ihre nassen Kleider und die am Kopf klebenden Haare.

«Ja. Ja! Ich habe nur noch eine Viertelstunde Zeit. Bitte.»

Er sah sie an. Jennifer fiel ein großes, halb leeres Glas Scotch auf, das vor ihm stand.

«Bitte! Ich würde Sie nicht fragen, wenn es nicht wichtig wäre.» Sie beugte sich vor. «Ich bin auf dem Weg zu Anthony. Hören Sie, ich habe Geld …» Sie kramte in ihrer Tasche nach Geldscheinen. Selbst die waren feucht.

Er griff hinter sich durch eine Tür und zog einen Schlüsselbund hervor. «Ich will Ihr Geld nicht.»

«Vielen Dank; oh, ich bin Ihnen so dankbar», sagte sie atemlos. «Bitte beeilen Sie sich. Wir haben keine fünfzehn Minuten mehr.»

Bis zu seinem Wagen war es ein kurzer Fußweg, und als sie dort ankamen, war auch Felipe durchnässt. Er hielt ihr die Tür nicht auf, sie zerrte am Griff, schleuderte ihren tropfenden Koffer stöhnend auf den Rücksitz. «Bitte! Fahren Sie los!», sagte sie und wischte sich den nassen Pony aus dem Gesicht, Felipe aber saß reglos auf dem Fahrersitz. O Gott, bitte sei nicht betrunken, flehte sie ihn im Stillen an. Bitte sag mir jetzt nicht, dass du nicht fahren kannst, dass der Tank leer ist, dass du deine Meinung geändert hast. «Bitte. Wir haben nur noch so wenig Zeit.» Sie versuchte, sich ihren Zorn nicht anmerken zu lassen.

«Mrs. Stirling? Bevor ich Sie fahre …»

«Ja?»

«Ich muss wissen … Anthony, er ist ein guter Mann, aber …»

«Ich weiß, dass er verheiratet war. Ich weiß Bescheid über seinen Sohn. Ich weiß alles», sagte sie ungeduldig.

«Er ist zerbrechlicher, als er zugibt.»

«Was?»

«Brechen Sie ihm nicht das Herz. Ich habe ihn noch nie so mit einer Frau erlebt. Wenn Sie sich nicht sicher sind, wenn auch nur eine Chance besteht, dass Sie wieder zu Ihrem Mann zurückgehen, bitte, tun Sie das hier nicht.»

Der Regen prasselte auf das Dach des kleinen Wagens. Sie streckte eine Hand aus und legte sie auf seinen Arm. «Ich bin nicht … ich bin nicht die, für die Sie mich halten. Wirklich.»

Er warf ihr einen Seitenblick zu.

«Ich … will einfach nur bei ihm sein. Ich gebe alles für ihn auf. Für mich gibt es nur ihn. Anthony», sagte sie, und bei den Worten hätte sie am liebsten vor Anspannung gelacht. «Und jetzt los! Bitte!»

«Okay», sagte er und riss das Lenkrad herum, dass die Reifen quietschten. «Wohin?»

Fahrig zog sie den Brief aus dem Umschlag.

Meine einzige, wahre Liebe. Was ich gesagt habe, war auch so gemeint. Ich bin zu dem Schluss gekommen, der einzige Weg nach vorn besteht darin, dass einer von uns eine kühne Entscheidung trifft …

Ich werde die Stelle in New York annehmen. Am Freitagabend werde ich um 7:15 h am Bahnhof Paddington sein, Gleis 4 …

«Bahnsteig vier», schrie sie. «Uns bleiben nur noch elf Minuten.»

2003

Ellie Haworth lebt den Traum. Das sagt sie sich zumindest gerne, wenn sie nach zu viel Wein verkatert und mit einem Anflug von Melancholie aufwacht, in ihrer perfekten kleinen Wohnung, die niemand in ihrer Abwesenheit in Unordnung bringt. (Insgeheim wünscht sie sich eine Katze, hat jedoch Angst, zu sehr zu einem Klischee zu werden.) Sie hat einen Job als Journalistin bei einer der wichtigsten Zeitungen des Landes, beneidenswert unkompliziertes Haar, einen Körper, der im Grunde an den richtigen Stellen kurvig und schlank ist, und ist so hübsch, dass die Leute starren, wobei sie noch immer so tut, als wäre ihr das unangenehm. Sie hat eine scharfe Zunge – ihrer Mutter zufolge zu scharf –, ist schlagfertig, besitzt mehrere Kreditkarten und ein kleines Auto, mit dem sie ohne männliche Hilfe zurechtkommt. Wenn sie Menschen trifft, die sie aus der Schulzeit kennt, und von ihrem Leben erzählt, spürt sie Neid: Sie hat noch nicht das Alter erreicht, in dem der Mangel an Ehemann oder Kindern als Versagen wahrgenommen wird. Lernt sie Männer kennen, merkt sie, dass die Ellies Eigenschaften abchecken – toller Job, gute Figur, Sinn für Humor –, als wäre sie eine Siegestrophäe.

Wenn sie neuerdings das Gefühl hat, der Traum sei ein wenig verschwommen, der Biss, für den sie im Büro früher berühmt war, habe sie verlassen, seit sie John kennt, wenn sie das Gefühl hat, die Beziehung, die sie anfangs so elektrisierend fand, verschlinge sie allmählich, sodass es längst nicht mehr beneidenswert ist, verdrängt sie den Gedanken. Das ist einfach, wenn man von seinesgleichen umgeben ist, Journalisten und Schriftstellern, die viel trinken, feiern, desaströse Affären und daheim unglückliche Partner haben, die sich am Ende auch auf Affären einlassen, weil sie es leid sind, vernachlässigt zu werden. Sie ist eine von ihnen, eine aus ihrer Kohorte, lebt ein Leben wie in den Hochglanzmagazinen, ein Leben, das sie angestrebt hat, seitdem sie zum ersten Mal den Wunsch verspürte, Journalistin zu werden. Sie ist erfolgreich, alleinstehend, egoistisch. Ellie Haworth ist so glücklich, wie sie nur sein kann. Wie überhaupt jemand, wenn man es recht bedenkt.

Und niemand bekommt alles, sagt sich Ellie, wenn sie hin und wieder aufwacht und versucht, sich daran zu erinnern, wessen Traum es eigentlich ist, den sie da lebt.

Sie gleitet auf den Stuhl vor ihrem Computer. Es ist ihr Geburtstag, aber auf dem Schreibtisch ist davon nichts zu sehen. Keine Notiz, die sie auf einen Blumenstrauß aufmerksam macht, der am Empfang auf sie wartet. Keine Pralinen, kein Champagner. Achtzehn E-Mails sind in ihrem Posteingang, die Junkmail nicht mitgerechnet. Ihre Mutter, die im vergangenen Jahr einen Computer gekauft hat und noch immer jeden Satz in einer Mail mit einem Ausrufezeichen beendet, hat ihr eine Nachricht geschickt:

Herzlichen Glückwunsch zum Geburtstag! Dem Hund geht es gut, seitdem er eine neue Hüfte hat! Die Operation war teurer als die von Grandma Haworth!!!

Die Redaktionsassistentin hat ihr eine Erinnerung an die Konferenz an diesem Morgen geschickt.

Nichts von John. Nicht einmal ein versteckter Gruß. Sie seufzt und fährt dann zusammen, als sie ihre Chefin Melissa sieht, die bereits in das Konferenzzimmer schreitet.

Ihr wird klar, dass sie ein Problem hat. Hektisch durchwühlt sie ihren Schreibtisch. Sie hat sich von diesem alten Liebesbrief derart ablenken lassen, dass sie für die Sonderausgabe nichts zu präsentieren hat. Sie schnappt sich den nächstliegenden Ordner – damit es wenigstens so aussieht, als hätte sie alles im Griff – und eilt zu der Besprechung.

«Also, die Gesundheitsseiten sind so weit fertig und entstaubt, ja? Und haben wir den Artikel über Arthritis? Ich wollte diesen Kasten am Rand mit den alternativen Heilmethoden. Gibt es Promis mit Arthritis? Das würde die Bilder aufpeppen. Die hier sind ein bisschen langweilig.»

Ellie fummelt an ihren Unterlagen herum. Es ist kurz vor zehn. Was hätte es ihn gekostet, ein paar Blumen zu schicken? Er hätte beim Blumenhändler bar bezahlen können, wenn er wirklich Angst hatte, dass etwas auf seiner Kreditkartenabrechnung stehen könnte; so hat er es schon einmal gemacht.

Vielleicht zieht er sich von ihr zurück. Vielleicht ist der Urlaub auf Barbados ein Versuch, sich mit seiner Frau auszusöhnen. Vielleicht wollte er Ellie damit auf feige Art zu verstehen geben, dass sie ihm weniger wichtig ist als bisher.

Ellie seufzt, verärgert über die Richtung, in die ihre Gedanken wandern. Was zum Teufel macht sie? Sie stellt so wenige Ansprüche. Warum? Weil sie Angst hat, wenn sie um mehr bittet, könnte er sich in die Enge getrieben fühlen, und alles wird zusammenbrechen. Sie hat von Anfang an gewusst, wie die Abmachung lautete. Sie kann nicht behaupten, sie sei getäuscht worden. Aber mit wie wenig muss sie sich zufriedengeben? Es ist eine Sache, zu wissen, dass man leidenschaftlich geliebt wird und nur aufgrund äußerer Umstände voneinander getrennt ist. Aber wenn es noch nicht einmal *dafür* Anzeichen gibt …

«Ellie?»

«Hm?» Sie schaut auf, und zehn Augenpaare sind auf sie gerichtet.

«Du wolltest mit uns die Ideen für die Sonderausgabe durchsprechen.» Melissas Blick ist nichtssagend und durchdringend zugleich. «Die Damals-und-heute-Seiten?»

«Ja», erwidert Ellie und blättert durch den Hefter auf ihrem Schoß, um ihr Erröten zu verbergen. «Ja … Nun, ich dachte, es wäre interessant, die alten Seiten direkt zutage zu fördern. Es gab eine Kummerkastentante, daher dachte ich, wir könnten damals mit heute vergleichen und gegenüberstellen.»

«Ja», sagt Melissa. «Darum habe ich dich letzte Woche gebeten. Du wolltest mir zeigen, was du gefunden hast.»

«Oh. Es tut mir leid. Die Seiten sind noch im Archiv. Die Bibliothekare sind ein bisschen paranoid, sie wollen sicherstellen, dass sie wissen, wo alles ist, wegen des Umzugs», stammelt sie.

«Warum hast du keine Fotokopien gemacht?»

«Ich …»

«Ellie, das wird knapp. Ich dachte, du hättest es schon seit Tagen erledigt.» Melissas Stimme ist eisig. Die anderen halten den Blick gesenkt, sie wollen die unvermeidliche Enthauptung nicht mit ansehen. «Soll ich die Aufgabe jemand anderem geben? Einer Praktikantin vielleicht?»

Sie weiß, dass dieser Job schon seit Monaten nur ein Schatten auf meinem täglichen Radarschirm ist, denkt Ellie. Sie merkt, dass ich in Gedanken woanders bin – in einem zerwühlten Hotelbett oder einem fremden Einfamilienhaus, in dem ich eine ständige Parallelunterhaltung mit einem Mann führe, der nicht da ist. Außer ihm existiert nichts, und sie hat mich durchschaut.

Melissa verdreht die Augen.

Ellie wird plötzlich klar, wie wackelig ihre Stellung ist. «Ich dachte, dir würde das hier besser gefallen.» Der Umschlag steckt zwischen den Unterlagen, und sie schiebt ihn ihrer Chefin zu. «Ich habe versucht, ein paar Informationen darüber zu finden.»

Melissa liest den kurzen Brief und runzelt die Stirn. «Wissen wir, um wen es geht?»

«Noch nicht, aber ich arbeite daran. Ich dachte, es könnte ein toller Artikel werden, wenn ich herausbekomme, was aus den beiden Liebenden geworden ist. Ob sie am Ende zusammenkamen.»

Melissa nickt. «Ja. Das klingt nach Seitensprung. Skandal in den Sechzigern, was? Wir könnten es als Beispiel dafür verwenden, wie die Moral sich verändert hat. Wie lange dauert es noch, bis du sie findest?»

«Ich habe die Fühler ausgestreckt.»

«Bekomm heraus, was geschehen ist, ob sie geächtet wurden.»

«Wenn die Ehe weiterbestanden hat, kann es sein, dass sie die Geschichte nicht veröffentlicht sehen wollen», bemerkt Rupert. «So etwas war damals eine viel größere Sache.»

«Du kannst ihnen ja Anonymität anbieten, wenn es sein muss», sagt Melissa, «aber im Idealfall hätten wir gern Bilder – wenigstens aus der Zeit, als der Brief geschrieben wurde. Damit dürfte es schwieriger sein, sie zu identifizieren.»

«Ich habe sie noch nicht gefunden.» Das Prickeln auf ihrer Haut sagt Ellie, dass das keine gute Idee war.

«Aber du wirst sie finden. Falls du Hilfe brauchst, sprich jemanden aus der Nachrichtenredaktion an. Die sind gut bei solchen investigativen Geschichten. Und ja, das hätte ich gern nächste Woche. Aber zuerst sieh zu, dass du die Problemseiten auf die Reihe bekommst. Ich hätte gern bis heute Abend Beispiele, die ich auf einer Doppelseite präsentieren kann. Okay? Wir sehen uns morgen wieder, um dieselbe Zeit.» Sie geht bereits mit langen Schritten Richtung Tür, ihr perfekt frisiertes Haar wippt auf und ab wie in einer Shampoowerbung.

Ellie steht am Kopierer und blättert in einem der alten Ordner aus dem Jahr 1960, die ihr der Archivar herausgesucht hat.

Ich bin 25 und habe eine ziemlich gute Stelle, aber nicht gut genug, um alles zu haben, was ich möchte – ein Haus, ein Auto und eine Frau.

«Weil man offensichtlich eine von denen zum Haus und zum Auto dazu erwirbt», murmelt Ellie über dem verblassten Artikel. Obwohl eine Waschmaschine wahrscheinlich noch höher auf der Prioritätenliste stand.

Mir ist aufgefallen, dass viele meiner Freunde geheiratet haben, und ihr Lebensstandard ist beträchtlich gesunken. Seit drei Jahren habe ich eine Freundin, und ich würde sie gern heiraten. Ich habe sie gebeten, drei Jahre zu warten, bis wir unter besseren Bedingungen leben können, aber sie will sich nicht darauf einlassen.

Drei Jahre, überlegt Ellie. Ich kann es ihr nicht verübeln. Du vermittelst ihr nicht gerade den Eindruck, leidenschaftlich in sie verliebt zu sein, oder?

Entweder wir heiraten dieses Jahr, oder sie will mich gar nicht heiraten. Ich finde, ihre Haltung ist unvernünftig, da ich ihr dargelegt habe, dass sie einen ziemlich niedrigen Lebensstandard haben wird.

Meinen Sie, es gibt noch ein Argument, das ich hinzufügen könnte?

«Nein, Freundchen», sagt Ellie laut und schiebt die nächste alte Zeitungsseite unter den Deckel des Kopiergeräts. «Ich glaube, du hast dich ziemlich klar ausgedrückt.»

Sie geht wieder an ihren Schreibtisch, setzt sich und zieht den zerknitterten, handgeschriebenen Brief hervor.

Meine einzige, wahre Liebe … Wenn du nicht kommst, werde ich wissen, dass das, was wir füreinander empfinden, nicht ganz reicht. Ich will dir keinen Vorwurf machen, Liebling. Ich weiß, die letzten Wochen haben dich unerträglich unter Druck gesetzt, und ich spüre dieses Gewicht deutlich. Ich verabscheue den Gedanken, ich könnte dir Schmerz bereiten.

Ich werde ab Viertel vor sieben auf dem Bahnsteig warten. Du sollst wissen, dass du mein Herz, meine Hoffnungen in den Händen hältst.

Sie liest die Worte immer wieder. Sie enthalten Leidenschaft, Kraft, selbst nach so vielen Jahren noch. Warum sollte man sich den selbstgefälligen Satz «Ich habe ihr dargelegt, dass sie einen ziemlich niedrigen Lebensstandard haben wird» gefallen lassen, wenn man ebenso gut «Du sollst wissen, dass du mein Herz, meine Hoffnungen in den Händen hältst» haben könnte? Sie wünscht der unbekannten Freundin des Briefeschreibers so sehr, dass ihre Geschichte ein glückliches Ende genommen hat.